Théière René deGoutel

ADOLF HITLER A L'ASSAUT DU POUVOIR

RAYMOND CARTIER

ADOLF HITLER
A L'ASSAUT
DU POUVOIR

ROBERT LAFFONT/PARIS-MATCH

Si vous désirez être tenu au courant des publications de l'éditeur de cet ouvrage, il vous suffit d'adresser votre carte de visite aux Éditions Robert LAFFONT, Service « Bulletin », 6, place Saint-Sulpice, 75279 Paris Cedex 06. Vous recevrez régulièrement, et sans aucun engagement de votre part, leur bulletin illustré, où, chaque mois, se trouvent présentées toutes les nouveautés que vous trouverez chez votre libraire.

SOMMAIRE

« *ADOLF HITLER A L'ASSAUT DU POUVOIR* » a été réalisé avec la collaboration de FABIENNE DUBLET et HUBERT D'HAVRIN-COURT pour le secrétariat de rédaction. La documentation, préparée par EVGENI SILIANOFF et PHILIPPE DE BAUSSET, provient d'une multitude de sources dans un grand nombre de pays, notamment d'archives privées et de collections des principaux journaux et périodiques du monde entier.

Les *NATIONAL ARCHIVES* de Washington, l'*AMERICAN LIBRARY IN PARIS*, la *BIBLIOTHÈQUE DE DOCUMENTATION INTER-NATIONALE CONTEMPORAINE* (Université de Paris), la *BIBLIO-THÈQUE DE L'ÉCOLE SUPÉRIEURE DE GUERRE* et les *ARCHIVES PARIS-MATCH* dirigées par MARIE-LOUISE PENÉ doivent être tout particulièrement remerciés pour leur précieuse coopération.

1

LE PREMIER HITLER ET SON FILS

Le train de Linz le ramena à Vienne. Six semaines auparavant, il avait conduit sa mère, Klara Hitler, née Pölzl, au cimetière du Leonding. « En mes quarante années de pratique médicale, dira le docteur juif Eduard Bloch, je n'avais jamais vu une douleur aussi déchirante que celle du jeune Hitler (1). »

Klara Hitler avait été opérée d'une tumeur cancéreuse à la poitrine le 17 janvier 1907. C'était une femme d'une taille au-dessus de la moyenne, une veuve de quarante-sept ans, dont les cheveux bruns grisonnaient à peine, mais dont la souffrance décomposait les traits. Le visage, du type ovin, montrait des yeux marron lumineux, un nez trop fort, un sillon vertical creusant la lèvre supérieure et un menton resserré autour d'une bouche triste. Elle vivait à Urfahr-lez-Linz avec une sœur bossue et célibataire, la tante Johanna, et sa fille Paula, âgée de onze ans. Rappelé de Vienne par le docteur Bloch, Adolf avait « lavé la vaisselle, préparé les repas, récuré l'appartement, pris soin de sa jeune sœur ». La malade s'était éteinte quatre jours avant Noël. La succession réglée, Adolf revenait à Vienne reprendre la poursuite de son rêve.

Vienne avait déjà servi de marchepied au père d'Adolf Hitler. Il était arrivé une cinquantaine d'années auparavant, venant de Spital, village boueux du Waldviertel, aux confins de la Basse-Autriche et de la Bohême, de l'Europe germanique et de l'Europe slave. Celle qui l'avait mis au monde, dans la localité voisine de Strones, était une fille mère de quarante et un ans, Maria-Anna Schicklgruber. Elle avait épousé, cinq ans plus tard, un garçon meunier ambulant, Johann Georg Hiedler, mais il n'avait pas été question de légitimer l'enfant. Le petit Aloïs avait continué à s'appeler Schicklgruber.

Johann Georg Hiedler était au bas mot un besogneux. Son frère cadet, Johann Nepomuk Hüttler (le nom, mal fixé, avait varié d'un frère à l'autre) appartenait, au contraire, à la paysannerie modeste, mais décente, du Waldviertel. Dans des circonstances et à un moment qu'on ignore, il prit à son foyer l'enfant naturel de la femme de son aîné et l'éleva avec ses trois filles, Josefa, Walpurga et Johanna. Le petit Aloïs échappa ainsi à la déchéance dans laquelle s'acheva, le 7 janvier 1847, l'existence de Maria-Anna, et, dix ans plus tard, celle de son époux tardif. Il fréquenta l'école, à une époque où l'analphabétisme était la règle dans les milieux ruraux. Mais en continuant à s'appeler Schicklgruber.

Aloïs n'était néanmoins qu'un humble petit paysan lorsqu'il arriva, vers 1855, dans une Vienne où régnait depuis quelques années un jeune bel empereur blond nommé François-Joseph. Il avait appris à Spital le métier de savetier qu'il exerça pendant quelque temps dans la grande ville. Comment s'instruisit-il, comment entra-t-il, comment s'éleva-t-il dans l'administration impériale et royale, personne n'a encore pu le retracer et son fils Adolf ne s'est jamais soucié de le savoir. On doit inférer de la modestie de ses origines qu'il possédait une personnalité forte et méritante. Les biographes l'ont copieusement noirci, quelquefois caricaturé.

Aloïs Schicklgruber était bâti carré, le regard dur, sous des sourcils autoritaires, portant comme le vêtement de sa réussite un air d'importance. Les écrits qu'il a laissés témoignent jusqu'à ses derniers jours d'une main ferme, d'une orthographe sans défaillance et d'une capacité d'expression plus qu'honnête, avec une propension d'autodidacte à employer des mots difficiles. Il parvint dans les douanes *kaiserliche und königliche,* impériales et royales, à un grade équivalent à celui de capitaine et au neuvième rang de la hiérarchie administrative, soit à la moitié de la distance séparant les plus humbles des plus hauts serviteurs de la double monarchie. Il était rigoureux dans le service, féru d'uniforme, imbu d'esprit de corps et, en même temps, fort indépendant d'idées et de langage. Il aimait le vin, le tabac et la conversation ; il aimait aussi les abeilles, et fut toujours plus assidu auprès de ses ruches qu'au foyer familial.

Aloïs Schicklgruber avait déjà trente-six ans, en 1873, lorsqu'il épousa Anna Glassl qui en comptait cinquante et qui, vraisemblablement, compensait par une dot l'évanouissement de sa jeunesse. Il était alors *Kontrolor bei dem Nebenzollamt I. Klasse in Braunau-am-Inn.* Trois ans plus tard, ses collègues et ses chefs ne durent pas apprendre sans un certain étonnement qu'il n'était plus Schicklgruber — qu'il s'appelait Aloïs Hitler.

Le changement de nom d'Aloïs Schicklgruber, l'introduction dans l'histoire universelle du nom « Hitler », est l'une des énigmes mineures de l'époque contemporaine. Les recherches des hitlérologues n'ont pas encore satisfait pleinement la curiosité qu'elle suscite.

C'était en 1876, au début de l'été, Johann Nepomuk Hüttler, alors dans ses soixante-six ans, se présenta, assisté de trois témoins, devant le curé de la paroisse de Dollersheim, dont dépendait le village de Strones, pour déclarer que le contrôleur des douanes Aloïs Schicklgruber, né et baptisé dans cette même paroisse en 1837, était le fils de son frère décédé, Johann Hiedler, et qu'il en demandait la légitimation. Le curé, chargé de l'état civil, comme partout dans la catholique Autriche, s'appelait le père Zahnschirm. Dans la colonne *Getaufter* (Baptisé), il raya le nom de Schicklgruber, tracé par l'un de ses prédécesseurs, sans le remplacer par un autre. Dans la colonne voisine, il raya la mention « naturel » et fit un bâton sous la mention « légitime ». Dans la case *Vater,* restée vierge, il écrivit, non pas Johann Georg Hiedler, mais Johann Georg Hitler. Dans la case « Observations », également vierge, il enregistra la déclaration des témoins, Josef Romeder, Johann Breiteneder, Engelbert Paukh, lesquels tracèrent chacun trois croix à côté de leurs noms. Lui-même, Zahnschirm, ne data ni ne signa. Le nom, Hitler, aurait donc été créé par l'erreur phonétique d'un curé de campagne enregistrant les dires de trois paysans illettrés.

Mais un préambule à l'étrange légitimation avait échappé jusqu'ici aux hitlérologues. Avant la comparution devant le curé de Dollersheim, les trois témoins, accompagnés probablement par Nepomuk Hüttler, et peut-être par Aloïs Schicklgruber lui-même, avaient fait dresser par le notaire impérial et royal de Weitra, Josef Panker, un « Protocole de Légalisation » daté du 6 juin 1876, sous le numéro 3394. Les trois témoins « confirment que l'ancien meunier et habitant Georg Hitler (*sic*), décédé le 5-6 janvier 1857, à Spital, a déclaré en leur présence et à plusieurs reprises avant sa mort sa dernière et immuable volonté de reconnaître et légitimer en due forme et conformément au droit son fils, Aloïs, né à Strones, ... le 7 janvier 1837, engendré par lui, alors veuf, avec sa défunte épouse, la paysanne non mariée en ce temps-là, Maria-Anna Schicklgruber, comme enfant légitime, pour jouir de tous ses droits et ses biens comme son héritier ». Sur cet acte dûment légalisé, les trois triples croix de Dollersheim signèrent d'une manière fort distincte. Le curé ne fit que reproduire sous une forme abrégée ce qu'avait enregistré l'homme de loi dont il eut sous les yeux le texte écrit (2).

Adolf Hitler devait dire que la modification d'état civil de son père avait favorisé sa carrière en donnant à son nom une brièveté qui manquait à Schicklgruber et une dureté claquante qui manquait à Hiedler. Elle ne provint pas, comme on l'a cru jusqu'ici, d'une erreur d'oreille mais, selon toute vraisemblance, d'une option d'Aloïs.

L'intervention d'un officier ministériel a donc précédé la désinvolte modification d'état civil pratiquée par le curé de Dollersheim. On peut néanmoins se demander si elle est juridiquement valable — si, pour être rigoureuse, l'histoire ne devrait pas s'écrire ou se récrire en disant : Adolf Schicklgruber, *dit* Hitler?

Le professeur Kralik, de la faculté de droit de l'Université de Vienne, s'est penché sur la question. Comme il n'est pas rare en la matière, ses arguments vont plutôt à l'inverse de sa conclusion. L'article 161 du code général des lois en vigueur en 1876 dans l'empire austro-hongrois exige, pour la légitimation d'un enfant par mariage subséquent, l'assentiment du père, *ergo* qu'il soit vivant. La loi est muette au sujet d'une légitimation *post mortem*. Toutefois, le professeur Kralik a trouvé un précédent, sous la forme d'une décision ministérielle en date du 23 mai 1867, qui lui permet d'écarter comme non juridique l'objection tirée du décès antérieur de Johann Georg et du délai de dix-neuf ans pour faire valoir sa volonté « immuable et dernière ». En l'occurrence, au reste, des témoignages « concordants et dignes de foi » établissaient que le père présumé avait toujours pourvu à la subsistance des enfants qu'on prétendait lui faire reconnaître comme siens — condition qui manquait dans le cas Hiedler. Par surcroît, la modification d'état civil avait été ordonnée par le jugement d'un tribunal, autre condition qu'un acte notarié, enregistrant des témoignages sans en apprécier la valeur, ne remplace évidemment pas.

Le contrôleur des douanes notifia son changement de nom à sa direction. Celle-ci consulta l'évêché de Saint-Polten, lequel répondit que la modification d'identité ne soulevait d'objection ni de sa part ni de celle de l'officialité de Vienne. Les documents administratifs furent modifiés en conséquence. A dater du début de 1877 — douze ans avant la naissance d'Adolf — Aloïs Schicklgruber fut exclusivement et orgueilleusement le premier Hitler.

*
* *

Les mobiles qui conduisirent Aloïs Schicklgruber à changer de nom, à trente-neuf ans, au milieu de sa carrière, n'ont jamais été tirés au clair. Pas plus qu'il n'a été possible d'établir l'identité du grand-père maternel d'Adolf Hitler.

Suivant la version couramment admise, Maria-Anna aurait ramené dans le Waldviertel le fruit d'un péché commis ailleurs. Déjà, du vivant du Führer, on crut que cet ailleurs aurait été Graz, et que le complice de Maria-Anna dans le péché, le grand-père maternel de l'archiantisémite Adolf Hitler aurait été un Juif!

« Vers la fin de 1930, raconte le juriste Hans Frank, Hitler me convoqua à son domicile... me dit qu'il était en butte à une dégoûtante tentative de chantage et me demanda de procéder à une enquête confidentielle sur ses origines... » On ne connaît pas le rapport que Frank remit à son Führer, mais uniquement la révélation qu'il a écrite, dans sa cellule de Nuremberg, avant de marcher à la potence. « La cuisinière Schicklgruber, grand-mère d'Adolf Hitler, était employée dans une famille juive du nom de Frankenberger lorsqu'elle eut son enfant. Jusqu'à la quatorzième année de celui-ci, le père Frankenberger versa à la Schicklgruber une pension alimentaire au nom de son fils, âgé, au moment de la naissance, de dix-neuf ans... Il existe (à ce sujet) une correspondance entre le Frankenberger et la grand-mère de Hitler... qui se trouvait en possession d'une dame habitant Wetzelsdorf, près de Linz... Le Juif avait accepté de payer une pension alimentaire plutôt que d'affronter un procès... Mais Hitler savait, par les récits de son père et de sa grand-mère, que son père n'était pas issu des relations de la Schicklgruber avec le Juif de Graz (3). »

Ce texte est criblé d'absurdités et d'invraisemblances. La grand-mère d'Adolf Hitler était morte de nombreuses années avant sa naissance et Aloïs Hitler n'était pas le genre d'homme à entrer en conversation avec son fils sur un sujet de cette nature. Par ailleurs, les hitlérologues n'ont retrouvé ni la trace d'un séjour à Graz de Maria-Anna Schicklgruber, ni l'existence dans cette ville d'une famille Frankenberger ou d'un nom approchant, ni le moindre document relatif à la pension signalée par Hans Frank. Une version plus aguichante encore remplace le Juif obscur de Graz par un Rothschild de Vienne, mais elle n'a même pas à son appui le soupçon de commencement de preuve du pendu de Nuremberg.

En fait, il n'est même pas possible d'établir qu'Aloïs Schicklgruber fut conçu ailleurs que dans le Waldviertel. Il est chimérique de vouloir retracer l'aspect, le caractère, les mœurs, les errances de la vieille fille qui mit au monde le bâtard de 1837, non dans la maison de ses parents, mais chez des voisins, les époux Trummelschlager, qui furent le parrain et la marraine du nouveau-né. Il est très peu probable, mais non totalement impossible, que le père ait été effectivement le garçon meunier Johann Georg Hiedler. Il est un peu moins improbable — c'est l'hypothèse soutenue par le plus formidable des hitlérologues, Werner Maser — qu'il ait été le frère de celui-ci, Johann Nepomuk Hüttler. Marié, il ne pouvait reconnaître l'enfant, mais il l'éleva et, sur le tard, il recourut au subterfuge de le faire légitimer sous le couvert de son frère mort depuis vingt ans.

Il est honnête de conclure qu'il n'y a pas de conclusion. Toute cette affaire familiale se déroule entre des gens très pauvres, presque illettrés, dont la vie laisse peu de traces, que l'oubli recouvre dès la première génération. Le grand-père maternel de Hitler est, et restera selon toute probabilité, un inconnu.

***
***

Au moment du changement de nom, Aloïs habitait à l'étage supérieur de l'auberge *Zu Pommer,* sur la grande place de Braunau. Sa femme, Anna, avait dépassé ses cinquante-trois ans, mais une servante du céans, Franziska Metzelsberger, dite Fanni, sa cadette de vingt-trois ans, devint sa maîtresse en sortant de la puberté. En outre, il fit venir du pays natal la fille de la plus jeune fille de son père nourricier, Klara Pölzl, de vingt-deux ans plus jeune que lui. La catholique Autriche était libérale sur le chapitre des mœurs. Le contrôleur des douanes vécut entre une épouse qui aurait pu être sa mère et deux concubines qui eussent été aisément ses filles sans cesser d'être bien noté par ses supérieurs.

Six ans après la légitimation de Dollersheim, l'équilibre quadripartite se rompit. Aloïs et Anna se séparèrent de corps — le divorce n'existant pas en Autriche — et Aloïs se mit en ménage avec Fanni. Celle-ci exigea le renvoi de Klara, qui alla se placer à Vienne comme servante. Anna s'étant laissé mourir deux ans plus tard, Aloïs épousa Fanni, reconnut le fils qu'elle lui avait déjà donné, Aloïs junior, et procréa un deuxième enfant, une fille Angela. Mais Fanni, tuberculeuse, quitta Braunau et, dans l'indifférence de son époux, alla s'éteindre solitairement, le 10 août 1884, dans un village voisin. Klara Pölzl était déjà revenue au foyer d'Aloïs ; elle était enceinte, mais, pour l'épouser, il dut demander une dispense à Rome par le canal de l'évêché de Linz. En devenant Hitler, neuf ans auparavant, il s'était trouvé le cousin de sa concubine, frappé en conséquence d'un empêchement matrimonial. Si l'on adopte la version de Maser, elle était même, de par la nature, la fille de sa demi-sœur. Toute sa vie, Hitler fut hanté par la consanguinité et ses conséquences. On ne sait s'il fut informé de celle qu'il pouvait porter en lui, en même temps peut-être qu'un quart de sang juif.

Les trois premiers enfants de Klara, Gustav, Ida et Otto, moururent en bas âge. Le quatrième, Adolf, naquit le samedi 20 avril 1889, veille de Pâques, à 6 heures de l'après-midi à Braunau. Il fut tenu sur les fonts baptismaux par Johann et Johanna Prinz, amis viennois des parents. La tante bossue, Johanna, apposa également sa signature sur l'acte qui faisait d'Adolf Hitler un chrétien.

Braunau est une vieille petite cité assez délabrée, surmontée par un très haut clocher à bulbes, et dont le héros statufié est le libraire Johann Philipp Palm, fusillé par les Bavarois sur l'ordre de Napoléon 1er. L'Inn, vif et bruyant, la sépare du territoire allemand ; baigne sur sa rive bavaroise le couvent de Simbach où, de longues années plus tard, une petite Munichoise, nommée Eva Braun, devait compléter son éducation. Hitler, dans les premières lignes de *Mein Kampf*, relève comme « une heureuse prédestination » qu'il soit né à la frontière des deux États allemands dont la réunion était pour lui une mission sacrée. Mais Hitler n'emporta de Braunau aucun souvenir. Deux ans après sa naissance, un nouvel avancement fit transférer son père à Passau où l'Inn alpestre se jette avec force dans un Danube souabe et languissant. Le poste de douane autrichienne était sur la rive gauche, en terre allemande, et c'est également en terre allemande, à Passau, que le contrôleur Aloïs Hitler installa sa nichée. Un nouvel enfant, Edmund, vint l'accroître en mars 1894.

Adolf, « Adi », reçut directement d'Allemagne ses empreintes de la deuxième à la septième année. On ne sait pratiquement rien de cette tranche d'enfance, sauf que le foyer familial manquait de douceur. Aloïs avait laissé ses ruches sur l'autre rive de l'Inn, et il allait les retrouver chaque soir, puis il s'attardait au café. Nommé à un nouveau poste, à Linz, il laissa femme et enfants à Passau pendant une année entière. Lorsque la famille se retrouva réunie sur le sol autrichien, au hameau de Hafeld, dans la vallée de la Traun, son chef n'était plus qu'un retraité. Âgé seulement de cinquante-six ans, mais sachant qu'il ne s'élèverait pas plus haut dans la hiérarchie douanière, Aloïs s'était retiré sur une pension annuelle de 2 200 couronnes qu'il comptait associer à un retour à la terre. Un petit bien de 38 000 mètres carrés entourait la chaumière où s'installèrent le ménage Hitler, la tante Johanna, les deux enfants du lit précédent, Aloïs junior et Angela, Adi, le bébé Edmund, plus un autre bébé qui grandissait dans le sein maternel.

Quelques jours plus tard, le 1er mai 1895, Angela, âgée de douze ans, conduisit Adolf au hameau voisin de Fischlheim où Herr Mittermaier gouvernait une classe unique fréquentée irrégulièrement par les petits paysans des environs. Il y resta peu. Aloïs éprouvait déjà la difficulté de faire valoir un domaine de moins de quatre hectares. Il le mit en vente et, au début de 1896, peu de temps après la naissance de sa deuxième fille Paula, alla sous-louer à un ménage Zöbl le premier étage d'un vieux moulin. Adolf fut transféré à l'école paroissiale installée dans les dépendances de la massive abbaye bénédictine de Lambach.

Les soubassements de l'abbaye datent de 1032. Le cloître, le clair-obscur, la musique liturgique, la pompe ecclésiastique produisirent sur le garçon de neuf ans une impression profonde. Enfant de chœur, membre de la chorale, il prit la résolution de se faire moine. On ne sait s'il remarqua, derrière le maître-autel, la croix gammée qui figurait dans les armes de Théodor Hagen, abbé de Lambach.

Les Hitler déménageaient à nouveau. Aloïs avait acheté à Leonding, près de Linz, une maison et un quart d'hectare de prairie pour ses ruches. La retraite achevait de lui délier la langue. Dès 10 heures du matin, à l'auberge Wiesinger, devant le premier verre de vin blanc de la journée, l'ex-officier des douanes commençait une tirade contre l'Église romaine, les minorités slaves et le Premier ministre, le comte polonais Badeni, qui venait d'autoriser l'emploi du tchèque dans les administrations de Bohême-Moravie. Les violents partis pris de l'enfance remontaient dans les propos de l'homme vieillissant. Peuplé d'Allemands mais limitrophe des pays slaves, le Waldviertel ressentait passionnément la querelle linguistique et raciale. Il avait produit le chevalier Georg von Schönerer, fondateur du parti national allemand, dont le programme demandait le démembrement de l'Autriche-Hongrie pour rattacher au Reich les pays germaniques et la Bohême-Moravie, vieille terre d'Empire. Aloïs Hitler admirait son grand compatriote, tout en hésitant devant les conséquences extrêmes des théories de Schönerer. Il avait trop porté la casaque impériale et royale pour ne pas conserver à l'égard du vieux monarque François-Joseph une vénération et un loyalisme intacts.

Adolf Hitler passa sa onzième année à l'école primaire de Leonding.

Il fréquenta la quatrième classe, située au premier étage, sous la férule de l'instituteur Josef Braunlis. L'effectif était extrêmement nombreux, cent vingt élèves, filles comprises. Aucune de celles-ci ne figure sur une photographie montrant quarante-cinq élèves étagés autour du maître, avec Adolf au centre de la rangée supérieure, les bras croisés, la mine arrogante, dans une attitude qui est déjà celle d'un Führer. La conclusion qu'on a tirée de ce document est d'ailleurs affaiblie par une photo scolaire postérieure sur laquelle Hitler se trouve à l'extrémité d'une rangée inférieure, l'air beaucoup moins dominateur.

Le voisin de banc du jeune Hitler, Weinberger, était le fils d'un ardoisier. Les deux garçons échangeaient le pain de leur goûter, Hitler préférant le pain de ménage de Weinberger, et Weinberger le pain de boulanger de Hitler. La guerre des *Boers* enfiévrait les conversations, inspirait les jeux des écoliers. Hitler la vécut, dans un sentiment anti-anglais passionné. Les hostilités, pour lesquelles il était difficile de trouver des Anglais, se prolongeaient parfois après la sortie de la classe, avec comme conséquence que le tabac d'Aloïs arrivait avec du retard à la maison. Le *Boer* Adolf, victorieux sur le champ de bataille, n'échappait pas pour autant à un châtiment.

A la même époque, Hitler revivait la guerre franco-allemande de 1870-1871, dans une histoire populaire en deux volumes brochés, dénichée dans un placard. Les noms de Woerth et de Sedan le faisaient vibrer, mais il se demandait pourquoi les Autrichiens ne participaient pas à la gloire que les Bavarois, les Saxons, les Wurtembourgeois, les Badois partageaient avec les Prussiens.

Le 15 septembre 1900, étant dans sa douzième année, le jeune Hitler entra à la Realschule de la Steingasse, à Linz. Vêtu d'une longue pèlerine, de culottes courtes et de gros bas noirs tricotés par sa mère, il faisait à pied six kilomètres, prenait son repas de midi chez une blanchisseuse et rentrait le soir dans la nuit tombante ou l'obscurité close. La route passait au pied du Bauernberg et du Freinberg, traversait des bois profonds, longeait de vieilles murailles, d'où des oiseaux de nuit s'envolaient avec des cris fantomatiques. C'était uniquement les jours de grande neige qu'on permettait à Adolf d'emprunter le train, à la halte de Leonding.

Au terminus de la Realschule, se dressait l'Abitur, le baccalauréat, portique indispensable de toute carrière bourgeoise. Le sévère règlement scolaire exigeait pour un parcours sans incident qu'aucune note *nicht genügend,* insuffisant, n'ait été infligée en fin d'année. Les deux qu'Adolf collectionna, en histoire naturelle et en mathématiques, entraînaient automatiquement le redoublement de la première classe. Aloïs demanda à son fils ce qu'il comptait faire avec de pareils résultats. Adolf répondit qu'il serait peintre, artiste peintre, *Kunstmaler.*

L'ex-contrôleur des douanes considérait qu'il avait déjà perdu un fils, Aloïs junior, lequel venait de quitter Leonding pour devenir garçon de café et commencer une carrière d'aventures qui devait lui faire connaître à plusieurs reprises l'intérieur d'une prison. Adolf était le seul Hitler qui pût poursuivre dans la hiérarchie administrative l'ascension qu'Aloïs Schickl-gruber avait commencée d'une manière si méritoire — mais le gamin répétait avec une obstination farouche qu'il ne voulait pas être, qu'il ne serait pas, qu'il ne serait jamais fonctionnaire. On était encore à une époque où le droit de correction paternel — et marital — ne soulevait de réprobation que s'il était poussé jusqu'à l'excès. Aloïs menaça, brutalisa, frappa l'enfant. Adolf était alors un lecteur passionné de Karl Mayr, le conteur d'histoires indiennes, dans lesquelles il avait appris que l'impassibilité sous la douleur est l'orgueil des braves. Un jour, devant sa mère terrorisée, il supporta trente-deux coups de schlague, qu'il comptait à voix haute par défi. Il devait, dans *Mein Kampf,* rendre à l'auteur de ses jours un hommage conventionnel, mais il ne dissimulait pas dans ses conversations intimes qu'il n'avait pas aimé un père rogue, emporté et brutal (3). De facétieux psychanalystes ont expliqué la carrière du Führer par l'identification de l'Autriche à un père exécré et de l'Allemagne à une mère adorée. La réalité est plus commune. Le père souffrit et s'emporta d'avoir pour fils un cancre voué à la bohème; le fils s'ancra dans sa résistance et détesta davantage des études destinées à le conduire à l'inverse de son idéal.

Le petit Edmund était mort en 1900, à l'âge de six ans — quatrième des enfants de Klara emporté en bas âge. Angela, qui atteignait sa vingtième année, était fiancée au jeune fonctionnaire des Finances Leo Raubal, qu'Adolf Hitler prit immédiatement en haine. Lui, Adolf, parvint à terminer l'année scolaire 1901-1902 sans note éliminatoire et fut, en conséquence, admis dans la deuxième classe, sous le magistère du professeur-docteur Eduard Huemer.

L'année 1903 commença. Le 5 janvier, Aloïs Hitler se rendit comme chaque jour à l'auberge Wiesinger. Il refusa le journal que la servante lui apportait en grognant que c'était un journal clérical, porta à ses lèvres son verre de vin blanc et s'écroula, foudroyé par une apoplexie. Le *Tagepost* de Linz fit l'éloge de ses brillantes aptitudes d'apiculteur et sa plaque tombale rendit hommage à sa double réussite en disant aux passants qu'elle recouvrait un fonctionnaire supérieur des douanes impériales et royales et un propriétaire.

Klara Hitler n'avait encore que quarante-trois ans. Sa pension de veuve, 1 100 florins, plus une allocation mensuelle de 20 florins pour chacun des deux enfants restant à sa charge, lui assuraient une modeste sécurité matérielle. La succession, toute modique qu'elle fût, donna lieu à un règlement assez complexe, en raison de l'existence de quatre enfants de deux lits différents. Aloïs junior et Angela furent dédommagés en argent liquide. Adolf et Paula se virent attribuer un capital de 652 couronnes, équivalant au double de francs-or, gagé sur la maison de Leonding et payable à leur dix-huitième année révolue (4). Un paysan propriétaire de la localité, Josef Mayerhofer, avait accepté d'être le tuteur des deux orphelins.

Klara demeura sous son toit, voyant de la fenêtre de sa chambre la tombe de son défunt. Adolf continua de faire chaque jour ses douze kilomètres pédestres pour une fréquentation scolaire couronnée d'insuccès. Il était, dira le professeur Huemer « *widerborstig, eigenmächtig, rechthaberisch, jähzornig* — récalcitrant, autoritaire, raisonneur, irascible ». Le terme de tête à claques résume les adjectifs élaborés du pédagogue. Adolf reçut la confirmation pour la Pentecôte de 1904 et, raconte son parrain de sacrement, Emmanuel Lugert, ne déposa pas un seul instant un masque renfrogné, se laissa emmener à l'église dans une calèche à deux chevaux sans manifester le moindre émerveillement, ne dit même pas merci en recevant le livret de Caisse d'Épargne dont il fut gratifié. Il vit, le soir, son premier film. Sa mère avait recommandé à Lugert de ne pas lui donner de montre parce qu'il en avait déjà deux.

Hitler faisait remonter à la Realschule sa conversion au nationalisme. « Nationaliste, atteste l'un de ses condisciples, nous l'étions tous. » Linz était une ville solidement allemande, avec juste les quelques centaines de Tchèques nécessaires pour provoquer des réactions d'exaspération devant leurs activités culturelles ou sportives. Les élèves de la Realschule arboraient le bleuet, fleur du parti grand allemand, cotisaient aux ligues pangermanistes, remplaçaient le vieux salut autrichien *Gruss Gott* par le *Heil!* préconisé par Schönerer. Le rapt de la Silésie, la défaite de Sadowa étaient pour l'Autriche-Hongrie des jours noirs, que les collégiens célébraient en faisant de Frédéric II et de Bismarck leurs héros. Le professeur d'histoire Leopold Poetsch dirigeait la faction grande allemande au conseil municipal de Linz et la coloration de son enseignement ravissait ses auditeurs juvéniles. Le repoussoir était fourni par le professeur d'enseignement religieux, Franz Sales Schwarz, un vieux prêtre tout d'une pièce pour qui l'ultramontanisme et la Maison de Habsbourg représentaient la lumière, et les forces qui leur étaient hostiles les ténèbres. De longues années plus tard, Hitler se vantait des questions irrévérencieuses et des objections sacrilèges par lesquelles il mettait le candide ecclésiastique dans des transes d'indignation. « Mes camarades jubilaient. J'étais devenu un meneur... »

S'il fut un meneur, sa popularité n'était pas à la mesure de son influence. Pas un seul de ses condisciples ne devint son camarade. Pas un seul ne conserva avec lui la moindre relation. En dépit de leurs manifestations grandes allemandes, il voyait en eux de la graine de fonctionnaires appelés à servir l'exécrable régime autrichien. Il détestait pareillement l'ensemble des maîtres, leur malpropreté, leurs cols crasseux, leurs barbes mal peignées. Il repoussait en bloc l'institution scolaire, ses disciplines, ses règles de travail, la continuité d'effort qu'elle exigeait. Tel il restera toute sa vie...

Le français était la seule langue vivante enseignée à la Realschule de

Linz. Il faillit être fatal à Adolf Hitler à la fin de la troisième classe, mais le repêchage d'automne le sauva. L'année suivante, 1904, le français lui valut encore un *nicht genügend* qui remit en cause le sort de ses études. Il était déjà en retard d'une année. S'il devait à nouveau redoubler une classe, il n'atteindrait l'Abitur qu'à un âge ridicule. Il tenta de convaincre sa mère qu'il valait mieux renoncer tout de suite. Elle insista en invoquant la mémoire du père. Le professeur Huemer trouva une issue : on repêcherait Adolf en septembre à condition qu'il change d'établissement, qu'il aille faire le cancre ailleurs.

La nouvelle Realschule, celle de Steyr, était ultramontaine et habsbourgeoise, comme la vieille petite ville qui l'abritait. Hitler était en pension chez un ménage de nobliaux ruinés, les Edler von Cichini, dans lequel le mari, Conrad, rampait sous la langue vipérine de sa femme, Pétronelle. Tout fut antipathique à l'adolescent, y compris le souvenir de l'unique cuite de sa vie. Tombé ivre mort dans la rue, il fut relevé par une laitière qui l'emmena chez elle, lui fit du café noir et lui prêta 5 florins. Des psychanalystes en délire ont tiré de cet épisode, banal dans la vie d'un jeune homme et que Hitler racontait comme l'unique victoire remportée sur lui par l'alcool, des conclusions magistrales : le lait, frère du sperme, aurait déterminé un dérangement sexuel par lequel s'explique tout le comportement ultérieur du Führer.

Les lauriers de Steyr ne furent pas indignes de ceux de Linz. Hitler obtint la note d'excellence en gymnastique et la note d'honneur en dessin à main levée — mais le fatal *nicht genügend* s'attacha aux mathématiques et, cette fois, à la langue allemande. Seul, le repêchage de septembre pouvait épargner à Adolf Hitler la nécessité de redoubler à nouveau une classe, ce qui eût repoussé l'Abitur jusqu'à sa majorité.

La veuve Hitler venait de vendre la maison de Leonding à un ménage Wölzl, en reprenant la location de l'appartement que celui-ci occupait, à Linz, au troisième étage du numéro 31 de la Humboldtstrasse. La mort d'Aloïs et du petit Edmund, le départ pour l'aventure d'Aloïs junior, le mariage d'Angela avaient réduit la maisonnée à Adolf, Klara, Paula et Johanna. La pièce principale de la Humboldtstrasse servit de dortoir aux trois femmes. Adolf eut son domaine privé, un cabinet éclairé par une fenêtre donnant sur la cour. La cuisine tint lieu de salle de séjour. Le chiffre du loyer n'est pas connu, mais la vente de Leonding pour 10 000 couronnes était une opération avantageuse. Après la purge d'une hypothèque de 2 520 couronnes, l'acquittement des droits, la déduction de la part réservataire des enfants, il dut rester à Klara une somme d'environ 6 000 couronnes, bouclier non négligeable contre les surprises de la vie.

L'histoire de Hitler par Hitler place ici une maladie providentielle qui, en le contraignant à un long repos, mit fin aux études odieuses que la volonté posthume du père le contraignait à poursuivre. La gravité de cet accident de santé est discutable, mais sa réalité ne l'est pas. Adolf Hitler eut, pendant l'été de 1905, des troubles assez sérieux pour justifier une inquiétude. Envoyé à Spital, il fut placé sous la surveillance d'un médecin de Weitra, le docteur Keiss. Il fit de longues promenades dans les bois, but chaque matin un grand bol de lait et, à la mi-septembre, avait retrouvé assez de vigueur pour tenter son repêchage à la Realschule de Steyr. Miraculeusement peut-être, il le réussit. La route de l'Abitur n'était pas définitivement coupée!

Mais Klara Hitler n'avait pas l'autorité d'Aloïs. En jouant de sa santé, Adolf la convainquit qu'il ferait fausse route en persévérant dans la conquête de l'Abitur. Ce parchemin banal ne conduisait qu'à une carrière de rond-de-cuir à laquelle il avait juré de ne jamais se résigner. Une autre destinée l'appelait. Il entrerait à l'Académie des beaux-arts de Vienne, deviendrait un grand peintre, ferait honneur à leur nom.

En attendant cette percée vers la gloire et la fortune, Hitler s'installa dans une oisiveté résolue et dans une solitude qui eût été totale s'il n'y avait pas eu Gustl — August Kubizek.

Le nom, faible germanisation de Kubitschek, trahissait l'origine tchèque. Gustl travaillait chez son père, comme aide-tapissier, souffrait de la poussière s'exhalant des vieux meubles et rêvait d'une carrière musicale. Il lia conversation avec Adolf Hitler au *Stehparterre,* l'orchestre debout du théâtre, et fut médusé quand cet inconnu lui déclara qu'il n'avait pas et qu'il n'aurait jamais de *Brotberuf,* de profession gagne-pain, parce qu'il s'était dédié à l'art. Kubizek était d'une nature conciliante et subalterne. Il se laissa prendre en remorque par Hitler.

Linz n'était pas encore une grande ville industrielle, mais plutôt un gros marché agricole avec des auberges aux noms fleurant le passé où les ruraux venaient dételer leurs carrioles. L'artère principale desservie par l'unique tramway de la ville, la Landstrasse, conduisait de la gare au Danube et se prolongeait par un pont reliant Linz à son faubourg d'Urfahr. Les deux garçons se retrouvaient après la journée de travail d'August et, désargentés, déambulaient dans les rues. Le dimanche, le marcheur infatigable qu'était Hitler entraînait son ami dans les collines qui ceinturent Linz, le Jägermayr, le Freinberg ou, sur la rive gauche, le Postlingberg, petite montagne d'où, les jours de fœhn on aperçoit les cimes enneigées des Alpes de Salzbourg. Hitler avait découvert un nid d'aigle au-dessus d'un escarpement vertigineux. Il s'y incrustait, se perdait dans la contemplation de la vallée ou encore évoquait les scènes qui s'étaient déroulées dans l'avenue d'histoire qu'est le Danube. « Je croyais, dit Kubizek, voir les vaisseaux des rois burgondes remonter le fleuve lourds de butin... »

Le Stehparterre retrouvait régulièrement les deux amis. Le théâtre de Linz n'était qu'une scène provinciale dont la fosse d'orchestre n'était pas assez grande, dont la variété d'instruments n'était pas assez complète, dont les décors mêmes n'étaient pas assez robustes pour une interprétation satisfaisante de Richard Wagner. Les coulisses tremblaient sous les pas de la mythologie germanique et cependant l'ardeur du maestro

Göllerist avait fait du Land Theater la troisième scène musicale de l'empire, après Vienne et Salzbourg. En 1905, Linz ne fut pas gratifié de moins de 82 opéras, dont *Rienzi, Tannhäuser* et *Lohengrin*.

Cette musique produisait sur Hitler un effet extraordinaire. Les soirs wagnériens, Adolf reconduisait August Klammstrasse, le ramenait Humboldtstrasse, le reconduisait encore et le ramenait à plusieurs reprises, jusqu'au moment où l'aide-ébéniste demandait grâce en rappelant qu'il devait reprendre le travail dans quelques heures. Hitler était intarissable de commentaires et d'admiration. Il s'était initié aux sagas de l'antiquité allemande dans l'ouvrage classique de Gustav Schwale. Il glorifiait, il remerciait Wagner de leur communiquer le tumulte de son génie.

Les autres soirs, les déambulations de Hitler chevauchaient tous les thèmes. Il laissait couler sa rancune contre la Realschule, ses méthodes ineptes, ses maîtres odieux, ses élèves serviles. Il vilipendait le gouvernement impérial et royal pour ses concessions aux Tchèques et aux Hongrois. Il embellissait Linz, reconstruisait la gare centrale, reconstruisait le pont, réorganisait le théâtre, pensionnait les artistes, abolissait l'octroi, supprimait la mendicité. Lorsque Kubizek parvenait à lui demander qui pourrait réaliser les plans qu'il déroulait, la réponse arrivait immédiate : *Das Reich*. C'était du Reich allemand, du Reich bismarckien et wilhelminien qu'Adolf Hitler attendait l'avenir.

Kubizek ne se méprenait pas sur la nature de cette amitié prolixe. Sa vertu était son silence. Son rôle historique a consisté à être le premier auditeur, le commencement des multitudes qu'Adolf Hitler devait abasourdir de sa parole. Il n'était que le prétexte au ruissellement de verbe semblable à la vapeur qui s'échappe d'une chaudière surchauffée. Le premier, il fut astreint à la prise de possession que Hitler devait exiger de millions d'hommes. « Adolf, dit-il, n'aurait pas toléré que j'eusse un autre camarade que lui. » La violence de son ami le fascinait en l'effrayant. Un jour, raconte-t-il, à l'angle de la Promenade et de la Landstrasse, un ancien condisciple s'avança, jovial, les mains tendues, lançant le salut du dialecte autrichien : « *Servus* Hitler! » L'interpellé le repoussa brutalement, en lui criant une injure et passa son chemin en grondant comme un fauve irrité. « Je vois encore, disait Kubizek, la stupéfaction peinte sur la figure joufflue et niaise du garçon rabroué... (5) »

Sans « Stéphanie », la femme serait totalement absente de cette adolescence tourmentée. Le témoin Kubizek, le biographe Jetzinger dissimulent le nom (« typiquement juif », dit Jetzinger) de cette jeune et jolie personne, d'une famille aisée ou riche, qui épousa en 1908 un capitaine autrichien et qui, veuve, vivait encore à Vienne au début des années 60. Cette galante discrétion paraît superflue lorsqu'on sait qu'Adolf Hitler n'adressa jamais la parole à son idole et qu'elle-même dans son vieil âge, cherchait vainement l'image du garçon qui la dévorait des yeux lorsqu'elle se promenait au bras de sa mère, sur la route d'Urfahr. Mais elle se souvenait d'une lettre dans laquelle un jeune artiste lui déclarait son amour et lui demandait d'attendre qu'il eût fini ses études à l'Académie des beaux-arts parce qu'il désirait ardemment l'épouser. « C'est ma mère qui, naturellement, ouvrit la lettre, écrivit Stéphanie à Jetzinger, mais il ne s'ensuivit pas l'orage accoutumé. » La déclaration d'amour du rapin inconnu ne méritait pas d'être prise au sérieux.

Adolf Hitler connut pour Stéphanie les transes romantiques du jeune Werther. Il arrivait à ce fantastique bavard de tomber dans des silences douloureux en repoussant les questions inquiètes de Kubizek par un brutal *lass mich in Ruhe!* Ou bien, il s'enfonçait dans de longues errances solitaires à travers les bois. Plus tard, à Vienne, il devait s'écrier : « Je renonce à Stéphanie! » Ce fut le plus déchirant de ses accents de douleur.

Quatre fois par semaine, le petit Hagmüller, de Leonding, qui fréquentait l'école communale de la Figulystrasse, venait s'asseoir comme demi-pensionnaire à la table des Hitler. La nourriture était saine, mais simple, et la viande exceptionnelle. Adolf, dédaignant de s'associer à la conversation, crayonnait des esquisses pendant le repas. Il ne manifesta jamais le souci d'alléger par un gain quelconque les charges maternelles. Leo Raubal, son demi-beau-frère depuis septembre 1903, s'indignait de son parasitisme sans autre résultat que d'accroître la haine d'Adolf pour un bureaucrate servile et borné.

La pauvre Klara Hitler se pliait aux caprices onéreux de son fils. Au printemps de 1906, il se fit offrir un séjour de quatre semaines à Vienne, dont il ne reste comme trace que quatre cartes postales d'une orthographe défectueuse adressées à Kubizek, Hitler espérait que « Stéphanie » s'enquerrait de sa disparition, Kubizek avait pour consigne de répondre que son ami était à Vienne, qu'il préparait l'École des beaux-arts et qu'il l'épouserait dès qu'il se serait fait une situation. Stéphanie étant alors à Genève, le message n'eut aucune chance d'être délivré.

Quelques mois plus tard, Hitler décida d'être un grand pianiste. Klara lui fit donner des leçons par le minuscule professeur Prewatzki-Wendt, « presque un nain », dont, avec Kubizek qu'il avait naturellement entraîné, il reçut l'enseignement du 8 octobre 1906 au 30 janvier 1907. Mais Adolf enragea devant les exercices de doigts auxquels le maître prétendait l'astreindre et abandonna la carrière musicale aussi brusquement qu'il l'avait entreprise.

Le 14 janvier 1907, Klara Hitler alla s'asseoir pour la première fois dans le salon d'attente du docteur Bloch (6). Elle avait jusqu'alors tenté d'ignorer la cruelle douleur à la poitrine qui la tenait éveillée des nuits entières. Eduard Bloch n'eut aucune peine à diagnostiquer une tumeur cancéreuse arrivée à un haut degré de développement. Le chirurgien Karl Urban, appelé en consultation, déclara qu'une opération d'urgence était possible, qu'elle était la seule chance de salut, mais qu'il ne pouvait répondre de sa réussite.

« Je convoquai les enfants, raconte le vieux praticien. Je leur dis que leur mère était une femme gravement malade, qu'il n'existait aucun espoir de guérison, qu'une intervention chirurgicale dangereuse représentait une faible chance de prolonger ses jours, et qu'il leur appartenait de décider si le risque devait être pris. La réaction d'Adolf Hitler fut émouvante. Son long visage cireux se décomposa. Des larmes jaillirent de ses yeux. C'est alors que je réalisai la profondeur de l'affection qui unissait la mère et le fils. »

L'opération eut lieu le 17 janvier, à l'hôpital des Sœurs de la Pitié. A la demande de Klara, le docteur Bloch se tint à côté du chirurgien. Il alla ensuite annoncer aux enfants que le docteur Urban considérait l'opération comme satisfaisante, mais qu'il fallait encore attendre avant de s'abandonner à l'espoir. Adolf écouta les yeux baignés de larmes, ne posa qu'une seule question : « A-t-elle souffert? »

Quelques semaines plus tard, *Frau* Hitler déménagea encore une fois. Elle passa le pont et s'établit à Urfahr où l'absence d'octroi rendait la vie un peu moins chère. La maison, sise au numéro 9 de la Blütengasse, avait un aspect assez cossu et, le logement étant situé au premier étage, la malade peinait moins dans l'escalier. Adolf eut une véritable chambre, donnant sur un jardin, avec une vue sur le Postlingberg, « telle qu'un conseiller aulique à la retraite n'aurait pu souhaiter mieux ». La locataire principale était la veuve d'une vieille connaissance, l'employé supérieur des postes Presemayer qui, jadis, avait proposé au jeune Hitler de le faire entrer dans son administration — pour s'entendre répondre ce que le père Hitler avait tant de fois entendu.

Le docteur Bloch continuait à soigner Klara Hitler, « une créature douce, soucieuse et résignée ». Il prit également le contrôle de la santé du fils. Celui-ci n'était, dit-il, ni robuste ni maladif. Les amygdales étaient enflammées, mais Bloch ne trouva pas trace de la grave maladie pulmonaire dont Hitler devait faire grand état dans *Mein Kampf*. Le jeune homme atteignait alors ses dix-huit ans. Il était très proprement vêtu de loden et coiffé d'un petit chapeau orné d'une plume de coq. Ses manières, assure le médecin juif, étaient celles d'un garçon bien élevé. « Après la consultation, il ne manquait jamais de s'incliner devant moi et de me remercier. » Il paraissait plus vieux que son âge et « ses yeux — qu'il avait hérités de sa mère — étaient grands, mélancoliques et pensifs ».

Hitler avait laissé passer — peut-être en raison de sa vocation musicale éphémère — le concours d'entrée de 1906 à l'Académie des beaux-arts. L'été de 1907 tirait vers sa fin. La question ne pouvait plus attendre pour être tranchée : tenterait-il, ne tenterait-il pas l'Académie?

Il n'est pas certain que des discussions familiales animées se soient poursuivies sur ce thème. Hitler, qui considérait ses sœurs comme des « oies » et qui haïssait son beau-frère Raubal, ne s'y fût certainement pas prêté. Le tuteur Mayerhofer était dessaisi, Adolf, entré dans sa dix-neuvième année, ayant la pleine disposition des 652 couronnes, augmentées des intérêts, de sa part sur l'héritage paternel. Il estimait cette somme suffisante pour défrayer sa première année d'études, après quoi il se faisait fort de subsister en vendant ses dessins. La décision, en conséquence, ne dépendait que de lui — mais Klara s'affaiblissait, ne se levait plus qu'une ou deux heures par jour et le bon fils tenait pour indispensable l'assentiment de sa mère à son grand départ.

Un beau jour, il arriva au galop dans l'atelier de la Klammstrasse. « C'est décidé, cria-t-il à Kubizek, je pars!... »

Son ami le conduisit à la gare par le tramway. Ils hissèrent dans le compartiment de troisième classe la valise lourde de dessins dont Hitler était convaincu qu'ils lui ouvriraient toutes grandes les portes de l'Académie. Au moment où le train démarrait, il lança : « *Kommit*, Gustl! — Gustl, viens!... »

C'était un projet caressé de longue date : Adolf à l'Académie des beaux-arts, August au Conservatoire de musique. Hitler, pour le rendre possible, avait cajolé les parents de Kubizek en leur vantant les dispositions exceptionnelles de leur fils. Normalement, les deux artisans auraient dû interdire, au moins déconseiller à leur fils de frayer avec un jeune homme qui, achevant l'adolescence, n'avait pas de profession respectable et déclarait n'en pas vouloir. Qu'ils n'en aient rien fait est une preuve de la séduction que le jeune Hitler était capable d'exercer quand il voulait s'en donner la peine. « Ton ami, disait *Frau* Kubizek est charmant, et quels yeux il a... » Mais le couple de la Klammstrasse ne s'était pas encore accoutumé à l'idée de laisser leur unique enfant s'engager sur la route escarpée de l'Art.

Le train disparut. Septembre 1907 commençait. Trois mois plus tard, Adolf Hitler revenait au chevet de sa mère à l'agonie.

2

L'ÉCOLE VIENNOISE
1908-1913

On avait déposé Klara Hitler au cimetière de Leonding, à côté de son époux, à quelques pas de la petite maison où elle avait commencé son veuvage. Adolf revint le Jour de l'An 1908 sur la tombe enneigée. Pendant le trajet de retour, Kubizek lui annonça que sa mère était gagnée à l'idée de le laisser partir pour Vienne. Le père résistait encore, mais faiblissait.

Hitler dut passer à Linz la totalité du mois de janvier et le début du mois de février, attendant le résultat de la demande de pension d'orphelin introduite auprès de l'administration impériale et royale des Finances. Elle fut fixée, le 19 février, à la somme annuelle globale de 600 couronnes susceptible, si les intéressés poursuivaient leurs études, d'être prolongée jusqu'à leur vingt-quatrième année, en l'occurrence, jusqu'au 19 avril 1913 pour Adolf et jusqu'au 20 janvier 1920 pour Paula. La répartition était laissée à la diligence du tuteur. Mayerhofer décida de partager moitié-moitié. Adolf eut donc comme base de ressources une rente mensuelle de 25 couronnes. Le petit héritage paternel avait été réparti sur douze mois assurant au jeune homme une rentrée de 58 couronnes jusqu'au mois de septembre de l'année suivante. Adolf repartit donc pour Vienne avec un budget mensuel de 83 couronnes, équivalant à la solde d'un sous-lieutenant.

« Après la mort de ma mère, racontera Hitler dans une lettre datée du 29 novembre 1921, je partis pour Vienne avec 80 couronnes en poche et fus obligé en conséquence de gagner mon pain tout de suite (sofort) en m'embauchant comme manœuvre, alors que je n'avais pas encore dix-huit ans. » C'est déjà le récit qu'il fera, quatre ans plus tard, dans *Mein Kampf*, et qui restera la vérité biographique officielle du Führer des Allemands. Il est manifestement inexact. Adolf partit pour Vienne avec, pour un an au moins, les ressources normales d'un étudiant. Il s'était flatté, après ce délai, d'assurer sa subsistance avec son talent.

Sa demi-sœur, Angela Hitler, fille de Fanni Matzelburger, était devenue, deux ans auparavant, *Frau* Raubal. Elle attendait son deuxième enfant, qui devait être une fille, Angelina, ou Geli, dont la brève existence marquera la vie privée d'Adolf Hitler d'une tache de sang. Elle accepta de recueillir la petite Paula, alors dans sa douzième année. La demi-pension mensuelle de 25 couronnes n'était qu'un dédommagement partiel pour la charge que le jeune ménage assumait. On ignore, toutefois, à qui fut attribuée la succession de Klara Hitler, évaluée par Jetzinger — peut-être avec exagération — à 3 000 couronnes environ.

La dernière résistance du père Kubizek tomba. Les retrouvailles des deux garçons eurent lieu le 23 février 1908, à 6 heures du soir, sur le quai de la Westbahnhof. Adolf embrassa August, prit l'une des poignées de sa malle et l'entraîna vers la Stumpergasse, à cinq minutes de marche. L'immeuble portait le numéro 29 et le logement dans lequel Hitler sous-louait un cabinet se trouvait au deuxième étage du bâtiment intérieur. Les composantes de l'odeur indiquaient que les turnes étaient éclairées au pétrole et que les locataires de tout un étage partageaient les mêmes commodités. La logeuse, *Frau* Zakreys, une vieille Polonaise s'exprimant dans un allemand pénible, avait accepté de mettre au pied de la couchette de Hitler une paillasse pour la première nuit de l'arrivant.

Les deux jeunes gens festoyèrent sur les provisions de bouche que *Frau* Kubizek avait assaisonnées de larmes. Mais Adolf ne permit pas à August de se laisser tomber de la table sur le lit. Il fallait voir Vienne! Un brouillard glacé environnait la ville. Hitler présenta le Ring indistinct, décrivit les monuments invisibles, entraîna son ami dans les étroites rues luisantes de la vieille ville pour le mettre au pied d'une cathédrale Saint-Étienne fantomatique. Il était 2 heures du matin lorsqu'on revint Stumpergasse. Adolf parlait toujours; August sombra dans le sommeil.

Le lendemain, *Frau* Zakreys résolut le problème du logement de Kubizek en acceptant de céder aux deux garçons sa pièce principale moyennant l'élévation du loyer mensuel de 10 à 20 couronnes. Les deux fenêtres, donnant sur une cour, ne voyaient le ciel que de biais et le soleil uniquement par un reflet sur le mur d'en face. Kubizek loua un piano à queue qu'il installa dans l'angle gauche, devant l'une des deux fenêtres au jour parcimonieux. Les deux lits de fer furent disposés contre la cloison opposée. Une table et un poêle à bois achevaient de réduire l'espace libre à deux boyaux d'une soixantaine de centimètres qui allaient servir de déambulatoire à Adolf Hitler. Le logement, comme la plupart des maisons viennoises, hébergeait un peuplement de punaises. Elles firent preuve d'un goût anticipé des grandeurs, ignorèrent Kubizek, dévorèrent Hitler.

Bon soliste d'alto, Kubizek fut admis sans difficulté au Conservatoire de musique. Il partait le matin, pendant que son ami dormait encore, et le retrouvait régulièrement lorsqu'il rentrait au milieu de l'après-midi. Il s'étonna des horaires d'une Académie qui laissait de tels loisirs à ses élèves, mais Adolf lui répondit de manière à décourager sa curiosité.

Le théâtre était l'occupation régulière de la soirée. Le sourcilleux biographe Jetzinger a demandé à Kubizek à quelle cadence les deux amis le fréquentaient : « *Wie oft? — Täglich,* quotidiennement, *fast Ausnahme-los,* presque sans exception. » Ils alternaient entre l'Opéra et le Burgthea-ter avec comme variante un concert symphonique lorsque August obtenait des billets de faveur. Hitler refusait de monter à l'Olympe, au poulailler, où, disait-il, les bonniches venaient pour se faire peloter. Il exigeait, comme à Linz, l'orchestre debout, où les femmes n'étaient pas admises. Mais il s'indignait que la moitié de l'espace fût réservé aux officiers, race stupide, incapable de culture et qui, par surcroît de scandale, ne payaient qu'un dixième de place, 20 hellers. Kubizek et lui payaient le prix fort, 2 couronnes, et encore devaient-ils faire la queue s'ils voulaient s'adosser à une colonne, alors que la partie des militaires restait régulièrement vide.

La Stumpergasse bouclait sa porte à 10 heures. August et Adolf écoutaient les deux premiers actes, puis prenaient le pas de gymnastique pour arriver avant la fermeture, faute de quoi ils ne pouvaient se faire ouvrir qu'en payant au portier une amende de 40 centimes. Hitler assista ainsi à d'innombrables tragédies inachevées. Sa mémoire musicale lui permettait de siffler des actes entiers d'opéra — à condition que ce fussent les deux premiers.

L'alimentation pâtissait de la débauche de théâtre. Hitler déjeunait quelquefois à la soupe populaire de la Liniengasse, mais le plus souvent vivait de pain et de lait. Kubizek l'emmena une fois à la cantine du Conservatoire; il lui fit une scène en disant que l'endroit était plein de Juifs et de métèques, se mit dans un coin, mangea en avalant de travers et partit furibond.

Selon *Mein Kampf,* c'est à cette époque, au début de son séjour à Vienne, qu'Adolf Hitler aurait travaillé sur des chantiers de construction. « Il ne me fut jamais très difficile de trouver du travail... comme manœuvre ou travailleur auxiliaire... Je m'aperçus bientôt qu'il était plus difficile de le conserver... Mes habits étaient encore corrects, mon langage châtié et mon attitude réservée... Je buvais ma bouteille de lait et mangeais mon morceau de pain à l'écart... On m'ordonna d'adhérer au syndicat : rien au monde n'aurait pu m'y contraindre... Je bataillai, de jour en jour mieux informé que mes interlocuteurs sur leur propre science, jusqu'au jour où la raison eut affaire à ses adversaires les plus redoutables : la terreur et la force. Mes antagonistes m'obligèrent à quitter le chantier sous peine de dégringoler du haut d'un échafaudage... »

A la dure école du travail manuel, Hitler dit avoir appris l'intolérance de la social-démocratie. Il prit conscience également de la détresse matérielle et morale d'un prolétariat abandonné par une bourgeoisie indifférente et par un État frivole. « La fréquente alternance du travail et du chômage détruit chez la plupart des ouvriers tout sens d'organisation de la vie... La paie de la semaine est gaspillée en deux ou trois jours, puis l'on souffre de la faim en commun à la maison. Les querelles commencent et l'homme, à mesure qu'il se détache de sa femme, se rapproche de l'alcool... L'insécurité du salaire quotidien est l'une des plus graves plaies de la société... » Elle permet aux sociaux-démocrates d'imprimer dans les esprits la maxime atroce qu'Adolf Hitler combattait au péril de ses os : les travailleurs n'ont pas de patrie! Mais rien n'aurait pu remplacer l'expérience qu'il acquit dans ce contact brutal avec une réalité qu'il ne soupçonnait pas. « Dans ce qui me parut alors une dureté du sort, je vois aujourd'hui la sagesse de la Providence. Je remercie cette époque de m'avoir rendu capable d'être dur. »

Le morceau ne manque pas de souffle et de vérité. Il est probablement factice. On arrive difficilement à croire que Hitler ait travaillé comme manœuvre sans que son compagnon de chambre s'en soit aperçu, ni qu'il ait pu faire la grasse matinée après avoir passé sa soirée au spectacle, s'il devait reprendre quelques heures après un travail épuisant et grossier. Au reste, aucun témoin ne s'est jamais présenté pour dire qu'il avait vu le jeune Hitler portant des briques ou roulant une brouette sur un chantier.

Lorsque les deux jeunes gens étaient rentrés du théâtre, Adolf ne se couchait pas. La lampe à pétrole empestait jusqu'à l'aube entre les deux fenêtres de la pièce encombrée. Une nuit, Gustl demanda à son ami ce qu'il faisait. Adolf exhiba un dessin représentant le sacrifice d'un taureau en disant que c'était le frontispice de la tragédie qu'il écrivait sur le thème d'une tribu germanique résistant à la christianisation. Kubizek ne put se retenir de demander comment le programme de l'Académie des beaux-arts pouvait se concilier avec la poursuite d'une telle œuvre. Un torrent de paroles furieuses répondit à la question. Kubizek apprit avec stupeur que son ami avait échoué au concours d'entrée et qu'aucun avenir ne s'ouvrait devant lui.

Il y avait, au mois de septembre précédent, cent treize candidats. Vingt-huit furent admis. Adolf Hitler n'était pas de ceux-là. Il avait franchi l'épreuve préliminaire, mais les examinateurs trouvèrent que ses dessins étaient dépourvus d'originalité et qu'ils manquaient de personnages : « *Zu wenig Köpfe...* Trop peu de têtes... » Le président du jury avait eu la complaisance de dire au candidat malheureux qu'il paraissait plus doué pour l'architecture que pour la peinture — mais l'Abitur était nécessaire pour concourir dans la section d'architecture. La Realschule se vengeait.

Longtemps, Hitler déblatéra contre les fonctionnaires stupides, les bureaucrates de l'art qui l'avaient refusé. Mais la réflexion du président du jury lui avait révélé sa véritable vocation. Il se sentait, il était architecte et il étudiait seul pour devenir le plus grand des architectes envers et contre tous...

***

Vienne était la tête d'un vaste empire, la capitale d'une grande puissance. Cinquante millions d'hommes vivaient sous la double couronne des Habsbourg. Le compromis de 1867 avait partagé le pouvoir politique entre les Allemands d'Autriche et les Magyars de Hongrie. Celle-ci s'étendait de la Transylvanie, habitée par des Roumains, sur la Ruthénie et la Slovaquie, sur la Slavonie et sur la Croatie, peuplées par des Slaves. Équivalente en superficie et en population, l'Autriche dessinait un fer à cheval autour de la couronne de Saint-Étienne. Elle touchait à la Roumanie par la Bukovine. Elle recouvrait la Galicie et sa population mixte de Polonais et d'Ukrainiens. Elle englobait la Moravie et la Bohême, avec leurs populations mixtes de Tchèques et d'Allemands. Venaient ensuite les terres purement germaniques, la Basse- et Haute-Autriche, la Styrie, le Tyrol, le Vorarlberg, puis les populations allogènes reparaissaient avec les Italiens de Trieste ou de Trente, avec les Slaves du sud en Slovénie et en Dalmatie.

L'empire, enfin, recouvrait deux provinces balkaniques, la Bosnie et l'Herzégovine, dont, en 1878, le Congrès de Berlin lui avait confié l'administration. La monarchie danubienne, plus vaste que l'Allemagne ou la France, s'étendait des clochers à bulbes de Tarnopol aux minarets de Sarajevo.

Kubizek et Hitler apercevaient parfois l'empereur François-Joseph dans la Mariahilferstrasse sur le parcours de Schönbrunn à la Hofburg. Il allait seul dans sa calèche sous un bicorne à plumes noires, ayant pour toute escorte un officier sabre au clair. Hitler faisait celui qui ne voyait pas, mais il s'abstenait de toute réflexion, comme si le respect que le père avait professé pour le vieux monarque fermait encore la bouche du fils.

Une succession de malheurs domestiques inouïs faisait de François-Joseph la figure la plus pathétique de son époque. Son frère Maximilien avait été fusillé au Mexique. Son frère Charles-Louis était mort d'un excès de piété, ayant bu de l'eau du Jourdain au cours d'un pèlerinage en Terre sainte. Sa femme Elisabeth était tombée au bord d'un lac suisse sous le poignard d'un anarchiste italien. Son fils Rodolphe s'était suicidé à Mayerling comme un étudiant romantique, et il n'avait pu empêcher son neveu, le nouvel héritier présomptif, François-Ferdinand, de contracter un mariage morganatique qui repoussait la ligne successorale sur la tête d'un petit neveu, l'archiduc Charles. Les revers politiques, le déclin de l'Autriche-Hongrie, l'éclipse de l'aigle blanche à double tête par l'aigle noire des Hohenzollern s'étaient mêlés aux épreuves privées. Mais 1908 était une année jubilaire, la soixantième du règne, et les trompettes officielles pouvaient faire état d'une réussite unique parmi toutes les grandes puissances du monde : les quarante-deux dernières années s'étaient écoulées sans que l'Autriche-Hongrie ait été engagée dans une seule guerre. François-Joseph était le bouclier de la paix.

La connaissance de ce qui s'est passé ultérieurement a conduit les historiens à dépeindre l'Autriche-Hongrie des dernières années comme une construction vermoulue que les contemporains sentaient osciller et fléchir sous leurs pas. Les travaux plus récents ont corrigé cette impression erronée. Nul, parmi les Viennois les plus pessimistes, n'imaginait en 1908 que dix ans suffiraient pour réduire en poudre le grand État danubien. Il vivait depuis de longues années avec ses contradictions internes. Il correspondait aux réalités géographiques et économiques. Loin de condamner son existence, la multiplicité, l'enchevêtrement, les rivalités des races démontraient sa nécessité. On prévoyait que la disparition de François-Joseph ouvrirait une crise. On se préoccupait des tendances et des desseins de l'archiduc François-Ferdinand, de son arrière-pensée de relever la comtesse Chotek et ses enfants de l'interdit morganatique, des velléités qui lui étaient prêtées de transformer le dualisme en trialisme par la promotion politique des Slaves. Mais presque personne ne pensait que la survie de l'empire fût en question.

L'Autriche-Hongrie avait manqué le départ de la révolution industrielle du siècle précédent. Elle enregistrait depuis quelques années des progrès rapides, un brillant enrichissement national, mais, suivant la règle, les transformations sociales étaient en retard sur les accomplissements techniques. Le journaliste Emil Kläger venait de faire dans le paupérisme viennois une plongée d'où il ramenait un livre hallucinant : *Durch die Wiener Quartiere des Elends und Verbrechens...* « Quartiers de la détresse et du crime! » Un peuple entier vivait dans les égouts, sous les berges du canal, dans d'innommables taudis. La photographie apportait son témoignage en montrant des hommes et des femmes entassés sur des grabats, des rangées de clochards dormant la tête appuyée sur une corde, des loqueteux gisant dans des tranchées étroites comme des tombes. Même s'il ne toucha pas tout de suite le fond de cette détresse, Adolf Hitler perçut le contraste social dès son arrivée à Vienne. Ses colères de Linz n'étaient dirigées que contre son milieu immédiat : l'école, la bureaucratie. Ses fureurs de Vienne visèrent la société tout entière : la monarchie, le clergé, la noblesse, le grand capital, la juiverie...

Il traversa même une phase de pacifisme. Il s'indigna en lisant que les frères Wright avaient emporté un fusil à bord de leur avion pour démontrer la possibilité et l'efficacité du tir aérien. La guerre, disait-il, n'arrange que les maîtres, couronnés et non couronnés. Pendant que les seigneurs de la grande industrie ramassent des profits gigantesques, en se tenant loin des coups, le pauvre diable donne sa vie sans savoir pourquoi.

Vienne était Babel. On coudoyait au Prater des Tchèques, des Slovaques, des Magyars, des Roumains, des Dalmates, des Italiens, et aussi des Juifs vomis par les ghettos orientaux, portant le chapeau à poils roux et le caftan. Hitler ricanait en croisant des groupes allogènes parlant un jargon inintelligible : « Vienne allemande! » Une autre source d'irritation était la francophilie, la gallomanie, l'admiration béate de « la grande nation civilisée » dans laquelle baignaient les principaux journaux. L'éloge qu'on attachait automatiquement au nom de Vienne était son cosmopolitisme. Il écorchait Adolf Hitler.

Les luttes parlementaires, à base raciale, étaient des plus violentes. Hitler devint assidu de la tribune publique du Reichsrat. La première fois qu'il entraîna Kubizek, le jeune musicien croyait que son ami l'emmenait à un concert. Un député tchèque faisait, dans sa langue, un discours d'obstruction, mais quand Gustl voulut partir, en disant qu'il ne comprenait pas un mot, Adolf le retint presque par la menace en lui disant d'attendre la suite du débat. Rentré Stumpergasse, il dit à son ami de se coucher, seule manière de dégager l'espace de quelques pas nécessaires pour reconstituer et paraphraser la séance à laquelle ils venaient d'assister. Il s'offusqua lorsqu'il constata que les yeux de Kubizek se fermaient, que son auditoire glissait dans le sommeil.

L'assiduité de Hitler au Parlement ne signifiait pas qu'il fût séduit par l'institution. Il désigna les sténos à Kubizek en lui disant : « Ce sont les seuls qui font quelque chose ici — et ce qu'ils font ne sert à rien. » Les conclusions qui s'étaient esquissées dans l'esprit d'Aloïs, qui s'étaient fortifiées à Linz dans l'esprit d'Adolf étaient devenues des certitudes. La maison de Habsbourg devait disparaître, et chaque jour de son existence aggravait le dommage qu'elle causait au peuple allemand, la menace qu'elle faisait peser sur son avenir.

Bücher! Immer Bücher! Kubizek, qui n'avait rien d'un intellectuel, dont les études n'avaient pas dépassé l'école communale, était estomaqué par la quantité de livres qui passaient sous les yeux de son ami. « Je ne peux pas le revoir autrement qu'un livre à la main... » Lorsqu'il faisait beau, Adolf allait lire sur un banc solitaire, à la Gloriette de Schönbrunn. Les jours de pluie, il fréquentait la Hofbibliothek. Il écumait la bibliothèque publique de prêts de son quartier. Homère, Horace, Shakespeare, Schiller, Kant, Schopenhauer, Nietzsche figurent parmi les innombrables auteurs que tous les témoignages attribuent au bagage de lecture d'Adolf Hitler.

Mais lisait-il? Jetzinger, dans sa rage de contredire Kubizek, ne manque pas de prétendre que Hitler n'a jamais lu un livre sérieux de sa vie. Sans aller aussi loin, d'autres auteurs expriment des doutes. Ils ont sans doute raison en ce sens que la mobilité de son esprit et la variété de sa curiosité firent que Hitler ne fut jamais un lecteur de mot à mot. Kubizek lui-même reconnaît qu'il cherchait dans ses lectures des arguments et des raisonnements conformes à ses idées. Mais il possédait une faculté d'appréhension exceptionnelle, et, par-dessus tout, l'une des mémoires les plus phénoménales dont un homme ait jamais été doué. Je ne crois pas que Hitler ait trouvé ses principes dans des écrits quelconques, et c'est pourquoi je n'attache pas beaucoup d'importance aux recherches pédantes sur les origines de sa pensée. Je crois, en revanche, qu'il trouva dans ses lectures un arsenal dialectique puissant.

De la mémoire de Hitler, on trouvera dans la suite de ce récit des exemples impressionnants. « Elle était sans aucune faille. Elle s'étendait à tous les domaines... Il retenait non seulement les noms, les chiffres, le

33

contenu des livres, mais aussi bien les visages, les époques, les circonstances, les atmosphères. Il se rappelait dans les moindres détails les pièces qu'il avait vues à Vienne, dans sa jeunesse, les noms des acteurs et jusqu'à la critique dont elles avaient été l'objet... » Il s'ajoutait à cet emmagasinage de connaissances et de souvenirs un talent d'imitateur qui permettait à Hitler, lorsqu'il était de bonne humeur, de jouer de véritables saynètes en contrefaisant la voix, les attitudes et les maniérismes des individus avec lesquels il avait été en contact.

Le revers de cette médaille brillante était l'impossibilité de s'astreindre à un travail approfondi. Elle était manifeste dans les années scolaires. Les années viennoises en apportent la confirmation.

Kubizek poursuivait au Conservatoire des études régulières et sans éclat. Modeste et sociable, il donnait des leçons particulières, jouait de l'alto dans des concerts mondains, pénétrait dans quelques salons. Hitler s'ancrait dans sa solitude. Il avait obtenu une introduction auprès du dessinateur de théâtre Rollers et reçu quelques leçons du graveur Panholzer, puis, sans raison apparente, avait rompu ces contacts. Ses auto-études d'architecture consistaient dans la lecture d'ouvrages de vulgarisation et dans la contemplation des monuments de Vienne. Jamais il ne se soucia d'acquérir les connaissances technologiques indispensables à la profession. Quand Kubizek osait lui en faire la remarque, il répondait avec impatience qu'il pouvait se passer des servitudes dont les autres étaient obligés de s'entourer.

Cependant, la hiérarchie de ses préoccupations se modifiait. A Linz, l'art pur avait la première place. A Vienne, la politique et l'urbanisme prennent le pas. Hitler se déclarait indigné par l'insalubrité des villes et par la misère du logement. La laideur, la crasse, les punaises de la Stumpergasse lui fournissaient un réquisitoire contre l'avidité des propriétaires comprimant les pauvres au mépris de l'hygiène et de la décence. Mais, disait-il, rien ne sera changé avant qu'une révolution ait créé un État d'une nature nouvelle. Il n'arrivait pas encore à le définir. Il repoussait avec plus de haine que jamais l'enseignement marxiste, le socialisme apatride et enjuivé, et, d'un autre côté, le spectacle de Vienne accroissait sa révolte contre la société bourgeoise et cléricale qui exclut les masses prolétariennes de la solidarité nationale, les voue à l'insécurité, les enchaîne à la misère, les condamne au taudis.

Sans dire où il allait, Hitler annonça à Kubizek qu'il s'absentait pendant quelque temps. Lorsqu'il revint au bout de trois jours, exténué, la table, les chaises, le piano à queue, les murs maculés de taches sanglantes des punaises écrasées se couvrirent de fusains représentant la cité future telle que Hitler se la représentait après avoir visité les faubourgs de Vienne. Les quartiers populaires desservis par un réseau dense de voies ferrées, consistaient en petits immeubles pour quatre, huit, au maximum douze familles. Des espaces verts, des parcs pour les jeux des enfants aéraient ces agglomérations et, dans chaque logement, Adolf Hitler plaçait cette innovation chimérique : une baignoire. La vente, l'usage du tabac étaient interdits, et l'on tolérait les cafés, mais uniquement pour la consommation de boissons populaires non alcoolisées dont Hitler recherchait la formule. Il pressentait le coca-cola.

Dans ses maisons salubres, Hitler voulait des familles unies. Il se prononçait pour le mariage précoce, la fidélité conjugale, les enfants nombreux. S'il aimait Vienne, il n'aimait pas les Viennois, légers, sceptiques, libertins. Il attirait les femmes, en dépit de la pauvreté qu'il portait sur son vêtement et sur son visage, mais il ne se départit ni de sa mysoginie ni de sa vertu. Il craignait la contagion, non seulement la contagion vénérienne, mais la contagion de l'impureté. En même temps, comme tant de jeunes gens travaillés par les sens, il s'exposait à la tentation. Kubizek raconte qu'il lui fit parcourir de bout en bout le « cloaque du vice », la Siebensterngasse, où des femmes plus que nues s'offraient aux fenêtres et tiraient les rideaux lorsqu'un client était entré. Lui-même reconnut qu'il fut témoin dans les rues chaudes de Leopolds-tadt « de scènes insoupçonnées du peuple allemand... Un frisson me courut dans le dos... ». Répulsion et attirance mêlées. Son dossier médi-cal, parfaitement connu, ne corrobore pas l'histoire suivant laquelle il aurait contracté la syphilis avec une prostituée juive. Une autre histoire, qui courut Munich dans les années ultérieures, celle d'une liaison de Hitler avec une chanteuse de beuglant française, qui l'aurait plaqué parce qu'elle le trouvait embêtant, paraît non moins fausse. Kubizek affirme qu'il ne connut pas une fille pendant qu'ils furent compagnons de logis. On ignorera sans doute toujours quand et comment Adolf Hitler se débarrassa de sa virginité.

1908 s'acheva, 1909 commença sans apporter aucune ouverture d'avenir à Adolf Hitler. Pour August Kubizek, l'aîné de neuf mois, l'année était celle de son vingtième anniversaire. Au début d'avril, il reçut, transmise par ses parents, une convocation au conseil de révision. Il eut juste le temps de l'arracher des mains de Hitler qui commençait à la déchirer. Servir dans l'armée austro-hongroise était une déchéance et une lâcheté! Gustl devait plutôt se réfugier en Allemagne et s'engager dans l'armée du Reich, du vrai Reich!

Le jeune homme partit pour Linz, ébranlé. Le père le ramena à la raison, le conduisit au bureau de recrutement où en qualité d'étudiant, il fut affecté à l'Ersatz-réserve, dans laquelle les recrues n'accomplissaient qu'une période d'instruction de huit semaines. Il fut convoqué pour le 16 septembre à la caserne du 2e régiment de la Landwehr, à Linz. Hitler accueillit son ami revenant à Vienne par des bordées de plaisanteries sur l'Ersatzreservist, mais il ne lui garda pas rancune du conseil de désertion dédaigné (1).

Le début de l'été fut splendide. Gustl, qui s'était fait quelques sous par ses leçons particulières, emmena son ami excursionner autour de Vienne. Ils parcoururent le Wienerwald, prenant des déjeuners de lait et de pain dans les auberges, comme des disciples de Jean-Jacques. Ils gravirent le Semmering sur leurs chaussures de ville, furent pris dans un terrible orage et passèrent une nuit dangereuse dans un hangar à foin. Ils dressèrent leurs plans pour l'année scolaire prochaine. On conserverait à frais partagés la chambre de la Stumpergasse, et l'on reprendrait la vie communautaire après la corvée militaire de Kubizek.

Au début de juillet, Adolf accompagna August à la Westbahnhof. Il lui serra les deux mains, dans un geste d'effusion inhabituel, et partit sans se retourner.

Quelques lettres se succédèrent. L'été était devenu exécrable. Il pleuvait tous les jours. On avait dû rallumer le poêle et les punaises de *Frau* Zakreys paraissaient trouver des forces nouvelles dans la glacière de la canicule. « J'en ai fait un carnage. Je les ai noyées dans *mon* sang! » Adolf disait qu'il travaillait jusqu'à 2 ou 3 heures du matin — et sans doute reconstruisait-il Linz, puisqu'il demandait à August de lui envoyer contre-remboursement un plan de la ville. Puis il partit pour le Waldviertel, d'où Kubizek reçut, datée du 19 août, une carte postale représentant une vue de Weitra. Puis, la correspondance s'interrompit.

L'automne vit surgir une crise européenne dangereuse. Le 5 octobre 1908, le ministre des Affaires étrangères, baron Lexa d'Aehrenthal, notifia aux chancelleries que l'Autriche transformait en annexion le mandat qu'elle avait reçu sur l'Herzégovine et la Bosnie. Trois semaines auparavant, la Russie avait obtenu l'assurance que l'annexion ne serait pas prononcée avant qu'elle ait reçu des compensations dans les Détroits. Trompé, humilié, le ministre des Affaires étrangères Isvolsky demanda la guerre. Les Serbes, pour lesquels la Bosnie et l'Herzégovine faisaient partie dans leurs rêves d'une Grande Serbie, mobilisèrent. L'empereur allemand, en marge d'un document diplomatique, qualifia l'annexion d'acte de brigandage — *Raubanfall* — mais l'Autriche-Hongrie était la seule alliée sûre du Reich allemand. « Le principe intangible de la politique allemande, professa le chancelier-prince de Bülow, est d'être aux côtés de l'Autriche dans les affaires des Balkans. » Tout 1914 est en germe dans 1908.

L'Allemagne était trop forte. La Russie était trop affaiblie par la défaite qu'elle avait essuyée quatre ans auparavant en Extrême-Orient. La France ne connaissait pas encore le retour de flamme du nationalisme qu'allumera la crise d'Agadir. Il n'y eut pas de guerre — cette fois. L'Ersatzreservist Kubizek ne fut même pas retenu sous les drapeaux après ses huit semaines d'instruction. Il écrivit à son camarade Hitler qu'il arriverait à la Westbahnhof le 20 novembre, par l'omnibus de 6 h 20 du soir.

Adolf n'était pas à la gare. Au logis, *Frau* Zakreys dit à Kubizek que

Herr Hitler avait réglé sa quote-part du loyer et qu'il était parti l'avant-veille sans laisser de message. L'ami fidèle attendit quelques jours, puis revint à Linz pour s'informer. Angela Raubal le reçut fort mal, lui disant que c'était par sa faute qu'Adolf, dans sa vingtième année, n'avait ni métier, ni gagne-pain. Elle ne savait pas où et comment il vivait — et ne se souciait pas de le savoir.

La Stumpergasse n'avait été qu'une étape. Adolf Hitler s'enfonce plus profondément dans le bas-fond social.

***

Un nouvel échec, plus mortifiant que le premier, avait précédé la brusque disparition d'Adolf Hitler. Le mois précédent, l'Académie des beaux-arts l'avait refusé pour la deuxième fois. En 1907, il avait pu franchir l'épreuve de composition éliminatoire. En 1908, il ne fut même pas admis à la subir : *Nicht zur Prüfung zugelassen...* Le jury avait estimé qu'il perdrait son temps en donnant une deuxième chance à Adolf Hitler !

Kubizek alla se reloger dans une chambre meublée de la Glassauerhof. Il n'était pas à cinq minutes de la Felberstrasse où Hitler avait repris un gîte chez un ancien postier nommé Barth. L'immeuble existe encore avec « son escalier de pierre aux marches usées, des paliers couverts de dalles et un évier à chaque étage où les locataires, retraités ou petits employés, vont chercher leur eau (2) »... Il y avait les plus grandes chances pour que Adolf et August se retrouvent face à face au coin d'une rue. Cela ne se produisit pas.

Aucun témoignage direct n'existe sur l'année qui suit. Seules les fiches du service des garnis établissent que Hitler logea Felberstrasse jusqu'au 20 août 1909, puis, jusqu'au 16 septembre, au n° 58 de la Sechshauserstrasse, d'où il partit sans laisser d'adresse et, probablement, en abandonnant aux mains du logeur son pauvre bagage. C'est à cette époque, mais à une date qu'il n'est pas possible de préciser, les comptes de tutelle n'ayant pas été retrouvés, qu'il cessa de recevoir le subside provenant de l'héritage paternel. Ses ressources mensuelles se réduisirent aux 25 couronnes de sa pension d'orphelin, soit un litre de lait et une livre de pain par jour, sans rien pour le toit.

Après la Sechshauserstrasse, on perd la trace légale d'Adolf Hitler. Il gîta probablement dans la Kaiserstrasse et dans la Simon Dank Gasse — mais il s'agissait moins de maisons meublées que de caboulots où les pauvres diables pouvaient passer la nuit pour quelques sous. Il ne reparaît pour l'Histoire qu'à l'Obdachlosasyl, à l'asile des sans-toit de Meidling (3).

Le studieux compilateur Bradley F. Smith a découvert dans le *Statistiche Jahrbuch* de 1909 des détails sur cet immense réceptacle de misère. Fondé par des associations philanthropiques, il fournissait dans l'année un demi-million de nuitées. On faisait passer les arrivants sous la douche; on désinfectait leurs vêtements; on les conduisait au réfectoire où ils recevaient un bol de soupe et un morceau de pain; puis ils étaient répartis dans des dortoirs sur des châssis de treillis. Les cartes d'admission étaient valables pour une semaine, mais elles faisaient l'objet d'un trafic et il était loisible à un clochard d'obtenir un hébergement sensiblement plus long.

Un nouveau témoin entre en scène. « J'arrivai à Vienne à l'automne de 1909, raconte Reinhold Hanisch, après avoir longtemps erré sur les routes d'Allemagne et d'Autriche... A l'asile de Meidling, mon voisin de droite paraissait désespéré. Il avait couché plusieurs nuits sur un banc dans un parc, avant d'échouer ici, fatigué à mort, affamé, les pieds en sang. Son costume bleu tourné au lilas était décoloré par la pluie et par la désinfection qu'il avait subie en entrant à l'asile. Je partageai avec lui le pain que des paysans m'avaient donné et l'informai que chaque matin, entre 9 et 10 heures, une distribution de soupe avait lieu au couvent des bonnes sœurs de la Gumpendorferstrasse. Le nom de mon voisin était Adolf Hitler... »

Hitler confirme dans un document de police ultérieur : « Je fis connaissance de Hanisch, qui se faisait alors appeler Fritz Walter, à l'asile de Meidling. »

Cet Hanisch était un Sudète, né en Bohême, près de Gablonz, et, comme tel, partageait les sentiments de Hitler sur l'empire austro-hongrois et sur le Reich allemand. Il le décrivait avec enthousiasme, encore qu'il n'en connût que les bas-fonds. Il apprit à Hitler, qui ne l'avait pas encore entendu, la *Wacht am Rhein*. Chaque soir, les deux gueux chantaient l'hymne du chauvinisme germanique et, dit Hanisch, un éclair s'allumait dans les yeux de Hitler chaque fois qu'il entonnait le refrain : « Nous, Allemands, craignons Dieu, mais nous ne craignons rien sur terre. »

Quelques jours durant, Hitler et Hanisch firent quotidiennement la tournée de la soupe et du pain. « De l'asile d'Erberg, subventionné par le baron juif Königswarter, nous allions à Favoriten, puis nous revenions Meidlingstrasse, une marche de deux heures et demie. Hitler n'avait pas de pardessus; dans son mince veston, il était bleu de froid... » Hanisch le pressa d'écrire à sa famille. La lettre, adressée probablement à la tante Johanna, fut rédigée au café Arthaber, en face de la station de Meidling. Elle eut un effet inespéré. Adolf reçut un mandat de 50 couronnes. Il en consacra douze à acheter une houppelande au mont-de-piété du Doro-theum.

Noël était là. La première neige tombait sur Vienne. Hitler s'embaucha parmi les balayeurs, mais, dit Hanisch, il était trop faible pour ce labeur. Le nouvel ami lui donna le conseil d'utiliser plutôt ses talents artistiques. Le contrat verbal passé entre eux se résume ainsi : « Tu peins; je vends; nous partageons. »

Le reliquat des 50 couronnes permit un changement de domicile.

Hitler et Hanisch quittèrent l'asile de Meidling et allèrent habiter au foyer pour hommes, Männerheim, 22 Meldemannstrasse, dans le 20ᵉ arrondissement de Vienne, quartier de la Brigittenau. L'établissement existe encore, fonctionne toujours. Eugène Silianoff raconte en termes saisissants la visite qu'il y a faite : « Au rez-de-chaussée, les salles de séjour et de lecture... L'air de celle des fumeurs est opaque et irrespirable... Tables de bois, bouteilles vides au milieu de traînées de liquide, saleté repoussante, jeux d'argent bruyants... La salle des non-fumeurs est plus décente et surtout moins encombrée. Entre les deux, un couloir dans lequel les pensionnaires faisaient leurs cuisines sur une demi-douzaine de réchauds à gaz : l'odeur de mauvaise graisse vous saisissait à la gorge... Pires encore étaient les dortoirs. Les premières classes sont des cellules avec une fenêtre grillagée et un lit dont les draps sont changés toutes les six semaines; les deuxième et troisième classes sont des chambrées avec des sommiers métalliques sans matelas ni draps... » Deux tiers de siècle ont, depuis Hitler, saturé de souillures des lieux où passèrent tant d'hommes grossiers et malpropres — mais Emil Kläger qui, en 1908, au cours de son enquête sur la misère viennoise, coucha une nuit au Männerheim flambant neuf, est prodigue d'éloges. Le vestibule, avec son grand tableau pour les clés, était digne d'un hôtel. On pouvait, au restaurant, obtenir une soupe pour 4 sous et un repas complet très convenable coûtait 23 sous. Le sous-sol offrait des bains de pied gratuits et des cabines de douches privées au prix de 25 centimes. Les clochards parlaient du Palais Männerheim avec dérision et Kläger, qui s'était déguisé en besacier, n'en rencontra qu'un autre : un journaliste de Cracovie faisant la même enquête que lui. La clientèle se composait de célibataires pauvres ou appauvris : employés, musiciens, petits rentiers, joueurs malheureux, jusqu'à des nobles ruinés et d'anciens officiers supérieurs.

Hitler payait sa cellule une demi-couronne, 50 centimes par jour, mais il devait l'évacuer à 9 heures du matin et la réoccuper à 9 heures du soir. Il travaillait dans la salle commune, à côté d'autres pensionnaires écrivant des adresses ou transcrivant de la musique. Il peignait des cartes postales en couleurs et des aquarelles, dont certaines, suivant la mode du moment, étaient incorporées par les ébénistes à des dossiers de fauteuil ou de canapé. Il copiait des photographies et reproduisait presque exclusivement des monuments. Hanisch écoulait sa production mais ses seuls clients réguliers étaient des Juifs : Altenberg dans la Wiedmerhauptstrasse, Landsberger dans la Favoritenstrasse, Morgenstein dans la Liechtensteinerstrasse. Les aquarelles et dessins qu'il ne parvenait pas à placer de cette manière, Hanisch les colportait dans les cafés en disant qu'ils étaient les œuvres d'un jeune artiste malade et sans ressources et qu'on faisait une bonne action en les achetant. Les prix variaient de 2 à 10 couronnes suivant la tête et le cœur du client.

Après l'asile de Meidling, le foyer de la Brigittenau constitue l'amorce d'une remontée. Hitler le reconnaît dans *Mein Kampf :* « Au début de 1910, ma condition changea quelque peu. Je travaillai comme petit peintre et aquarelliste... » Cependant, il n'eut longtemps qu'une seule chemise qu'il lavait dans le sous-sol. « Il y avait parmi nous, dit Hanisch, un petit Saxon qui avait coutume de dire qu'il ferait beau demain, puisque Hitler lavait sa chemise. » Et encore : « Il portait en travaillant une lévite et un chapeau melon effroyablement sale sur l'arrière du crâne. Ses cheveux étaient longs et emmêlés et il se laissait pousser une barbe comme il est fréquent d'en voir dans le ghetto de Leopoldstadt. Il avait déjà à cette époque une mèche sur le front. »

La cafétéria, dont la modicité des prix émerveillait Kläger, lui restait en règle générale trop onéreuse : tantôt lui, tantôt Hanisch faisaient leur tambouille — du riz au lait ou du pudding à la margarine — sur les becs de gaz qui brûlent encore dans la Meldemannstrasse. Il n'était pas encore végétarien de doctrine, mais il l'était de nécessité. Il ne touchait jamais une goutte d'alcool et il avait pris congé du tabac sans retour, jetant, dit-il, dans le Danube le dernier paquet de cigarettes qu'il avait acheté.

Le Männerheim procura à Hitler, pour la première fois, un public. Les salles communes, occupées du matin au soir, étaient des *debating societies*. Le monologuiste de Linz, le solitaire de la Stumpergasse, devint dans la Meldemannstrasse un personnage prolixe, extériorisant d'un seul coup la véhémence qu'il avait jusqu'alors déversée sur le seul Kubizek. Il discourait sur la musique, le théâtre et la philosophie, exaltait Wagner et Schiller, rabaissait Mozart et Goethe, commentait Schopenhauer. Il annonçait — aux huées de l'auditoire — que l'alimentation humaine se réduirait bientôt à l'absorption de quelques pilules et prévoyait une invention qui, en supprimant la pesanteur, permettrait de transporter les plus lourds fardeaux avec une faible dépense d'énergie. Il parlait surtout de politique, déconcertant des esprits simples qui ne parvenaient pas à comprendre comment il pouvait, à la fois, dénoncer sauvagement l'Église et critiquer haineusement la social-démocratie. Hanisch, qui vivait du pinceau de Hitler — le tançait pour des bavardages préjudiciables au commerce. Hitler répondait qu'il n'était pas un coolie et que son activité créatrice avait besoin de répit.

Une grande figure viennoise, le bourgmestre Karl Lueger, venait de disparaître. Hitler vit passer son convoi funèbre avec émotion. Il avait d'abord détesté en Lueger le fondateur du parti chrétien-social, parti noir, puis il avait admiré l'antisémite attribuant inlassablement tous les maux de la société autrichienne aux Juifs.

Les Juifs d'Autriche avaient été relevés de l'obligation de porter un costume distinct par l'Édit de Tolérance de Joseph II. Salomon Rothschild fonda en 1819 une branche viennoise, devint le financier de Metternich, fut baronifié en 1822, construisit les premiers chemins de fer autrichiens, donna une impulsion industrielle à la période dite du Vormarsch, antichambre de l'Autriche moderne. Une haute société juive se constitua autour du salon d'une Récamier viennoise, Fanny von Arnstein, femme d'un autre banquier juif anobli. Les édits de 1861 ayant ouvert la politique aux Juifs, ils se répartirent entre le parti libéral et le parti social-démocrate, avec pour caractéristique commune une inclination vers l'Allemagne. Victor Adler coopéra à l'établissement du programme de Linz et, rejeté vers la social-démocratie par l'antisémitisme de Schönerer, conserva un attachement sentimental pour le Reich de Guillaume II. C'était l'époque où l'on disait que l'Allemagne était la patrie de cœur de tout Juif.

L'importance des Juifs dans la finance, leur invasion des professions libérales, leur prépondérance dans la presse, le théâtre et les arts, entretenaient l'antisémitisme dans la bourgeoisie. Le pullulement des pauvres lui servait d'aliment dans les couches populaires. Les Juifs recensés à Vienne étaient 40 000 en 1870, 118 000 en 1890, plus de 200 000 en 1910. Ils venaient des régions les plus arriérées de l'empire, de Galicie, de Ruthénie, de Bucovine. Leur fourmillement, leur aspect, leur yiddisch, les légendes indestructibles qui s'attachent à eux ravivaient sans cesse à leur égard l'animosité des masses. Vienne ne connut jamais de pogrome à proprement parler, mais les démonstrations antisémites y furent innombrables, entraînant à différentes reprises de sérieux incidents.

On peut croire Adolf Hitler lorsqu'il déclare dans *Mein Kampf* que sa première jeunesse ignora l'antisémitisme — ou qu'en tout cas, ne le ressentit que sous la forme atténuée qu'il a conservée dans toute l'Europe occidentale. « Il y avait très peu de Juifs à Linz; ils s'étaient européanisés extérieurement et je les tenais même pour des Allemands. » Vienne, déversoir de l'Orient, l'introduisit dans une autre ambiance. La première couche de son antisémitisme lui vint des journaux pangermanistes dénonçant dans la social-démocratie l'instrument de domination du monde juif — mais lorsqu'il entra au Männerheim, il n'avait pas encore contracté, suivant Hanisch, la fureur antijuive qui devait le posséder jusqu'à son dernier souffle comme une frénésie. Le milieu acheva sa transformation. Le ghetto de Leopoldstadt, dont Hitler parcourait en frémissant les ruelles inondées de prostitution, touche à la Meldemannstrasse. Il se convainquit, dit-il, que les Juifs formaient un peuple distinct, différent du peuple allemand et de tous les autres peuples — un peuple affecté d'une saleté morale et physique congénitale. « Il m'arriva d'avoir des haut-le-cœur en sentant leur odeur. Je me mis à les haïr. »

Le racisme avait déjà ses classiques. L'*Essai sur l'Inégalité des Races humaines,* du comte de Gobineau, datait du siècle précédent. Friedrich Nietzsche était mort en 1900, en état d'aliénation mentale, mais son œuvre, son apologie du surhomme, se situant au delà du bien et du mal, exerçaient sur l'esprit allemand une influence profonde. Stewart Houston Chamberlain, fils d'un amiral anglais, gendre de Richard Wagner, naturalisé allemand, admirateur fanatique des Teutons, publiait son œuvre maîtresse, *Fondations of the Nineteenth Century.* A Vienne même, un docteur-baron, Lanz von Liebenfels, qui n'était ni docteur, ni baron, ni von, ni Liebenfels, qui falsifiait jusqu'à sa date de naissance pour se donner « un alibi astrologique », tenait école de racisme. Fils d'un instituteur viennois, ancien moine cistercien divorcé de l'Église catholique, fondateur d'une confrérie aryenne, il avait, au solstice d'hiver de 1907, fait flotter pour la première fois la croix gammée, symbole de pureté raciale, en l'arborant sur la magnifique ruine romantique de Burg Werfenstein. Il éditait une publication, *Ostara,* qui avait pris pour devise : « Blonds de tous les pays, unissez-vous! » Il reçut un jour la visite de Hitler qui, ayant acheté un numéro, désirait se procurer toute la série. Lanz, remarquant l'air de pauvreté de son visiteur, lui en fit cadeau et, dit-il, ajouta deux couronnes pour indemniser le jeune Hitler de ses frais de déplacement.

Ostara contenait des tables qui permettaient de calculer son indice d'aryanité et la qualité de sa blondeur. Hitler put se convaincre qu'il était loin d'atteindre un coefficient élevé. Pour cette raison ou pour une autre, il ne chercha jamais à revoir le baron d'Empire von Liebenfels — qu'une interprétation facétieuse devait présenter par la suite comme « l'Homme qui donna ses idées à Hitler ».

Il n'eut besoin ni d'un texte ni d'un maître pour enfanter l'antisémitisme qu'il devait porter à d'horribles conclusions. On le respirait dans l'air de Vienne. Hitler lui donna la puissance de sa passion.

*
* *

L'association avec Hanisch ne tarda pas à se rompre. Le 5 août 1910, Hitler se rendit au commissariat de la Brigittenau pour déposer une plainte accusant son courtier d'avoir détourné une toile, représentant le Parlement, dont il estimait — et surestimait — la valeur à 50 couronnes. L'accusé avait disparu du Männerheim et la plainte n'aurait pas été suivie d'effet si un ami de Hitler, rencontrant Hanisch sur la Favoritenplatz, ne lui avait pas reproché son larcin. La querelle attira un agent de police qui, Hanisch n'ayant pas de papiers, l'arrêta. Suivant son récit, l'hitlérien malencontreux s'appelait Löffler, et c'était un Juif!

Quelques jours plus tard, Hanisch fut condamné par le tribunal de simple police à une semaine de prison. Du box des prévenus, il cria à Hitler qu'il le retrouverait. Il n'en fit rien, reprit sa vie vagabonde et, après l'avènement du national-socialisme, fabriqua des aquarelles portant la signature imitée de Hitler. Arrêté par la police autrichienne, il mourut dans sa cellule, le 4 février 1937, d'une crise cardiaque. Ses trois articles sur ses relations avec Hitler ne parurent en Amérique que vingt mois après sa mort. Leur authenticité n'est pas contestée, mais leur véracité est sujette à caution.

Hitler remplaça l'indélicat Hanisch par un Juif, Josef Neumann. La part qu'il recevait sur ses travaux lui permettait tout juste de payer sa redevance au Männerheim et d'acheter les aliments indispensables. Un témoin très discuté, très contesté, Josef Greiner, raconte que le directeur de l'établissement, un ancien officier nommé Kanya, voulut se débarrasser d'un pensionnaire trop loqueteux dont ses voisins disaient qu'il leur donnait des poux. Greiner engagea sa montre en or, renippa Hitler en lui achetant un pantalon, une paire de souliers, une jaquette d'occasion et en lui donnant un peu de son propre linge de corps. « Je fus assailli par des camarades qui me reprochèrent d'avoir sauvé ce cochon de réactionnaire de Hitler. »

Ce Greiner brouille les dates, accumule les invraisemblances, s'est fait taxer d'imposture, accuser même de n'avoir jamais connu Hitler (4). Les hitlérologues qui ont exprimé ce doute ne se sont pas avisés que le livre *Das Ende des Hitlers Mythos* fut écrit en 1945, à une époque où il était impossible de connaître autrement que d'une manière personnelle la foule de détails véridiques qu'il relate au milieu de ses inexactitudes. Ils n'avaient pas surtout pris connaissance des trois articles de Hanisch, publiés en 1939 aux États-Unis : on y trouve la preuve des relations assez intimes de Greiner et de Hitler. « Greiner, dit Hanisch, avait été allumeur de réverbères au cabaret Hoelle. Doué d'une vive imagination, beau parleur, il exerça une mauvaise influence sur Hitler. Il bâtissait toutes sortes de châteaux en Espagne, que Hitler prenait très au sérieux. Il y avait entre eux une sorte de compétition dans l'enfantement des chimères. Hitler disait que Greiner était un génie comme Edison, mais qu'il était trop versatile et qu'il avait besoin de quelqu'un pour réaliser ses plans. » Loin d'être sans valeur, et bien qu'il doive être manié avec prudence, le témoignage de Greiner est la meilleure relève de ceux de Kubizek et de Hanisch pour suivre la vie de Hitler au cours des années 1910 et 1911.

Greiner avait rompu avec une pieuse famille qui voulait le pousser dans la prêtrise. Arrivant à Vienne, avec l'intention d'y faire une carrière d'artiste peintre, il vint gîter au Männerheim où il fit connaissance dès le lendemain de Hitler et de Neumann. Il se flatte d'avoir orienté Hitler vers le dessin publicitaire, plus rémunérateur que la reproduction de monuments. Le futur Führer des Allemands mit son talent au service d'une dame Csillag pour vanter les mérites d'une pommade capillaire et il démontra l'efficacité d'une poudre Teddy contre la transpiration, en montrant un facteur accablé parce qu'il n'en usait pas et un facteur guilleret parce qu'il en usait. Mais sa fatale incapacité devant les visages poursuivait l'artiste jusque dans sa production utilitaire. Le facteur sec avait un visage aussi lugubre que le facteur transpirant.

L'aviation fit partie des chimères que Greiner et Hitler courtisèrent ensemble. Le premier, ayant loué un atelier, entreprit de construire plusieurs modèles réduits propulsés par un moteur à vapeur utilisant le principe de la réaction. Hitler s'associa à ces essais avec enthousiasme. Ils aboutirent, assure Greiner, à la réalisation d'un Kondor de trois mètres d'envergure, dont le vol, d'une durée de vingt-cinq minutes, fut observé du Prater par le capitaine aérostier Hinterstoisser montant un ballon captif. Peu après, reconquis par un oncle, Greiner quitta Vienne pour aller reprendre à Berlin des études qui le conduisirent jusqu'au grade d'ingénieur-docteur. Hitler avait essayé de le retenir en lui disant qu'ils devaient fonder une grande firme aéronautique *Greiner und Hitler,* qu'ils deviendraient ensemble riches et célèbres. On retrouve la version de Hanisch disant que Hitler prenait Greiner pour un Edison dépourvu de sens pratique et qu'il s'offrait pour être le réalisateur de ses inventions.

Hitler resta au Männerheim, partiellement reconstruit et étendu dans la Wurlitzergasse. Il atteignait l'âge où le jeune Bonaparte se jetait à corps perdu dans le torrent révolutionnaire, où Mussolini commençait sa carrière d'agitateur. Lui, Hitler, acceptait de rentrer à 9 heures du soir dans sa cellule grillagée et continuait de gagner sa misérable pitance en faisant sans goût et sans talent de mauvaises aquarelles. On ne relève pas une seule tentative pour échapper à cette médiocrité. On découvre du même coup ce qui sera jusque dans son agonie de Berlin l'une des caractéristiques paradoxales d'Adolf Hitler : une passivité cohabitant avec sa frénésie. Il ne cessa d'attendre l'événement — et l'événement vint à lui pour l'élever, puis pour l'écraser.

***

Vers la fin de 1910, les relations commerciales avec Neumann se rompirent à leur tour. Hitler se chargea personnellement de la vente de ses œuvres, mais il était bien trop timide pour aller les colporter dans les cafés à la manière de Hanisch. Les marchands juifs devinrent son unique débouché. L'un d'eux, Jacob Altenberg, raconte que son fournisseur était gauche, embarrassé de sa personne, incapable de défendre ses intérêts, mais qu'il faisait un effort de bonne apparence, qu'il se rasait et que son vêtement était propre. Hitler retrouva également des loisirs, visita les galeries de peintures, recommença à fréquenter l'opéra. Une amélioration dans sa condition matérielle est manifeste, qu'il ne paraît pas possible d'attribuer à une valorisation sensible des œuvres qu'il colportait.

Deux événements familiaux et une décision de justice fournissent une explication. Angela Raubal avait perdu son mari le 10 août 1910 et la tante Johanna s'était éteinte, à Spital, le 20 mars 1911. Après les obsèques, Angela eut la désagréable surprise d'apprendre que la vieille fille ne possédait plus rien, ayant, le 10 décembre précédent, retiré de la caisse d'épargne ses économies de fourmi, 3 800 couronnes. Le bénéficiaire ne pouvait être que le neveu viennois. La jeune veuve Angela trouva désagréable d'être frustrée, alors qu'elle vivait sur une pension de famine, ne recevant pour Paula, alors une collégienne de quinze ans, que la moitié des 50 couronnes mensuelles versées par le trésor autrichien aux deux derniers enfants de l'officier des douanes Hitler. Sur sa réclamation, et à la requête du tribunal de tutelle, Adolf comparut le 4 mai devant le juge de paix de Leopoldstadt. Il reconnut que, tout en étant en mesure de subvenir à ses besoins, il avait reçu de sa tante Johanna des sommes importantes: *grossere Beträge*. Il acceptait, en conséquence, de renoncer au bénéfice de sa sœur à la part de pension qui lui était servie depuis le décès paternel (5). Contrairement à ce qu'on a cru longtemps, cette renonciation ne fut pas spontanée.

L'horizon international s'assombrissait à nouveau. La crise ouverte par l'envoi devant Agadir de la canonnière allemande *Panther* n'était pas encore conjurée quand, le 29 septembre 1911, le canon tonna en Méditerranée. L'Italie entreprenait la conquête de la Tripolitaine. L'hallali du vieil empire ottoman, superficiellement modernisé par la révolution jeune turque, commençait.

En Tripolitaine, les Italiens rencontrèrent une résistance inattendue. Mais les efforts des Turcs affaiblirent et désorganisèrent leur armée métropolitaine. Retrouvant des forces, brûlant de venger l'humiliation bosniaque, la Russie nouait ouvertement l'alliance offensive de la Serbie, du Monténégro, de la Bulgarie et de la Grèce. L'imprudente Autriche, grand corps fragile, avait porté un coup à un empire plus fragile encore. Elle déchaînait le panslavisme qui devait l'anéantir.

Les hostilités éclatèrent le 8 octobre 1912. Le Monténégro, 200 000 habitants, royaume d'opérette tragique, se lança contre la Turquie. Ses alliés suivirent, ravis d'être entraînés. Les guerres balkaniques commençaient, féroces, aggravées par les conditions physiques et climatiques, dramatisées par le typhus. Les armées turques, sans obus et sans souliers, furent rapidement vaincues et les dernières provinces ottomanes en Europe, l'Albanie, l'Épire, la Macédoine, la Thrace, rapidement conquises. Lorsque 1912 s'acheva, les Turcs luttaient adossés aux faubourgs de Constantinople, sur les lignes de Tchataldja. La Russie chantait des *Te Deum* pour les victoires de ses alliés balkaniques. Le ministre des Affaires étrangères russe humilié en 1908, Isvolski, devenu ambassadeur à Paris, savourait sa revanche. Deux grandes-duchesses belles et ardentes, filles du roi du Monténégro, pressaient le Tsar de donner à l'épopée balkanique sa conclusion glorieuse en chassant définitivement les Turcs d'Europe et en rattachant Constantinople à la Russie. Mais l'Allemagne, son baril de poudre en bandoulière, s'opposait à la réalisation de ce grand dessein.

La première guerre qui avait enfiévré l'imagination d'Adolf Hitler — il avait dix ans — était celle des Boers : « Je guettais chaque jour les journaux et dévorais les dépêches... » La guerre russo-japonaise s'était déroulée pendant qu'il était à la Realschule de Linz. Il avait salué dans les triomphes japonais la défaite et l'humiliation du slavisme. La guerre des Balkans lui fit, dit-il, l'effet d'un coup de vent balayant l'Europe fébrile, annonciateur de l'ouragan qu'elle allait attendre désormais avec un mélange d'angoisse et d'impatience. Il ne cessa plus de dire qu'une grande guerre européenne était imminente et qu'il était futile de faire des plans individuels d'avenir alors que la tempête allait se déchaîner.

Il était maintenant au Männerheim depuis cinq ans. Cette vétérance lui conférait une sorte d'autorité. Le jeune employé de bureau, Karl Honisch, le dernier témoin des jours viennois, dépeint d'une manière assez vivante la vie d'Adolf Hitler à quelques mois des grands événements qui vont la bouleverser.

Il travaillait assidûment, peignant en moyenne une aquarelle de 35×45 cm par jour, laquelle était vendue de 3 à 5 couronnes. Il s'installait près de la fenêtre de la salle des non-fumeurs et, si quelqu'un voulait s'y asseoir, des voix s'élevaient : « C'est la place de *Herr* Hitler! » Lorsqu'on le félicitait de son talent, il prenait un air modeste en disant qu'il n'était qu'un dilettante. Jamais il ne dressait un chevalet en plein air, mais copiait des cartes postales représentant les principaux monuments de Vienne — comme s'il entretenait sa nostalgie de l'architecture en les reproduisant.

Ses habitudes alimentaires restaient frugales. Un moment, il fut le cuisinier d'une Kochgemeinschaft, d'une coopérative culinaire, préparant les aliments d'un groupe de pensionnaires travaillant au-dehors, en échange de la gratuité de son repas. Depuis, il faisait alterner la cantine avec le pain et le lait en provenance d'une laiterie de Basse-Autriche que Honisch lui apportait en rentrant de son travail.

Le Männerheim était plein de palabreurs et de songe-creux. Leurs discussions se déroulaient dans la salle des non-fumeurs. Souvent, Hitler affectait de ne pas les entendre, mais, parfois, il posait ses pinceaux et se jetait dans le débat avec une fougue extraordinaire. Les deux espèces humaines qui excitaient le plus sa colère, dit Honisch, étaient les Rouges et les Jésuites. Il arrivait aussi que Hitler, renonçant à convaincre, haussât les épaules et se remît à peindre en indiquant par son attitude ce qu'il pensait de la faculté de compréhension de ses contradicteurs.

Toujours suivant Honisch, Hitler était entouré de la considération générale pour ses bonnes manières et sa générosité. C'était toujours lui qui prenait l'initiative d'une collecte et faisait circuler son chapeau quand un pensionnaire était momentanément dans l'impossibilité de payer son loyer. On doit ajouter que cette description flatteuse fait partie d'un témoignage recueilli en 1938 par la Gestapo.

En lisant Honisch, on a l'impression que le volcan de Linz et de la Stumpergasse s'est refroidi. Hitler, à vingt-quatre ans, paraît entré dans une vie végétative. Il ne recherche toujours aucun contact extérieur, n'essaie d'entrer dans aucune association, de trouver un groupe correspondant à ses idées, de militer pour la cause qui lui est chère. Il n'existe aucune raison pour qu'il ne vieillisse pas au Männerheim, dans son odeur de basse cuisine et d'humanité mal lavée. Il a trouvé une certaine sécurité matérielle. Il n'est pas, comme l'ont dit ses premiers biographes, une épave. C'est pire : on dirait qu'il s'est accommodé de la médiocrité!

Mais le sol autrichien devenait brûlant. Adolf Hitler ne s'était pas présenté au recrutement militaire de 1909. Il avait omis également de le faire en 1910, 1911 et 1912. Il était à la merci d'une vérification de police, pouvait être arrêté et incorporé dans l'armée qu'il détestait. Il était urgent de mettre une frontière entre les Habsbourg et lui.

Il quitta le Männerheim et Vienne le 24 mai 1913 avec un camarade dont le nom reste inconnu, une valise et 80 couronnes d'économies. « C'est avec beaucoup de peine, dit le complaisant Honisch, que nous vîmes partir *Herr* Hitler. Son départ laissa parmi nous un grand vide... »

3

VEILLÉE D'ARMES A MUNICH
1913-1914

En arrivant à Munich, Hitler écrivit dans sa fiche de police : *Heimatlos*. Sur sa nationalité autrichienne, il tirait — mais unilatéralement — un trait.

On ne sait ce qui le conduisit dans la famille du tailleur Popp. Elle se composait du ménage Josef-Elisabeth et du fils, Josef junior. Josef, l'aîné, avait travaillé à Paris, parlait français, tirait de son expérience internationale une certaine assurance de jugement. Il sous-loua à Hitler une chambre avec une entrée indépendante au troisième étage de l'appartement qu'il occupait Schleissheimerstrasse, n° 34. La rue, située dans l'ouest de Munich, près de la gare centrale, était une artère importante, sans originalité particulière, desservant d'immenses casernes et le vaste terrain de manœuvre de l'Oberwiesenfeld.

En dépit de toutes les recherches biographiques, il s'en faut que la jeunesse d'Adolf Hitler soit connue d'une manière satisfaisante. On ne parvient pas à comprendre comment un artiste totalement inconnu, arrivant à Munich avec une somme minuscule, put, en peu de temps, s'assurer une base d'existence, même modeste. Pièces fiscales à l'appui, Hitler écrivait en janvier 1914 que son revenu s'élevait à environ 1 200 marks *eher zu viel als zu wenig,* « plutôt plus que moins » (1). Cent marks par mois faisaient 125 francs-or. Combien Hitler vendait-il de dessins pour arriver à ce chiffre ? Comment et à qui les vendait-il ? Quels étaient ces dessins et que sont-ils devenus ? Ces questions restent sans réponse — mais il est établi que les jours de Munich, contrairement aux jours de Vienne, ne furent jamais des jours de grande détresse. Hitler s'habillait correctement. Il se nourrissait mieux. Il frayait avec les Popp, qui trouvaient en lui un charme autrichien. Il connut quelques personnalités d'une certaine importance, dont le juge fiscal Ernst Hepp. L'atmosphère de Munich le détendait. « Voilà une ville allemande ! Quelle différence avec Vienne ! Que je sois aujourd'hui attaché à cette ville plus qu'à aucun autre lieu au monde, tient sans doute au fait qu'elle est demeurée indissolublement liée à mon développement. »

Le seul témoignage direct sur la vie de Hitler pendant cette période émane encore de l'ingénieur Josef Greiner. « En juin 1913, envoyé auprès du ministère bavarois des Postes pour une question d'installation téléphonique, je tombai par hasard sur Hitler à la gare de Munich... Je partageai sa chambre pendant deux mois. Il avait son petit déjeuner gratuit, mais devait rendre quelques services domestiques, battre les tapis, porter le charbon, faire les courses. Quand je vins habiter chez lui, il devait un arriéré de 90 marks sur son loyer... »

A cette époque, Hitler se passionnait pour les questions génétiques, sous l'influence d'un étudiant en médecine dont Greiner se remémore la barbe et l'excentricité, mais dont il a oublié le nom. Il fit faire à son ami la connaissance de deux jeunes filles, élèves d'une école de dessin, mais Hitler gâcha la soirée, d'abord en parlant de politique, ensuite en se demandant quel serait le produit si une femme était fécondée par un mélange de semences provenant de plusieurs hommes. « Vous devriez, au nom de la science, vous prêter à l'expérience... » Les péronnelles ne devaient pas être des oies blanches puisqu'elles lui répondirent qu'il mettrait certainement de sa propre semence dans le cocktail et qu'elles auraient peur de donner le jour à des singes... Toujours selon Greiner, témoin discuté.

Greiner demanda à Hitler s'il avait des plans d'avenir ou s'il comptait rester un bohème à perpétuité. Hitler répondit que la guerre allait venir et qu'il serait tout à fait indifférent d'être un directeur-général ou un tondeur de caniches (*Pudelscherer*). Il espérait que l'empereur Guillaume II aurait la sagesse de rompre la Triplice, de s'allier avec la Russie, de battre l'Autriche-Hongrie pour la démembrer, détruisant ainsi le support sur lequel s'appuyaient les deux funestes puissances internationales : Rome et Juda. Greiner repartit pour Berlin et n'entendit plus parler d'Adolf Hitler avant 1922.

Munich était en 1913 la capitale d'une Bavière heureuse. Le lien fédéral qui l'unissait à la Prusse était invisible et immatériel. Elle avait son roi, son drapeau blanc et bleu, son gouvernement, ses chemins de fer, ses postes — et le Baedeker rappelait aux voyageurs que les timbres *Deutsche Reich* n'avaient pas cours dans le royaume bavarois. La Bavière échangeait des ambassadeurs avec la Prusse, des ministres avec les autres états allemands, et les puissances européennes y conservaient un corps diplomatique en miniature. L'armée bavaroise avait son ministère de la guerre particulier, prêtait serment au roi, n'était subordonnée qu'en temps de guerre au commandement prussien. La vie bavaroise était solide et plantureuse. Le Fasching et l'Oktoberfest dominaient l'année comme des piliers de truculence. Les Bierhäuser, les Bierkeller, complétés l'été par des jardins, recevaient dans des flots de musique des foules replètes, heureuses de vivre, insoucieuses du lendemain. L'activité artistique et intellectuelle était intense, au milieu des chefs-d'œuvre accumulés par les Wittelsbach. Des réfugiés politiques, des intellectuels non conformistes s'installaient à Munich, attirés par le bon marché de la vie et les effluves de liberté. Lénine y avait publié quelques numéros de l'*Iskra* et un socialiste barbu, le Juif russe Komanovski, germanisé en Kurt Eisner, y poursuivait des études nietzschéennes loin d'un Berlin trop pesant. Le journal satirique le plus hardi d'Allemagne, le *Simplicissimus,* paraissait à Munich, et ses thèmes inépuisables étaient l'arrogance et l'inintelligence de la bureaucratie et de l'armée à la prussienne. La Bavière n'avait pas participé dans une mesure égale à celle d'autres parties de l'Allemagne à l'enrichissement de l'empire bismarckien, mais elle conservait mieux qu'elles sa saveur locale et son originalité.

« A Munich, dit Hitler, je m'intéressai d'une manière particulière à la politique internationale. » Il n'avait pas d'autres lumières que celles qu'il trouvait dans les gazettes qu'il allait lire au café. Mais la matière était riche. Les dernières étapes de l'avant-guerre se précipitent ; la certitude d'un conflit général grandit.

Le partage de territoires conquis sur les Turcs divise les petits pays balkaniques. Les Serbes veulent un accès à l'Adriatique, mais l'Autriche et l'Allemagne leur barrent la route en suscitant l'indépendance de l'Albanie, à laquelle elles donnent pour roi un principicule allemand, le prince de Wied. Vers l'est, la Serbie se heurte à l'irrédentisme bulgare exigeant toute la Macédoine avec la Thrace orientale et sa fenêtre sur la mer Égée. Le 25 juin 1913, l'armée bulgare attaque par surprise les forces serbes et grecques, mais la Roumanie restée neutre contre les Turcs, se jette sur les Bulgares pour leur arracher la Dobroudja. Les Turcs rouvrent les hostilités, réoccupent Andrinople, reprennent pied en Europe. Écrasée, la Bulgarie perd la majeure partie de ses gains territoriaux, mais son amère rancune la prédispose à faire cause commune avec les empires centraux. C'est aussi le cas de la Turquie, si longtemps cliente de l'Angleterre et de la France, protectrices des Détroits.

Le rapin Hitler tirait une certaine clairvoyance de l'idée qu'il s'était faite de l'Autriche-Hongrie. « Les Allemands, dit-il, tablaient toujours sur la monarchie des Habsbourg comme sur un état allemand... Ils la considéraient comme une puissance sérieuse qui, à l'heure du péril, mettrait aussitôt sur pied une grande force militaire. Mon expérience de Vienne m'avait convaincu du contraire... » Hitler tenait l'alliance autrichienne pour l'erreur fatale de la politique allemande. La seule alliance que le Reich aurait dû rechercher était l'alliance anglaise, nécessaire pour couvrir ses arrières pendant qu'il entreprendrait, aux dépens de la Russie, les conquêtes territoriales exigées par l'avenir du peuple allemand (2). Collégien à Linz, il s'était enthousiasmé pour la construction par Guillaume II d'une grande flotte allemande. A Munich, il révise ce point de vue juvénile. « Pour se concilier les bonnes grâces de l'Angleterre, aucun sacrifice ne devait être trop grand. Il fallait renoncer aux colonies et à la puissance maritime, épargner toute concurrence à l'industrie britannique,... concentrer toute la puissance de l'État sur l'armée de terre. Le résultat aurait été une limitation momentanée, mais un avenir de grandeur... »

Tout au contraire, la rivalité navale anglo-allemande allait s'exaspérant. Deux fortes personnalités, le premier lord de l'Amirauté Fisher et le grand amiral Tirpitz, construisaient en toute hâte des escadres pour se disputer la mer du Nord. La tradition insulaire s'opposait à la transformation de l'Entente cordiale avec la France en une alliance formelle, mais les états-majors préparaient l'intervention sur le continent d'un corps expéditionnaire britannique. La France venait de rétablir le service militaire de trois ans. Plus riche d'hommes, l'Allemagne n'avait pas eu besoin de recourir à une mesure aussi générale, mais la loi du 3 juillet 1913 portait les effectifs de l'armée active de six cent vingt à huit cent vingt mille hommes. La course aux armements atteignait le point de *no return*.

L'exaltation des esprits allait de pair avec la prolifération des armes. Le compromis qui avait mis fin à la crise d'Agadir, la cession par la France d'un morceau du Congo, en échange des mains libres au Maroc, avait été attaqué avec la même fureur par les nationalistes des deux pays. Joseph Caillaux était flétri comme l'homme « qui avait vendu le Congo à l'Allemagne » et le Kronprinz allemand avait quitté sans autorisation sa garnison de Dantzig pour venir s'asseoir dans une tribune du Reichstag, encourageant de la voix et du geste les orateurs attaquant l'accord. Le chancelier Theobald von Bethmann-Hollweg, successeur du brillant prince de Bülow, était, dit avec dérision son royal maître Guillaume II, « fondamentalement pacifiste », mais totalement impuissant à freiner la marche à l'abîme.

L'année 1913 fut émaillée d'incidents. Un mince personnage, le lieutenant von Förstner, du 99e régiment d'infanterie, déclencha l'affaire de Saverne en prononçant des paroles outrageantes pour les Alsaciens. Les Français retinrent de l'incident que l'Alsace restait fidèle après quarante ans de séparation. Le Reichstag vota un blâme aux autorités militaires, mais le Kronprinz se plaça encore à la tête des traîneurs de sabres en envoyant un télégramme de félicitations au chef de corps du lieutenant von Förstner.

Au même moment, Adolf Hitler traversait une aventure désagréable dont ses futurs historiographes et policiers s'efforceront de faire disparaître la trace.

Le dimanche 18 janvier 1914, à la fin de l'après-midi, un policier bavarois vint l'arrêter à son domicile et, après une nuit passée au violon, le conduisit au consulat général d'Autriche-Hongrie. Lente, mais persévérante, la police autrichienne avait retrouvé la trace de l'insoumis et le recrutement le mettait en demeure de se conformer aux obligations militaires auxquelles il se dérobait depuis cinq ans. Le dénommé Hietler (*sic*) Adolf, né le 20 avril 1889 à Braunau-am-Inn, était invité à se présenter le 20 janvier au conseil de révision de Linz, sous peine d'être poursuivi avec toute la rigueur des lois. La qualité de « Heimatlos » dont il s'était couvert en arrivant à Munich était sans valeur légale et les conventions entre l'Autriche-Hongrie et l'Allemagne permettaient l'extradition des déserteurs.

Linz est à 280 kilomètres de Munich. Le trajet coûtait une trentaine de marks. Hitler dit à l'employé du consulat qu'il lui était impossible de trouver une telle somme à temps pour prendre le train de nuit, le seul qui lui permît d'arriver dans le délai prescrit. L'employé ému par l'air pauvre, souffreteux et docile du jeune Hitler, télégraphia à Linz pour demander que la convocation fût repoussée au 5 février. La réponse arriva, sèche et dure : « Doit se présenter le 20 janvier ». Mais le 20 janvier 1914 était tombé dans le passé depuis la veille lorsqu'elle arriva à Munich. Hitler prit le parti d'écrire au magistrat de Linz une longue lettre d'explication et d'excuse. Il disait qu'il étudiait pour devenir dessinateur d'architecture, qu'il vivait de la vente de ses aquarelles, mais que son gain d'environ 1 200 marks par an était très irrégulier ; qu'il était le fils d'un haut-fonctionnaire autrichien ; qu'il s'était présenté en 1909 au recrutement de Vienne ; qu'on l'avait éconduit et qu'il avait jugé inutile de se présenter à nouveau. « J'étais un jeune homme inexpérimenté et sans ressources... Deux ans durant, je n'ai pas eu d'autres amis que le Souci et le Besoin, d'autre compagnon qu'une faim inassouvie. Je n'ai jamais connu le beau mot de Jeunesse. Aujourd'hui encore, cinq ans après, je garde la marque de cette époque sous la forme d'engelures aux mains et aux pieds. Et cependant, je m'enorgueillis d'avoir surmonté les conditions les plus difficiles en gardant mon nom sans tache devant ma conscience et devant la loi... » La seule faute dont il se reconnut coupable était d'avoir négligé ses obligations militaires. Il se disait prêt à s'y conformer désormais ponctuellement, mais il demandait, en mentionnant l'avis favorable du consulat, l'autorisation de subir le conseil de révision à Salzbourg, plus proche de Munich que Linz.

Il y a un abîme entre cette humble missive et l'affirmation claironnante de Hitler disant qu'il s'était expatrié pour ne pas servir dans l'armée habsbourgeoise exécrée. En repassant la frontière, en franchissant le seuil du conseil de révision, il se remettait docilement à la merci de l'État qu'il accusait de trahir la cause allemande. Il aurait dû normalement revêtir l'uniforme autrichien, et c'est dans un régiment autrichien que la guerre mondiale aurait dû le trouver, quelques mois plus tard.

Un coup de chance modifia son destin et, avec lui, l'histoire du monde. Les médecins militaires, devant lesquels il comparut le 7 février à Salzbourg, rendirent le verdict suivant : « *Zum waffen und Hilfsdienst untauglich, zu schwach. Waffen unfähig* — Inapte au service armé et au service auxiliaire, trop faible. Réformé. » Sans un jour de prison, sans une couronne d'amende, l'insoumis Hitler se trouva délié de toute obligation militaire à l'égard de l'Autriche-Hongrie. Sa révolte romantique aboutissait à l'exonération prosaïque que le moindre conscrit redoute et souhaite à la fois.

Le 28 juin 1914 était un beau dimanche. Hitler était dans sa chambre de la Schleissheimerstrasse (« Je sortais peu... »). L'un des Popp lui cria à travers la porte que l'archiduc François-Ferdinand venait d'être assassiné à Sarajevo...

« Je pensai d'abord, dit Hitler, que l'héritier du trône était tombé sous les balles d'étudiants allemands indignés par le travail de slavisation auquel il se livrait... » Puis il apprit que l'assassin était un Serbe. « Je fus saisi d'une sourde épouvante devant cette vengeance de l'insondable destin. Le plus grand ami des Slaves était tombé sous les balles de fanatiques slaves... »

A Kiel, la semaine navale déroulait ses fastes. La participation d'une escadre anglaise, pour la première fois depuis dix-neuf ans, témoignait d'un certain rapprochement germano-britannique, inquiétait les Français et les Russes. Une vedette s'approcha du *Hohenzollern*. On lui signala de s'écarter, mais l'officier qui la montait agita une petite boîte au-dessus de sa tête pour faire comprendre qu'il apportait un message important. Il le jeta sur le pont du yacht impérial. Quelques instants plus tard, tous les pavillons s'abaissaient à mi-mât...

Jamais la culpabilité d'un gouvernement n'a été plus directe que dans l'attentat de Sarajevo. Princip, Cabrinovitch, plusieurs autres furent recrutés, armés, transportés en Bosnie par la police serbe. Tous les Serbes rêvaient du rôle qu'avait joué le Piémont dans l'unification de l'Italie, poussaient à une guerre austro-russe, comme Cavour avait poussé à une guerre austro-française. La Main-Noire, organisatrice de l'attentat, avait pour président d'honneur le prince héritier Alexandre, qui devait trouver à Marseille, de longues années plus tard, la loi du talion. Et l'endroit où l'archiduc avait été assassiné devait recevoir une plaque commémorative portant l'inscription suivante : « Ici, Gavrilo Princip alluma le flambeau des libertés yougoslaves. » Sur vingt millions de morts!

Le gouvernement autrichien, de son côté, vit dans le forfait de Sarajevo l'occasion d'écraser le nid de vipères mordant le talon de l'empire. Le comte Berchtold avait remplacé Aehrenthal à la direction de la politique étrangère. Il se fiait à la maxime allemande vérifiée dans la crise de 1908 : soutenir l'Autriche sans restriction dans toutes les affaires balkaniques. L'Allemagne, calculait Berchtold, tiendrait la Russie en respect, l'empêcherait d'intervenir. La guerre ne serait dès lors qu'une expédition punitive contre une nation qui venait de se mettre au ban de l'humanité par un crime odieux.

Dans toute l'Europe, l'émotion, l'indignation avaient été immenses. Si les troupes austro-hongroises avaient immédiatement bombardé la citadelle de Belgrade, franchi la Save, occupé la capitale serbe, il est très probable qu'aucune puissance ne serait intervenue. Le drame de juillet 1914 c'est qu'il ne se passa rien. L'émotion s'apaisa. L'indignation se dissipa. L'été était le plus ensoleillé du siècle. L'empereur Guillaume appareilla pour sa croisière dans les fjords norvégiens. Le chancelier, le chef d'état-major général partirent pour leur cure annuelle. Le Foreign Office, le Quai d'Orsay, les ambassades se vidèrent de leurs chefs. Sous les ombrages des villes d'eau, sur le sable des stations balnéaires, l'élite européenne se berça de la conviction que les coups de feu de Sarajevo n'auraient pas d'échos.

Une, deux, trois semaines s'écoulent. La quatrième semaine après l'attentat commence le lundi 20 juillet. Poincaré, que le président du Conseil Viviani accompagne, achève sa visite en Russie. Le jeudi soir, 23, il retrouve à Kronstadt le cuirassé *France* qui, à petite vitesse, descend le golfe de Finlande, emmenant le président de la République française vers la réception qui lui a été préparée à Stockholm. C'est le moment qu'a choisi le comte Berchtold pour faire remettre à Belgrade l'ultimatum dont la teneur est arrêtée depuis le 16 juillet! La diplomatie autrichienne a attendu que les deux chefs de la nation française ne puissent plus se concerter avec l'allié russe pour arrêter une attitude commune en face du prolongement soudain du crime de Sarajevo! Ce mauvais coup associe Vienne à Belgrade dans la culpabilité première du grand conflit.

L'ultimatum donne au gouvernement serbe quarante-huit heures pour accepter les conditions suivantes : 1° désaveu — par une proclamation du roi Pierre — de l'agitation pour la Grande Serbie ; 2° dissolution des ligues pan-serbes et châtiment des officiers ayant coopéré à la préparation de l'attentat ; 3° participation d'un représentant du gouvernement autrichien à l'enquête chargée d'établir les culpabilités. La réponse est remise au baron Giesl, ministre plénipotentiaire d'Autriche-Hongrie, dans le délai prescrit. La Serbie accepte le désaveu et la punition des coupables ; elle n'accepte pas la participation autrichienne aux recherches. Le baron Giesl se lève, salue, demande ses passeports.

En marge de la dépêche qui l'informe de l'événement, Guillaume II écrit : « C'est un brillant résultat obtenu en quarante-huit heures seulement ; à la place de François-Joseph, je n'aurais pas rappelé mon ambassadeur... »

Trop tard! La guerre a pris le départ. L'Allemagne est coupable d'avoir laissé l'Autriche déterminer comme elle l'entendait l'action qu'elle jugeait nécessaire d'exercer contre la Serbie. La France et l'Angleterre sont coupables de n'avoir pas signifié aux Serbes qu'ils devaient expier l'assassinat de l'archiduc. Deux tiers de siècle après, on pleure encore de penser que, pour la souveraineté d'un peuple à demi barbare des Balkans, les trois plus nobles nations de l'Occident, l'Angleterre, la France, l'Allemagne se sont déchirées dans une guerre atroce, détruisant les bases de leur puissance mondiale, déchaînant des suites dramatiques de malheurs — dont Hitler.

Mais un enthousiasme belliqueux soulève les foules. Les Munichois acclament la guerre devant les ambassades d'Autriche et de Prusse, puis saccagent le café Fahrig sur la rumeur que le chef d'orchestre a refusé de faire jouer la *Wacht am Rhein.* Le 31 juillet, l'état de danger de guerre, *Kriegsgefahrzustand,* est proclamé au son du tambour. Le lendemain, les camelots des *Münchener Neuesten Nachrichten* se précipitent dans les rues en criant : *Krieg! Krieg! Krieg!* A la Russie, dont la mobilisation générale avait été proclamée la veille, le Kaiser a donné jusqu'à midi pour suspendre ses préparatifs militaires. Midi a sonné. La Russie n'a pas obtempéré. La mobilisation générale allemande est proclamée à son tour. La guerre est là.

« Je n'ai pas honte d'avouer, devait écrire Adolf Hitler, qu'emporté par un enthousiasme tumultueux, je tombai à genoux et remerciai le Ciel de m'avoir donné de vivre une telle époque... »

La foule s'amasse devant le palais royal, chante *Deutschland über alles,* acclame son roi, le vieux Louis III. Nombreux sont encore les Bavarois qui se souviennent de l'entrée en guerre de 1870, qui ont connu les hésitations, les révoltes devant une participation à un conflit avec la France comme auxiliaires d'une Prusse détestée. 1914 n'est pas 1870. L'unité allemande est faite et bien faite. La Bavière est à l'unisson de la totalité du Reich. Elle est aussi à l'unisson de tous les peuples d'Europe, reposés, las de bonheur, brûlant de se battre. « La guerre de 1914, écrira Hitler, ne fut pas, Dieu m'en est témoin, imposée aux masses, mais, au contraire, désirée par elles... » On n'ose le démentir.

Il est là, dans la foule, devant le palais royal. On l'identifiera plus tard, sur une photo, grêle jeune homme au visage mince, correctement vêtu, tenant à la main un chapeau de paille. Il ne crie ni ne gesticule. Mais un examen à la loupe décèle sur ses traits une expression d'extase.

Juridiquement, Adolf Hitler est toujours sujet autrichien. Sa réforme du début de l'année l'a dégagé de toute obligation militaire. S'il veut rester un spectateur dans le drame sanglant qui commence, à l'abri des coups, il ne tient qu'à lui...

Il rentra chez lui et écrivit au roi Louis III pour solliciter l'autorisation, lui, sujet autrichien dégagé d'obligations militaires, de s'engager dans l'armée bavaroise pour la défense de l'idéal allemand.

4

LE VOLONTAIRE

Ils venaient de tous les azimuts de la géographie et de la société. Certains étaient des Allemands de l'étranger rentrés précipitamment dans la mère patrie. Beaucoup étaient des hommes que, pour des raisons diverses, la conscription avait épargnés. D'autres, appartenant à l'Ersatz-réserve, auraient dû attendre dans leurs foyers une convocation problématique. Quelques-uns avaient dû se vieillir d'un an ou deux pour être acceptés, alors que d'autres avaient passé depuis longtemps l'âge légal du service militaire. Il y avait des artistes et des paysans, des ouvriers et des rentiers, une masse d'étudiants et jusqu'à des classes entières de gymnase s'offrant collectivement avec leurs professeurs. Tous représentaient, dans sa version allemande, l'élan de patriotisme démentiel, la ferveur de sacrifice soulevant à la fois des nations européennes qui n'avaient pas d'autres raisons de se battre que l'excès de leur santé et la chaleur de leur sang.

Adolf Hitler en était. On n'a pas retrouvé la lettre qu'il dit avoir adressée au roi Louis pour lui demander l'autorisation de s'engager dans l'armée bavaroise, ni l'assentiment qu'il aurait reçu, avec une célérité merveilleuse, dans les vingt-quatre heures. Mais il n'existe aucune raison de soupçonner la véracité de la profession de foi qu'il fait dans *Mein Kampf* : « Je ne voulais pas combattre pour l'État des Habsbourg, mais j'étais prêt à mourir pour mon peuple et l'empire qui le personnifiait... »

Avec les volontaires, le commandement allemand avait songé d'abord à former quelques bataillons de supplétifs. L'afflux fut tel qu'il fit surgir de terre une armée nouvelle : une brigade par corps d'armée. Celle qui naquit du 1er corps bavarois comprenait le régiment de réserve n° 16, ou régiment List, formé à Munich, et le régiment de réserve n° 17, ou régiment Grossmann, formé à Augsbourg. Le volontaire Hitler reçut l'ordre de se présenter à l'Elisabeth-Schule où le colonel List mettait sur pied son unité. Le 16 août, il avait chaussé la demi-botte et revêtu la tunique feldgrau. Faute de casques à pointe, on avait distribué des chapeaux de cuir trouvés au fond d'un vieux magasin. « Nous ressemblions, dit le lieutenant Wiedemann, à des volontaires de 1813. »

Wiedemann, qu'une blessure accidentelle avait empêché de partir avec son régiment, était l'un des rares officiers d'active affecté à ces formations improvisées. Les bataillons étaient commandés par des majors de réserve. Le colonel List lui-même était un officier des services administratifs écarté depuis longtemps de la vie militaire active. On n'avait pas de mitrailleuses pour ces super-réservistes et le matériel téléphonique qui fut attribué à la brigade provenait d'une commande passée par l'armée anglaise à un établissement de Nuremberg. Il paraissait peu probable au reste que les volontaires eussent le temps de verser le sang qu'ils offraient si généreusement. « Vous serez rentrés, avait dit Guillaume II à ses soldats, pour la chute des feuilles... » Le déroulement des opérations paraissait promettre que cette parole impériale serait tenue.

Pendant tout le mois d'août, pendant les neuf premiers jours de septembre, le régiment List lut la succession des bulletins de victoire avec un mélange de jubilation et de consternation. A l'ouest, la campagne s'était ouverte d'une manière fulgurante par la prise de Liège, puis le communiqué du 21 août avait annoncé une grande victoire en Lorraine, et l'on avait affiché dans Munich un ordre du jour du kronprinz Rupprecht félicitant les troupes bavaroises pour la part décisive qu'elles y avaient prise. L'invasion s'était ensuite déployée sur la Belgique et sur la France, recouvrant comme une marée Namur, Longwy, Bruxelles, Charleroi, Saint-Quentin. Le 29 août, le quartier-maître général von Stein avait officiellement annoncé la destruction à Tannenberg d'une armée russe, mentionnant 90 000 prisonniers et posant la première couronne de chêne sur le front du colonel-général von Hindenburg. La progression à l'ouest s'était encore accélérée. La liste des villes conquises s'était allongée : Givet, Rethel, Hirson, la Fère, Laon, Reims... Après la Meuse et l'Oise, l'Aisne et la Marne avaient fait leur apparition dans la toponymie du champ de bataille. Le communiqué du 3 septembre contenait cette phrase exaltante : « La cavalerie du colonel-général von Kluck approche de Paris... » Le régiment List arriverait trop tard pour participer à la victoire ! Les volontaires se sentirent presque ridicules : s'être précipité dans une telle offrande de soi-même pour une guerre qui allait se réduire à quelques exercices d'ordre serré dans la cour d'une école, à quelques balles logées dans une banquette de tir...

Les feuilles ne tombaient pas encore quand le communiqué du 10 septembre annonça que, à l'est de Paris, les éléments allemands qui avaient franchi la Marne s'étaient repliés devant l'intervention de forces ennemies supérieures en nombre. Les jours suivants, les renseignements fournis par le quartier-maître général devinrent rares et embarrassés. Aucune des trois villes désignées comme des conquêtes imminentes, Paris, Verdun, Nancy, n'avait été prise. L'Aisne, triomphalement dépassée, reparaissait dans les communiqués. Le peuple allemand comprit qu'un grave échec avait interrompu la marche triomphale de ses armées. Les volontaires du régiment List recommencèrent à croire qu'ils n'avaient pas fait acte de volontariat pour rien.

Ils embarquèrent le 21 octobre, deux mois après leur incorporation. Le lendemain matin, le fusilier Adolf Hitler, 1er bataillon, 1re compagnie, vit le Rhin pour la première fois. « Ma poitrine devint trop étroite pour contenir mon enthousiasme lorsque, à travers le tendre voile de brouillard matinal, s'éleva de l'interminable train de troupe la vieille *Wacht am Rhein...* » On entra en Belgique et les stigmates de la guerre commencèrent d'apparaître. Louvain n'était plus qu'un monceau de ruines calcinées. Le train ne roulait plus que par à-coups sur la voie endommagée. En approchant de Lille, on perçut l'orage de la canonnade. Le régiment débarqua dans un faubourg, alla cantonner à la Bourse, dont la verrière avait volé en éclats sous le souffle des obus. Quarante-huit heures plus tard, par une nuit d'encre, commença une marche de trente kilomètres jusqu'au village de Comines à cheval sur la frontière franco-belge, entre Armentières et Menin. Le bivouac fut établi dans un parc, mais Hitler ne put fermer l'œil à cause du double voisinage d'un cheval en putréfaction et de deux obusiers tirant de quart d'heure en quart d'heure une salve par-dessus sa tête (1). La marche d'approche reprit le lendemain, conduisit le premier bataillon au nord de la route de Menin à Ypres, près d'un hameau nommé Koelberg. Le jour qui se lève ensuite est celui du 29 octobre 1914, baptême du feu d'Adolf Hitler.

Les volontaires n'étaient pas destinés à rester des laissés pour compte de la gloire. Après le revers de la Marne et l'échec du plan Schlieffen, ils devenaient le dernier espoir d'une victoire expéditive. On avait formé avec leur million six corps d'armée, dont cinq avaient été envoyés sur le front occidental. Erich von Falkenhayn, qui avait succédé au trop sensible Moltke, n'hésita pas à jeter dans la mêlée des Flandres ces masses de recrues à peine dégrossies, insuffisamment encadrées, mal soutenues par une artillerie à court de munitions. Il crut qu'elles écraseraient sous leur nombre les forces disparates des coalisés, Belges sortis d'Anvers, Anglais et Français remontant de l'Aisne et de l'Oise ; qu'elles s'empareraient des ports de la Manche et ressaisiraient la victoire que Moltke avait laissé échapper.

Le 29 octobre, une première tentative a déjà échoué. Deux corps de nouvelle formation attaquant en masses profondes ont été hachés sur le bas Yser, devant Nieuport et Dixmude, et l'inondation recouvrant la plaine littorale rend impossible la poursuite de l'offensive. Falkenhayn tente une relance plus à l'est. Il croit pouvoir faire tomber le saillant d'Ypres, courir vers Cassel et, en se rabattant vers Dunkerque et Calais, encercler l'aile gauche ennemie. Vingt-cinq ans plus tard, le stratège Hitler réussira une manœuvre analogue — dont son impatience l'empêchera d'ailleurs de recueillir tous les fruits. En 1914, il n'est qu'un insecte humain, lancé avec un million d'autres dans une effarante mêlée (2).

A l'aube pleine de brouillard du 29 octobre, le 1ᵉʳ bataillon du 16ᵉ R.I.R. bavarois est déployé à la lisière d'un bois dont les obus brisent les branches comme des brins de paille. Le chef de bataillon, le major de réserve Julius comte von Zech und Neuhofen, ancien gouverneur du Togo, caracole comme aux manœuvres. Le moral des volontaires est à son plus haut degré d'exaltation. Sa Majesté l'Empereur a fait savoir qu'Elle daignait se rapprocher du front pour assister aux exploits de ses troupes et le kronprinz Rupprecht a encore lancé une proclamation pour dire à ses Bavarois qu'ils doivent être fiers de participer à la bataille qui va terminer la guerre victorieusement. Impatiemment attendu, follement acclamé, l'ordre « Vorwärts! » lance le fusilier Hitler dans une prairie, puis dans un champ de betteraves où une balle lui arrache la manche. Il traverse, au milieu d'une fumée fétide, un boqueteau dont les racines jaillissent du sol en se tordant comme des serpents sous l'impact des obus. Une tranchée, le long de la route, est pleine de cadavres anglais, mais les Wurtembergeois s'en sont déjà emparé et, trompés par l'étrange coiffure des Bavarois, tirent sur eux. Hitler voit le major von Zech, un cigare aux dents, faisant abriter ses hommes dans un fossé. Un éclat d'obus lui arrache la poitrine et l'adjudant de bataillon, le grand sous-lieutenant Pyloty, fils d'un avocat de Würzburg, est tué presque au même instant. Toute nouvelle progression est impossible dans la plaine balayée par les mitrailleuses. La nuit arrête le combat sur des monceaux de morts.

Il reprend le lendemain. La dernière crête, la dernière ligne de défense d'Ypres est jalonnée par les villages de Poezelhoek, Gheluvelt, Hollêbecke, Wytschaete. Le régiment List saigne toute la journée sans pouvoir aborder Gheluvelt et le parc entouré d'un mur de son château, mais, à sa gauche, les autres unités de la 6ᵉ division de réserve bavaroise et le XVᵉ corps prussien prennent Hollêbecke et Wytschaete, atteignent Saint-Éloi, à cinq kilomètres d'Ypres. La situation est si critique, du côté allié, que le général Foch se précipite en pleine nuit au Q.G. du maréchal French pour le supplier de tenir pendant qu'il jette dans la brèche quelques bataillons français.

La nuit est lugubre. Gheluvelt et Becelaere brûlent en mettant dans le brouillard des halos fantomatiques. Les officiers survivants du régiment List se rassemblent à la lueur d'une bougie dans une maison au carrefour de Kruiseik. Un colonel d'état-major, von Oldershausen, apporte les ordres pour le lendemain : Gheluvelt *doit* être pris. List fait observer qu'il n'a plus qu'une ombre de régiment et suggère que l'attaque soit différée de quelques heures pour une préparation d'artillerie. Oldershausen le toise : « Ainsi, les Bavarois ne *veulent* pas attaquer?... » Au même moment, Guillaume II, à Menin, déclare : « Nous allons voir comment *nos* Bavarois prendront Gheluvelt... » L'unité allemande est encore pleine de malveillances.

L'attaque s'exécute en deux temps. A 6 heures du matin, dans un brouillard qui étouffe l'aube. Le 1ᵉʳ bataillon s'avance silencieusement, fusils déchargés, et, baïonnette haute, se rue dans le parc. Les Anglais n'y ont laissé que quelques sentinelles, vite tuées ou capturées. Deux heures plus tard, l'assaut est donné au village. Un régiment wurtembergeois et un régiment saxon attaquent pêle-mêle avec le régiment List. Gheluvelt est pris. Les Anglais refluent dans les bois de Veldhoek et de Hooge, aux lisières d'Ypres. Foch doit encore supplier Haig et French pour qu'ils ne donnent pas un ordre de retraite générale vers les ports.

List, entré avec ses premiers fantassins dans le parc du château, est tué par un obus. Mais le régiment portera pendant toute la guerre le nom de son premier colonel.

L'armée allemande a touché à la victoire. Elle n'a plus la force de la saisir. Les hommes sont épuisés. Les caissons sont vides. La bataille s'arrête. Le 2 novembre, les débris du régiment List sont envoyés au repos à Comines. La compagnie de Hitler est réduite à quarante-deux hommes et une autre n'en ramène que dix-sept. Il reste quatre des vingt-cinq officiers qui ont quitté Lille une semaine auparavant.

Le repos est bref. Mille deux cents recrues comblent une partie des vides. Un vieil officier d'Afrique, le lieutenant-colonel Engelhardt, succède au colonel List. Nommé Gefreite, caporal, Adolf Hitler est détaché à l'état-major du régiment comme agent de liaison, plus précisément coureur, — Meldegänger. Le 17 novembre, devant Wytschaete, un obus anglais pénètre et explose dans la cave servant de P.C. régimentaire, faisant une horrible bouillie humaine. Tous les occupants sont tués ou, comme Engelhardt, blessés et mutilés. Un Meldegänger venait de quitter l'abri quelques instants auparavant : Adolf Hitler.

La cruelle relance du général von Falkenhayn avait échoué à son tour. La fleur de la jeunesse allemande avait été sacrifiée en pure perte. Le front occidental se stabilisait, se coagulait de la mer du Nord à la Suisse. Ni l'état-major allemand, ni l'état-major français n'avaient imaginé que la guerre vibrante et mobile qu'ils avaient préparée deviendrait une morne guerre de siège. De fantastiques épreuves commencent pour la troupe. Les tranchées ne sont encore que des fossés aux parois croulantes. Les abris ne sont que des trous d'animaux. Les puisards, les caillebotis, les coffrages, les poêles de tranchée sont encore inconnus. Les hommes vivent dans l'eau, se débattent dans la boue. Une mer de fange, pleine des épaves et des cadavres de la bataille de l'automne, recouvre la Flandre. Chaque trou d'obus est un piège dissimulant la menace d'un abominable enlisement.

Le régiment List ne quitte pas le secteur où il a reçu le premier baiser de la guerre. Wytschaete, Messines, Comines, Hollebecke dessinent le quadrilatère dans lequel se déroule la routine de sa misère. On voit au loin le beffroi d'Ypres, que l'artillerie érode, et plus près, le mont Kemmel dont les 159 mètres paraissent formidables au-dessus de l'horizontalité flamande. L'agglomération Tourcoing-Roubaix-Lille représente, à quelques kilomètres en arrière, un monde interdit. Le seul adversaire auquel on se soit encore heurté est l'Anglais — qui est, une fois sur deux, un Hindou. L'état d'esprit du régiment List reste bon. Ce qui disparaît c'est la ferveur. Les volontaires deviennent des vétérans, acquièrent le cynisme résigné des vieux soldats.

Meldegänger! Cela signifie que le caporal Adolf Hitler échappe à l'enfer des tranchées et qu'il est certainement considéré par les premières lignes comme un embusqué. Il vit à l'état-major du régiment, à proximité du lieutenant-colonel Petz, deuxième successeur du colonel List; de l'oberleutnant adjudant-major Wiedemann, du feldwebel-fourrier Amann. Ses camarades directs sont des paysans bavarois et aussi l'estafette au cheval blanc, le Schimmelreiter Hans Mend qui, ayant servi dans l'aristocratie, reçoit pour Noël les vœux de la princesse Elisabeth de Hohenlohe-Schillingfürst (3). Adolf Hitler couche dans des endroits relativement secs, mange assez régulièrement chaud, ne connaît que sous une forme atténuée la vermine et les rats, fléaux des fantassins. Ce sont les bons côtés, les bons moments du métier. Mais quand le barrage coupe les fils téléphoniques, quand les obus retournent le sol que les mitrailleuses criblent, quand les fantassins essaient de s'incorporer à la terre, les Meldegänger doivent ajuster leurs coiffures (il n'y a pas encore de casques d'acier), se signer s'ils croient en Dieu et s'élancer dans les boyaux éboulés ou sur la plaine rase vers les postes de commandement de l'avant. Ils vont par paires pour que le message marqué d'une, deux ou trois croix, suivant son degré d'urgence, ait une meilleure chance d'arriver à destination. Cela ne suffit pas toujours.

Le 9 mars 1915, le régiment est enfin envoyé au grand repos, à Tourcoing. La filature Gallant, dans laquelle il cantonne, semble un paradis. Bref paradis. Dès la deuxième nuit, le cri « Alerte! » retentit. Les hommes s'équipent hâtivement, se forment en colonnes, sont conduits à une gare, poussés dans des wagons à bestiaux. Ils sont convaincus qu'ils partent pour la Russie, mais la violence de la canonnade ne tarde pas à faire comprendre que la furieuse bataille vers laquelle ils sont dirigés est beaucoup plus proche. La station, Marquillies, où le train s'arrête, n'est même pas à vingt kilomètres de Lille. Les Anglais, qui ont maintenant 21 divisions en France, ont attaqué à Neuve-Chapelle, avec le corps hindou et le 4e corps. Le commandement allemand jette précipitamment des renforts pour les repousser.

Le caporal Hitler a été décoré de la croix de fer de 2e classe le 2 décembre 1914. Il a accompli de nombreuses missions devant Messines, mais c'est à Neuve-Chapelle qu'il fait pour la première fois son métier de porteur d'ordres au milieu d'un véritable orage d'acier. Du P.C. qu'il a établi au hameau de Hilpegarde, le colonel Petz lance ses coureurs pour établir une liaison avec des bataillons et des compagnies dont il ne connaît pas l'emplacement. Le volontaire Hitler bondit de trou d'obus en trou d'obus, court dans des tranchées à moitié comblées, piétine des cadavres et des blessés. Les plis qu'il porte dans une petite sacoche fixée à son ceinturon sont tous marqués de la triple croix de l'urgence. Le courage qu'il déploie est le plus difficile de tous, celui du solitaire au milieu d'un univers en démence — mais, dans les deux immenses armées enroulées l'une dans l'autre, des centaines de coureurs du champ de bataille accomplissent la même mission, bravent les mêmes dangers, font avec la même conscience professionnelle le même devoir.

Neuve-Chapelle n'est qu'un épisode court, brutal — et absurde. Dès le 13 mars, le maréchal French arrête son offensive, ayant perdu suivant son rapport officiel cinq cent soixante-douze officiers et douze mille deux cent trente-neuf hommes tués, blessés ou disparus. Les pertes allemandes sont également lourdes. De longs trains de blessés divergent vers Lille et vers Calais.

Le régiment List a laissé six cents hommes devant Neuve-Chapelle. A sa grande déception, il n'est pas renvoyé dans sa thébaïde d'usine textile de Tourcoing, mais remis en ligne à Fromelles, entre Armentières et La Bassée. Il ne reste debout dans la localité qu'un crucifix étendant les bras sur un champ de ruines. Le P.C. avancé du régiment est dans une cave et le P.C. arrière se trouve à Fourmies où s'accrochent encore quelques civils. Le printemps approche, assèche le sol, diminue la peine des hommes. Le calme relatif du secteur donne des loisirs aux Meldegänger. A la demande du lieutenant Wiedemann, Hitler redécore la popote des officiers qu'un autre artiste avait cru devoir égayer par une fresque représentant un soldat agonisant dans les barbelés. Recruté en partie dans l'élite intellectuelle, le régiment List est riche en peintres dont plusieurs se sont déjà fait un nom. Tous resteront sur le champ de bataille. Le plus obscur survivra...

Hitler fut un soldat exemplaire. Plus qu'exemplaire, fanatique. Il ne tolérait pas d'entendre des plaintes sur la férocité de la discipline, les travers des gradés, l'insuffisance de la nourriture, la rigueur et la longueur de la guerre — conversations inépuisables des soldats. Il s'emportait devant l'expression du moindre doute sur la légitimité du combat et sur la certitude de la victoire. En 1922, alors qu'on était à cent lieues d'imaginer que le Gefreite Hitler (Adolf) deviendrait le généralissime des armées allemandes, les anciens commandants survivants du régiment List, le général major Petz, le colonel Spatny, le lieutenant-colonel von Tubeuf, attestèrent en termes identiquement chaleureux son sang-froid, sa bravoure, son zèle infatigable (4). Il n'accomplit jamais d'action d'éclat (ce n'était pas facile dans le genre de guerre qui se déroulait sur le front occidental), et l'histoire qu'on devait raconter aux écoliers allemands, le Führer faisant seul vingt prisonniers français, figurerait à coup sûr dans l'historique du régiment List si elle n'était pas imaginaire. Mais Hitler fut le symbole de l'assiduité dans l'obscurité du devoir.

Dans la multitude, sa solitude était totale. Il avait reçu au début quelques lettres, un paquet ou deux de ses connaissances de Munich, mais ces envois ne tardèrent pas à se tarir. Ni Angela Raubal, ni Paula Hitler, ni les parents du Waldviertel ne se souciaient d'écrire au soldat perdu.

L'heure du vaguemestre, l'attente fébrile, les exclamations joyeuses, puis l'isolement pour savourer l'effluve du foyer réveillant l'homme dans le guerrier, cette heure sacrée n'exista jamais pour le caporal Hitler. Les douceurs matérielles lui manquaient comme le réconfort moral. Il refusait ombrageusement lorsqu'il était invité par ses camarades à partager les victuailles arrivant de la maison. Il n'avait pas d'autres ressources que les 35 pfennigs de prêt et la modique prime de combat versée à la troupe. Personne ne se souvient de l'avoir entendu formuler une plainte.

Adolf Hitler n'était pas impopulaire, en raison de sa promptitude à rendre service, à prendre le risque d'autrui. Mais il restait insolite. On ne comprenait pas toujours ses longues tirades, ni les raisons de son irascibilité. Une discussion avec un social-démocrate qui défendait les Juifs faillit dégénérer en rixe générale. « Nous disions, entre nous, raconte le Meldegänger Weiss Jackl, que le gars Adolf deviendrait peut-être député au Landtag de Bavière, mais personne ne pouvait imaginer qu'il serait un jour chancelier du Reich... »

Son puritanisme, au milieu de la promiscuité soldatesque, contribuait à une étrangeté génératrice d'un certain prestige. Il évitait de se montrer nu et même de dénuder sa poitrine. Il essayait — ce n'était pas facile — de s'isoler pour baisser son pantalon. Au repos, les soldats tournaient autour des filles. Certains n'étaient pas sans faire des conquêtes qui n'étaient même pas toutes vénales. D'autres utilisaient les facilités vénériennes offertes par l'intendance à des prix d'ami. Hitler ne se contentait pas de s'abstenir ; il blâmait. Il reprochait à des Allemands de rechercher des rapports sexuels avec des Françaises, étonnant des garçons qui, lorsqu'ils arrivaient à leurs fins, se considéraient plutôt comme des conquérants que comme des délinquants raciaux. « Nous accusions Hitler, dit Hans Mend, d'être misogyne. » Il n'est pas impossible qu'âgé de vingt-cinq ans, il conservât sa virginité.

Au printemps de 1915, la situation est faite de rayons et d'ombres. L'Italie est entrée en guerre aux côtés de la France et de l'Angleterre, mais les Turcs ont bloqué le débarquement franco-britannique aux Dardanelles et les Austro-Allemands ont chassé les Russes de Galicie. Sur le front occidental, les Français et les Anglais entreprennent la première offensive d'ensemble pour briser la carapace fortifiée du front allemand et retrouver en rase campagne le terrain de la victoire.

La bataille commença le 9 mai, par un temps magnifique, entre la Scarpe et la Lys, faisant surgir de l'anonymat Souchez et Notre-Dame-de-Lorette, Ablain-Saint-Nazaire et Carency. Le régiment List dut courir à La Bassée pour renforcer les lignes de la 6e armée fléchissant sous les assauts anglais. Après huit semaines de combat, il reprit, devant Fromelles, ses vieilles tranchées.

Le brave caporal Hitler restait caporal. Wiedemann explique pourquoi. A l'état-major du régiment List, où l'on était unanime sur sa vaillance et son dévouement, on ne lui trouvait pas l'étoffe d'un sous-officier. Il manquait d'allure militaire. Il avait l'habitude en parlant d'incliner la tête sur son épaule gauche. Il était incapable d'une réponse, d'un rapport brefs et précis. Il resta Meldegänger, portant des ordres, n'en donnant pas.

L'été, assez paisible, fut marqué par un indice de mauvaise augure : la réduction des rations. Croyant à une guerre courte, l'Allemagne ne s'était pas souciée de ses stocks alimentaires. Aucune mesure restrictive de la consommation ne fut décrétée à la mobilisation. Au début de 1915, on dut prendre conscience qu'il serait impossible à l'Allemagne, en raison du blocus anglais, de se procurer le volant de nourriture qu'elle avait coutume d'importer. L'établissement de cartes de rationnement fut décidé et les quantités de viande livrées par l'intendance aux armées en campagne furent réduites. Aux plaintes de ses camarades, Hitler répondit que les Français, en 1870, avaient mangé des rats. Personne au cours de la guerre ne songea à se repaître des créatures immondes, gorgées de chair humaine, qui pullulaient dans les tranchées.

Les nouvelles militaires redevenaient exaltantes. L'agression italienne avait totalement échoué. Le front russe s'effondrait. Après la reconquête de la Galicie, les armées austro-allemandes s'emparaient de toute la Pologne, de toute la Courlande, pénétraient en Russie blanche et en Ukraine, prenaient Varsovie, Kowno, Grodno, Vilno ; capturaient un million de prisonniers. A Gallipoli, un nouveau débarquement britannique n'avait réussi qu'à conquérir une plage aussi étroite et aussi exposée que les autres. La Bulgarie se joignait aux empires centraux, prenait la Serbie à revers, permettait la conquête totale des Balkans. A nouveau, les Franco-Britanniques n'opposaient aux triomphes orientaux de leurs adversaires qu'une offensive de rupture sur les charniers du front occidental. Elle s'élança le 25 septembre, au moment où les grandes pluies de l'automne commençaient à liquéfier le sol défoncé par les obus.

La guerre faisait voyager des millions de soldats allemands de la mer du Nord à la Suisse, ou encore de France en Russie ou en Serbie ou en Turquie. Le caporal Hitler, en un an de campagne, ne s'était jamais éloigné de l'étroit segment du front compris entre le mont Kemmel et La Bassée et il n'avait jamais eu en face de lui que des Anglais. Ce fut le cas encore pendant la seconde bataille d'Artois. Le 16ᵉ R.I.R. bavarois resta en ligne devant Fromelles. Les missions des coureurs devinrent extrêmement périlleuses par l'intensification des tirs d'artillerie et la généralisation des gaz de combat. Hitler était si souvent volontaire que ses coéquipiers finissaient par le trouver stupide. Mend, qui reprochait aux Meldegänger de toujours attendre qu'il se soit offert avant de se montrer, s'attira cette réplique : « *Wenn der Hitler so dumm ist, wir sind es nicht* — Si le gars Hitler est idiot, nous pas ! »

Après l'échec de la double offensive Champagne-Artois, la guerre de position reprend ses droits. L'hiver est encore abominable. D'immenses, d'interminables pluies noient le nord de la France. Les tranchées s'éboulent, les abris sont inondés, les fusils rouillent, les vivres se détrempent. Ce qui paraissait impossible, un deuxième Noël de guerre, survient. Hitler boude la naissance du Christ, s'enferme dans un silence réprobateur pendant que ses camarades s'efforcent de festoyer. Il a blâmé l'établissement des permissions et, logique avec lui-même, laisse passer son tour.

Au début de 1916, des indices révèlent qu'un cours nouveau va être donné aux opérations. Investi de la confiance du Kaiser, Falkenhayn a interrompu les triomphes de Hindenburg et de Ludendorff pour tenter d'enlever la décision à l'ouest. Les Bavarois voient arriver du front russe des unités prussiennes pleines de l'arrogance de leurs victoires, affichant leur certitude de balayer ces Anglais et ces Français que leurs camarades à la fibre trop tendre du front occidental ne parviennent pas à vaincre. Une montée en lignes et les pertes cruelles qu'elles subissent suffisent à leur démontrer que l'ouest n'est pas l'est — mais parce que l'ouest est beaucoup plus dur, dangereux et terrifiant.

Falkenhayn a saigné la jeunesse allemande dans les Flandres en 1914. Il entreprend de saigner l'armée française, en 1916, devant Verdun. La bataille ne modifie pas la routine de la vie de secteur pour la 6e division bavaroise en ligne entre Armentières et La Bassée. L'offensive franco-britannique de la Somme, qui commence le 1er juillet 1916, se développe en une bataille longue et méthodique dont, pendant trois mois, les Bavarois entendent dans la direction du sud le grondement sourd. Leur tour arrive d'y prendre part. Le 25 septembre, la division, 16e, 17e et 21e régiments de réserve, est regroupée à Haubourdin, transportée en chemin de fer jusqu'à Cambrai et, de nuit, sous une pluie drue, monte en ligne au sud de Bapaume.

L'enfer de la Somme a égalé l'enfer de Verdun. Depuis le 1er juillet, près d'un million d'hommes, Allemands, Anglais, Français, sont tombés d'Arras à Noyon. La bataille tire à sa fin, en partie parce que les assaillants voient le bout de leur stock de munitions, en partie parce que la boue enlise l'effroyable mêlée. Mais Joffre et le nouveau commandant en chef anglais Douglas Haig voudraient suspendre la tuerie sur un succès retentissant. Les Français s'acharnent sur Sailly-Saillisel. Les Anglais veulent prendre Bapaume. Les Allemands doivent s'arc-bouter avec l'énergie du désespoir pour résister aux assauts qu'ils subissent. Leurs adversaires ne sauront qu'après coup combien ils furent près d'un effondrement.

Le régiment List défend la petite agglomération formée par les villages de Thilloy, Ligny et Le Barqué. Il n'y a plus de tranchées, seulement des trous d'obus qu'on s'efforce de relier par des rigoles de quelques dizaines de centimètres de profondeur. Le P.C. du régiment est dans une cave de Le Barqué. Les signaleurs, les téléphonistes, les coureurs n'ont pour abri que l'escalier dans lequel, recrus de fatigue, ils dorment assis, les jambes enchevêtrées. Le surlendemain de l'entrée en ligne, un

65

obus anglais pénètre dans l'escalier abri, tue quatre hommes, en blesse sept. Hitler est indemne.

Dans la soirée du 4 octobre, Hitler fait une liaison avec le 3e bataillon en compagnie du Meldegänger Ernst Schmidt. Il fait une seconde liaison, en compagnie du Meldegänger Brandmayer, avec le P.C. de la division, à Bapaume. Il dort deux heures sur une paillasse, pour la première fois depuis cinq jours, pendant qu'on prépare les ordres qu'il doit rapporter. Au retour, le ciel est embrasé par le rougeoiement des explosions, le feu d'artifice des fusées de signalisation, la luminosité au magnésium des fusées éclairantes. La terre tremble sous un déluge d'obus. Hitler et Brandmayer arrivent entiers au P.C. du régiment, mais la tâche n'est pas finie. A 8 heures du matin, six coureurs partent vers les bataillons en ligne. Hitler, à nouveau, fait équipe avec Schmidt.

Schmidt revient seul. Le caporal Hitler a été blessé d'un éclat d'obus à la cuisse gauche. Des brancardiers le transportent au poste de secours. La plaie est ce que les soldats appellent la bonne blessure : pas assez grave pour mettre en danger vie ou membre; assez grave pour motiver une évacuation, un séjour à l'hôpital et une permission de convalescence. Cependant, Hitler supplie Wiedemann : « *Herr Oberleutnant,* ce n'est pas si mauvais. Je peux rester au régiment!... » Il fut quand même évacué, en même temps qu'un autre Meldegänger nommé Bachmann et dirigé sur l'hôpital auxiliaire de Beelitz, près de Berlin.

L'hôpital désole et indigne le patriote Adolf Hitler. Blessés et malades se racontent comment ils essaient de se dérober au devoir militaire en prolongeant leur hospitalisation, en intriguant pour être réformés. « Pour la première fois, j'entendis des hommes se vanter de leur lâcheté... » Berlin, qu'il découvre sur des béquilles, l'impressionne par son visage de tristesse et de mécontentement. Munich, où il est renvoyé le 1er décembre 1916, est pire encore. Les embusqués — Juifs dans une proportion écrasante — pullulent. Oubliant leur enthousiasme d'août 1914, les Bavarois considèrent la guerre comme une affaire prussienne dans laquelle ils sont traînés dans leur sang. Les marxistes reprennent leur travail de démolition en demandant la paix à tout prix. Hitler entend parler pour la première fois de grèves dans les usines de munitions. Les meneurs sont — naturellement — des Juifs. Inversement, la plupart des profiteurs de guerre, des mercantis, des industriels, s'engraissant dans le carnage, sont des Juifs. Les Juifs sont installés dans les deux camps : dans le socialisme de la trahison et dans le capitalisme du charnier!

De minutieuses études ont été faites sur le comportement des Juifs allemands pendant la Première Guerre mondiale. « Dans son immense majorité, dit le laborieux historien Dietrich Bronder, la Juiverie allemande se rangea dans le nationalisme et même dans le chauvinisme. » La science juive se mit avec enthousiasme au service de la lutte germanique. L'Allemagne n'aurait pu poursuivre la guerre au delà de quelques semaines si le chimiste juif Fritz Haber n'avait pas mis en échec le blocus britannique en découvrant la synthèse de l'ammoniaque, après quoi il se consacra au perfectionnement des gaz asphyxiants. Le président juif de l'A.E.G., Walter Rathenau, organisa l'industrie de guerre allemande avec une efficacité que son lointain successeur, Albert Speer, reconnaît n'avoir pas égalée. Sur cent mille Juifs mobilisés, quatre-vingt mille servirent au front, soit 12 % de la population juive contre 13 % pour la totalité du peuple allemand. Dix mille s'engagèrent, dont le plus jeune de tous les volontaires de guerre, Josef Zoppes, qui devait laisser ses deux jambes sur le front français. Douze mille Juifs furent tués, soit 2 %, en face d'une moyenne nationale de 3,5 %. Il est indéniable, devant ces deux derniers chiffres, que leur haute intellectualité aida les Juifs à réduire l'impôt du sang, mais il en fut de même pour la classe ouvrière en raison des affectations spéciales nécessitées par la production de guerre. Rien dans les faits ne justifie la généralisation sauvage qu'Adolf Hitler rapporta de sa convalescence.

Curieux Hitler! Jamais les souffrances du front ne lui ont arraché une plainte. Les misères de l'arrière le font gémir. Il écrit à Brandmayer : « Cher partenaire, j'ai la joue enflée, je ne peux mâcher mon pain, on me refuse de la marmelade et je souffre du typhus de la faim, Hunger Thyphus. » Il termine en exprimant son désir ardent de rejoindre le régiment List.

Désir contrarié! La bureaucratie militaire affecte le caporal Adolf Hitler au 2e régiment d'infanterie bavarois. Il écrit immédiatement au lieutenant Wiedemann qu'il est apte à faire campagne mais qu'il supplie l'état-major du 16e R.I.R. de le réclamer.

Vœu exaucé! Le 10 février 1917, sur la crête de Vimy, momentanément secteur calme, le caporal Hitler apparaît à l'entrée du P.C. régimentaire. Brandmayer lui confectionne son repas favori, des beignets de pomme de terre, de la marmelade et du riz, puis, pendant que le petit état-major sombrait dans le sommeil, Hitler, armé d'une lampe de poche, reprit dans l'abri la chasse aux rats.

Le régiment List était descendu de la Somme avec des compagnies de trente hommes. Sur les 14 Meldegänger, il ne restait que Brandmayer et Weiss. Le vieux colonel Petz avait été renvoyé à l'arrière et (suivant Wiedemann) son remplaçant, le lieutenant-colonel Spatny, avait dû être relevé pour incapacité et ivrognerie. Le nouveau commandant du régiment, le major baron Anton von Tubeuf, était un officier difficile avec ses supérieurs, tyrannique avec ses inférieurs, impopulaire mais brave et capable. De l'élan inouï dont le régiment était né en 1914, il ne subsistait qu'une tradition. La plupart des volontaires étaient tombés et les renforts successifs, puisés au fond commun du recrutement, avaient fait du 16e R.I.R. un corps de troupe parmi un millier. La qualité du matériel humain ayant baissé, on avait écrémé le régiment pour former un groupe franc confié à la bravoure phénoménale du lieutenant de réserve Kuh, artiste peintre dans le civil comme Hitler, c'était un Juif (5)!

Hitler revenait au front dans un état d'extrême exaltation. Il disait qu'il demandait à être ministre de la Guerre pendant vingt-quatre heures pour coller au mur tous les traîtres. Il expliquait à ses camarades que la conduite de la guerre exigeait une concentration totale de l'autorité, afin que toutes les énergies nationales fussent tendues vers la victoire. Il dénonçait la faiblesse, la complaisance, l'esprit pacifiste du gouvernement dirigé par Bethmann-Hollweg. Grelottant dans son abri suintant d'humidité, devant un auditoire de rustres endormis ou railleurs, le caporal Adolf Hitler parlait exactement comme parlaient au même moment les deux successeurs d'Erich von Falkenhayn à la tête des armées allemandes, le maréchal von Hindenburg et le général Ludendorff.

La situation alimentaire ne cessait d'empirer. La récolte de 1915 avait été médiocre; la récolte de 1916, mauvaise; et la récolte de 1917 s'annonçait plus mauvaise encore. L'Allemagne produisait avant la guerre 90 % du blé qu'elle consommait, mais, en raison de l'énorme dépense d'explosifs, le rendement du procédé Haber était beaucoup trop faible pour fournir au sol allemand les 200 000 tonnes d'engrais azotés dont il avait besoin. On s'était assuré les surplus agricoles de la Roumanie d'abord neutre, puis belligérante et vaincue, mais cette ressource était tout à fait insuffisante pour rétablir un équilibre satisfaisant. Étendu successivement à toutes les denrées, le rationnement devait abaisser jusqu'à 1 200 calories la valeur énergétique des vivres fournis à la population civile. La rondeur allemande disparut. L'Allemagne montrait ses os. La crise des transports, un terrible hiver, le pire de la guerre, ajoutèrent le supplice du froid au tourment de la faim, sapant la volonté combative des masses. Dès 1915, un cortège de quelques centaines de femmes avait parcouru Unter den Linden en criant : « *Friede! Friede!* la Paix! la Paix! » mais la foule avait aidé la police à les disperser. En 1917, des magasins de vivres furent pillés au cri de « A bas la guerre! A bas le Kaiser! » Dans les usines, l'insuffisance de la nourriture et le freinage systématique de la production firent tomber les rendements de 30 %. Hitler ne se trompait pas dans son diagnostic : c'est par l'intérieur que l'Allemagne commençait à fléchir. Les permissionnaires ramenaient au front l'image de leurs foyers glacés et de leurs enfants criant famine. L'arrière démoralisait l'avant.

Au début de 1917, pour éviter une catastrophe, Ludendorff dut céder au ravitaillement civil 500 000 tonnes de farine. La ration de pain du soldat fut réduite à 500 grammes. La valeur énergétique du ravitaillement quotidien des combattants tomba au-dessous de 2 400 calories. La faim hanta les tranchées. Le maintien de la discipline dans les offensives devint difficile parce que les hommes quittaient leurs unités pour piller les dépôts de vivres ennemis. Des coups de main furent montés pour aller chercher chez ceux d'en face quelques boîtes de conserves ou quelques boules de pain.

Après la crête de Vimy, le régiment List tint les lignes le long du canal de La Bassée. L'ennemi qui s'élança sur lui, le 9 avril 1917, fut encore l'Anglais. Il ouvrait l'offensive générale sur laquelle les Alliés fondaient l'espoir d'une victoire militaire avant la défection imminente de la Russie. L'attaque anglaise fit fléchir la 6e armée allemande, contraignit les Bavarois à se replier du canal de La Bassée sur la Scarpe, progressa de six kilomètres, parut le prélude d'un éclatant succès.

Le 16 avril, l'armée française, attaquant à son tour, se brisait sur le Chemin des Dames. L'effondrement des espoirs que le généralissime Nivelle avait fait miroiter déclenchait une série de mutineries qui réduisirent momentanément l'armée française à l'impuissance. Gonflé d'orgueil, plein de mépris pour l'allié malheureux, Douglas Haig décidait de forcer la victoire en poursuivant seul une offensive commencée en tandem.

Jusqu'au 24 juin, le régiment List combat en Artois. Il est ensuite transporté en Flandre où il se retrouve à l'endroit précis, la route de Gheluvelt à Becelaere, où il a été engagé le 29 octobre 1914. On croyait alors connaître les dévastations de la guerre, mais les prés verdoyaient, les forêts étaient debout et les charpentes brûlées n'étaient que des taches noires au milieu des toits intacts. Depuis lors, un cataclysme s'est abattu sur la plaine flamande. Les villages ont disparu. Des monticules de quelques mètres indiquent l'endroit où s'élevait un fier clocher. Ypres, dans le lointain, s'est dissoute. Des milliers d'entonnoirs sont devenus des mares jointives avec, de place en place, le vaste cratère des mines que les Anglais ont fait exploser au début de leur offensive. Le pays tout entier est transformé en un marécage plein de véhicules et de canons enlisés, d'obus qui ont fait fougasse dans la gadoue, de débris d'équipements, de squelettes d'hommes et de chevaux. Les tranchées sont construites en relief avec des sacs de sable et l'on risque la noyade dès qu'on fait un pas en dehors des pistes de caillebotis. Le métier de coureur n'a jamais été plus périlleux et plus répugnant que dans ce bourbier baignant dans l'odeur abominable des chairs décomposées.

Du 25 juin au 3 août, le régiment List participe sans interruption à la cruelle bataille. La localité qui donnera à celle-ci son nom, qui restera dans les mémoires anglaises comme une éclaboussure sanglante, Paschendaele, est à sa droite. Messine et le mont Kemmel sont à sa gauche. Le régiment List barre la route d'Ypres à Menin, axe de l'offensive ennemie. Il est, cette fois, au cœur de la mêlée.

Haig a conservé la tactique de Joffre, que les Français ont abandonnée pour le romantisme de Nivelle; il monte des offensives limitées, préparées et appuyées par des moyens matériels écrasants, tactique de marteau de forge, malaxant les positions allemandes comme du fer rouge. Ludendorff s'emploie à donner le coup de grâce à la Russie et prépare une offensive dévastatrice contre l'Italie. Mais, dira-t-il, mon cœur, mon angoisse étaient dans les Flandres — et peut-être la guerre eût-elle été gagnée en 1917 par les Alliés si l'armée française avait été en mesure de participer au colossal effort anglais. Elle se refait, entre les mains expertes de Pétain, mais elle n'est encore capable que d'efforts intermittents tels que la brillante conquête du saillant de Laffaux ou la reprise éclair du champ de bataille de Verdun.

Dix jours durant, le régiment List resta sous un Trommelfeuer ininterrompu. Les hommes gardèrent le masque à gaz jusqu'à vingt-quatre heures consécutives. Le régiment fut bousculé et en partie capturé par la grande attaque anglaise du 31 juillet, perdant 900 tués, blessés et disparus, sur 1 500 combattants. Il était dans un tel état, au début d'août, qu'on l'envoya se reconstituer dans cette version du paradis terrestre qu'était la Haute-Alsace. Puis un événement qui passa inaperçu dans le déroulement de la guerre mondiale se produisit : le caporal Adolf Hitler accepta de prendre sa première permission. Il partit pour Spital, où la tante Thérésa et l'oncle Anton vivaient toujours.

On ne sait comment Hitler renoua avec sa famille et les impressions qu'il rapporta de sa reprise de contact avec son Autriche natale. *Mein Kampf,* qui s'étend sur la convalescence berlinoise de l'hiver précédent, est muet sur la permission autrichienne. Le vieil empereur s'était éteint à quatre-vingt-sept ans, le 21 novembre 1916. Le jeune empereur, Charles, trente-neuf ans, essayait de sortir de la guerre en désertant une Allemagne que l'Autriche avait entraînée dans l'abîme. La situation militaire n'était pas mauvaise, grâce aux victoires allemandes, mais la situation alimentaire était exécrable, en grande partie parce que la Transleithanie refusait de se restreindre pour que la Cisleithanie ne mourût pas de faim. Le régime politique était un absolutisme débile. Le Reichsrat n'avait pas été convoqué depuis 1914 et le Parlement de Vienne était converti en hôpital auxiliaire, mais l'on n'avait pas condamné à mort l'assassin de Sarajevo, Gavrilo Princip, qui, ravagé par la tuberculose et l'artériosclérose, amputé d'un bras, espérait encore, dans sa prison de Theresienstadt, vivre assez pour voir la chute des Habsbourg. Friedrich Adler, fils de Victor Adler, avait dans un restaurant de Vienne tué de cinq coups de revolver le premier ministre comte Karl Stürgkh, en criant : « A bas l'absolutisme! A bas la guerre! » On lui avait permis de transformer son procès en une tribune de défaitisme et la condamnation à mort prononcée par le tribunal avait été commuée par l'empereur. Ces défaillances inouïes n'inspirèrent à Hitler aucun commentaire dans son autobiographie.

Il retrouva son régiment en ligne sur l'Ailette et, pour la première fois, en face de troupes françaises. L'année 1917 s'achevait. Elle avait été marquée par une résistance victorieuse sur le front occidental et, partout ailleurs, par de brillants succès militaires. L'offensive austro-allemande venait d'enfoncer le front italien à Caporetto, capturant 400 000 prisonniers et envahissant l'Italie du nord jusqu'au Piave. A l'est, la Russie cessait le combat : un armistice avait été signé le 17 décembre et des négociations de paix s'engageaient à Brest-Litovsk. L'Amérique, il est vrai, était entrée dans la guerre mais, délivré du front oriental, Ludendorff croyait pouvoir vaincre avant que son poids d'ailleurs inconnu — et méconnu — ait eu le temps de se faire sentir dans la bataille.

Il était temps! Le degré d'épuisement auquel l'Allemagne était descendue est indicible. Les nouveau-nés étaient reçus dans des langes de papier et les morts enterrés sans cercueil. La disette était devenue famine. La ration de pommes de terre était réduite à deux kilos par mois et l'on passait des jours aux semaines sans viande. Un œuf valait un mark et ne pouvait être acquis légalement que sur une ordonnance médicale. L'hiver était moins froid que le précédent, mais ressenti plus durement par des organismes affaiblis. Manquant de charbon, manquant de lubrifiants, manquant d'entretien, les trains se traînaient sur des rails usés, manœuvraient interminablement dans les gares pour s'alourdir de wagons de marchandises en souffrance. On essayait de nourrir les chevaux avec de la cellulose, pour remplacer l'avoine et le fourrage, mais les malheureuses bêtes tombaient sans cesse d'épuisement et, au front, ralentissaient les mouvements par leur agonie.

Le matériel humain manquait comme le reste. On commençait à envoyer au feu les hommes de la classe 19 et les recrues de la classe 20, des gamins de dix-huit ans, arrivaient dans les dépôts. Rendue plus meurtrière par les mauvaises conditions alimentaires, la grippe espagnole désolait la population civile, décimait l'armée.

La victoire était au coin de la rue, et cependant le défaitisme redoublait d'efforts! Ludendorff et le Kronprinz impérial avaient eu raison de Bethmann-Hollweg, mais son successeur, Michaelis, n'était qu'un pâle bureaucrate et le successeur de Michaelis, le comte bavarois Hertling, s'il avait l'âge de Clemenceau, était très loin d'en avoir l'énergie. Il n'avait pas su empêcher le Reichstag de voter une résolution de paix pleine de concessions aux principes wilsoniens. Trente députés s'étaient séparés du groupe social-démocrate pour refuser, sous le nom de socialistes-indépendants, les crédits de guerre. Plus à gauche encore, la ligue spartakiste, fondée par le député Liebknecht, donnait aux soldats allemands l'exemple russe. On avait eu peine à dissimuler, l'année précédente, la mutinerie de six cents hommes des équipages des cuirassés *Prinzregent* et *Luitpold* qui avaient défilé dans Kiel en acclamant la paix.

Le 28 janvier 1918, les Spartakistes croient le moment venu de frapper un grand coup. Ils lancent un ordre de grève générale en demandant aux deux fractions socialistes de se joindre à eux pour établir un programme de revendication commun. La délégation qui leur est envoyée par le groupe majoritaire est conduite par Fritz Ebert, futur président du Reich. Le programme, essentiellement politique, exige la paix sans annexion ni indemnité, avec la participation des organisations ouvrières à la préparation des traités.

A Berlin, trois cent mille, dans toute l'Allemagne plus d'un million de travailleurs posent les outils. Plus patriotes que les partis politiques, les syndicats blâment le mouvement. Le commandant militaire de Berlin, colonel-général Gustav von Kessel, proclame la loi martiale, réquisitionne les usines. La grève est brisée en trois jours, sans avoir sérieusement compromis l'approvisionnement en munitions des armées.

Cette tentative de grève générale en pleine guerre va fournir à Hitler une théorie de la défaite de 1918. Le front russe avait disparu. Toutes les divisions de qualité, toute l'artillerie lourde, tous les hommes de moins de trente-cinq ans, refluaient vers l'ouest. Pour la première fois depuis le début des hostilités, l'Allemagne allait avoir la supériorité numérique, cent quatre-vingt-douze contre cent soixante-quatorze, sur le front franco-britannique. L'Entente était sur le point de tomber à genoux. La grève générale du 28 janvier raffermit sa volonté de combattre, arracha à l'Allemagne sa dernière chance de vaincre.

La 6e division de réserve bavaroise participa à la première offensive de Ludendorff au fond de la poche de Montdidier. Relevée, renvoyée sur l'Ailette, elle était en première ligne, aux premières loges lorsque, le 27 mai, Ludendorff lança une nouvelle offensive qui perça l'armée française surprise comme d'un coup de poinçon. Le régiment List franchit l'Ailette à Anizy, traversa par Vauxaillon le champ de bataille funeste aux Français l'année précédente, contourna Soissons, livra un sévère combat à Juvisy, franchit l'Aisne à Pont-Fontenoy, poursuivit sa marche dans la corne d'abondance représentée par les dépôts français, anglais et américains. « Ce fut, écrira Hitler, la plus forte impression de toute ma vie... Encore une fois, les bataillons victorieux furent transportés de joie. Encore une fois, des chants patriotiques s'élevèrent des colonnes interminables... » Son exaltation fut à son comble lorsque, entre Dormans et Château-Thierry, il eut devant lui les eaux paisibles de la Marne. La rivière, dont le nom signifiait l'effondrement du rêve de 1914, était bordée à nouveau par les troupes allemandes. La victoire avait fait un détour long et sanglant, mais elle revenait, plus précieuse d'avoir été si chèrement payée...

Le soir du 14 juillet 1918, les Parisiens tendent une oreille anxieuse vers le tonnerre lointain du canon. Ludendorff lance, de part et d'autre de Reims, son offensive suprême. Il a tiré de son armée épuisée une dernière flamme en lui disant qu'elle livrait la bataille finale, qu'elle allait couronner par la victoire définitive la série des succès éclatants inaugurée le 21 mars. Elle s'élance *nach Paris,* vers la Paix !

La 1re division de la garde prussienne ouvre la voie, franchit la Marne sur des pontons lancés par le génie. Les Bavarois suivent en deuxième échelon. Hitler passe la Marne derrière le colonel von Tubeuf, qui installe son P.C. dans un verger du village de Courthiezy. Prussiens et Bavarois s'élèvent lentement sur les collines boisées de la rive sud, prennent la ferme des Lénandes et la ferme des Maréchaux, mais sont bloqués devant le village de Saint-Aignan. La chaleur est torride. Successivement, des déluges d'artillerie et des rafales d'avions français mitraillent et bombardent les passages de la Marne, isolent les éléments qui l'ont franchie. Les hommes affamés arrachent et grignotent des betteraves, mais les munitions manquent à leur tour. A 18 h 30, le 19 juillet, Hitler porte au 3e bataillon l'ordre de couvrir la retraite de la division. Le deuxième franchissement de la Marne aura été encore plus éphémère que le premier. Mais le caporal Hitler aura été, en 1918, l'un des soldats allemands qui approchèrent Paris du plus près.

Le recul continue. Le régiment List se replie de la Marne sur la Vesle puis, décimé, est envoyé se reconstituer au Cateau. C'est là que, le 4 août, le caporal Hitler est décoré de la croix de fer de première classe, celle qui se porte sur la poche de poitrine — distinction relativement rare pour un homme de troupe. Il avait été proposé une première fois sans succès par l'adjudant du régiment Fritz Wiedemann. Il l'a été à nouveau, avec succès, par le successeur de Wiedemann, l'Oberleutnant Hugo Gutmann — un Juif.

La décoration est accompagnée d'une permission que Hitler, à nouveau, ne refuse pas. Il retourne à Spital, dans une Autriche dont la situation s'est terriblement aggravée. L'offensive qui devait compléter la victoire de Caporetto a été brisée net par l'armée italienne régénérée. Les nationalités se soulèvent contre l'empire ébranlé. La flotte s'est mutinée à Cattaro et d'autres mutineries se succèdent en chaîne dans les dépôts où l'on essaie de réincorporer les prisonniers rapatriés de Russie. Les autorités passent d'une lâche indulgence à une répression féroce, obligent par exemple toute la population de Kragujevac à se rassembler pour voir fusiller quarante-quatre soldats du 71e R.I. Hitler assiste à l'agonie de la monarchie contre laquelle il a tant déclamé. A nouveau, en écrivant *Mein Kampf,* il laissera cet épisode dans l'ombre.

Le régiment List est revenu dans les Flandres — et, encore une fois, à l'endroit précis où il s'est engouffré dans la guerre quatre longues années auparavant. La grande attaque anglo-franco-belge du 28 septembre l'oblige à évacuer le saillant de Wytschaete et à se replier sur Comines où il reçut en 1914 le baptême du feu. « La terre, écrit un témoin, semble un continent effondré... Rien que de petits lacs informes séparés par des bourrelets de boue. Des pancartes portant les noms des localités disparues... Des tanks anglais enlisés dressent leur proue vers le ciel... Des chevaux morts, peinturlurés de boue, montrent leur dos écorché par les soldats allemands affamés... » Les Alliés doivent suspendre leur offensive pour rétablir les communications.

Mais les empires centraux s'effondrent. La Bulgarie a capitulé le 28 septembre, la Turquie négocie sa reddition et l'Autriche notifie à Berlin qu'elle est à bout de forces. Le 29 septembre, Hindenburg et Ludendorff informent le gouvernement impérial que la conclusion immédiate d'un armistice est nécessaire « *um eine Katastrophe vorzubeugen* — pour prévenir une catastrophe ». Le surlendemain, le chancelier Hertling est remplacé par un prince libéral, Max, Kronprinz de Bade, qui forme le premier cabinet parlementaire du Reich, avec la participation du socialiste Ebert et du centriste Erzberger. Le jour même de son entrée en fonctions, Max reçoit le major von der Bussche, qui, au nom de la Direction Suprême, lui apporte le message suivant : « Les troupes tiennent encore, mais le front peut être percé d'un moment à l'autre. Le général Ludendorff a le regret de faire connaître à Votre Altesse grand-ducale que les armées ne peuvent attendre une demande d'armistice quarante-huit heures de plus... »

Le peuple allemand, dans son ensemble, n'a pas conscience de la catastrophe. Il a été bercé dans une illusion de victoire que les reculs, la famine, la désorganisation intérieure, la défection des Alliés n'ont pas encore dissipée. Au front même, beaucoup de soldats gardent confiance. Ils n'ont reculé que pas à pas. Ils combattent partout sur le sol ennemi. Aucune offensive alliée n'a brisé l'ossature de l'armée allemande. Aucune même n'a réalisé une avance ni fait un butin comparable à ceux que les grandes poussées du 21 mars et du 27 mai ont procurés à l'Allemagne. La défaite réside dans le sentiment d'être vaincu. Au début d'octobre 1918, le peuple allemand ne se sent pas vaincu.

Max de Bade lui-même s'insurge, interroge le Commandement Suprême : « La situation militaire est-elle réellement si critique qu'il faille engager immédiatement une action en vue de l'armistice et de la paix?... » Hindenburg signe la réponse : « Le Commandement Suprême considère aujourd'hui comme le 29 septembre qu'il est nécessaire de faire immédiatement une offre de paix... » Ce ne sont pas les civils, les Politiken, qui flanchent les premiers; c'est la plus haute incarnation de la valeur militaire allemande, la paire illustre, Ludendorff-Hindenburg.

La demande d'un « armistice général sur terre, sur mer et dans les airs » est transmise aux Alliés, par le canal du ministre allemand à Berne, dans la nuit du 4 au 5 octobre. Elle provoque dans le public allemand plus de stupeur que de consternation. Walther Rathenau écrit dans la *Vossiche Zeitung* un article rappelant que les Quatorze Points du président Wilson signifient la renonciation à l'Alsace-Lorraine et le démembrement de l'Allemagne à l'est — et il conclut qu'une résistance à outrance, une levée en masse, sont préférables à l'acceptation de conditions aussi rudes. La légende du Dolchstoss, du coup de poignard dans le dos, qui contribua tant à l'élévation de Hitler, trouve son origine dans le choc d'incrédulité ressenti le 5 octobre par le peuple allemand.

Le régiment List est maintenant commandé par celui qui sera son dernier chef, le colonel von Baligand. Le P.C. se trouve au lieudit La Montagne, à quelques kilomètres devant Tourcoing. La nuit du 13 au 14 octobre est une avalanche ininterrompue d'obus à gaz. Presque tout l'état-major est intoxiqué. A sept heures du matin, le caporal Hitler se présente au poste de secours, les yeux brûlants comme des charbons ardents. Il est dirigé vers l'hôpital bavarois d'Oudernarde, puis vers l'hôpital auxiliaire prussien de Pasewalk, où il arrive le 21 octobre. Ses yeux ne perçoivent plus qu'une faible lueur.

Quelques jours s'écoulèrent. Le feu des orbites décrut, les ténèbres commencèrent à se dissiper et le médecin promit à Hitler qu'il ne perdrait pas la vue. Mais des marins venus en camion du port voisin de Stettin envahirent l'hôpital, hissèrent le drapeau rouge, annoncèrent aux blessés que la révolution avait éclaté. Puis, le 10 novembre, un vieux pasteur tremblant de chagrin vint leur dire que la guerre était perdue et que la dynastie des Hohenzollern avait cessé de régner. Des sanglots lui brisèrent la voix lorsqu'il voulut ajouter qu'il fallait accepter l'armistice en faisant confiance à la magnanimité des vainqueurs. « Il me fut impossible, dit Hitler, d'en entendre davantage. La nuit redescendit sur mes yeux et, tâtonnant et trébuchant, je revins au dortoir et enfouis ma tête brûlante sous la couverture et l'oreiller. »

Réaction légitime d'un patriote désespéré. Mais la conclusion est étonnante : « Je compris qu'avec les Juifs il n'y avait pas à pactiser. Tout ou rien. Je décidai de devenir un politicien. » Collectivement, les Juifs n'étaient certainement pas responsables de l'effondrement de l'Allemagne. Mais Hitler avait trouvé les boucs émissaires par lesquels serait expliquée l'inexplicable défaite. Tolérée par la faiblesse des Hohenzollern, une paille étrangère dans l'acier allemand avait déterminé la rupture que la coalition du monde entier aurait été impuissante à provoquer.

Les vainqueurs préparaient à Hitler un autre argument.

La délégation allemande qui se présenta le 8 novembre dans la clairière de Rethondes était dirigée par le chef du Zentrum, le Wurtembergeois Mathias Erzberger. Elle émanait non de la Direction Suprême, mais du gouvernement présidé par Max de Bade, auquel devait se substituer, quelques jours plus tard, le Conseil des Ouvriers et Soldats d'Ebert et de Haase. Les deux membres militaires de la délégation, le général von Winterfeld, ancien attaché militaire à Paris, et le capitaine de vaisseau Vanselow, étaient deux officiers d'un rang secondaire, dépourvus de tout pouvoir de décision. L'armistice, péripétie militaire, ne fut pas demandé par le commandement militaire, mais par un gouvernement civil né d'une insurrection. Une génération de nationalistes, Hitler en tête, allait pouvoir répéter que la capitulation avait été imposée à une armée invaincue par des politiciens criminels.

Au début de novembre 1918, la défaite allemande était certaine ; elle n'était pas consommée. L'Allemagne avait perdu ses alliés. Elle luttait dans des conditions d'infériorité écrasantes. Ses réserves stratégiques sur le théâtre occidental étaient réduites à dix-sept divisions, alors que plus de cent divisions françaises, anglaises, américaines, belges et italiennes se massaient pour les assauts décisifs. Mais le front allemand n'était rompu nulle part ; aucune grande unité allemande n'avait mis bas les armes. Toute avance alliée se heurtait à une résistance opiniâtre. Envoyé en liaison à Spa, le capitaine-interprète von Helldorf mit quarante-huit heures pour franchir les lignes parce que les fantassins allemands refusaient de cesser le feu. La toute dernière affaire de cinquante-deux mois d'hostilités, le forcement de la Meuse entre Mézières et Sedan, les 10 et 11 novembre, coûta au seul 415ᵉ R.I. cinquante-deux tués et quatre-vingt-douze blessés et elle se serait peut-être soldée par un échec sans l'entrée en vigueur de l'armistice. Le témoignage le plus décisif est celui des combattants. L'annonce de l'armistice les laissa incrédules. La prodigieuse sensation de n'être plus des morts en sursis ne détruisit pas l'impression que la victoire était incomplète, que l'ennemi était encore debout.

Le maréchal Foch s'est défendu en disant que les conditions qu'il avait dictées correspondaient pleinement à la victoire puisqu'elles mettaient l'Allemagne dans l'impossibilité de reprendre les hostilités. L'argumentation ne tient pas compte de la psychologie des peuples. Elle ne justifie pas le généralissime allié de n'avoir pas au moins exigé que l'armistice fût sollicité et signé par le chef des armées allemandes — le maréchal Hindenburg.

La Première Guerre mondiale, issue d'erreurs et de malentendus, plus que d'une volonté délibérée, aurait dû avoir pour conclusion une victoire alliée indiscutable, suivie d'une paix de réconciliation. On allait faire l'inverse : d'une victoire inachevée, tirer une paix d'une ridicule rigueur.

Le caporal Hitler pleure de ses yeux en feu, la tête enfouie sous l'oreiller. Comment pressentirait-il que ce jour de désespoir est la première étape de sa fabuleuse ascension?

LENDEMAIN DE DÉFAITE
1919-1920

Adolf Hitler quitta l'hôpital de Pasewalk le 21 novembre 1918, en compagnie d'un camarade du régiment List, Rudolf Schmidt. Il arriva à Munich quarante-huit heures plus tard. Le drapeau rouge flottait sur la ville. Kurt Eisner avait proclamé, dès le 7 novembre, la République démocratique et sociale de Bavière. Toutes les autorités s'étaient soumises. Le roi s'était enfui en Autriche. La région la plus conservatrice d'Allemagne était, sans la moindre résistance, tombée au pouvoir d'un bohème d'extrême gauche, Russe de naissance, et juif!

Le caporal Hitler et le soldat Schmidt furent dirigés sur la caserne Max II, à l'Oberwiesenfeld, et affectés à la 7ᵉ compagnie du 1ᵉʳ bataillon d'Ersatz du 2ᵉ régiment d'infanterie. Hitler dut porter le brassard rouge sans lequel il était impossible à un militaire de se montrer dans les rues.

L'armée qui refluait de Belgique et d'Alsace-Lorraine avait conservé sa discipline jusqu'au Rhin. Le fleuve franchi, elle se décomposa. La rentrée des troupes à Berlin fit illusion par une tête de colonne d'allure martiale, reçue sous la porte de Brandebourg par Ebert, mais ce qui venait derrière n'était qu'un flot d'hommes débandés et débraillés. La veille de Noël, l'état-major ne trouva qu'une poignée d'hommes de la garnison de Potsdam pour essayer de reprendre à la division révolutionnaire des marins le château impérial. L'échec dissocia le Conseil des Commissaires du Peuple, sépara les socialistes indépendants des socialistes majoritaires, faillit emporter la faible digue que ces derniers constituaient encore devant l'anarchie.

Le mois suivant, les Spartakistes reprirent l'offensive, se rendirent maîtres du centre de Berlin, hissèrent des mitrailleuses sur la porte de Brandebourg. L'énergique Gustav Noske s'échappa de la Wilhelmstrasse et, dans une pension de demoiselles de Charlottenbourg, constitua une force de soldats fidèles et de volontaires qui, aux acclamations des Berlinois, reconquit Berlin. Liebknecht et Rosa Luxemburg furent sommairement exécutés le 14 janvier. Moins longue et moins sanglante que celle de Paris, la Commune de Berlin avait duré une semaine et fait 300 morts.

L'élection prit le pas sur l'émeute. Le 19 janvier, dans un calme inespéré, l'Allemagne se choisit une Assemblée constituante. Les socialistes de gauche, ou indépendants (U.S.P.D.) n'obtinrent que 22 sièges. La social-démocratie (S.P.D.) comptait sur la majorité absolue : elle dut se contenter de cent soixante-trois sièges, dans une assemblée de quatre cent vingt et un membres. Les deux groupes de la gauche modérée, le parti démocrate (D.D.P.) et le Zentrum (Z.), conquirent respectivement soixante-quinze et quatre-vingt-onze sièges. La droite fut réduite aux dix-neuf mandats du parti populiste (D.V.P.), ex-national-libéral, et aux quarante-quatre mandats du parti deutsch national (D.N.V.P.), le seul qui préconisât la restauration de la monarchie.

Berlin restant troublé, la Constituante se réunit à Weimar. Elle élit comme président de la République allemande le gréviculteur de 1918, ex-président du conseil des commissaires du peuple, Friedrich Ebert. Il se choisit comme chancelier son vieux compagnon des luttes socialistes, Philipp Scheidemann.

Le renouvellement du Landtag de Bavière avait précédé d'une semaine l'élection à la Constituante. Le parti socialiste indépendant du ministre-président Kurt Eisner recueillit quatre-vingt-six mille deux cent cinquante-quatre voix, obtint trois sièges, dans une assemblée de cent quatre-vingts membres. Le parti populiste bavarois (B.V.P.), version régionale du catholique Zentrum, eut soixante-six élus et le parti socialiste majoritaire, soixante et un. Le parti démocrate décrocha vingt-cinq sièges et la Ligue Paysanne (B.B.), dirigée par deux socialistes agraires, les frères Karl et Ludwig Gründorfer, en obtint seize. Les monarchistes du parti deutsch-national eurent neuf élus seulement. Eisner déclara qu'il ne s'inclinait pas devant une élection réactionnaire et qu'il resterait au poste où la révolution l'avait placé.

La défaite renforçait le mouvement centrifuge de l'Allemagne du Sud. En créant le B.V.P., le 12 novembre 1918, celui qu'on appelait le « docteur paysan » ou « le roi sans couronne de la Bavière », l'agrarien Georg Heim, lui avait donné comme but la création d'une Bavière pratiquement indépendante, s'assignant la tâche historique de préserver l'idéal chrétien en face de la bolchevisation de l'Allemagne du Nord. Le rétablissement de la ligne du Main, la formation d'une confédération catholique réunissant Bavière, Wurtemberg et Bade, englobant l'Autriche amputée de ses pays slaves et magyars, paraissaient la conséquence inévitable de l'effondrement du Reich wilhelminien. L'œuvre de Bismarck était condamnée par la destruction de la puissance militaire sur laquelle il l'avait fondée.

Pour l'humble caporal Hitler, l'avenir se peignait sous des couleurs sombres. Ses yeux endommagés lui rendaient difficile de reprendre son métier d'artiste, et d'ailleurs qui aurait acheté sa production dans une

Allemagne réduite aux dernières extrémités de la misère? L'armée lui assurait l'existence matérielle; il s'y accrocha. La seule de ses photos remontant à cette époque le représente dans le bureau régulateur de la gare de Munich, debout près d'une table derrière laquelle est assis un personnage en uniforme mais sans insigne de grade. Hitler est très maigre. Il n'a pas encore remplacé sa moustache tombante des années de guerre par la touffe de poils courts et drus camouflant la base trop large du nez. Il ne paie pas de mine, dans sa vareuse flottante et mal coupée.

Le 12 février, on demanda des volontaires pour relever la garde du camp de Trauenstein, où se trouvaient quelques centaines de prisonniers russes refusant de se laisser rapatrier. Hitler partit avec Schmidt pour cette localité pré-alpestre, proche de la frontière autrichienne, sur la route de Berchtesgaden. L'homme dévoré par la politique s'éloignait du théâtre sur lequel se jouait l'une des scènes les plus mouvementées et les plus dramatiques de la révolution allemande!

Munich restait dans une situation pénible et précaire. La disette alimentaire n'avait pas lâché prise avec la fin des hostilités. La grippe espagnole poursuivait ses ravages. Le travail avait cessé presque partout. Des flots de démobilisés, de déracinés erraient sans but. Les gares ressemblaient en permanence à des asiles de nuit. La suppression de l'éclairage public et le couvre-feu tuaient la ville à sept heures du soir. Le sang coulait. La Saint-Sylvestre avait coûté dix morts et les semaines suivantes firent d'autres victimes. La police et les autorités légales se terraient. Commandés par un nommé Eglhofer, vingt-trois ans, meneur de la mutinerie de 1917 dans la marine du Kaiser, six cents matelots venus de Wilhelmshaven constituaient le pouvoir exécutif de la révolution. Des patrouilles lourdement armées, multipliaient les arrestations et les visites domiciliaires. La sensuelle et débonnaire Munich avait revêtu un visage de souffrance et de peur.

L'espoir d'un rétablissement de l'ordre résidait dans le Landtag fraîchement élu. Il était convoqué pour le 21 février. Mais pourrait-il se réunir? Le conseil des ouvriers et soldats occupait son palais et ne paraissait pas décidé à céder la place au suffrage universel.

Deux groupes coexistaient dans le Soviet bavarois. L'un venait de la brasserie Stefanie, que les Munichois appelaient le « Café des Cinglés » : Fechenbach, Toller, Mühsan, Eisner lui-même... — idéologues barbus, idéalistes verbeux, bohèmes incorrigibles. L'autre groupe avait pour dirigeants deux beaux-frères, Max Lewien et Eugen Léviné-Niessen, ce dernier Russe de nationalité, insurgé de 1905, spécialement envoyé par Lénine pour orienter la révolution bavaroise. On était à l'époque où les bolchevistes pensaient que le salut de la révolution exigeait qu'elle se propageât hors de Russie, et, d'abord, qu'elle recouvrît l'Allemagne vaincue. L'échec des Spartakistes à Berlin avait trompé leur espoir. Ils le reportaient sur Munich.

Eisner multipliait les bourdes. La plus grave consista à se rendre à

Bâle, dans une réunion de l'Internationale socialiste, pour y prononcer un discours par lequel il accepta sans réserve la thèse des vainqueurs sur la responsabilité unilatérale de l'Allemagne dans l'origine de la guerre. Les socialistes majoritaires de son cabinet, et d'abord son ministre de l'Intérieur Erhard Auer, l'accablèrent de reproches. Eisner revint sur sa décision de s'accrocher au pouvoir, annonça qu'il le déposerait le jour de l'ouverture du Landtag.

La masse de la bourgeoisie s'était courbée sous la terreur. L'esprit de résistance se réfugiait dans quelques associations clandestines ou semi-clandestines. Fondée en janvier 1918, par Rudolf Freiherr von Sebotten-dorf, la Société Thulé, Thule Gesellschaft, exprimait par son nom même son idéal nordique. Le 9 novembre, dans l'agonie de l'Allemagne impériale, Sebottendorf avait donné à son millier d'adhérents leur cri de guerre : « Mort à Juda! » C'était un fait fâcheux, mais indiscutable, que les individus qui plongeaient le Reich et la Bavière dans le chaos étaient en immense majorité des Juifs (1).

Le comte Anton von Arco auf Valley, ou Arco-Valley, lieutenant de réserve et étudiant, était, suivant Sebottendorf, un demi-Juif, sa mère étant née Oppenheim. Patriote fanatique, il ne put être admis dans la Thulé proprement dite, mais fut accepté dans sa Ligue de Combat, Kampfbund. Le 21 février, dans la Promenadestrasse, il abattit Kurt Eisner se rendant au Landtag pour y annoncer sa démission. Sebottendorf a toujours soutenu que la Thulé avait été étrangère au geste criminel d'Arco-Valley. On n'est pas tenu d'ajouter foi à cette dénégation.

Le sang d'Eisner ne devait pas être le dernier de la journée. Une heure après le crime de la Promenadestrasse, un vengeur, le boucher Lindser, se précipita, revolver au poing, dans la salle du Landtag. Auer faisait l'éloge funèbre d'Eisner : il tomba grièvement blessé. Un député, Heinrich Oser, et un spectateur, le colonel von Jahreiss, furent tués par des balles perdues.

La fin violente d'Eisner lui procura au moins des regrets. « Tout le monde, écrit le ministre plénipotentiaire du Wurtemberg, Moser von Filseck, réclamait son départ; aujourd'hui, on déplore sa disparition... » L'anarchie, les attentats contre la liberté et la propriété ne firent que croître. Après l'intérim d'un certain Segitz, désigné par le Soviet, le Landtag réussit à élire comme ministre président le socialiste majoritaire Johannes Hoffmann. Il ne fut qu'un figurant sans pouvoirs.

Le camp de Trauenstein ayant été fermé, le détachement du 2ᵉ régiment d'infanterie revint à Munich à pied — une marche de cent dix-huit kilomètres — quelques jours après l'assassinat d'Eisner. En cours de route, le caporal Adolf Hitler, monté sur une table d'auberge, harangua un groupe de soldats dont les propos antipatriotiques l'avaient indigné. L'ardeur de ses convictions du temps de guerre ne s'était donc pas refroidie, et cependant, dans une époque troublée, propice aux initiatives hardies, on ne note aucune tentative de sa part pour se tailler un rôle dans la marée d'événements qui déferlaient sur l'Allemagne. En 1937, les archives centrales du parti national-socialiste entreprirent de rassembler les éléments d'une histoire du mouvement. Elles provoquèrent une masse de témoignages, souvent intéressants, sur les événements de 1919; Hitler en est pour ainsi dire absent.

Le 7 avril 1919, les milices révolutionnaires occupèrent les édifices publics et proclamèrent la République bavaroise des Soviets (Conseils). Le Landtag et le gouvernement Hoffmann se réfugièrent à Bamberg. Une foule de volontaires — dont Ernst Röhm et Rudolf Hess — coururent se joindre au corps franc anticommuniste que rassemblait l'ancien commandant de la garde royale, le colonel Franz von Epp. Hitler resta à la caserne Max II, sur l'Oberwiesenfeld, à la lisière de Munich en folie.

La République des Conseils s'était donnée comme président l'auteur dramatique Toller. Tout le Café des Cinglés se transvasa dans les ministères, rebaptisés en commissariats du peuple. Le commissaire aux Affaires étrangères, Theodor Lipp, était parmi les demi-fous un fou authentique, interné à deux reprises dans un asile d'aliénés. Il décocha une déclaration de guerre à la Suisse et, dans la lettre d'allégeance qu'il adressa à Lénine se plaignit que son prédécesseur, en s'enfuyant à Bamberg, eût emporté la clé des cabinets d'aisance (2). Lénine répondit en envoyant, sous une forme interrogative, un bréviaire de révolution : « Avez-vous triplé les salaires, installé les travailleurs dans les quartiers riches, réservé les rations alimentaires aux ouvriers, pris des otages dans la bourgeoisie?... » Léviné fut invité à remplacer la chienlit bavaroise par une solide dictature d'un vrai soviet. Ce fut l'affaire de quelques jours. Les Cinglés disparurent. Léviné, Lewien et le spartakiste Axelrod saisirent les leviers de commande. Le matelot Eglhofer fut nommé commandant de l'armée rouge bavaroise. La deuxième République des Conseils bascula de la farce dans la tragédie.

Munich s'enfonça davantage encore dans le dénuement et la terreur. Le canon tonna à Dachau, à dix-huit kilomètres, quand les milices rouges d'Eglhofer réussirent à repousser une offensive prématurée des troupes de Bamberg. Accroché à la pitance du 2e régiment d'infanterie, le caporal Hitler s'interrogeait : « Des jours entiers, je réfléchissais à ce que je pourrais faire, mais toutes mes réflexions aboutissaient à la conclusion que, n'ayant pas de nom, j'étais impuissant... » Le cercle vicieux des philosophes l'étreignait. Il lui fallait un nom pour agir, et il ne pouvait agir parce qu'il n'avait pas de nom... Un logicien n'eût pas donné cher des chances politiques d'Adolf Hitler.

A nouveau, tout témoignage objectif fait défaut. Il est impossible de retracer ce que fut l'activité, ou l'inactivité de Hitler après le 7 avril. On ignore s'il quitta la caserne Max II, s'il se montra (brassard rouge au bras!) dans les rues de Munich, quelles furent ses fréquentations, comment il employa ses journées au milieu d'un tourbillon d'événements mouvants et angoissants. Il se borne à relater, dans *Mein Kampf,* qu'il s'attira « le mauvais œil » du comité révolutionnaire en soutenant que l'armée devait rester neutre. « Le 27 avril, trois gaillards se présentèrent pour m'arrêter, mais le courage leur manqua devant le fusil braqué sur eux, et ils partirent comme ils étaient venus... » L'épisode n'est ni impossible ni prouvé.

Le 30 avril, le canon résonna à nouveau aux oreilles des Munichois. Noske s'était substitué au mol Hoffmann pour en finir avec la Commune de Munich : « J'assume la direction des opérations en qualité de ministre de la Reichswehr... » Les miliciens d'Eglhofer se dispersèrent devant les soldats du général prussien Burghard von Oven, mais une bande fusilla les otages internés dans le stade municipal, dont la comtesse Westarp, le prince de Thurn-und-Taxis et cinq autres membres de la Thulé (3). Une guérilla urbaine se prolongea pendant trois jours. Lewien réussit à s'enfuir et se réfugia en Russie. Léviné et Eglhofer furent passés par les armes. Les semaines rouges de Munich devaient laisser, dans une population intensément conservatrice, un long souvenir d'horreur.

« Je fus désigné, dira Hitler, pour faire partie de la commission chargée d'enquêter sur les événements révolutionnaires survenus au 2ᵉ régiment d'infanterie... » Aucune précision, aucun recoupement n'éclairent cette notation succincte. Les archives du régiment ont disparu. L'hitlérologie est muette. Les biographes passionnés, Heiden et d'autres, remplacent les informations par des injures, traitent Hitler d'espion, de mouchard, de bourreau. On aimerait mieux savoir quels furent les événements révolutionnaires qui firent du caporal Hitler un enquêteur, quelle fut sa participation à l'enquête et quelle suite elle comporta. « Ce fut, se borne-t-il à ajouter dans *Mein Kampf,* le début de mon activité politique. » Autrement dit, une étape importante de sa vie sur laquelle on ne sait rien.

Une rumeur, par la suite, circula : Hitler aurait participé aux événements de Munich du côté rouge et, après l'entrée des troupes contre-révolutionnaires, n'aurait été sauvé d'une exécution sommaire que par l'intervention d'un officier. Absolument rien n'a été produit à l'appui de cette assertion.

Les troupes prussiennes avaient délivré la Bavière du cauchemar rouge. Elles ne conquirent pas pour autant le cœur des Bavarois. Le ministre de la Guerre de Hoffmann, Schneppenhorst, refusa d'accompagner Noske lorsqu'il vint en tournée d'inspection et le contingent von Oven, allant reprendre le train aux accents du *Deutschland über Alles,* traversa Munich sous les remarques gouailleuses des Munichois. Rentré dans sa capitale, le gouvernement bavarois conserva son président et sa façade socialistes, mais les forces bavaroises traditionnelles lui donnèrent un solide soubassement conservateur. Un monarchiste convaincu, Gustav von Kahr, réoccupa le gouvernement de la Haute-Bavière. Un préfet de police à poigne, Ernst Pöhner, assisté d'un futur pendu de Nuremberg, Wilhelm Frick, se chargea de l'épuration. Des Gardes d'Habitants,

Einwohnerwehren, s'étaient formées spontanément pour la défense de la sécurité et la protection de la propriété ; elles s'étoffèrent, se fédérèrent, se donnèrent un état-major commun, sous la direction du lieutenant-colonel en retraite Hermann Kriebel ; elles vont devenir pour plusieurs années la base de l'ordre physique et moral, en même temps qu'un problème pour le Reich.

Le statut de l'armée bavaroise était soumis à une double incertitude. Contrairement au précédent bismarckien de 1871, conformément au précédent napoléonien de 1806, les vainqueurs délibérant à Paris se proposaient de dicter aux vaincus des clauses militaires rigoureuses, mais la conception française d'un service militaire à très court terme s'opposait encore à la conception anglaise d'une petite armée de métier. D'autre part, le maintien ou l'abrogation de l'autonomie militaire bavaroise dépendait de la constitution en cours d'élaboration à Weimar. En attendant, et par un geste significatif, le gouvernement de Munich n'avait demandé l'autorisation de personne pour incorporer en bloc dans l'armée régulière le corps franc du colonel, nommé général, von Epp.

Le capitaine de l'ex-état-major général Karl Mayr était chargé des questions de propagande et de presse. Il devait se convertir au socialisme, organiser la milice de combat républicaine Reichsbanner et mourir en 1944, victime d'un bombardement aérien, au camp de concentration de Dachau. En 1919, il n'était encore qu'un patriote ulcéré par le désastre de l'Allemagne, convaincu que la première tâche consistait à restaurer le moral dans une armée déboussolée par la défaite et la révolution. Il imagina d'y concourir en recrutant dans la troupe des équipes de sujets doués pour la persuasion. On présume que son attention fut attirée sur Adolf Hitler par le rôle de celui-ci à la commission d'enquête du 2e régiment d'infanterie. Mais il faut reconnaître, une fois de plus, que les sources directes sont minces. Elles ne donnent pas une idée concrète des commandos du capitaine Mayr, de l'ambiance qu'y trouva et du rôle qu'y joua Adolf Hitler.

Pour l'endoctrination de ses infirmiers du moral, Mayr organisait des cycles de conférences à l'Université de Schwabing. Le professeur Alexander von Müller donnait un aperçu de l'histoire d'Allemagne depuis la Réforme : « Après l'un de mes exposés, raconte-t-il, je remarquai une figure étrange, avec une mèche de cheveux tombant sur son front d'une manière très peu militaire, qui parlait avec feu au milieu d'un groupe. Je dis à Mayr qu'il paraissait avoir là un sujet éloquent. » « Ah ! fit-il, c'est le Hitler du régiment List. Ho Hitler ! arrivez ici. L'interpellé accourut, monta gauchement sur l'estrade, mais la conversation resta sans intérêt. »

L'un des conférenciers de Schwabing était un long gaillard sentencieux, issu d'une bonne famille bourgeoise, membre de la Société Thulé, l'ingénieur Gottfried Feder. Il enseignait que la dictature de l'intérêt, la rente du capital, constituait le mal économique profond des sociétés contemporaines et il avait fondé une ligue pour briser cette servitude sans recourir aux remèdes dévastateurs du marxisme. Hitler s'étend dans *Mein Kampf* sur l'impression qu'il ressentit devant cette théorie. Il dut à Feder la distinction entre le capital productif, travaillant pour le bien de la nation, et le capital spéculatif battant la nation en brèche entre les mains des spéculateurs internationaux — essentiellement juifs.

L'histoire conventionnelle de Hitler fait de lui, à cette époque de sa vie, « l'instrument de la Reichswehr ». On le représente comme la personnalité choisie par cet État dans l'État pour en sauver les prérogatives en aveuglant les masses par un chauvinisme passionné. La répétition de cette assertion et l'autorité de ceux qui l'ont propagée ne lui retirent pas son caractère enfantin. Rien, dans les documents et témoignages, ne permet de penser que Hitler entra dans les calculs, plans et desseins de la hiérarchie militaire, qu'il fut autre chose qu'un rouage tout à fait subalterne dans une armée qui... elle-même, fut toujours loin de jouer le rôle politique, de détenir le pouvoir, de posséder l'autonomie qu'il est conformiste de lui prêter.

Hitler devait dire — et les biographes hitlériens répéter — qu'il fut nommé « Bildungoffizier », officier de formation. Les biographes ultérieurs lui chicanent ce titre, soutiennent qu'il ne fut jamais qu'un « V. Mann » — V, pour Vertrauen — un homme de confiance, sur le modèle de ceux que la Direction Suprême recommanda de faire élire, après l'armistice, pour limiter la décomposition de l'armée. Les biographes post-hitlériens ont littéralement raison en ce sens qu'Adolf Hitler n'eut jamais rang, statut ou assimilation d'officier. Il resta dans l'armée dans une situation assez hybride entre le militaire et le civil, comme en fait foi l'appellation de «*Herr* Hitler » dans les documents de service. Mais il devait être démobilisé comme caporal.

₊₊*

L'histoire travaillait pour le caporal munichois inconnu. Deux grands événements préparaient l'avenir d'Adolf Hitler. Le traité de Versailles. La Constitution de Weimar.

Le traité fut remis le 7 mai à la délégation allemande conduite par le comte von Brockdorff-Rantzau. Elle eut cinq semaines pour l'étudier, formuler ses observations et faire savoir, par oui ou par non, si elle acceptait de le signer. Un débat dramatique divisa l'Allemagne. Brockdorff se prononça pour le rejet. Le chancelier socialiste Philipp Scheidemann déclara le traité « inacceptable et inexécutable » et, mis en minorité dans le gouvernement, démissionna. Les Alliés firent quelques concessions, dont la principale fut de subordonner la cession de la Haute-Silésie à un plébiscite, mais, le 18 juin 1919, annoncèrent que l'armistice serait dénoncé et que les hostilités seraient rouvertes le 23 à minuit si le traité n'était pas accepté sans aucune réserve. Les troupes françaises se massèrent dans les têtes de pont du Rhin. L'artillerie ouvrit ses coffres et mit ses pièces en batterie. Le maréchal Foch réactiva son Q.G. Son plan consistait à occuper la ligne du Main pour séparer l'Allemagne du Sud de l'Allemagne du Nord. On comptait trouver à Karlsruhe, à Stuttgart, à Munich, des gouvernements autonomistes pour conclure des paix séparées.

Il restait six heures du délai lorsqu'un officier des transmissions se précipita au Conseil des Trois, Clemenceau, Lloyd George, Wilson, en brandissant un télégramme : l'Assemblée constituante, par deux cent trente-sept voix contre cent trente-huit, avait accepté le traité dans les termes où il était dicté.

Il est saisissant, dans le recul de l'histoire, de contempler ce monument d'inconscience et d'erreur. Le traité de Versailles cédait à une Pologne incohérente et brutale de vastes territoires peuplés par des Allemands. Il créait le défi géographique et politique du corridor de Dantzig. Il préparait l'établissement dans l'Europe danubienne d'une Tchécoslovaquie, d'une Roumanie et d'une Yougoslavie gorgées de minorités, façades d'États bafouant les principes wilsoniens sans trouver dans leur enflure autre chose qu'une cause de faiblesse. Il laissait à une commission le soin de fixer le montant de la créance des Alliés, mais il proclamait le principe de la réparation intégrale en le fondant sur l'article 231 par lequel l'Allemagne se reconnaissait coupable d'avoir voulu et déclenché le conflit mondial. Il astreignait l'Allemagne par l'article 228 à livrer les « criminels de guerre » — et l'on savait qu'il fallait entendre par là, non seulement le Kaiser, réfugié en Hollande, mais tous les grands chefs qui avaient conduit les armées allemandes. Pour comble d'absurdité, la coalition qui imposait à l'Allemagne ce traitement forcené s'était dissociée. L'Amérique, désavouant Wilson, allait se retirer sous sa tente. L'Angleterre redoutait qu'une hégémonie française succédât en Europe à la prépondérance allemande. Il était évident qu'il ne resterait, pour faire appliquer un traité impitoyable, qu'une France intrinsèquement plus faible que l'Allemagne, saignée à blanc dans sa population déclinante par les hécatombes de 1914-1918. Cependant, toute l'élite française ne trouva à critiquer dans le traité de Versailles que son insuffisance, sa mansuétude à l'égard des vaincus !

Les débats de Weimar s'étaient poursuivis en même temps que la négociation de Paris. L'Assemblée constituante siégeait dans le théâtre construit pour et par Goethe, et l'on décorait la tribune présidentielle avec les fleurs des jardins qu'il avait dessinés. La situation restait trouble et dangereuse. Le blocus n'avait pas été levé. La disette et la détresse demeuraient aussi intenses que pendant les hostilités. Des désordres éclataient de toutes parts. Berlin, Hambourg, la Saxe, la Ruhr étaient le théâtre d'émeutes en chaîne. A Weimar même, lorsque Brockdorff-Rantzau apporta de Versailles les exigences des Alliés, il arriva au milieu d'une bataille sanglante entre la police et un groupe de prisonniers politiques qui, après s'être évadés de la maison centrale, s'étaient emparé du château où siégeait le gouvernement. A plusieurs reprises, les Rouges coupèrent la voie ferrée de Berlin, se saisirent des trains, isolant l'Assemblée qui préparait l'avenir de l'Allemagne dans son Weimar fleuri et famélique.

Le débat constitutionnel n'était pas encore ouvert lorsqu'une délégation de la République d'Autriche — réduite aux pays purement allemands de la monarchie défunte — se présenta à Weimar. Elle apportait l'article premier de la nouvelle constitution : « La République démocratique d'Autriche est une partie intégrante de la République démocratique allemande. » L'Assemblée acclama ces six millions de compatriotes rentrant volontairement dans le sein du Reich, vota à l'unanimité d'admettre l'Autriche parmi les États allemands. Une mise en demeure arriva à Paris le soir même : les deux Constituantes, celle de Vienne et celle de Weimar, étaient sommées d'effacer de leurs procès-verbaux l'Anschluss qu'elles avaient décidé conformément aux principes wilsoniens. Le droit des peuples à disposer d'eux-mêmes était sélectif : impératif lorsqu'il correspondait aux convenances des vainqueurs ; subversif, intolérable et provocant s'il était invoqué par les vaincus.

A la même époque, les Sudètes de Bohême proclamaient par la voix unanime de leurs quarante-deux députés qu'ils n'avaient aucune vocation pour une vie commune avec les Tchèques et qu'ils demandaient leur rattachement à l'Allemagne. Leur protestation fut ignorée par la Conférence de Paris. La Tchécoslovaquie ne pouvait avoir comme limite que le pourtour historique du quadrilatère bohémien. Le droit des peuples s'inclinait à nouveau devant l'État qui lui devait sa résurrection.

Bismarck, en construisant son Reich, avait équilibré avec un art consommé l'Allemagne et les Allemagnes, conservant les États, gardant les princes qui, eux-mêmes, gardaient leurs cours, leurs vanités, leurs ordres et décorations, préservaient la diversité dans l'unité. Le doctrinaire qui présida à l'élaboration de la Constitution de Weimar, Hugo Preuss, ne vit que la nécessité de renforcer la structure unitaire de l'Allemagne après la terrible défaite qu'elle venait de subir. Toutes les distinctions honorifiques furent abolies et interdites. Les institutions militaires, fiscales, ferroviaires, postales furent passées sous la toise. L'Allemagne demeura un État fédéral, mais les États, Staaten, rétrogradés au rang de Länder, furent placés d'une manière beaucoup plus étroite sous la dépendance du pouvoir central. Contrairement aux espoirs des nationalistes français, la guerre perdue entraînait, non la destruction, mais le renforcement de l'unité allemande.

Dans l'Allemagne impériale, le chancelier nommé par l'empereur, n'était responsable que devant l'empereur. La Constitution de Weimar institua un régime parlementaire, mais le besoin d'une forte autorité à la tête de l'État fédéral et le prestige de l'Amérique conduisirent Preuss à faire adopter l'élection au suffrage universel du président du Reich. L'article 48 de la Constitution lui donna la faculté d'assumer tous les pouvoirs, d'exercer une dictature de salut public, s'il estimait qu'il n'y avait pas d'autre moyen de faire face à une crise menaçant l'existence de la nation. On verra l'importance que devait prendre une clause insérée à regret, et uniquement en prévision de circonstances très exceptionnelles, comme une brusque menace extérieure ou un soulèvement intérieur.

L'esprit de système de Preuss se donna libre cours dans le mode d'élection du Reichstag. L'Allemagne fut divisée en trente-cinq circonscriptions électorales, beaucoup trop grandes pour qu'il pût exister un contact entre l'électeur et l'élu. Les Allemands et les Allemandes furent appelés à voter, non pour des hommes, mais pour des numéros représentant les partis. Une rigoureuse représentation proportionnelle, la récupération des restes dans le cadre national assurant un siège pour chaque soixante mille suffrages exprimés, devaient entraîner la prolifération des mini-partis. Il faut garder à l'esprit ces détails arides pour comprendre comment les institutions rigoureusement logiques de la Constitution de Weimar rendirent l'Allemagne ingouvernable, firent le lit de Hitler.

*
* *

Scheidemann, dont l'os de Versailles était resté en travers de la gorge, avait été remplacé à la chancellerie par Gustav Adolf Bauer, socialiste comme lui. Le traité fut signé le 28 juin par une délégation dont le chef, Hermann Müller-Franken, déclara avec résignation que son nom au bas d'une telle chaîne de servitude signifiait la fin de sa carrière politique. La Constitution fut promulguée le 11 août. La Constituante aurait dû se déclarer dissoute, sa mission accomplie. Elle décida de se prolonger jusqu'à la moisson prochaine et, quittant Weimar, s'installa à Berlin dans le grand édifice carré du Reichstag.

Entre la signature et la promulgation, Hitler avait accompli sa première mission de V. Mann ou de Bildungoffizier. Des prisonniers bavarois revenaient de Russie, l'esprit troublé par les événements dont ils avaient été les témoins. On les rassemblait au camp de Lechfeld. Le capitaine Mayr y envoya un commando d'une vingtaine de propagandistes, sous la direction d'un nommé Beyschlag, pour leur remettre les idées dans le bon sens. Hitler éclipsa son chef de file. « On doit reconnaître dans Monsieur Hitler, dit le rapport sur la mission, un orateur né qui, par son fanatisme et le caractère direct de son argumentation, contraint son auditoire à l'attention. »

La deuxième tâche confiée à Hitler par le capitaine Mayr fut la rédaction d'un mémoire sur la question juive. On ne reconnaît pas, dans ce premier écrit politique, la syntaxe hésitante et défectueuse des lettres de jeunesse de Hitler. Il cerne vigoureusement son sujet en repoussant le critère religieux, en ridiculisant l'antisémitisme sentimental, en définissant le peuple juif comme totalement original, en préconisant des mesures législatives pour l'exclure de la vie économique et culturelle du peuple allemand. Le capitaine Mayr écrivit au « très estimé *Herr* Hitler » que son rapport était excellent et qu'il en partageait les conclusions. Dans une lettre, datée du 6 septembre 1919, adressée à un certain *Herr* Gemlich, Hitler condense sa thèse en quelques mots : « L'antisémitisme sentimental aboutit au pogrome. L'antisémitisme raisonné doit nous amener à mettre juridiquement les Juifs à l'écart, parce qu'ils sont parmi nous des étrangers... »

Hitler s'était fait allouer un complet civil mieux adapté que l'uniforme aux missions de renseignement politique que Mayr entremêlait avec les activités de propagande. C'est en civil qu'il se rendit, le 12 septembre 1919, sur les instructions du capitaine Mayr, au numéro 54 de la grande artère munichoise, le Tal. Le Parti Ouvrier Allemand, *Deutsche Arbeiter Partei* (4), tenait une réunion dans l'arrière-salle de la brasserie Sterneckerbräu. « J'avais reçu de mes supérieurs la mission de voir ce qu'il y avait derrière ce mouvement de tendance politique et de faire un rapport... » Il s'inscrivit parmi les quarante et une personnes présentes sous la mention « caporal », en donnant pour adresse la caserne Max II.

Le conférencier de la soirée était l'ingénieur Gottfried Feder, auquel Hitler était redevable de quelques linéaments d'économie politique. Il avait pris comme sujet : « Comment nous débarrasser du capitalisme? » Lorsqu'il eut terminé son exposé, une discussion s'engagea sur les questions politiques du moment. Un professeur nommé Baumann soutint que la Bavière devait se séparer du Reich pour s'unir à la République d'Autriche, dont le traité de Saint-Germain venait de consacrer la naissance deux jours auparavant. Une fureur sacrée s'empara du caporal Hitler. Il se dressa, glorifia la Grande Allemagne une et indivisible, accabla le malheureux Baumann qui, dit-il, s'enfuit la queue entre les jambes, comme un basset aspergé. Le petit auditoire retentit d'acclamations. Hitler baignait dans la joie : « Je savais parler! J'étais un orateur! Je jubilai! »

Comme il partait, un petit homme malingre, vêtu comme un ouvrier, le félicita chaleureusement et lui glissa dans la main une brochure en murmurant son nom, que Hitler ne comprit pas. Il mit la brochure dans sa poche et regagna la caserne Max II.

Les renseignements qu'il rapportait sur le D.A.P. étaient succincts. Il s'agissait d'un tout petit groupement, composé surtout d'ouvriers, auquel la Thulé s'intéressait parce qu'elle voyait en lui le moyen de faire pénétrer les idées national-socialistes dans un milieu prolétarien. Le président, le journaliste sportif Karl Harrer, appartenait à la Thulé. Le programme officiel du parti tenait sur trois feuilles dactylographiées, abondait en aphorismes de tout repos : « Le Parti ne veut pas détruire, mais construire... Idéalisme contre matérialisme... Un peuple a le gouvernement qu'il mérite... L'Allemagne aux Allemands... » L'antisémitisme n'était pas mentionné, mais il imprégnait le D.A.P., comme il imprégnait la Société Thulé et le nationalisme allemand en général.

« Comme je me réveillais tous les matins avant 5 heures, raconte Hitler, j'avais pris l'habitude de mettre à terre de petits morceaux de pain dur ou de viande pour les souris qui prenaient leurs ébats dans ma petite chambre et de regarder comment ces amusants petits animaux couraient à la ronde en se disputant ces friandises. Le lendemain de la réunion, couché dans ma mansarde, je regardais les courses et les arrêts brusques des souris. Je me souvins tout à coup du cahier que l'ouvrier m'avait donné. Je lus ce petit écrit jusqu'au bout... »

La brochure s'intitulait : « *Mon éveil politique. Carnet d'un ouvrier allemand socialiste.* » L'auteur, dont Hitler n'avait pas distingué le nom, s'appelait Anton Drexler. Ajusteur au dépôt de locomotives de Munich, il racontait comment il avait découvert l'exploitation des travailleurs par les Juifs, les marxistes et les francs-maçons, et comment cette révélation l'avait conduit à un socialisme national. Il avait fondé en 1917 une « Association Ouvrière pour une Bonne Paix », et, l'année suivante, le Parti Ouvrier Allemand. Il était donc à l'origine et il restait le vice-président du petit parti que Hitler venait de découvrir.

Les principes directeurs de la brochure, anticapitalisme, anti-marxisme, antisémitisme, correspondaient aux conceptions personnelles d'Adolf Hitler. Mais il trouva faible dans la forme l'exposé de l'ouvrier Drexler.

Quarante-huit heures plus tard, il apprit par une carte postale qu'il était admis comme membre du D.A.P. et convoqué pour le mardi suivant à une séance du comité directeur.

Adolf Hitler avait dépassé ses trente ans sans jamais avoir appartenu à aucun groupement. Inscrit d'office au D.A.P., il hésita pendant quarante-huit heures, puis, par curiosité autant que par conviction, décida de se rendre à la convocation.

L'auberge Altes Rosenbad, située Hornstrasse, dans un quartier lointain, avait un air de pauvreté et d'abandon. « On ne semblait devoir s'y rendre que tous les trente-six du mois... » Hitler traversa une salle déserte, poussa une porte et, à la faible lueur d'un bec de gaz, eut sous les yeux les quatre hommes qui siégeaient ce soir-là au comité directeur. Drexler l'accueillit chaleureusement, l'informa qu'il était inscrit sous le numéro 555 (5) — mais le rôle des adhérents ne commençait qu'à 500 — et l'invita à participer séance tenante aux travaux du comité directeur. Ils consistaient dans la lecture de la correspondance — trois lettres — et dans l'approbation du rapport financier faisant ressortir un avoir de 7 marks et 50 pfennig. « Dans quel club croupion, pensa Hitler, me suis-je fourré ? »

Il y resta parce qu'il y avait été admis d'office, et qu'il était dans sa nature profonde d'accepter les décisions qui lui étaient envoyées par le destin.

***

La nouvelle Allemagne démocratique prenait forme. La coalition dite de Weimar, réunissant la social-démocratie, le parti démocrate et le Zentrum, soutenait, dans la Constituante auto-prolongée, le gouvernement tripartite dirigé par le socialiste Bauer. Le gouvernement prussien, dont l'autorité s'étendait sur la moitié du territoire allemand, depuis Königsberg jusqu'à Aix-la-Chapelle, qui répondait de l'ordre à Berlin et dans la Ruhr, émanait d'une coalition analogue, mais le régime de Weimar n'était pas revenu à la règle wilhelminienne en vertu de laquelle les fonctions de chancelier du Reich et de ministre-président en Prusse étaient réunies sur la même tête. L'élimination des socialistes de gauche harmonisait provisoirement les deux pouvoirs.

La vie reprenait par à-coups. Mais deux sujets d'étonnement entretenaient le malaise profond.

Le mark fondait. Son amenuisement était mesuré par le cours du dollar : 4 marks en 1913, 8 en janvier 1919, 13 en juin, 49 en décembre. Les prix suivaient une courbe plus prononcée encore. Comme en France, une population élevée dans la stabilité monétaire n'arrivait pas à comprendre les causes et le mécanisme de cette terrifiante dépréciation. Elle accusait les hommes. Le signataire de Rethondes, Mathias Erzberger, avait eu la témérité d'accepter le portefeuille des Finances ; une deuxième malédiction s'ajouta à celle qu'il portait pour avoir pris acte de la défaite allemande.

Cette défaite constituait la deuxième stupeur. La guerre avait été victorieuse presque jusqu'au tout dernier moment et, brusquement, en trois mois, l'armée allemande avait roulé dans l'abîme. Comment expliquer ce renversement dramatique devant un peuple qui savait que la vaillance de ses soldats ne s'était jamais démentie? Comment justifier une capitulation consommée alors que pas un pouce du territoire national n'était envahi? L'Assemblée ne manqua pas la faute ordinaire en pareil cas : elle nomma une commission d'enquête pour élucider les faits et pour établir les responsabilités.

Débat passionné. Le chef de la droite, l'ex-ministre de Guillaume II, Helfferich, soutint que les armées allemandes étaient restées invaincues et que, seule, la trahison intérieure avait provoqué la capitulation. Ludendorff — qui s'était un moment réfugié en Suède — fut invité par la commission à faire connaître sa version des événements. Il répondit qu'il ne comparaîtrait que si la commission d'enquête entendait d'abord celui qui avait été son chef depuis la bataille de Tannenberg, le maréchal von Hindenburg.

Le 18 novembre, le vieux soldat pénétra au Reichstag pour la première fois de sa vie. La commission, d'un mouvement spontané, se mit au garde-à-vous. Hindenburg la toisa du même œil qu'un lieutenant entrant dans une chambrée, s'assit sans un mot de remerciement et, devançant l'invitation du président, donna lecture d'une déclaration — puis, après avoir esquissé un salut, sortit aussi rigide que la statue de bois qui lui avait été érigée pendant la guerre au Tiergarten. Après son départ, Ludendorff déclara qu'il n'avait rien à ajouter, refusa de se laisser questionner et sortit à son tour.

La déclaration du feldmarschall Paul Ludwig Hans Anton von Hindenburg *und* Beneckendorff constitue l'une des plus profondes malhonnêtetés intellectuelles de l'histoire. Le vieux gentilhomme-soldat oubliait qu'il avait reconnu la défaite inévitable dès le 8 août 1918, et qu'il avait supplié le gouvernement du Reich d'obtenir un armistice pour prévenir un effondrement militaire imminent. Il donnait sa caution à la thèse de Helfferich : l'armée allemande, invaincue, livrée à l'ennemi par la trahison des politiciens. Le général anglais sir Frederick Maurice avait écrit dans un article du *Daily News* que l'armée allemande avait été « poignardée dans le dos » par l'intérieur — tout en soulignant que l'extrême inégalité des forces en présence rendait sa défaite inéluctable un peu plus tôt, un peu plus tard. Hindenburg reprit l'expression, coup de poignard, *Dolchstoss*. Elle faisait puissamment image. Elle apportait l'explication que cherchait la douleur patriotique du peuple allemand. Elle fut entérinée par les deux plus hautes autorités religieuses d'Allemagne, le chef de l'Église évangélique, Otto Dibelius, et l'archevêque catholique de Munich, Michael cardinal Faulhaber. Elle devait fournir à Hitler son argument passionnel le plus brûlant. L'Allemagne poignardée dans le dos! Vérité d'évidence, ne souffrant ni contestation, ni atténuation. Les auteurs de ce forfait inouï, les « criminels de novembre », devaient être poursuivis, fustigés, châtiés sans rémission et sans merci.

*
* *

Il eût été difficile de trouver un levier politique aussi insignifiant que le petit parti dans lequel Adolf Hitler s'était laissé enrôler.

Le parti ouvrier allemand n'avait ni siège social ni secrétariat. Il ne possédait ni papier à lettres, ni appareil multicopiste, ni tampon encreur. Ses réunions se tenaient dans de petites salles de brasserie dont les adhérents payaient la location de leurs deniers. Il vivait en vase clos. « Nous nous réunissions tous les mercredis, dans un café de Munich, pour ce que nous appelions une séance de commission, et une autre fois par semaine pour une soirée de conversation... Les assistants étaient naturellement toujours les mêmes. » Le D.A.P. était plutôt une amicale de palabres qu'un appareil de propagande. L'esprit de la Thulé Gesellschaft, représentée par le président Harrer, était d'ailleurs hostile aux manifestations publiques, enclin à l'action clandestine plus qu'à la lutte au grand jour.

Hitler s'évada tout de suite de ce cercle étroit. Il écrivit à la main des invitations qu'il alla porter à domicile à des personnes susceptibles d'être conquises — et ce n'est pas l'évocation la moins saisissante d'une carrière dramatique que celle de l'homme efflanqué, destiné à devenir le fléau du monde, allant de porte en porte glisser dans les boîtes aux lettres une feuille annonçant qu'il parlerait, dans telle brasserie, d'un des sujets qui hantaient les lendemains de la défaite : les bolchevistes, les Juifs, les criminels de novembre, la mise en servitude du peuple allemand.

La première fois, quatre-vingts convocations n'amenèrent que sept auditeurs. « Puis le nombre s'éleva lentement, de 11 à 13, à 17, à 23, et, enfin, à 34... » En raclant le fond de leurs poches les membres du comité firent alors passer dans le *Völkischer Beobachter* une annonce pour une réunion à la Hofbräuhauskeller. « C'était une petite salle pouvant contenir au plus cent trente personnes. Elle me parut un hall immense et nous tremblions de ne pouvoir emplir ce puissant édifice. » Hitler n'était que l'orateur secondaire, derrière un docteur Erich Kühn, poussé en vedette, mais il électrisa la salle et son appel au concours du public donna au parti un trésor de guerre de 300 marks.

Dès lors, Hitler fit adopter le principe d'une réunion publique bi-mensuelle. Les premières se tinrent à l'Eberbraükeller, puis la nécessité d'une salle plus vaste à des prix abordables fit transférer les suivantes à l'auberge Deutsches Reich, Dachaustrasse, au delà de la gare centrale. Les invitations, désormais ronéotypées, précisaient qu'on devait descendre du tramway n° 24, à l'arrêt de la Lorisstrasse et que la salle serait chauffée. Quelques centaines de personnes se réunirent ainsi deux fois par mois sous la parole de Hitler. On percevait un droit d'entrée, de telle sorte que le verbe hitlérien devint la principale ressource pécuniaire du D.A.P.

Hitler restait le caporal Hitler. Il continuait d'occuper une chambre de sous-officier et s'accrochait à la sécurité matérielle de la caserne. Le capitaine Mayr, appelé à d'autres fonctions, avait été remplacé par le capitaine Röhm, agent de liaison entre la Reichswehr locale et les ligues nationalistes. La différence des grades n'empêcha pas l'établissement d'une familiarité qui se manifesta bientôt par un tutoiement. Adolf fit adhérer Ernst au D.A.P., où il reçut la carte numéro 623, ce qui signifie que le parti comptait alors cent vingt-trois adhérents. Hitler amena également au parti plusieurs camarades de régiment, dont les sous-officiers Karl Beggel et Rudolf Schüssler. C'est dans la chambre de celui-ci que le premier organisme de la bureaucratie hitlérienne, le secrétariat du D.A.P., commença de fonctionner.

D'autres relations se nouaient. L'étudiant Rudolf Hess, né à Alexandrie, dans une famille de commerçants allemands, avait adhéré à la Société Thulé et coopéré à la reprise de Munich : Il voua d'emblée à Hitler une admiration passionnée. Un plus jeune homme encore, Hermann Esser, vingt et un ans, petit journaliste à Munich, esprit caustique et primesautier, glotte éloquente, moralité douteuse, venait de se détourner de la social-démocratie en découvrant qu'elle était enjuivée : il adhéra au D.A.P., dont il devint (en attendant Goebbels) le second meilleur orateur.

Dietrich Eckart était, à cinquante ans, un homme arrivé. Auteur dramatique, il n'hésitait pas à mettre ses drames historiques, *Heinrich IV, Froschkönig, Lorenzaccio,* sur le même pied que *Faust* et *Hamlet.* Son adaptation de *Peer Gynt,* jouée cinq cents fois, lui avait rapporté des droits d'auteur importants. Il habitait une maison sur jardin dans le quartier aéré de Nymphenburg. Physiquement, il ressemblait à un phoque affligé de l'accent bavarois. Il aimait le bon vin, les jolies filles, les conversations corsées. Poète fantasque, peu capable d'un effort suivi, mais animé par la passion politique, il publiait un pamphlet périodique, *Auf gut Deutsch* (En bon allemand) qui dénonçait les infiltrations juives et réclamait le retour de l'Allemagne à la pureté raciale. Il avait, pour le lancer, envoyé à ses frais vingt-cinq mille exemplaires par la poste et, depuis lors, épongeait sur son revenu la majeure partie du déficit.

Ce Bavarois truculent se lia au sombre Hitler et leur intimité devint si grande que, en dépit de la différence d'âge, elle alla aussi jusqu'au tutoiement. Eckart prédisait au caporal inconnu une éclatante carrière, et Hitler admirait en Eckart la vigueur des convictions et l'énergie du langage. Il est sans doute excessif de dire que l'aîné enseigna au cadet les rudiments de la bienséance, à commencer par des manières de table, mais il est certain qu'il l'aida socialement et financièrement grâce aux relations qu'il possédait en Bavière et à Berlin.

L'émigration russe recherchait des contacts avec l'ultra-nationalisme allemand. Par Eckart, Hitler fit la connaissance d'un personnage dont la physionomie est restée énigmatique : d'origine balte, il se faisait appeler le docteur ingénieur Max Erwin von Scheubner-Richter, se vantait tour à tour d'avoir servi comme officier dans la garde prussienne et d'avoir commandé une sotnia de cosaques, mais paraît avoir été surtout un agent double russo-allemand en Turquie. Il évoluait avec une aisance d'aventurier entre le grand-duc Cyrille et la duchesse de Saxe-Cobourg protectrice des Russes blancs fugitifs. Hitler vit en lui une tête politique et un précieux intermédiaire avec des milieux influents.

D'autres Baltes déracinés erraient dans Munich. Alfred Rosenberg, né à Reval en 1893, ancien élève de l'école d'architecture de Moscou, s'était réfugié en Allemagne après la révolution bolcheviste. L'Esthonie naissait péniblement à l'indépendance, mais Rosenberg ne brûlait pas de retrouver le pays natal. Il traînait la misère à Munich, mangeait dans une soupe populaire, partageait avec un vieux couple une chambre dont le loyer était payé par une société de bienfaisance, essayait de placer dans des revues une prose intensément philosophique. Une danseuse qu'il avait connue en Russie l'orienta vers Eckart, lequel prit pour *Auf Gut Deutsch* un récit sur la révolution russe, puis s'attacha Rosenberg pour un salaire faible et incertain. Un jour, Eckart présenta Rosenberg à Hitler. « Cette rencontre changea tout mon destin personnel et l'associa au destin du peuple allemand tout entier... » On soupçonnait, chez Scheubner comme chez Rosenberg, du sang juif.

*
* *

1919, An I de la défaite, s'achève dans la détresse et la tristesse. Grâce à Hitler, le D.A.P. est maintenant à la tête de quelques centaines de marks. Il s'offre une permanence, 54, Tal, dans la même brasserie Sternecker où Hitler l'a découvert, et embauche son premier employé appointé, le sous-officier démobilisé Schüssler. Mais la permanence n'est qu'une petite pièce sans lumière donnant sur une cour lépreuse et, jusqu'en 1938, Schüssler devra compléter son revenu national-socialiste en travaillant comme caissier à la banque juive Aufhäuser.

Des remous agitaient le microcosme du D.A.P. Représentant la Société Thulé et sa préférence pour l'action indirecte, le président Karl Harrer désapprouvait la propagande ouverte et l'action au grand jour. Hitler parvint, le 5 janvier 1920, à le faire éliminer du bureau. « Ce fut, dit Franz-Willing, sa première victoire... » Harrer se retira du mouvement et les rapports de la Thulé et du parti des travailleurs allemands se distendirent.

Drexler remplaça Harrer. Mais Drexler commençait à se repentir de la spontanéité avec laquelle il avait coopté le caporal tombant des services de renseignement de la Reichswehr. Hitler faisait de sa propagande une affaire autonome, se soustrayait à la direction collégiale du parti, se constituait un noyau de partisans enthousiasmés par son éloquence, rompait l'atmosphère idéologique et comitarde du D.A.P.

Un grand travail était en cours : le remplacement de la déclaration de principe succincte et vague par un véritable programme construit et articulé. Drexler et Feder se passionnaient pour la construction de ce monument, dans lequel ils voyaient un phare destiné à percer les ténèbres qui entouraient l'avenir du peuple allemand. Hitler s'en désintéressait. Il pensait que l'important était de conquérir les masses et qu'un programme trop rigide nuirait à l'opportunisme dont la propagande avait besoin. Il accepta néanmoins de présenter le programme au public, le 24 février 1920, à la Hofbräuhaus, l'une des grandes salles de Munich.

Hitler, dans *Mein Kampf,* racontera sur le mode épique la réunion du 20 février, datera d'elle l'essor du mouvement. Pourtant, Franz-Willing a découvert avec surprise que l'affiche qui l'annonçait ne portait pas son nom, mais uniquement celui du médecin raciste Dingfelder. Hitler l'escamotera dans son récit, ne mettra en scène que Hitler.

Deux mille personnes garnissaient la salle ayant payé un droit d'entrée de 40 pfennig. Les Rouges, venus en grand nombre, tentèrent une obstruction. Un service d'ordre, fourni par le capitaine Röhm, expulsa les perturbateurs. Dingfelder parla deux heures. Hitler présenta ensuite les vingt-cinq points du programme. Tous les Allemands devaient être réunis en une Grande Allemagne. Les traités de Versailles et de Saint-Germain devaient être déchirés. Les Juifs, n'étant pas des « frères de race », seraient exclus de la vie politique et culturelle du peuple allemand, ne pourraient vivre en Allemagne que sous un statut d'étrangers. Le capitalisme devait être refréné. Les grands magasins devaient être loués aux petits commerçants. La classe ouvrière devait recevoir une part plus grande du produit social. Les taux d'intérêt devaient être réduits. Une réforme agraire devait procéder à l'expropriation des terres utiles à l'intérêt général. La rente foncière devait être abolie. Le Droit romain devait être remplacé par un Droit allemand. L'armée nationale devait être rétablie. Invitée à dire si elle ratifiait les vingt-cinq propositions, la foule, dit Hitler, répondit par des acclamations enthousiastes. « J'avais devant moi une masse d'hommes unis par une conviction nouvelle, une nouvelle foi, une nouvelle volonté... Un brasier était allumé : dans sa flamme ardente, se forgerait un jour le glaive qui rendra au Siegfried germanique la liberté. ... Sous mes yeux, le mouvement était en marche. Je voyais la déesse de la vengeance inexorable se dresser contre le parjure du 9 novembre 1918... »

***

L'application du traité commençait. Le 3 février 1920, le président de la conférence de la paix, Alexandre Millerand, remit au représentant du gouvernement allemand, le baron Kurt von Lersner, la liste de huit cent quatre-vingt-quinze individus dont les Alliés demandaient la livraison pour qu'ils répondent de leurs crimes de guerre devant un tribunal dont la nature et la composition restaient à déterminer. Lersner déclara qu'il ne se trouverait pas un fonctionnaire allemand pour exécuter une seule des extraditions demandées, et annonça qu'il quittait Paris pour ne pas avoir à transmettre une exigence aussi offensante pour son pays.

La liste relevait de la démence. Elle ne contenait qu'une vingtaine de noms d'officiers et de soldats accusés d'actes de cruauté individuels. Les autres inculpés étaient onze princes du sang, dont quatre fils du Kaiser ; des diplomates et des hommes d'État, dont l'ancien chancelier Bethmann Hollweg, les principaux généraux et amiraux ayant commandé les armées allemandes de terre et de mer, dont Hindenburg, Mackensen, Kluck, Ludendorff, Tirpitz ; une foule de fonctionnaires et d'officiers dont, en bloc, tous les commandants de sous-marins. Guillaume II n'y figurait pas, le gouvernement néerlandais ayant repoussé la demande d'extradition dont il avait été saisi. L'inculpation découlait de l'axiome posé par les articles 228 à 232 du traité de Versailles : l'Allemagne seule coupable de la guerre, toutes les autres nations, y compris la Serbie et la Russie, ayant été les victimes d'une agression préméditée et non provoquée. La culpabilité personnelle descendait comme d'une pomme d'arrosoir du sommet de la Prusse-Allemagne jusque sur les exécutants, de telle sorte qu'en bonne logique tous les Allemands eussent dû être traduits devant le tribunal des Alliés. La Belgique et la France se bornaient à en réclamer six cent soixante-huit; le Royaume-Uni, cent; la Pologne, cinquante-trois; la Roumanie, quarante et un; l'Italie, vingt-neuf et la Yougoslavie, héritière de l'innocente Serbie, quatre seulement. Il fallait avoir la tête dans le brouillard pour s'imaginer qu'un pays organiserait une chasse à l'homme gigantesque pour satisfaire à la vindicte des vainqueurs.

Les événements de Rhénanie ajoutaient leur venin au poison de la question des criminels de guerre. Le maréchal Foch avait lutté avec acharnement pour que la frontière militaire française fût fixée sur le Rhin d'une manière définitive. Il s'était heurté au sens politique de Clemenceau et surtout au refus des Anglais et des Américains. La transaction avait consisté en l'occupation pendant quinze ans de la rive gauche, avec trois têtes de pont de cinquante kilomètres sur la rive droite. L'évacuation était prévue en trois étapes : zone de Cologne en 1925, zone de Coblence en 1930, zone de Mayence en 1935. Mais le nationalisme français n'avait pas renoncé au rêve de détacher de l'Allemagne les territoires rhénans.

La première tentative venait d'échouer. L'intervention du général américain Liggett avait empêché la proclamation d'une république rhénane machinée par le général Mangin, avec le concours d'un magistrat de Wiesbaden, Hans Adam Dorten. Ce n'était que le début d'un effort qui allait se poursuivre pendant plusieurs années, nourrissant les fureurs des énergumènes du chauvinisme allemand, étroitement solidaires de leurs homologues français. La campagne de la « honte noire » se déchaînait. Sous le titre *Ein Notschrei Deutscher Frauen* — Un cri de détresse des femmes allemandes — une brochure détaillait cent vingt et un cas de viols commis par des soldats africains de l'armée française. Loin de rapprocher les deux peuples, la lutte atroce, héroïque et absurde qu'ils s'étaient livrée pendant quatre ans se prolongeait par des flots de haine. Ils apportaient Hitler.

Ayant opté pour l'armée de métier, le traité de Versailles l'avait limitée à sept divisions d'infanterie et à trois divisions de cavalerie composées d'engagés de douze ans. Les effectifs ne devaient pas dépasser quatre-vingt-seize mille hommes et quatre mille officiers pour l'armée de terre, treize mille cinq cents matelots et mille cinq cents officiers pour la marine. L'artillerie d'un calibre supérieur à 76 millimètres, les armes blindées, les armes chimiques, les navires de combat de plus de dix mille tonnes, l'aviation de chasse, de bombardement et de coopération, les sous-marins étaient interdits à l'Allemagne. Le matériel prohibé ou excédentaire devait être détruit, ainsi que l'outillage spécialisé dans sa fabrication. La rive gauche du Rhin et une bande de cinquante kilomètres sur la rive droite devaient rester démilitarisées à perpétuité. L'état-major général devait être dissous et ne pouvait être reconstitué sous aucune forme. Une commission de contrôle de quatre cents officiers, sous les ordres du général français Charles Nollet, devait fonctionner jusqu'au moment où

Pose décidée, regard lointain, **Adolf Hitler** — que déjà l'on surnomme « le Roi de Munich » — vient d'avoir 33 ans. Il ne manque aucune occasion de parfaire son image de marque. Sacrifiant volontiers à la démagogie, il n'hésite pas à troquer le complet-veston pour des Lederhosen, une veste bavaroise et le traditionnel feutre tyrolien. (Photo National Archives, Washington.)

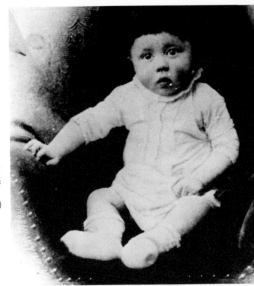

Un poupon prospère
au regard étonné :
c'est le jeune Adolf
à 12 mois.
(Photo Ullstein Bilderdienst.)

Pour se rendre en classe, l'écolier Adolf Hitler emprunte chaque jour, à pied, la route de Leonding à Linz. C'est dans ce tranquille paysage autrichien qu'il passera dix années de sa première jeunesse. (Photo Ullstein Bilderdienst.)

Garçonnet vif d'esprit mais aussi têtu qu'indolent et rêveur - le jeune Hitler (dernier rang, 8e à partir de la gauche) se plie mal à la routine des études : déjà se développe chez lui son goût de se soustraire au monde extérieur. (Photo Ullstein Bilderdienst.)

Blessé d'un éclat d'obus à la cuisse en octobre 1916, Hitler (+) sera admis à l'hôpital de Beelitz, près de Berlin. Il ne retrouvera ses camarades et la mascotte du régiment List qu'au printemps 1917.
(Photos Ullstein Bilderdienst.)

Militärpaß

des

Gefreiten

Hitler Adolf

der 4. Kompagnie 1. E. B.

2. Infanterie-Regiments

Jahresklasse: 19 14.

Formular 262.   Infanterie.

Le livret militaire du « Gefreite » Hitler Adolf. (Photo National Archives, Washington.)

Dans une cagna de la bataille des Flandres, le caporal-estafette Adolf Hitler attend, casqué, méditatif, sa prochaine mission. Il se tient un peu à l'écart, comme pour marquer la distance qui le sépare de ses camarades, dont il ne partage ni les soucis ni les joies. (Photo Ullstein Bilderdienst.)

Décembre 1918. Dans Berlin livré à la guerre civile, les marins de la rébellion spartakiste patrouillent l'arme au poing ; à Pasewalk, Hitler, gazé, recouvre lentement la vue. (Archives Paris-Match.)

A l'automne 1923, le parti hitlérien devenu en Bavière un État dans l'État, dispose d'importantes forces paramilitaires ; non content de l'allégeance des S.A., Hitler va s'entourer désormais d'une garde personnelle, di
« Stosstrupp Hitler » : c'est l'embryon de la future S.S. (Photo H. Hoffmann.)

9 NOVEMBRE 192
HITLER JOUE ET PER

Le 9 novembre 1923, vers midi,
Hitler, en imperméable,
inspecte ses partisans prêts à marcher,
drapeaux en tête,
sur le centre de Munich.
(Photo Ullstein Bilderdienst.)

Côte à côte, le caporal et le général.
Erich von Ludendorff, ancien Quartier-
Maître Général impérial, cautionne le
chef du N.S.D.A.P. par anti-com-
munisme. Son courage physique, lors
de la fusillade de la Feldherrnhalle,
contrastera avec la panique de Hitler.
(Photo Meurisse, B. N., Paris.)

jeune putschiste, qui veille à la barricade S.A. de la
hönfeldstrasse, se nomme Heinrich Himmler ; c'est le
uveau porte-drapeau de Röhm. (Photo Ulldtein Bilderdienst.)

s putschistes hitlériens, S.A., militants du Kampfbund et du N.S.D.A.P., traversent sous la neige fondante
deonsplatz de Munich. Dans quelques instants, le long cortège va se heurter, face à la Feldherrnhalle, aux
ces de police bavaroises. (Photo Ullstein Bilderdienst.)

Le prisonnier Hitler avait lui-même « orné » le mur de sa confortable cellule de Landsberg d'une couronne de laurier, don d'un admirateur.
(Photo Copress.)

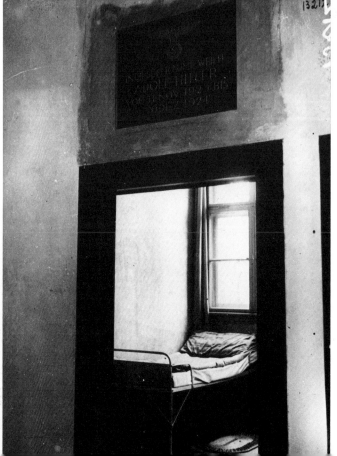

« Adolf Hitler séjourna dans cette cellule du 11 novembre 1923 au 20 décembre 1924. »
(Photo B. N., Paris.)

elle estimerait que les clauses militaires du traité avaient été pleinement exécutées.

A ces prohibitions draconiennes, à cette limitation permanente de la souveraineté allemande, était accolée une déclaration disant que le désarmement allemand serait le prélude et la condition d'un désarmement général. Les principes wilsoniens, proclamés par les Alliés et acceptés par l'Allemagne, entendaient détruire l'impérialisme par le droit des peuples à disposer d'eux-mêmes et le militarisme par la limitation des armements. Le premier principe avait été outrageusement foulé aux pieds pendant la négociation même des traités. La mise en vigueur du second était ajournée en attendant que les vaincus se soient pliés aux exigences des vainqueurs.

Au début de mars 1920, la querelle des criminels de guerre se poursuit. Le gouvernement Bauer répond aux notes comminatoires de Millerand que les clauses du traité qui les concernent sont manifestement inexécutables. Les généraux incriminés se réunissent et jurent qu'ils n'accepteront jamais de comparaître devant un tribunal étranger. L'affaire provoque dans les milieux militaires et paramilitaires une indignation qui s'ajoute à l'effervescence résultant des premières mesures d'application des clauses sur le désarmement. Soixante mille officiers et soldats ont reçu notification de leur congédiement à la date du 10 avril. Le quadruple ou le quintuple attendent le leur. Un conflit armé commence entre la Russie et la Pologne. Les frontières de l'est sont menacées par une victoire éventuelle de l'armée rouge. Le péril peut s'étendre à l'Allemagne et à l'Europe tout entière. Mais, inflexibles, les Alliés exigent que l'exécution du désarmement ne souffre aucun délai.

Les marins avaient été aux deux ailes de la révolution. Pendant que les marins rouges tenaient Berlin et Munich, la brigade du capitaine de corvette Hermann Ehrhardt chassait les bolchevistes de Lithuanie et rossait les Polonais en Silésie. Elle s'était regroupée à Döberitz, près de Berlin. Noske donna au général Walther von Lüttwitz, commandant la première région militaire, l'ordre de procéder à sa dissolution. Lüttwitz répondit à son ministre que les circonstances s'y opposaient. Le gouvernement décida son arrestation.

Ceux qui prirent la fuite, dans le petit matin du 13 mars, furent Ebert, Bauer, Noske et Cie. Ils venaient à peine de quitter Berlin que la brigade Ehrhardt passait sous la porte de Brandebourg où Ludendorff l'attendait. Les hommes portaient une croix gammée peinte sur leur casque d'acier et les mitrailleuses qu'ils mirent en batterie dans les rues du centre furent fleuries par les habitants. Une colonne conduisit dans la Wilhelmstrasse le directeur de l'Agriculture en Prusse orientale, Wolfgang Kapp. Il se proclama chancelier du Reich, annonça que la constitution de Weimar était abrogée et le traité de Versailles dénoncé.

Ce Kapp était inconnu à l'étranger. Il était faiblement connu en Allemagne pour avoir fondé, pendant la guerre, un Vaterlandpartei qui, épousant la querelle de Ludendorff, avait sauvagement attaqué Bethmann

Hollweg. Fils d'une mère juive, dit le futur chancelier Brüning, bon administrateur, mais patriote forcené. Son putsch était préparé de longue date, avec des ramifications profondes. On avait compté d'abord sur Noske, mais Noske s'était dérobé. Il gagna Dresde, avec Ebert et Bauer, et signa la proclamation mettant les putschistes hors la loi.

Il n'était que 5 heures du matin, le lendemain 14 mars, quand Dietrich Eckart et Adolf Hitler, ayant fait en auto le trajet de Munich à Ratisbonne, vinrent sonner à la porte du « docteur paysan, roi sans couronne de la Bavière », Georg Heim. Ils lui dirent que le coup d'État Kapp suscitait à Munich une violente agitation. La Einwohnerwehr exigeait le remplacement du gouvernement socialiste Johannes Hoffmann par une équipe conservatrice et patriote. Eckart et Hitler étaient chargés de ramener Heim à Munich pour qu'il se mette à la tête d'un nouveau gouvernement bavarois.

La démarche était singulière. Hitler était un caporal en instance de démobilisation. Eckart n'avait jamais joué un rôle politique actif. Ils appartenaient au plus minuscule des partis, dont l'immense majorité des Munichois ignoraient jusqu'au nom. On ne sait par qui ils furent mandatés et l'on s'étonne de la porte à laquelle ils vinrent sonner. Heim était un autonomiste, presque un séparatiste, et fortement soupçonné d'accointances avec les Français. Hitler s'associait à son mentor Eckart pour faire appel à un homme qui représentait le contraire de ses convictions (6)!

Prudent, Heim refusa la voiture que les deux nationaux-socialistes lui proposaient. Il arriva à Munich par le train et, dès la gare centrale, apprit que son nom rencontrait le veto des partisans de l'unité du Reich. Il reprit le train pour Ratisbonne, en conseillant de faire appel à son ami, le préfet de Haute-Bavière Gustav von Kahr.

Hoffmann résistait encore un peu. Sa chambre à coucher fut envahie, à 2 heures du matin, par une délégation de la Einwohnerwehr venant l'informer que le commandant de la garnison, le général von Möhl, avait proclamé l'état de siège et le priait de faire place nette. Hoffmann demanda le temps de boucler ses valises et quitta la Résidence. Quelques heures plus tard, le Landtag élisait à sa place Gustav von Kahr. Un personnage destiné à une influence déterminante dans le destin de Hitler entre en scène.

Kahr atteignait la soixantaine. Protestant, il ne correspondait pas pleinement à l'idéal du parti populiste bavarois, mais il possédait la confiance de la toute-puissante Einwohnerwehr. Il était, dira son compatriote, le ministre de la Reichswehr Gessler, « un mélange de réalisme administratif et de mysticisme politique ». Jamais il ne s'était résigné à la République, ni pour la Bavière ni pour l'Allemagne. Contrairement aux deux Hohenzollern, Wilhelm père et fils, réfugiés en Hollande, le Kronprinz bavarois Rupprecht n'avait jamais déserté ses soldats, mis une frontière entre lui et son peuple insurgé. Il vivait dans un appartement de Munich ou dans son vieux château délicieusement inconfortable de Berchtesgaden, au milieu des armures et des porcelaines racontant l'histoire, longtemps rustique, de sa dynastie. Investi du droit successoral de par la mort de Louis III, il se montrait en public, toujours salué, souvent acclamé. Une restauration en Bavière paraissait probable, et il n'était pas impossible qu'elle fût suivie en Allemagne par une relève de dynastie, par un remplacement sur le trône impérial d'un Hohenzollern par un Wittelsbach. Kahr ne devait cesser d'avoir cette vision devant les yeux.

Eckart et Hitler n'étaient déjà plus à Munich. En rentrant à Ratisbonne, ils avaient accepté une nouvelle mission, celle d'établir une liaison avec les putschistes de Berlin. On trouva un avion, survivant de la guerre, et un pilote, le chevalier von Greim. Hitler, cédant à l'illusion que son visage était connu, s'était affublé d'une fausse barbe. Le vol, son baptême de l'air, fut rugueux. L'appareil dut se poser à Jüterborg, aux lisières de l'agglomération berlinoise. Les deux missionnaires eurent beaucoup de peine à atteindre le centre de la capitale. Lorsqu'ils y parvinrent, tout était consommé. Kapp venait de s'enfuir en Suède. Son putsch avait duré exactement cent heures.

La grève générale avait répondu au coup de force. La bourgeoisie et les hiérarchies administratives s'étaient trouvées d'accord avec la classe ouvrière pour s'opposer à une tentative insensée. Le chef de l'armée, le général Hans von Seeckt, avait refusé de reconnaître l'autorité du général von Luttwitz, nommé ministre de la Guerre, et le directeur de la Reichsbank, von Havenstein, avait froidement refusé au chancelier Kapp l'ouverture d'un crédit de 10 millions de marks. Kapp avait compris et déguerpi.

Redoutant d'être arrêté, Eckart demanda asile à son ami, le comte Ernst von Reventlow. Hitler se trouva introduit pour la première fois dans un milieu nationaliste et raciste de l'Allemagne du nord. Il fut présenté au général Ludendorff qui le considéra avec indifférence. Au contraire, la comtesse Reventlow, née d'Allemont, d'une famille française, annonça au chef de corps francs Walter-Maria Stennes que l'inconnu qu'elle abritait sous son toit serait un jour « le Messie du peuple allemand ».

L'échec éclair du putsch Kapp était à mettre au crédit de la nouvelle Allemagne. Il prouvait l'existence d'une force démocratique et syndicale capable d'opposer un barrage à l'aventure naissant de la nostalgie du passé et de l'amertume de la défaite. Mais les communistes avaient profité de l'occasion pour s'emparer de la Ruhr, où ils se couvraient d'atrocités. Le gouvernement allemand demanda l'autorisation de faire entrer momentanément des troupes dans la partie démilitarisée du bassin, et, l'urgence pressant, la réponse tardant à venir, fit marcher ses soldats sans l'attendre. La France, aussitôt, occupa Francfort et Darmstadt. A la protestation de Lloyd George, le président du Conseil Alexandre

Millerand répondit que le principe du traité de Versailles était en jeu et qu'aucune dérogation n'était possible. Loin d'accroître le crédit de l'Allemagne démocratique, l'aventure Kapp s'achevait par une nouvelle raison d'irritation et de rancune, par une aggravation des rapports franco-allemands.

Hitler et Eckart étaient rentrés sans difficulté à Munich. Moins heureux que son collègue Bauer, Johannes Hoffmann n'avait pu réintégrer les fonctions dont le putsch berlinois l'avait chassé indirectement. Gustav von Kahr conservait le pouvoir sous l'égide des Einwohnerwehren. Berlin retrouva un gouvernement socialiste, mais Munich conserva un gouvernement réactionnaire. Il allait surgir de cette dualité de grandes complications pour l'Allemagne et, pour Adolf Hitler, d'étranges possibilités.

6

LA PREMIÈRE PRISE DU POUVOIR
1920-1922

L'heure inévitable de la démobilisation sonna le 31 mars 1920. Adolf Hitler toucha une prime de 50 marks, reçut un veston, un pantalon, un manteau, une chemise, un caleçon, une paire de chaussettes et une paire de souliers à lacets. Il loua une chambre meublée au numéro 41 de la Thierschstrasse, grande rue de Munich, voisine de l'Isar. L'immeuble est toujours debout et la madone de porcelaine qui sanctifiait la façade a survécu au souffle des bombes. Comme la Polonaise de Vienne, la logeuse, *Frau* Reichert, décrit en Hitler un locataire exemplaire, payant ponctuellement son loyer, irréprochable de politesse et de décence, mais taciturne et sujet à des crises d'humeur.

Pendant près de six ans, Adolf Hitler avait été nourri, vêtu, hébergé — fût-ce dans un abri — par l'armée. Il se retrouvait devant le problème quotidien du pain. Il n'envisagea pas de se remettre à ses aquarelles; le parti ouvrier allemand était hors d'état de lui verser la moindre rémunération, et le moment où il lui serait possible de faire rétribuer ses conférences ou de vendre des interviews était encore lointain. L'origine et le détail de ses ressources, dans la période qui suivit immédiatement sa démobilisation, sont restés inconnus. « Je suis aidé de façon modeste, dira-t-il évasivement, par des camarades du parti... A midi, je déjeune alternativement chez des amis. » On ne peut exclure que les milieux politiques de la Reichswehr lui aient continué, au début de sa vie civile, un concours matériel.

L'existence resta pour Hitler presque aussi spartiate que dans les derniers temps du Männerheim de Vienne. La chambre de la Thierschstrasse était un boyau étroit éclairé en bout par une seule fenêtre. Le parquet était recouvert de linoléum. L'ameublement consistait en un lit de fer, une cuvette, une table, une chaise et une étagère dont les rayons se garnirent peu à peu de livres. Des œuvres comme la mythologie de Schwab, les souvenirs de Sven Hedin, la biographie de Wagner par Houston-Stewart Chamberlain formèrent une façade derrière laquelle se dissimulaient des romans policiers brochés et l'histoire de l'art érotique par l'auteur juif Edward Fuchs, qui devait ultérieurement être mis à l'index nazi comme corrupteur de l'esprit allemand.

L'énorme différence avec l'époque viennoise résidait dans les relations humaines. Adolf Hitler avait brisé sa solitude. Il avait pris conscience de ses possibilités. Il exerçait autour de lui le prestige d'un chef. Plusieurs centaines de personnes, sur les 800 000 habitants de Munich, étaient entrées sous son influence, payaient chaque quinzaine ou chaque semaine leurs 50 pfennig pour l'entendre, répandaient son nom, célébraient l'éclat de son éloquence et la vigueur de ses idées. Mais ce n'était encore qu'un mouvement imperceptible, une tête de ruisseau sur le pourtour d'une grande vallée...

**

Le putsch de Wolfgang Kapp avait entraîné des modifications importantes dans le personnel politique et militaire. Bauer avait été remplacé à la chancellerie par le signataire du traité de Versailles, Hermann Müller-Franken, qui, le 28 juin de l'année précédente, pleurait sa carrière politique brisée. Noske, compromis par ses accointances avec les conjurés, avait cédé le ministère de la Reichswehr au bourgmestre démocrate de Nuremberg, Otto Gessler. Le premier commandant de l'armée allemande d'après-guerre, Walther Reinhardt, avait suivi Noske dans sa retraite, et le président Ebert lui avait donné pour successeur le général aux mains de pianiste, Hans von Seeckt. Le ministre président de Prusse, Hirsch, s'était effacé devant le syndicaliste Otto Braun, et le syndicaliste Carl Severing s'était chargé du ministère prussien de l'Intérieur. Tous ces hommes sont appelés à jouer un rôle important au cours des années précédant la conquête du pouvoir par Adolf Hitler.

Seeckt s'était opposé par une résistance armée à la tentative de Kapp en prononçant les paroles dont il devait se faire une règle d'or dans tous les conflits ultérieurs : « *Reichswehr schiesst nicht auf Reichswehr* — la Reichswehr ne tire pas sur la Reichswehr. » Il avait ensuite précipité la débâcle des conjurés en refusant de reconnaître leur coup de force. Son aspect gourmé, son faciès glacé, son monocle vissé portaient à se méprendre sur son intelligence politique, sa culture artistique et musicale. Il représentait ce qu'il y avait eu de meilleur dans l'armée prussienne, l'excellence technique associée au sens des responsabilités envers l'État.

Dans le corps des officiers allemands d'après-guerre, l'analyse de l'historien Karl Friedrich Bracher a fort bien distingué trois tendances : 1) la vieille école qui ne concevait l'armée que dans et par la monarchie, l'officier étant lié au monarque par un lien personnel d'allégeance ; 2) l'école de l'aventure, se recrutant surtout parmi les officiers du front, qui poussait au fascisme en liaison avec les mouvements totalitaires et terroristes ; 3) l'école de la raison, qui voulait adapter la Wehrmacht au cadre des institutions existantes en lui assurant sa cohésion et son autonomie. Seeckt était la personnalité éminente et déterminante de cette troisième catégorie.

Rigoureusement parlant, Seeckt n'était pas le chef de la Reichswehr, la marine échappant à son autorité, mais uniquement le chef de la Heeresleitung, autrement dit le commandant de l'armée de terre. Il s'attacha à la subordonner le plus directement possible à la présidence du Reich, retrouvant un peu du principe monarchique et soustrayant l'institution militaire à l'ingérence excessive du Parlement. Entre l'ancien ouvrier bourrelier Fritz Ebert, évoquant pour l'ambassadeur d'Abernon le maire d'une petite ville de Bourgogne, et l'officier de caste, fils d'un général chevalier de l'Aigle Noir, les relations furent toujours celles de l'estime et de la confiance (1). Elles permirent à von Seeckt, pendant une période difficile, de faire d'une armée de fibre monarchiste le pilier de la république de Weimar.

L'ordre était rétabli dans la Ruhr. Les troupes quittaient la partie démilitarisée du bassin. Un protocole franco-allemand mettait fin à l'inutile occupation de Francfort. Une autre sédition, celle d'un nommé Max Hölz, mi-communiste, mi-brigand, était réprimée en Saxe. La levée du blocus maritime avait permis d'améliorer la situation alimentaire. Le dollar, qui avait bondi en mars jusqu'à 100 marks, retombait à moins de 40. L'apaisement permettait de remplacer par un Reichstag la Constituante survivant à son mandat.

Le 6 juin 1920, l'Allemagne vote pour le premier Reichstag de la République. Les partis de la coalition de Weimar enregistrent une lourde défaite, tombent de dix-neuf à onze millions de voix. La social-démocratie perd soixante et un sièges; le parti démocrate, trente-six; le Zentrum, vingt-sept. Les deux extrêmes se renforcent. Quatre communistes entrent dans le palais législatif et les socialistes dits indépendants remportent une étonnante victoire en portant de vingt-deux à quatre-vingt-quatre le nombre de leurs députés. A l'autre aile, les nationalistes-monarchistes du D.N.V.P. passent de quarante-quatre à soixante et onze mandats et les nationalistes-libéraux du D.V.P., dont l'étoile montante est Gustav Stresemann, de dix-neuf à soixante-cinq. Les socialistes, mortifiés, quittent le cabinet qu'un vieux centriste badois, Konstantin Fehrenbach, se charge de reconstituer.

Quelques jours plus tard, le cadre dans lequel s'est déroulée la chute des Hohenzollern se ranime. Alexandre Millerand couche dans le lit qui fut celui de Guillaume II avant la fuite en Hollande. Spa reçoit l'une des innombrables conférences d'après-guerre, mais, à la différence des précédentes, les Allemands ont été conviés pour fournir des explications et présenter leurs arguments. L'affaire des criminels de guerre est déjà tombée dans les oubliettes. Le montant des réparations n'est toujours pas fixé. Une question de livraison de charbon provoque d'âpres marchandages. Mais c'est surtout le désarmement qui ranime l'antagonisme des vainqueurs et des vaincus.

Seeckt commet une erreur psychologique. Il se présente en grand uniforme, bottes et monocle étincelants, flanqué de deux officiers d'une taille gigantesque qui se transforment en statues pendant qu'il essaie d'expliquer que la situation dans l'est, la tournure prise par la guerre russo-polonaise, la marche de Toukatchewski sur Varsovie, exigent, dans l'intérêt de l'Europe, qu'on suspende le processus du désarmement allemand. Lloyd George, que tout étalage de militarisme plonge dans une colère celtique, lui coupe la parole pour lui dire que l'Allemagne se repentira si elle tente de se dérober sous des prétextes à l'exécution des clauses militaires du traité. Le chancelier et le ministre de la Reichswehr tentent vainement de faire baisser le ton du débat.

En fin de compte, les Allemands doivent signer l'engagement de réduire la Reichswehr à cent cinquante mille hommes au 1er octobre et à cent mille hommes au 1er janvier 1921. Ils promettent d'achever la livraison ou la destruction de tout le matériel non autorisé et de dissoudre toutes les formations paramilitaires, considérées par les Alliés comme des réserves illicites de la Wehrmacht. En cas de non-exécution de l'accord, la Ruhr sera occupée sans autre forme de procès.

Depuis la réunion de la Hofbräuhaus, le nom du parti ouvrier allemand s'était allongé en National Sozialistische Arbeiter Partei, en abrégé N.S.D.A.P. L'adjonction venait de Bohême où un parti pangermaniste avait été fondé en 1904 sous cette dénomination. Des branches survivaient en Autriche, ainsi que dans les pays sudètes et en Galicie, rattachés respectivement à la Tchécoslovaquie et à la Pologne.

En Allemagne, le N.S.D.A.P. avait un frère jumeau — ou, si l'on préfère le sexe allemand des partis, une sœur jumelle — dans le Deutsche Sozialistische Partei, ou D.S.P. Les deux mouvements étaient nés presque simultanément en se donnant des programmes à peu près identiques. Le fondateur du D.S.P., l'ingénieur Alfred Brunner, cinquante ans, dirigeait une entreprise de construction mécanique à Düsseldorf, mais il avait établi le foyer de son action politique à Hanovre, en position centrale entre les grandes régions industrielles de l'ouest et la capitale du Reich. Des sections avaient été fondées dans d'assez nombreuses grandes villes, dont Francfort, Leipzig et Berlin.

Brunner tentait d'étendre son champ d'action en Bavière, entrant en compétition pour les adhérents et les subsides avec le N.S.D.A.P. Il exerçait une certaine influence à Augsbourg, où le racisme avait pour chefs locaux un docteur Dickel et l'industriel Gottfried Grandel. Le journaliste Sesselmann avait fondé une section à Munich. A Nuremberg, un antisémite délirant, l'instituteur Julius Streicher, rattachait au D.S.P. le mouvement qu'il avait lancé et le pamphlet haineux et ordurier, *Der Stürmer*, qu'il commençait à publier. Brunner ambitionnait de fondre tous les groupements analogues au sien, en Allemagne et hors d'Allemagne, pour créer, par-dessus les frontières de la germanité écartelée, « un mouvement unique d'inspiration socialiste et raciste ».

Réunis en août 1920, à Salzbourg, deux cent soixante-quatre délégués venus de toutes les régions de langue allemande adoptèrent une résolution de principe en ce sens. Un modus vivendi provisoire fut convenu entre le D.S.P. et le N.S.D.A.P. Le premier devait cantonner son activité au nord et le second au sud de la ligne du Main. Exception était faite pour Streicher dont on reconnaissait l'autonomie en Franconie.

Hitler était à Salzbourg. Il n'approuvait pas le but du congrès, pensait que fusionner conduisait à affadir et que le N.S.D.A.P. devait rechercher l'unité en absorbant plutôt qu'en abdiquant. Mais il parla avec un grand succès personnel.

Hitler retourna en Autriche du 19 août au 11 septembre pour une tournée de réunions qui le conduisit dans les deux villes de sa jeunesse, Linz et Vienne. Il restait sujet autrichien, porteur d'un passeport délivré par le consulat général de la République d'Autriche à Munich. Ses services de guerre, ses deux croix de fer constituaient des titres à la nationalité allemande. Il s'abstint, on ne sait pourquoi, de les faire valoir.

Le parti se développait d'un mouvement lent et continu. 1920 lui apporta deux mille adhérents qui durent déclarer par écrit qu'ils étaient Allemands, de souche aryenne, et qu'ils ne se connaissaient pas d'ascendants d'une autre race. La première section hors de Munich fut fondée au mois d'avril, à Rosenheim, près de la frontière autrichienne. La presse, en l'occurrence l'organe socialiste *Münchner Post* s'avisa de l'existence du N.S.D.A.P. et imprima pour la première fois le nom de Hitler le 6 avril : « Un certain *Herr* Hitler donna ensuite lecture du programme... » La deuxième mention porte la date du 19 mai : « *Herr* Hitler parla ensuite plutôt comme un comique... » Il fallut encore de nombreux mois pour que les journaux bavarois consentissent à le prendre au sérieux.

Drexler s'efforçait de maintenir le caractère ouvriériste du mouvement, fondait une Union Nationale Socialiste du Travail, N.Z. Arbeitverein. Ses efforts n'empêchaient pas la proportion des travailleurs manuels de décroître devant l'afflux des commerçants, artisans, fonctionnaires, étudiants, retraités, etc. Elle devait se stabiliser au chiffre, nullement négligeable, de 25 à 30 %. Mais le N.S.D.A.P. fut de plus en plus l'expression des classes moyennes, le reflet d'une petite bourgeoisie imbue de patriotisme, éprise d'ordre, nostalgique d'autorité.

L'historien des débuts, Franz Willing, met en relief ce qui restera jusqu'au seuil de sa victoire une caractéristique du mouvement hitlérien : « Le parti national-socialiste était alimenté pécuniairement par deux sources. L'une, naissant de l'idéalisme des adhérents, représentée par des cotisations, des dons, des sacrifices de toute nature, est régulièrement sous-évaluée. L'autre, consistant en subsides des intérêts économiques est constamment sur-évaluée. » Et encore ceci : « La base financière réelle du parti était et devait rester les cotisations régulières de ses adhérents. » La commune renommée qui soutient le contraire, pour des raisons de nature idéologique, n'infirme pas ce jugement d'un chercheur impartial. J'en trouverai la confirmation à différentes reprises dans la suite de ce récit.

L'importance de Hitler s'accroît sous cet éclairage. Recruteur, il élargissait la matière imposable en attirant des adhérents nouveaux. Orateur, il fournissait des recettes par les entrées payantes de ses réunions et par les quêtes auxquelles elles donnaient lieu. Plus tard, il attira vers la caisse du N.S.D.A.P. des largesses individuelles provenant principalement de ses admiratrices fortunées. Elles commençaient à peine en 1920. Le parti naissant tira ses ressources presque exclusivement de la bourse modeste de ses membres. Il possédait au début de l'année 569 marks 65 pfennig. La cotisation mensuelle, rigoureusement perçue, était alors d'un demi-mark et Hitler demandait la constitution et la mise en réserve d'un trésor de guerre de 700 marks.

Fondé en 1887, acheté en 1900 par l'éditeur Franz Eher, le *Müncher Beobachter* avait commencé par être l'organe de la corporation des bouchers munichois. Une demoiselle de Fribourg-en-Brisgau, Käthe Bierbäumer (dont on murmurait qu'elle était juive) l'acheta en 1918 à la veuve d'Eher et le transféra de la viande dans la politique. Sebottendorf en fit l'organe de la Société Thulé. Le nom fut changé, le 19 août 1919, en *Völkischer Beobachter* (Observateur raciste). Un remaniement du capital, nominalement de 110 000 marks, le répartit entre huit actionnaires, dont l'ingénieur Gottfried Feder, Käthe Bierbäumer restant, avec 46 500 marks, le plus gros porteur.

Le V.B. était rédigé et imprimé 39 Schellingstrasse, dans le quartier universitaire de Schwabing, chez l'imprimeur Adolf Müller. Il paraissait deux fois par semaine, sur quatre pages de demi-format, en se datant d'après le vieux calendrier germanique (Lenzmonat pour mars, Julmonat pour décembre, etc.). Son tirage était de huit mille exemplaires environ.

Écrivain et pamphlétaire, Dietrich Eckart désirait une tribune plus satisfaisante que son *Auf gut Deutsch*. Il négocia l'acquisition du *Volkischer Beobachter* par le N.S.D.A.P. Le prix d'achat fut fixé à 120 000 R.M. comptant, plus une reconnaissance de dette de 250 000 R.M. Le 20 décembre, la petite gazette parut avec *Dietrich Eckart,* Éditeur, sous la devise *Brot und Freiheit,* Pain et Liberté.

120 000 marks-papier correspondaient encore à 12 000 marks-or. Sans être gigantesque, la somme était écrasante pour les faibles finances du N.S.D.A.P. Eckart apporta 60 000 marks, qui lui furent peut-être avancés par la caisse noire du général von Epp. Un dentiste de Würzburg, dont Hitler écumait la bibliothèque antisémite, forte de deux mille cinq cents volumes, Friedrich Krohn, souscrivit à fonds perdus pour

20 000 marks. Quelques amis d'Eckart et l'une des premières admiratrices de Hitler, la baronne von Seidlitz, propriétaire de fabriques de papier en Finlande, complétèrent le versement au comptant. Eckart et un industriel d'Augsbourg, Gottfried Grandel, se portèrent garants pour les 250 000 marks à terme. Les nouvelles actions furent d'abord attribuées à Anton Drexler, Käthe Bierbäumer et Dora Kunze, cette dernière sœur de Sebottendorf. Elles furent rassemblées ensuite sous le nom de Drexler, puis transférées au nom d'Adolf Hitler lorsqu'il prit la direction du parti. La société conserva son nom d'Eher Gesselschaft, qui devait devenir celui de la puissante maison d'édition du N.S.D.A.P.

L'exploitation du V.B. fut extrêmement difficile. Une cotisation spéciale de 50 pfennig puis d'un mark, imposée aux adhérents, ne parvint jamais à éponger le déficit. Bien qu'il fût un sympathisant, l'imprimeur Müller exigea plus d'une fois le règlement d'un arriéré avant de mettre ses presses en mouvement, et il arriva à Hitler d'attendre jusqu'à l'aube Schellingstrasse, pendant que ses amis couraient Munich pour rassembler la somme réclamée. Le journal, cependant, l'intéressait peu. « Le V.B., disait-il, me gêne plus qu'il ne me sert... » Il ne fut jamais un adepte de l'expression écrite et le mécanisme de la presse lui fut toujours étranger.

Indifférent à la propagande par l'écrit, Hitler poursuivait sa tâche de propagandiste par le verbe avec la même assiduité qu'il apportait au front à son métier de coureur. Il organisait en moyenne une réunion par semaine, soit seul, soit avec Esser, Feder, Eckart, Drexler, Ehrensperger, etc., généralement à la Hofbräuhaus, sur le Platzl, ou à la Bürgerhaus, près de Promenadeplatzl. S'il prévoyait un auditoire plus important, il passait l'Isar, allait parler Rosenheimerstrasse, à la Kindlkeller, dont la grande salle voûtée pouvait contenir deux mille personnes. Le terme d'orateur de brasserie, appliqué à Hitler, ne tient pas compte que les caravansérails à bière de Munich servent normalement à toute espèce de manifestation oratoire. L'estrade de l'orateur était dressée devant des tables sur lesquelles des servantes en costume bavarois faisaient ruisseler des flots de bière. De mars 1920 à janvier 1921, Hitler se produisit à Munich dans quarante et une réunions auxquelles on enregistra soixante-deux mille trois cent soixante et onze entrées. Les frais payés, chaque réunion faisait entrer en moyenne 150 marks dans la caisse du parti.

Les Juifs essayèrent de contredire leur accusateur. Un rabbin nommé Bärwald embarrassa Hitler jusqu'au moment où il fut jeté hors de la salle par le service d'ordre. Depuis lors, les affiches annonçant les réunions portèrent : « Interdit aux Juifs. » Le chef de la police de Munich jugea que la mention était illicite et ordonna la lacération des affiches, Hitler fit répéter l'interdiction par des pancartes placées dans le vestibule de la réunion et recommanda d'exercer une surveillance sur les profils. « La location de la salle, dit-il, nous en donne le droit. »

« Ceux qui n'ont connu que le dictateur délirant des années suivantes, rugissant à travers un microphone, dit un témoin, ne peuvent se faire une idée de la richesse et de la plénitude de la voix non amplifiée d'Adolf Hitler au début de sa vie politique. Son baryton avait encore du moelleux et de la résonance, et sa voix de gorge trouvait des notes qui vous pénétraient sous la peau... Il commençait calmement, presque sans geste, sur le ton de la narration, avec un mimétisme verbal qui lui permettait de passer du parler de la ménagère ou de l'argot du soldat au langage de la politique et de la philosophie. Il s'échauffait brusquement, devenait corrosif, et passionné, puis détendait son public en revenant au ton de la confidence et de l'humour, pour le reprendre, le saisir à nouveau, le porter à une vibration plus intense et, finalement, à une explosion d'enthousiasme. Son vrai professeur d'éloquence était Richard Wagner. Il y avait entre la construction de ses discours et *Les Maîtres Chanteurs* un parallélisme frappant : même usage du leitmotiv, même prodigalité d'ornementation, même violence du contrepoint et, pour finir, même déferlement... »

Hans Frank, qui entendit Hitler pour la première fois en janvier 1920, fut surtout sensible à la plénitude et à la modération de ses discours. « Il n'insultait personne — alors! Il ne rabaissait rien, ni religion, ni race, ni nation — alors! Il s'élevait aux plus hauts sommets de l'histoire pour montrer à un peuple brisé la voie, la seule voie du salut par le courage, la foi, le travail et l'abnégation... »

Frank, qui écrivait dans sa cellule de condamné à mort, embellit ses souvenirs. Je possède l'une des rares sténographies intégrales d'un discours de Hitler pendant la période de ses débuts, celui qu'il prononça le vendredi 13 août 1920, à la Hofbräuhaus. Son thème était : « Le Travail et les Juifs. » Après avoir fait l'éloge du travail et soutenu que seules les races nordiques lui donnent sa pleine signification sociale et morale, il entreprit de démontrer qu'il est antinomique avec la race juive, dont toutes les formes d'activité sont la spéculation et l'oppression. La thèse est d'une rigueur féroce, mais il est vrai que, à la lecture, le texte est d'un conférencier plutôt que d'un aboyeur. Hitler, de toute évidence, avait minutieusement préparé et probablement appris par cœur son discours, ce dont sa mémoire hors de pair lui faisait un jeu.

A ce texte un peu empesé, les réactions de la salle montrent que l'orateur ajoutait une flamme et une mimique soutenant l'attention et éveillant la passion. Que le début ait été plutôt lent est attesté par l'absence de manifestations dans les premières vingt minutes. Elles se font ensuite de plus en plus nombreuses et de plus en plus chaleureuses. La mention *Heiterkeit* (hilarité) ne revient pas à moins de onze reprises, indiquant que l'orateur maniait en comédien consommé le sarcasme et l'ironie. Les mentions *Sehrrichtig* (très bien) et *Beifall* (approbation) deviennent *Sturmisches Bravo und anhaltender Handeklatschen!* (tempête d'acclamations et applaudissements prolongés). Pour finir, l'auditoire, debout, acclame l'orateur.

Après sa péroraison, Hitler restait un moment comme hébété. Il ruisselait de sueur, s'épongeait pendant de longues minutes, répondait distraitement aux félicitations, s'engouffrait dans son long manteau noir de conspirateur, puis, un fouet de chasse à la main, entre ses gardes du corps Weber, Klintzsch, Maurice et Graf, regagnait par les rues obscures de l'après-guerre sa chambrette de pauvre de la Thierschstrasse.

L'improvisation jouait un rôle épisodique dans la rhapsodie d'Adolf Hitler. Il savait saisir au vol une interruption, la tourner en ridicule, bâtir sur elle une fugue brillante, faire ruisseler la salle de rires ou la faire rugir d'indignation. Mais le discours même était minutieusement préparé et soigneusement construit. Quelques thèmes : « Le traité de Versailles », « Versailles et Brest-Litovsk », « Pourquoi nous sommes antisémites », « Les raisons de notre désastre », « La conspiration internationale des Juifs », etc. s'alimentaient aux récits du passé et aux faits de l'actualité. Hitler parlait rarement moins de deux heures, mais la richesse de son argumentation, les transferts rapides de pensée, le chatoiement de sa rhétorique ne recouvraient en réalité que deux ou trois affirmations des plus simples. « L'agitation politique, disait-il, doit être primitive. Les partis bourgeois ne l'ont jamais compris et les socialistes académisés l'ont oublié. Ils parlent à l'homme de la rue d'une manière beaucoup trop professorale et c'est pourquoi, tôt ou tard, celui-ci est victime de la propagande massive des communistes... »

Il restait une salle de Munich, le cirque Krone, qu'Adolf Hitler n'avait pas encore affrontée. Il la demanda au comité pour un meeting de protestation contre une conférence de l'Entente qui, réunie à Paris, envisageait de fixer à 269 milliards de marks-or le montant de la dette de guerre allemande. Les petits-bourgeois à façade ouvriériste qui formaient l'organe directeur du N.S.D.A.P. redoutèrent une contre-manifestation, discutèrent, tergiversèrent. « Je perdis patience et décidai d'organiser seul la réunion. Le mercredi 2 février 1921, à midi, je dictai en dix minutes le texte de la convocation et louai le cirque Krone pour le lendemain. » Des affiches rouge sang furent précipitamment imprimées et un camion arborant un fanion rouge timbré du svastika jeta à la volée des invitations dans les quartiers ouvriers. Ce fut la première apparition de la croix gammée dans les rues de Munich. Mais la brigade Ehrhardt la portait déjà sur ses casques lorsque, pour soutenir le putsch Kapp, elle occupa le centre de Berlin.

Près de sept mille personnes, dont cinq mille cinq cents avaient payé leur entrée, s'entassaient dans l'immense vaisseau. Une ivresse naissant du sentiment de sa puissance s'empara de Hitler. « Je parlai deux heures et demie... Dès la première demi-heure, des acclamations commencèrent à m'interrompre; au bout de deux heures, elles firent place à un silence religieux... Quand j'eus prononcé les dernières paroles, un flot d'enthousiasme déferla puis la foule entonna avec ferveur le chant rédempteur : *Deutschland über alles.* » L'obstruction attendue ne s'était pas manifestée, comme si les adversaires eux-mêmes eussent été subjugués. « Je rentrai chez moi transporté de joie... »

Le dimanche suivant, convoqués par les associations patriotiques, vingt mille Munichois se rassemblèrent devant la Feldherrnhalle, écoutèrent le colonel Xylander et l'ingénieur Krieger s'élever contre l'asservissement dont l'Allemagne était menacée. Hitler (que le rapport de police appelle « l'agitateur antisémite connu ») voulut parler à son tour mais la musique militaire, qui donnait son concert dominical sur la place de l'Odéon, couvrit sa voix. La foule alors tenta d'envahir l'hôtel Vier Jahreszeiten, siège de la mission de contrôle interalliée. Le rapport de police note que plusieurs drapeaux à croix gammée flottaient au milieu des manifestants. Ils provoquaient de la surprise, de l'agitation et même, dans certains groupes, de l'hostilité. « A l'avenir, dit une circulaire du ministre bavarois de l'Intérieur, il y aura lieu de s'opposer par la force au déploiement de cet emblème en public... »

La croix gammée appartenait au fonds commun du racisme, symbolisait la pureté aryenne. Les premiers nazis voulaient l'inscrire dans le noir-blanc-rouge de l'Allemagne impériale ; Hitler s'y opposa en arguant que le noir-blanc-rouge représentait, certes, une gloire immortelle, mais que le but du national-socialisme n'était pas un retour pur et simple au passé. Il avait déjà choisi pour ses affiches le rouge, parce que, disait-il, il faisait crever les Rouges de fureur. Il le retint pour le drapeau du parti, mais il hésita sur l'encadrement et la stylisation de la croix gammée qui devait s'y inscrire. Le dentiste raciste et bibliophile de Wurzbourg, Friedrich Krohn, proposa un svastika aux branches coudées tournant à l'envers dans un cercle blanc. C'est ainsi qu'il se déploya au début dans les rues de Munich. Hitler lui donna ultérieurement sa forme définitive en le virilisant par des angles droits. « Après de longs essais, je trouvai une relation définie entre les dimensions du drapeau, la grandeur du rond blanc, la forme et l'épaisseur de la croix gammée... » Le brassard, l'uniforme, l'appareil symbolique énorme, toute la panoplie, toute la bimbeloterie du national-socialisme, se développèrent ensuite, toujours par l'inspiration ou sous la surveillance du Führer.

Gregor Strasser entre à ce moment dans l'histoire de l'hitlérisme. Né en 1892, de trois ans le cadet de Hitler, appartenant à une bonne famille bourgeoise et catholique de Landshut, il contraste avec des lansquenets comme Röhm, des épaves comme Rosenberg, des saute-ruisseau comme Esser — et non moins avec le bohème intuitif qu'était Hitler. C'était un homme massif, aux yeux de porcelaine, un peu lent de mouvement et de parole, mais empreint d'autorité et rempli d'humour. Il avait fait la guerre dans l'artillerie à pied, où l'on incorporait les colosses et, parti volontaire, était revenu lieutenant. Ses études de pharmacie reprises et achevées, il avait ouvert son officine à Landshut et fondé le groupe local de la Einwohnerwehr. Il entendit Hitler à Munich et, en février 1921, adhéra au N.S.D.A.P.

L'un des frères de Gregor était bénédictin. Un autre, Otto, avait combattu dans une centurie rouge au moment du putsch Kapp. Gregor l'entraîna dans le national-socialisme, mais, esprit extrême et emporté, Otto transféra son ardeur révolutionnaire sous sa nouvelle étiquette. Il fit la connaissance de Hitler au cours d'un dîner chez son frère, avec Ludendorff, et les premières étincelles jaillirent entre eux.

***

Le premier janvier 1921, le gouvernement allemand avisa les gouvernements alliés que la première partie de l'injonction de Spa avait été respectée : la Reichswehr était réduite aux cent mille hommes autorisés par le traité de Versailles. La deuxième partie de l'injonction, la dissolution des organisations paramilitaires, n'avait pu l'être qu'en partie. Berlin disait pourquoi : la Bavière refusait de se soumettre aux lois votées par le Reichstag.

Les organisations patriotiques pullulaient en Bavière. Plusieurs étaient ouvertement des ligues armées. Le district alpin de Chiem avait été organisé comme un réduit montagnard par l'expert-géomètre Rudolf Kanzler. Un capitaine en retraite, Adolf Heiss, avait fondé en Basse-Bavière la Reichsflagge, qu'un capitaine en activité, Ernst Röhm, s'efforçait d'implanter à Munich. Le docteur-vétérinaire Friedrich Weber organisait le Bund Oberland, émanation de la Société Thulé. L'inspecteur des Eaux et Forêts Georg Escherich commandait l'Orgesch, dirigeait des unités complètement militarisées vers la Haute-Silésie, en prévision du plébiscite fixé au 21 mars. Le redoutable capitaine Ehrhardt s'était réfugié en Bavière après le putsch Kapp, et le gouvernement bavarois repoussait les demandes d'extradition du gouvernement du Reich. Son organisation « Viking » était une ligue armée, mais son organisation « Consul » franchissait la ligne des organisations paramilitaires pour entrer dans la catégorie des sociétés de terreur.

Une autre figure de l'ultra-nationalisme allemand s'était fixée en Bavière. Redoutant les suites du putsch de Kapp, Ludendorff avait accepté l'offre d'un admirateur et s'était installé à Ludwigshöhe, dans la banlieue de Munich. Il se considérait comme le généralissime in partibus des ligues patriotiques, présidait toutes les cérémonies commémoratives, répétant que l'Allemagne n'avait pas été vaincue sur le champ de bataille, mais trahie et livrée par les politiciens. Le cher vieil homme n'était pas sans ressentir les premiers effets d'un léger dérèglement mental. « C'est, écrit-il, une circonstance singulière que mon cabinet de travail soit orienté plein sud, face à Rome. La lutte contre Rome et la politique romaine doit devenir de plus en plus la raison d'être de ma vie... » Sa liaison, puis son mariage, avec Mathilde von Kemnitz, prophétesse des cultes nordiques, allaient l'orienter toujours plus avant dans l'antichristianisme et l'occultisme. Ses relations avec Hitler, Autrichien et catholique, restèrent sans cordialité.

Dominant toutes les autres formations paramilitaires, officialisées par la présidence du ministre-président von Kahr, les Gardes d'Habitants, Einwohnerwehren, représentaient une force imposante. Les dimanches bavarois retentissaient de la fusillade de leurs miliciens s'exerçant au tir. Kahr déclarait au Landtag que les Einwohnerwehren totalisaient trois cent vingt mille hommes, armés de deux cent quarante mille fusils, deux mille sept cent quatre-vingts mitrailleuses, quarante-quatre canons de campagne, trente-quatre minenwerfer. Le 26 septembre 1920, quarante mille hommes casqués d'acier avaient donné dans le centre de Munich une parade digne des plus grands spectacles militaires d'avant-guerre — sous les yeux des officiers de la mission de contrôle aux fenêtres du Vier Jahreszeiten comme dans une loge d'honneur. Kahr déclara que la Einwohnerwehr était le pilier de la Bavière conservatrice, catholique et patriote, et qu'il ne consentirait jamais à sa dissolution.

Mis en demeure de contraindre la Bavière, Berlin se déclara impuissant. Le 7 mars 1921, les soldats anglais marchèrent encore une fois avec les soldats français pour occuper à titre de sanction les ports rhénans de Düsseldorf, Duisbourg et Ruhrort. Un cordon douanier fut rétabli sur le Rhin. Les nationalistes français recommencèrent à croire que leur rêve, détacher la Rhénanie de l'Allemagne, redevenait une possibilité.

Quinze jours plus tard, le plébiscite accordé comme une concession par les auteurs du traité se déroula en Haute-Silésie. A la consternation de Varsovie et de Paris, il donna sept cent sept mille voix en faveur de l'Allemagne contre quatre cent soixante-dix-neuf mille en faveur de la Pologne. Le soir même, les milices polonaises de l'ancien député au Reichstag Korfanty envahirent le territoire plébiscitaire. L'Orgesch et les formations similaires attendaient l'assaut, le repoussèrent, rossèrent les Polonais, reprirent l'offensive. Une injonction française imposa un cessez-le-feu. Puis, mais cette fois en conflit avec l'Angleterre, la France exigea le partage de la Haute-Silésie. Une querelle longue et confuse commença entre les Alliés.

Elle battait son plein, le 1ᵉʳ mai, quand la Commission des Réparations arrêta à 132 milliards de marks-or en principal le montant des dédommagements dus par l'Allemagne en vertu de l'aveu de culpabilité unilatérale enregistré dans l'article 232 du traité de Versailles. L'état des paiements de Londres prévoyait l'extinction de la créance en 42 annuités de 2 milliards de marks-or, plus un prélèvement de 25 % sur les exportations allemandes. Un ultimatum de six jours appuyait la présentation de la facture avec, comme sanction éventuelle, l'occupation de la Ruhr.

A l'opinion française, bercée dans de fabuleuses espérances, les chiffres de l'état des paiements de Londres parurent dérisoires. L'opinion allemande, déjà surexcitée par l'injustice de Haute-Silésie, vit en eux une chaîne de servitude destinée à peser sur l'Allemagne jusqu'en 1963. On ne pouvait attendre des vainqueurs ni justice ni raison. Ne valait-il pas mieux s'insurger, dire non? Le débat qui avait précédé la résignation au traité de Versailles recommençait.

Il s'acheva d'une manière identique. Vieux et las, le chancelier Fehrenbach démissionna. Un autre Badois, ami du vin et des chansons, Josef Wirth, lui succéda. Il déclara qu'il exécuterait l'état des paiements de Londres avec la conviction que les puissances de l'Entente découvriraient ce qu'il avait d'inexécutable et accepteraient de le modifier. Le nationalisme allemand stigmatisa la lâcheté d'un gouvernement qui se couchait sous la menace. Le nationalisme français accueillit avec dérision l'honnête déclaration de Wirth. « Je cherche, écrivit Raymond Poincaré, dans sa chronique de la *Revue des Deux Mondes,* une trace de la bonne volonté allemande ; je n'en trouve pas... »

Le nom de Hitler faisait sa percée à Munich. Le 14 mai, il conduisit une délégation chez von Kahr pour l'informer de la nature et des buts du N.S.D.A.P. Lorsqu'il prit congé, et peut-être par courtoisie, le ministre-président lui dit qu'il aimerait poursuivre la conversation en petit comité. Le lendemain, Kahr reçut de Rudolf Hess une lettre pleine de renseignements dithyrambiques sur la personnalité d'Adolf Hitler. « Il est originaire des confins germano-bohémiens et, à ce titre, il a acquis très tôt un vif sentiment national. D'extraction modeste, il s'est élevé par la plus rude des luttes pour la vie... Il est doué de la faculté de percevoir les sentiments populaires, d'un instinct politique sûr et d'une force de volonté exceptionnelle... Je le connais très bien, l'approche et lui parle chaque jour. Votre Excellence peut avoir une confiance totale en Hitler. » En face de cette page, Kahr pouvait mettre un rapport de sa police disant que « le parti ouvrier (Hitler et consorts) multiplie les œillades en direction des communistes, mais ceux-ci se dérobent à toutes les tentatives de rapprochement ». On ignore sur quelles données la section politique de la police munichoise étayait son renseignement.

Les frictions du parti national-socialiste dégénéraient décidément en conflit. L'activité de Hitler et des militants qu'il groupait autour de lui, Eckart, Rosenberg, Körner, Esser, etc. réduisait le comité à un rôle figuratif. Hitler avait montré le peu d'importance qu'il lui attribuait en refusant d'en faire partie. Le président-fondateur Drexler reconnaissait qu'un mouvement révolutionnaire devait avoir une « tête dictatoriale » et il concédait que la tête la plus qualifiée était celle de Hitler, mais, sans crainte de se contredire, il déclarait qu'il se refusait à être relégué au second plan. A Landshut, Otto Strasser excitait son frère. A Augsbourg, Grandel et Dickel se brouillaient avec Hitler. Un vent de fronde se levait contre un homme trop actif et trop dominateur.

Hanovre était un autre danger. La délimitation des champs d'action convenue à Munich entre le parti raciste du nord et le parti raciste du sud n'avait pas résisté à l'épreuve. Le D.S.P. poursuivait son recrutement en

Bavière. La section de Munich fonctionnait toujours. L'antisémite ordurier de Nuremberg, Julius Streicher, injuriait Hitler. Le chef du parti, Alfred Brunner, le considérait comme un diviseur et comme un exalté. « Hitler, écrivait-il, est destiné à finir dans la mégalomanie et le délire... »

Le 26 mars 1921, Brunner convoqua un congrès D.S.P. dans la ville saxonne de Zeitzl. Drexler y assista en sa qualité de président du parti sans qu'Adolf Hitler, simple directeur de la propagande, ait été consulté. On décida que le D.S.P. et le N.S.D.A.P. fusionneraient. Le siège du parti commun serait transféré à Berlin; on entrerait dans la lutte électorale et l'on constituerait un groupe raciste au Reichstag. Un autre congrès était convoqué à Linz pour le mois d'août afin de faire avancer le projet d'une réunion de tous les mouvements racistes en Allemagne et hors d'Allemagne dans un vaste groupement.

Lorsqu'il connut les décisions du congrès de Zeitzl, Hitler traita Drexler d'idiot sans cervelle et d'arriviste sans horizon. « Il considère que le but du national-socialisme sera atteint lorsqu'il aura un siège au Landtag... » Hitler redoutait par-dessus tout le transfert du parti à Berlin. La capitale du Reich était rouge vif. La police du gouvernement socialiste prussien exerçait sur les mouvements de droite une surveillance rigoureuse. Noyé dans une capitale gigantesque, le national-socialisme aurait perdu la base que lui fournissaient en Bavière une paysannerie et une petite-bourgeoisie conservatrices. Hitler était aux antipodes des autonomistes bavarois. Mais il pensait que le particularisme de la Bavière lui permettrait de faire de Munich une base de départ pour une conquête insurrectionnelle du Reich.

Au début de juin, Hitler disparut. On sut à Munich qu'il était à Berlin, mais nous ignorons encore aujourd'hui de quoi il vécut et à quoi il occupa ses journées. Il est probable qu'Eckart s'employa à lui ouvrir les portes et lui facilita une conférence qu'il fit au National Klub. Esser le tenait quotidiennement au courant des intrigues bavaroises. Le chef national-socialiste d'Augsbourg, Otto Dickel, avait rencontré l'ingénieur Brunner et s'était rallié avec tout son groupe au S.P.D. A Munich, les plus excités parlaient de « la trahison du Hitler » et les plus modérés disaient que « le Hitler », lorsqu'il reviendrait, devrait se soumettre bon gré mal gré à la direction collégiale du parti.

Hitler revint le 11 juillet. Il annonça qu'il se retirait du N.S.D.A.P.

Discipliner Hitler était une chose. Perdre Hitler était une autre chose. Ses six semaines d'absence avaient suffi à faire baisser le rayonnement et à endommager les finances du parti. Aucune réunion de masse n'avait eu lieu. La manne provenant des entrées payantes s'était tarie. Les souscriptions s'étaient raréfiées. Hitler se retirant, cela voulait dire que le parti national-socialiste des ouvriers allemands retombait dans la grisaille, l'obscurité, la pauvreté du début.

Dietrich Eckart apparut, bonasse et finaud. Il déclara qu'il croyait pouvoir faire revenir son ami Hitler sur sa décision, à condition que

114

certaines modifications fussent apportées au fonctionnement du parti. Drexler demanda à les connaître. Eckart se chargea de les demander à Hitler.

Vingt-quatre heures plus tard, le fondateur avait entre les mains une réponse écrite : Hitler rentrerait dans le N.S.D.A.P. s'il était nommé premier président avec des pouvoirs dictatoriaux!

Le bulletin politique de la police munichoise résume la querelle : « Les deux Führer, Drexler et Hitler, se sont livré un combat serré. Hitler voulait orienter le parti vers la violence, tandis que Drexler préconisait des méthodes parlementaires et légales. Une scission menaça et Hitler avait déjà démissionné. Grâce à l'entremise d'Eckart, les antagonistes se sont réconciliés au dernier moment... »

La réconciliation consistait dans la capitulation de Drexler. La lettre qu'il signa, avec six de ses collègues, disait ceci : « Considérant votre immense savoir, les services que vous avez rendus au parti avec une rare abnégation, vos dons oratoires exceptionnels, le comité est prêt à vous accorder des pouvoirs discrétionnaires et sera extrêmement satisfait si, après votre retour au parti, vous acceptez le poste de premier président que Drexler vous a offert à plusieurs reprises depuis longtemps... »

Une lutte confuse se prolongea pendant quelques jours encore. Drexler tenta de limiter sa défaite en demandant l'exclusion d'Esser et de Körner, coupables de l'avoir injurié. Le groupe anti-Hitler fit parvenir au journal socialiste *Münchner Post* un violent pamphlet : « Hitler est-il un traître? » — qui répondait à la question par l'affirmative. Le licencié er droit Benedikt Settele signa une affiche plus violente encore : « Monsieur Adolf Hitler se prend, dans sa mégalomanie maladive, pour le roi de Munich... Le vertueux Anton Drexler a dû sous la menace abandonner son œuvre devant le putsch de Hitler... Le tyran doit être renversé! Nous, nationaux-socialistes, n'aurons pas de repos avant que Sa Majesté Adolf 1er ait été contrainte d'abdiquer... »

L'épilogue eut lieu le 29 juillet. 544 membres de la section locale de Munich répondirent à un appel du groupe Hitler et se réunirent à la brasserie Sternbecker. Drexler et quelques fidèles tenaient une réunion dans une autre partie de la brasserie, mais les acclamations venant de la salle rivale leur faisaient comprendre qu'ils avaient perdu la partie.

Hitler parla sobrement et modestement. Il était entré au parti comme simple soldat et s'y était consacré avec un désintéressement total. Il respectait Anton Drexler et entendait le montrer en le proposant comme président d'honneur, mais il avait dû intervenir contre un comité sans vigueur qui tournait en un « cercle de buveurs de thé ». On devait renoncer aux fusions avec d'autres mouvements, hors d'Allemagne ou en Allemagne, afin de conserver au N.S.D.A.P. tout son dynamisme. Le siège du parti devait être fixé d'une manière irrévocable à Munich. Son développement devait être poursuivi avec la dernière énergie et la crainte qu'il inspirait déjà aux ennemis de la patrie allemande devait sans cesse être renforcée. Il fallait pour cela une direction unique — et d'ailleurs la direction collégiale, transposition du parlementarisme qu'il voulait abattre, était en contradiction avec les principes du national-socialisme. C'est pourquoi, lui, Hitler, demandait avec le titre de premier président, des pouvoirs dictatoriaux.

La salle était bien faite. Une forêt de mains se dressa quand Hermann Esser, qui présidait la réunion, lui demanda si elle approuvait les déclarations du camarade Adolf Hitler. Une seule osa se lever à la contre-épreuve. Drexler se résigna à sa défaite, accepta le titre honorifique que Hitler consentait à lui laisser, mais ne joua plus aucun rôle et n'exerça plus qu'une faible influence. Il vécut jusqu'en 1942, assez pour assister aux triomphes, pas assez pour voir les catastrophes de l'inconnu derrière lequel il avait couru pour lui glisser dans la main la brochure relatant son éveil politique. Il se plaignait, ouvertement d'abord, puis en sourdine, que Hitler lui eût volé le national-socialisme et que lui, Drexler, après avoir donné un cours nouveau à l'histoire, fût traité comme un paria et un galeux.

En soi, cette crise du national-socialisme n'était, dans la politique allemande, qu'un événement minuscule, dont il faudra l'éclairage de l'avenir pour en révéler l'importance. Les historiographes nazis qualifieront la victoire de Hitler en 1921 comme la première prise du pouvoir. Il avait, dans le cadre de son petit parti, imposé le Führerprinzip, qui deviendra la règle de gouvernement d'un grand et puissant pays. Deux ans à peine s'étaient écoulés depuis qu'Adolf Hitler était entré en hésitant dans l'auberge vétuste et obscure où quatre idéologues s'étaient rassemblés autour des 7 marks 50 qu'ils avaient en caisse. Il avait tiré de ce colloque d'ombres une force politique nouvelle et originale, puis il l'avait conquise et annexée. Le slogan : *Hitler die Partei und die Partei Hitler* allait devenir, dix ans plus tard, *Hitler Deutschland und Deutschland Hitler*.

Il fut réintégré avec la carte numéro 3680, ultérieurement transformée en carte numéro 1. Le Comité fut réorganisé avec des hommes entièrement dévoués à Hitler et Oskar Körner en qualité de vice-président. L'adjudant du temps de guerre, Max Amann, rencontré par hasard place de l'Odéon, consentit à abandonner un petit emploi d'employé de banque pour devenir administrateur du N.S.D.A.P. et, peu après, gérant du *Völkischer Beobachter*. Hitler complétait sa première prise du pouvoir en donnant des cadres à toute épreuve à son petit parti.

**

Kahr avait fini par céder dans la question des Einwohnerwehren. Réunissant les chefs locaux, il leur avait demandé de remettre leurs armes à la Reichswehr et de dissoudre leurs unités pour éviter à l'Allemagne des complications redoutables. La plupart s'étaient inclinés en disant qu'ils faisaient confiance au ministre-président pour la défense de la Bavière contre le péril rouge et pour le maintien de ses droits. Les irréductibles, comme le lieutenant-colonel Kriebel, étaient allés rejoindre les ligues de combat.

Aucun homme ne portait sur les épaules plus de haines que le principal signataire de l'armistice, Matthias Erzberger. Le 26 août 1921, sous les ombrages de la petite ville d'eau badoise de Titisee, deux anciens de la brigade Ehrhardt, Schulz et Tillensen, l'étendirent raide mort. La Hongrie, où ils se réfugièrent, refusa leur extradition.

L'Allemagne nationaliste rugit de joie. L'Allemagne républicaine tenta de se défendre. Le président Ebert appliqua l'article 48, décréta l'état d'urgence, promulgua une ordonnance donnant aux autorités locales les pouvoirs nécessaires pour réprimer le terrorisme et aux autorités fédérales le droit de se substituer à elles si elles n'accomplissaient pas leur mandat. Le ministre-président Gustav von Kahr objecta que l'ordonnance enfreignait les droits souverains de la Bavière et qu'elle n'y serait pas appliquée.

La rencontre en petit comité dont Kahr avait parlé le 14 mai n'avait pas eu lieu. Kahr voyait en Hitler un agitateur dangereux, qu'il se croyait contraint de ménager, mais qu'il redoutait. Hitler voyait en Kahr un vieux fonctionnaire blanchi sous le harnois, beaucoup trop attaché à l'idée monarchique et au particularisme bavarois, incapable d'une action réellement vigoureuse, capitulant après avoir fait mine de s'insurger comme il l'avait fait dans la question des Einwohnerwehren. Toutefois, il vola à son secours. « Fût-il le diable, dès lors que les Juifs de Berlin sont contre lui, notre devoir nous ordonne de soutenir Herr von Kahr... »

Trois semaines durant, Munich retentit de manifestations anti-berlinoises. Mais le Landtag manquait du cran nécessaire pour mener la lutte à fond. Kahr, à demi abandonné, se retira, reprit sa préfecture de Haute-Bavière. Le préfet de police de Munich, Pöhner, protecteur indéfectible du mouvement hitlérien, démissionna. Le poste de ministre-président échut au comte Hugo von Lerchenfeld-Koeffering, diplomate esthète et épicurien, chercheur de solutions de conciliation. Les relations entre la Bavière et le Reich entrèrent momentanément dans des eaux plus calmes.

Les Bavarois qui attaquaient Berlin se divisaient en deux genres différents et opposés. Les uns se déchaînaient contre la ville rouge et enjuivée ; contre les deux gouvernements dont elle était le siège, le gouvernement démocratique du Reich et le gouvernement socialiste prussien, mais ils n'envisageaient pas de toucher à la cohésion de l'Allemagne en desserrant les liens politiques entre le Nord et le Sud. Les autres rêvaient de revenir sur l'unification bismarckienne en rendant à la Bavière son indépendance et sa vocation d'État danubien. Le 14 septembre, l'ingénieur Otto Ballerstedt, président de la Ligue Bavaroise, donnait à la Löwenbräukeller une conférence sur ce thème. Hitler en tête, les nazis prirent la salle d'assaut, jetèrent Ballerstedt à bas de la tribune et l'assommèrent. Arrêté par la police, pendant qu'on emportait l'autonomiste inanimé et ensanglanté, Hitler se borna à dire : « Notre but est atteint : Ballerstedt ne parlera pas... » Il fut poursuivi, avec Esser et Körner, pour coups et blessures. C'était la première fois que le grand agitateur se trouvait aux prises avec la loi (2).

Le 1er novembre, le siège du parti fut transféré dans un local de plusieurs pièces, au 38 de la Corneliusstrasse. Hitler fit publier dans le V.B. une note disant qu'il n'y avait plus un sou dans la caisse et qu'il demandait à chacun le sacrifice d'un meuble : table, chaise, casier, étagère... Le nouveau siège fut garni dans la journée.

Le 5, une bataille se déroula à la Hofbräuhaus. Hitler la raconte sur le mode épique dans la deuxième partie de *Mein Kampf*. Absorbés par leur emménagement, les nazis ne s'étaient pas méfiés d'un sabotage organisé par les Rouges. La salle était pleine d'adversaires. Le service d'ordre comprenait au maximum une cinquantaine d'hommes. Une bagarre furieuse se déclencha. « Pareilles aux décharges des obusiers, d'innombrables chopes volaient... Hurlements, beuglements, cris stridents, vacarme infernal... A un contre sept ou huit, mes gars se jetèrent sur les perturbateurs et commencèrent à les expulser en les ruant de coups... Tous étaient couverts de sang... Une terrible fusillade éclata... En vingt-cinq minutes, nous fûmes maîtres de la réunion... C'est de ce jour que notre service d'ordre s'appela définitivement Sturmabteilung. » Section d'Assaut. S.A.

Elle grandissait rapidement depuis que Röhm l'avait prise en charge. On lui avait donné un nouveau chef dans la personne du lieutenant de vaisseau Ulrich Klintzsch, homme de confiance d'Ehrhardt et l'un des organisateurs de l'assassinat d'Erzberger. Hitler, toutefois, se prononçait contre le terrorisme politique, interdisait aux membres du N.S.D.A.P. d'appartenir à une société secrète. Il faisait même des réserves sur le caractère paramilitaire que Röhm donnait à la S.A. « La boxe et le jiujitsu, disait-il, sont plus utiles à nos S.A. que l'entraînement au tir. Notre but n'est pas de créer un ersatz d'armée. Notre but est de conquérir l'État. Tout suivra... »

Ce conquérant de l'État ne déclarait encore que six mille adhérents lorsque le N.S.D.A.P. tint son premier congrès, à Munich, du 24 au 26 janvier 1922. Les six premières centuries de S.A., encore sans uniforme, défilèrent devant lui. Julius Streicher lui apporta son groupement de Franconie. D'abord adversaire de Hitler, il ne put résister au premier discours qu'il entendit : « Je vis cet homme, après un discours de trois heures, baigné de sueur, rayonnant. Un de mes voisins croyait voir une auréole autour de sa tête et j'éprouvais, moi, quelque chose d'indéfinissable. Une voix intérieure m'ordonna de me lever. Je me rendis sur l'estrade... pour remettre entre ses mains le mouvement que j'avais créé à Nuremberg. » Le N.S.D.A.P. avait dès lors des sections dans toutes les localités bavaroises, commençait à essaimer dans des villes aussi lointaines que Halle, Hanovre, Mannheim et Zwickau.

* * *

Sur la scène européenne, de grands changements étaient en cours. L'homme ignorant mais intuitif (« il ne sait rien et comprend tout »), Aristide Briand, qui dirigeait la politique française, avait été remplacé par son contraire (« il sait tout et ne comprend rien »), Raymond Poincaré, lequel, ayant combattu le traité de Versailles en raison de ses insuffisances, prétendait au moins le faire appliquer dans toute sa rigueur et sa rigidité. En Allemagne, le jovial chancelier Wirth avait confié les Affaires étrangères au Juif original et génial, portant sa race à la fois douloureusement et orgueilleusement, grand capitaliste et grand réformateur social, haï par les industriels et méconnu par les ouvriers, Walther Rathenau. Rathenau et Briand se fussent compris, sentis. Le malheur franco-allemand voulut que l'avènement du second correspondît à l'éclipse du premier.

La conférence qui se réunit à Gênes le 10 avril 1922 méritait d'être celle de la reconstruction européenne, la véritable conférence de la paix. Rathenau arrivait avec un plan pour réconcilier l'Europe avec elle-même, mais Poincaré avait prescrit à son ministre des Affaires étrangères, Louis Barthou, de prendre la porte si la conférence prétendait aborder la question des réparations ou celle du désarmement. Allant plus loin, les Français imaginèrent un moyen d'indemniser leurs porteurs de fonds russes par un prélèvement sur les échanges russo-allemands. Le nerveux Rathenau se vit revenant de Gênes avec un alourdissement du boulet que l'Allemagne traînait, lui, Juif !

La nuit du 15 au 16 avril 1922 fait date dans l'histoire. Le palace de Rapallo, où la délégation allemande était logée, n'avait pas le téléphone dans les chambres. Le portier réveilla le conseiller d'ambassade, Ago von Maltzan, pour lui dire qu'un monsieur au nom incompréhensible insistait pour lui parler dans la cabine du hall. Tchitcherine appelait pour dire que la délégation soviétique était prête à signer un accord rétablissant les relations diplomatiques russo-allemandes sur la base d'une renonciation mutuelle à toute revendication. Maltzan en tunique de soie noire, Wirth en robe de chambre bleue et Rathenau en veston d'intérieur vert délibérèrent jusqu'à l'aube sur une proposition qui rompait l'isolement de l'Allemagne, mais l'exposait à la fureur de ses vainqueurs. A la fin, Rathenau dit en français : « Le vin est tiré, il faut le boire. » Douze heures plus tard, le jour de Pâques, le traité de Rapallo était signé.

Coup de maître, coup bismarckien, le traité de Rapallo fut mal accueilli en Allemagne. Le président Ebert exprima sa désapprobation. La droite trouva une explication lumineuse : le Juif Rathenau était marié secrètement à la sœur du Juif Tchitcherine, et leur traité avait pour but de livrer l'Allemagne au bolchevisme russe. Les seuls qui approuvèrent furent quelques nationalistes éclairés, tels le comte Brockdorff-Rantzau qui, auréolé d'avoir repoussé le traité de Versailles, allait être nommé ambassadeur à Moscou. La Reichswehr elle-même ne comprit pas tout de suite le parti qu'elle pouvait tirer d'une entente russo-allemande pour tourner les prohibitions d'armements qui lui étaient imposées.

Les nationaux-socialistes ne furent pas les derniers à dénoncer le traité de Rapallo. Rosenberg y trouva la preuve de l'identité foncière des Juifs capitalistes et des Juifs soviétiques. Esser y vit « le petit doigt par lequel Judas saisissait toute la main de notre peuple ».

Pour les voies de fait contre Ballerstedt, Hitler avait été condamné, au début de l'année, à six mois de prison, dont cinq avec sursis. Tous recours épuisés, il se présenta à l'incarcération le 24 juin 1922. C'était à peu près le moment où, à Berlin, comme chaque matin, une voiture découverte lourde et lente débouchait de la Königsallee pour conduire à la Wilhelmstrasse le ministre du Reich, Walter Rathenau. Se dressant dans une autre auto, l'ancien lieutenant de vaisseau Erwin Kern le coupa presque en deux d'une rafale de mitraillette et son complice, l'ex-matelot Hermann Fischer, jeta une grenade à ses pieds. Traqués, les deux hommes se suicidèrent quelques jours plus tard, après avoir poussé un « Hoch! » pour leur chef, le capitaine de corvette Hermann Ehrhardt.

L'assassinat de Rathenau souleva une émotion beaucoup plus vive que celui d'Erzberger. Deux cent mille manifestants massés devant le Reichstag aidèrent le chancelier Wirth à obtenir la majorité des deux tiers nécessaire au vote de trois lois sur la défense de la République. Les associations extrémistes furent dissoutes un peu partout en Allemagne. Le N.S.D.A.P., pour sa part, fut interdit en Prusse, en Saxe, en Thuringe, à Hambourg, etc. Mais, comme l'année précédente, la Bavière se drapa dans sa souveraineté pour refuser d'appliquer les lois votées par le Reichstag. Un nouveau conflit surgit entre Berlin et Munich.

Hitler sortit de la prison municipale le 27 juillet. Il se retrouva au milieu d'une vive agitation. Les nationalistes s'ébaubissaient encore d'avoir accueilli le président du Reich, Friedrich Ebert, en visite officielle à Munich, en lui brandissant sous le nez un caleçon de bain rouge — *rote Badehose* — comme un étendard de dérision. Le 25 août, le maréchal Hindenburg qui n'était plus qu'une personne privée, vint à son tour à Munich. La ville disparut sous les oriflammes aux couleurs de l'ancien Reich et une foule immense attendit pendant des heures sous un soleil ardent pour entrevoir l'illustre soldat. Le soir, des militants de gauche tentèrent une contre-manifestation autour de la gare centrale. « Ils furent, dit Hitler, dispersés en quelques minutes, la tête ensanglantée, sous les ceinturons des S.A... »

Plus que jamais, la Bavière se pénétrait de la conviction qu'elle était appelée à la tâche historique de régénérer le Reich. Adolf Hitler l'avait déjà comparée à la Silésie, d'où partit le mouvement de libération de 1813. Il le répéta dans le premier discours qu'il prononça après sa sortie de prison : *Bayern, deutscheste Land im Deutschen Reich!* Bavière allemandissime! La Reichswehr bavaroise et les milices armées n'attendaient, disait-on, pour marcher sur Berlin qu'un chef. Ludendorff? Escherich? Pittinger? Rupprecht? Kahr? et pourquoi pas Adolf Hitler? Il avait cessé d'être un agitateur subalterne. Il enthousiasmait les foules. Ses adversaires le redoutaient et le pouvoir comptait avec lui. « Le parti national-socialiste, écrit le ministre plénipotentiaire du Wurtemberg, Karl Moser, jouit d'une grande popularité et il n'est pas impossible qu'un putsch de sa part ait lieu incessamment... Le Führer doit être une personnalité fascinante... »

Cobourg venait, par voie de plébiscite, de se rattacher à la Bavière. Le duc de Saxe-Cobourg-Gotha prit l'initiative d'y organiser une « Journée allemande », à laquelle il eut l'idée d'inviter Adolf Hitler en le priant, comme pour une partie mondaine, « d'amener quelques amis ». Hitler entassa dans un train spécial ses huit cents S.A., une musique de quarante-deux exécutants et une profusion de drapeaux. Retentissant de chants patriotiques, le train de Hitler traversa toute la Bavière, par Nuremberg, Fürth, Bamberg. A Cobourg, les nazis gagnèrent la Hofbräuhaus, musique en tête, au milieu des huées de la population ouvrière, consternant le noble duc et les associations bourgeoises, organisatrices de la journée. Une bagarre éclata à l'issue de la manifestation patriotique, mais, dit Hitler, « au bout d'un quart d'heure, rien de rouge n'osait montrer le bout de son nez dans les rues ». Le lendemain, quand les S.A. regagnèrent la gare, ils apprirent que les employés du chemin de fer refusaient d'acheminer leur train spécial. « Je fis savoir aux meneurs, dit Hitler, que je comptais mettre la main sur autant de bonzes rouges que nous pourrions en attraper et que nous conduirions notre train nous-mêmes en prenant sur la locomotive, le tender et dans chaque voiture quelques représentants de la solidarité internationale... Sur ce, le train partit exactement à l'heure, et nous arrivâmes à Munich sains et saufs le lendemain matin... »

L'expédition de Cobourg reproduisait, sur une petite échelle, les grandes descentes fascistes dans les villes industrielles du nord de l'Italie. Balbo et Farinacci avaient occupé, avec des dizaines de milliers de chemises noires, Pavie, Florence, Bologne, citadelles rouges où, pendant longtemps, l'extrême gauche avait exercé l'agréable monopole de la violence. Quelques jours après le voyage de Cobourg, le 22 octobre 1922, la tactique fasciste était couronnée par la marche sur Rome et la conquête du pouvoir.

Jusqu'alors, le modèle auquel se référaient les nationaux-socialistes était le mouvement kémaliste en Turquie. Les analogies avec le fascisme italien sont plus directes. Comme Hitler, et plus que Hitler, Mussolini sort du prolétariat. Il vient du socialisme, et il se réclame encore du socialisme en l'associant au nationalisme. L'Italie, certes, a trahi la Triplice en 1914;

elle est entrée en guerre contre les empires centraux en 1915; elle a annexé en 1919 le Tyrol du Sud, peuplé d'Allemands. Mussolini fut et demeure l'un des champions de cette politique belliqueuse et conquérante. L'intérêt qu'il éveille l'emporte sur ces fâcheux souvenirs. Le 3 novembre, à la Hofbräuhaus, Hermann Esser soulève une ovation en s'écriant : « Ce qu'une poignée d'hommes courageux ont fait en Italie peut être fait ici. Nous avons en Bavière le Mussolini allemand. Il s'appelle Adolf Hitler! »

Ce même jour, le comte Lerchenfeld démissionne. Le successeur que le Landtag lui donne, Eugen von Knilling, longtemps ministre des Cultes dans la Bavière d'avant-guerre, est intelligent mais, dit son compatriote Gessler, « le contraire d'un lutteur ». La droite l'accueille avec indifférence, réclame le retour de Kahr.

Malgré les progrès de sa renommée, il s'en fallait que le « Mussolini allemand » fût connu de tous à Munich même. « Quand j'entendis son nom pour la première fois (en novembre 1922), dit Hanfstaengl, je crus à une confusion avec le représentant de Hugenberg à Munich, Hilpert. » Hermann Göring avait entendu parler de Hitler lorsqu'il assista à une réunion organisée par différentes associations patriotiques, mais il ignorait tout de l'homme et de son mouvement. « A la fin, on réclama aussi Hitler. J'étais tout à fait par hasard non loin de lui et je l'entendis dire qu'il ne voulait pas prendre la parole après des tirades bourgeoises édulcorées... J'étais du même avis... J'appris que je pourrais entendre Hitler le lundi soir à sa réunion publique hebdomadaire... Ses conceptions correspondaient point par point à mes intimes convictions. Quelques jours plus tard, je me rendis au siège du N.S.D.A.P. et donnai mon adhésion... »

Le nouveau venu tranche par sa couleur sur le fond assez gris des premiers nationaux-socialistes. Bavarois, protestant, de bonne bourgeoisie, son père avait été le premier gouverneur du Sud-Ouest africain allemand. La guerre trouva Hermann Göring lieutenant de vingt ans au régiment d'infanterie 112 à Mulhouse. Il bifurqua vers l'aviation, d'abord comme observateur, puis comme pilote. A l'époque des dernières victoires, en juin 1918, il commandait l'escadrille de chasse Freiherr von Richtofen, après la mort au combat du plus illustre des as allemands. La collecte des décorations commença : croix de fer de 2e et de 1re classe, Lion de Zöhringen avec épée, Ordre de Karl Friedrich, Ordre Hohenzollern de 3e classe avec épée, et, enfin, la plus haute distinction militaire, la croix de Malte portant en français la mention choisie par Frédéric II : « Pour le Mérite ». Comme celle de Mussolini, la guerre de Hitler avait été une humble guerre rampante de fantassin; celle de Göring rappelait, en plus sérieux, la guerre ailée de d'Annunzio.

La vie romanesque avait continué après la défaite. Refusant de rester dans la Reichswehr de la République, Hermann Göring était devenu pilote de la Svenska Luftrafik et, comme dans le plus ineffable des scénarios, c'est par un atterrissage forcé, près d'un château suédois, qu'il avait connu sa femme éperdument aimée, la baronne Karin von Fock. Revenu à Munich assez désœuvré, mais avec une aisance amplifiée par le cours de la couronne suédoise, il avait acheté à Obermanzig une jolie maison sous laquelle il s'était fait aménager un appartement secret où l'on descendait par une trappe et qu'il appelait sa caverne de conspirateur.

Ce jeune héros resplendissant, Hitler le vit arriver comme un don du ciel. « Ma personne et ma fortune, dit Göring, sont à votre disposition. — Je vous demande, répondit Hitler, de prendre le commandement de la S.A. » Klintzsch, homme d'Ehrhardt, n'avait pas la pleine confiance de Hitler et Röhm, officier en activité, ne pouvait jouer qu'un rôle indirect. L'as de guerre, resplendissant de décorations, allait éclipser le petit capitaine porcin et homosexuel.

Au milieu d'une réussite grandissante, la vie privée d'Adolf Hitler demeurait d'une extrême modestie. Il n'avait pour ressources que les cachets qu'il recevait lorsqu'il faisait des conférences en dehors du N.S.D.A.P., habitait encore dans sa chambre meublée de la Thierschstrasse et venait à peine de remplacer sa tenue militaire rajustée par un complet en cheviotte bleu foncé qu'il portait avec une cravate noire. Cependant, le retentissement de son nom lui ouvrait plusieurs grandes maisons de Munich. L'éditeur Bruckmann et sa femme Elsa, née princesse Cantacuzène, le recevaient dans leur salon de la Karolinenplatz, au milieu des statues antiques et des Gobelins. Le fabricant de pianos berlinois Bechstein l'émerveillait par ses dîners au champagne servis par des valets en livrée dans son appartement munichois de l'hôtel Bayerisches Hof. Le cercle des relations mondaines s'élargit avec un colosse auquel on continuait de donner le diminutif enfantin de Putzi, Ernst Hanfstaengl, d'une célèbre maison d'édition d'art, qui, ayant passé toute la guerre à New York, avait ramené à Munich une superbe Américaine dont Hitler s'énamoura au premier coup d'œil. « Je n'eus jamais d'inquiétude, dit Putzi, parce que j'eus toujours la conviction qu'il était en matière sexuelle totalement neutre. » La sœur de Putzi, Erna, était aussi une magnifique Walkyrie dont Hitler fut épris. Le bruit de leur mariage circula dans Munich, avec une rumeur disant que l'élue du grand antisémite était la petite-fille d'un Juif nommé Heine. Hitler fit publier par le *Völkischer Beobachter* une note démentant et ses fiançailles et le quart de sang juif de *Fräulein* Hanfstaengl. Elle se maria peu après avec un professeur et quitta Munich.

L'apparence d'Adolf continuait à refléter l'humilité de son passé. « Si ce n'avait été l'éclat de ses yeux, dit Hanfstaengl, on l'aurait pris, lorsqu'il venait à la maison, pour un employé de condition moyenne invité chez son patron. »

Cet apprentissage d'un milieu si totalement nouveau n'allait pas chez Hitler sans une candeur pleine au fond d'habileté. « Quand on servait des plats qu'il ne connaissait pas, comme du homard ou des artichauts, il disait simplement : Madame voulez-vous me montrer comment cela se mange. » Il n'avait pas encore embrassé le végétarisme et l'abstinence d'alcool, mais ses prédilections gastronomiques le portaient vers les gourmandises sucrées. « L'amateur de vin que je suis, dit Hanfstaengl, faillit avoir une attaque en voyant Hitler verser dans son verre de Rudesheimer Gewürztraminer de la réserve du prince de Metternich une grande cuillerée de sucre en poudre... Il était insatiable de gâteaux à la crème fouettée et, lorsqu'on lui offrait du thé, il emplissait sa tasse de morceaux de sucre à ras bord.

Dès cette époque, des capitaines d'industrie, dont le prince Henckel de Donnersmarck, essayèrent. de mettre la main sur Adolf Hitler. « Ces beaux messieurs, disait-il, voudraient se servir de moi pour capter les masses, mais je vois clair, et ils ne m'auront pas. » Au néophyte Göring, il exposa « lumineusement » qu'il n'était pas possible de redresser l'Allemagne en faisant appel uniquement au nationalisme traditionnel. Il fallait associer à celui-ci un programme de réformes sociales, unifier la conception du nationalisme et la conception du socialisme. « Je fus, dira Göring, ébloui et conquis. »

S'il était heureux de fréquenter quelques salons, Hitler restait attaché au milieu de petites gens dont le parti était issu. Chaque lundi soir, après sa réunion, un groupe se réunissait autour de lui à la Stammtisch, à la table d'habitués, du Neumaier, situé à l'angle de la Petersplatz et du Viktualinenmarkt. Drexler venait encore, avec la statuesque *Frau* Drexler. Eckart, Feder, Esser étaient des familiers, ainsi que le lieutenant terroriste Klintzsch, mais aussi le paisible ménage Laubóck, dont l'époux était sous-chef de gare à l'Ostbahnof et le paisible ménage Diestl, qui exploitait une petite papeterie près de l'Hôtel Régina. Un cercle de confiance et d'admiration entourait le Führer. Lorsqu'il repartait pour la Thierschstrasse, une amazone, Jenny Haugg, sœur de son chauffeur, se joignait à ses gardes du corps, la main sur la crosse du pistolet qu'elle portait dans une gaine d'aisselle. *Frau* Drexler prétendait avec attendrissement qu'elle retrouvait Hitler dans une chambre de la Corneliusstrasse, au-dessus de la boutique d'un horloger. Il est peu probable qu'il eût choisi, pour des escapades amoureuses, un lieu si voisin du siège de son parti.

Hitler exerçait sur les femmes un ascendant qui lui eût permis bien des bonnes fortunes. Les concours féminins dont il fut le bénéficiaire dans ses débuts difficiles étaient dédiés plus à l'homme qu'au parti. La richissime et plantureuse Hélène Bechstein eut pour lui un amour d'arrière-saison auquel il répondait par des regards tendres et l'abandon de sa tête sur son épaule. Elle intrigua pour lui faire épouser sa fille Lotte, et il ne se déroba pas sans quelque difficulté. Il est établi qu'il était normalement constitué et parfaitement capable d'amour physique, mais ses impulsions érotiques étaient dominées par des passions plus violentes et il vivait dans la crainte de se laisser enchaîner. Dietrich Eckart avait tracé, avant de le reconnaître, un portrait étonnamment ressemblant de l'homme qu'il appelait de ses vœux pour être le sauveur de l'Allemagne. « Il devra, disait-il notamment, être célibataire, afin de conquérir les femmes... » Hitler percevait clairement la vérité de ce précepte. « Mon influence sur le sexe féminin, disait-il, est grandement renforcée par mon célibat. Je perdrais ma popularité auprès des femmes allemandes si j'y renonçais (3)... »

Un soir, en revenant de chez Göring, il donna libre cours à son talent d'imitateur, gazouilla l'accent scandinave de Karin, mima l'empressement dévot de Hermann — puis il leva le poing et sa voix se fit de pierre : « Jamais je n'ai eu, jamais je n'aurai un foyer pareil. Je n'ai qu'une maîtresse : *Deutschland!* »

Les nouvelles épreuves qui attendaient cette adorée allaient conduire son adorateur dans d'étranges vicissitudes.

7

1923 : LE PUTSCH ET SON ÉCHEC

Il manquait cent mille poteaux télégraphiques aux livraisons en nature de l'Allemagne pour 1922. Dès le 9 janvier 1923, Raymond Poincaré fit constater le manquement par la Commission des Réparations et lui demanda de reconnaître que les Nations lésées étaient en droit d'appliquer les sanctions qu'elles jugeraient appropriées. La Belgique et l'Italie acquiescèrent. Mis en minorité, le représentant de la Grande-Bretagne, Bradbury, fit savoir que son pays ne participerait pas à l'action coercitive envisagée. « Depuis le Cheval de Troie, dit-il, jamais le bois n'aura joué un rôle aussi funeste dans l'histoire des nations. »

Le lendemain, la Belgique et la France notifièrent au gouvernement allemand qu'elles envoyaient dans la Ruhr une mission d'ingénieurs (M.I.C.U.M. : Mission de Contrôle des Usines et des Mines) chargée d'assurer les livraisons en nature. Une grave et longue crise européenne commençait.

La carence invoquée n'était qu'un prétexte. Un retard d'un million de tonnes dans les livraisons de charbon, en raison des difficultés de transport, ne valait guère mieux. Le besoin d'occuper la Ruhr démangeait le nationalisme français comme un prurit. Il s'était avancé jusqu'aux lisières, en 1921, en occupant Düsseldorf, Duisbourg et Ruhrort. Il voyait fumer et rougeoyer le bassin industriel. La source de la puissance allemande se trouvait là, et c'était frapper un coup décisif que de la saisir. Les Français se serviraient eux-mêmes sur le carreau des mines et, surtout, en attaquant l'Allemagne dans son cœur économique, ils provoqueraient un ébranlement susceptible de briser l'unité que les négociateurs de 1919 avaient eu le tort de laisser subsister.

Le plan d'occupation était prêt de longue date. Le 11 janvier, cinq divisions françaises et une division belge pénétrèrent dans la Ruhr, s'étendirent prudemment sur l'enchevêtrement d'usines, de mines, de voies ferrées et de canaux. Anticipant sur les événements que ses désirs appelaient, le successeur de Poincaré à la *Revue des Deux Mondes*, Charles

Benoist, écrivit : « L'Allemagne se dissocie? C'est la preuve que son unité n'était pas fondée sur le réel. »

Jugement inepte. L'occupation de la Ruhr soulève en Allemagne une vague d'indignation dans laquelle on retrouve presque l'unanimité d'août 1914. La politique allemande était à nouveau en crise. L'intervention du président Ebert n'avait pu empêcher les socialistes de renverser Wirth et l'impossibilité de reconstituer une coalition parlementaire avait contraint de faire appel à une personnalité neutre, Wilhelm Cuno, ancien président de la Hambourg-Amerika. On ne voyait en lui qu'un gérant temporaire de la chancellerie. L'entrée des Français dans la Ruhr en fait le chef d'une nation indignée.

Toute résistance armée est impossible. Le chancelier ordonne en conséquence d'opposer aux envahisseurs une résistance passive. Les fonctionnaires, les directeurs d'entreprises, les mineurs, les ouvriers, les cheminots doivent refuser d'obéir aux ordres de la mission de contrôle et aux réquisitions de l'autorité militaire. Rien ne doit sortir du bassin au profit des Français. La Ruhr doit devenir inerte, se refroidir, plutôt que de se soumettre à la violence dont elle est l'objet.

Le 13 janvier, une foule frémissante attendait à la Bürgerbräuhaus la parole d'Adolf Hitler. Il déclara : « Ne criez pas : A bas les Français! Criez : A bas les criminels de novembre! C'est uniquement lorsque vous aurez exterminé cette canaille que la régénération de l'Allemagne et sa lutte pour son droit pourront commencer. » Une journée de deuil national avait été décrétée pour le lendemain et tous les partis bavarois, depuis les nationalistes jusqu'aux socialistes, s'étaient mis d'accord pour organiser une grande démonstration patriotique dans le centre de Munich. Hitler annonça : « Le N.S.D.A.P. n'y participera pas! »

Stupeur et indignation. Hitler rompait l'unanimité nationale! Il faisait passer l'assouvissement d'une vengeance avant la défense du territoire allemand! L'ambassadeur du Reich à Munich, Haniel von Haimhausen, l'un des signataires du traité de Versailles, annonça au chancelier Cuno le suicide politique de l'agitateur autrichien : « Beaucoup de gens qui voyaient en *Herr* Hitler un sauveur de l'Allemagne ne parlent plus de lui qu'en haussant les épaules. »

Haniel se trompe. L'opprobre jeté sur Hitler par les patriotes conformistes ne détourne pas de lui les jeunes forces qu'il a déjà fanatisées. Convoqué à Munich pour le 27 janvier, un congrès national-socialiste cause une telle alarme que le gouvernement bavarois proclame l'état d'exception, interdit toute manifestation, toute exhibition d'insignes en plein air. Hitler devait prendre la parole dans douze rassemblements répartis sur toute la superficie de Munich. Ils sont interdits.

« Hitler, dira Röhm, s'était mis dans une situation critique. Il risquait une perte de prestige dévastatrice. L'intervention de la Reichswehr le sauva... »

Par l'intervention de la Reichswehr, Röhm sous-entend la sienne. Il

127

plaida la cause des nazis auprès du nouveau commandant de la 7ᵉ division (bav.), le général Otto Herrmann von Lossow. Lossow obtint de Hitler, par l'intermédiaire de Röhm, la promesse qu'il ne tenterait pas un putsch à la faveur de son congrès et, rassuré, demanda au ministre-président Knilling la levée des interdictions. Le ministre de l'Intérieur Franz Scheyer crut sauver la face en n'autorisant que six des réunions et en maintenant l'interdiction de toute manifestation ou cortège en plein air.

Le congrès nazi est un triomphe. Le cirque Krone, plein jusqu'au faîte, retentit pour la première fois du cri imaginé par Dietrich Eckart : « *Deutschland Erwache!* Allemagne Réveille-toi! » La remise à 600 S.A. tout neufs des bannières dessinées par Hitler sur le modèle des aigles romaines a lieu sur la Marsplatz, en dépit des interdictions, puis, musique et drapeaux en tête, les troupes hitlériennes traversent le centre de Munich pour gagner la Kindlkeller, sur l'autre rive de l'Isar. Les barrages s'ouvrent devant elles. Le gouvernement bavarois prend désagréablement conscience qu'il n'est pas pleinement sûr de sa police contre un coup de force nazi.

Le 8 février, le *Völkischer Beobachter* change de périodicité et d'apparence. Il paraissait deux fois par semaine ; il devient quotidien. Il s'imprimait sur un petit format ; il passe d'un seul coup à des dimensions qui en font le plus grand par la surface de tous les journaux allemands. Un prêt sans intérêt de 1 500 dollars par le néophyte Putzi Hanfstaengl a permis cette transformation par l'achat d'une rotative d'occasion d'une voie plus large que la normale. On a eu, en outre, l'idée de faire imprimer quarante mille actions de 10 marks qu'on colporte dans les manifestations nazies, mais le ministère des Finances bavarois poursuit devant les tribunaux les signataires de ces titres factices (parmi lesquels Hitler ne figure pas) pour émission sans autorisation. Au reste, que signifient 400 000 marks? Le dollar est monté, au début de 1923, à 16 000 marks et grimpe chaque jour. Le V.B. élargi n'est qu'un boulet lourd.

Les acclamations du congrès n'avaient pas complètement étouffé le soupçon qu'avait fait naître l'étrange attitude de Hitler devant l'occupation de la Ruhr. Le *Münchner Post* le transforma brutalement en accusation : « Hitler est à la solde des Français! »

La France, certes, cultivait le séparatisme bavarois. Seule des puissances, et malgré la Constitution de Weimar, elle avait exigé le rétablissement de sa légation et envoyé à Munich le ministre plénipotentiaire Émile Dard. La commission de contrôle n'avait pas en Bavière les mêmes rigueurs qu'en Prusse ou en Saxe. « L'esprit chevaleresque de certains officiers de l'Entente, dira le capitaine Röhm, aida les associations patriotiques à conserver les armes dont elles avaient besoin pour lutter contre le péril rouge. » Les agents des services spéciaux grenouillaient en Bavière, cherchaient à atteindre jusqu'au kronprinz Rupprecht pour le convaincre qu'il ne retrouverait le trône de ses pères, que sous l'égide française. L'inflation, la grande détresse allemande donnaient plus de poids à leurs subsides, et l'expédition de la Ruhr plus de force à leurs arguments.

Le professeur Fuchs, le chef d'orchestre Machhaus, le conseiller juridique Kühles, furent arrêtés au début de mars sous l'inculpation de haute trahison. Machhaus et Kühles se suicidèrent dans leurs cellules. Fuchs avoua qu'il était depuis 1921 l'agent d'un commandant Augustin Xavier Richert, de l'état-major des troupes d'occupation en Sarre. Le retour au pouvoir de Poincaré ayant ranimé le séparatisme, Fuchs et Machhaus avaient rencontré Richert à Stuttgart, Wiesbaden, Mayence, Reichenhall, Munich et, chaque fois, des sommes importantes en marks, francs ou dollars avaient changé de mains. Les dernières rencontres avaient eu lieu, entre le 15 et le 21 février, au domicile munichois de Machhaus, 106 Leopoldstrasse, et sur la ferme d'un certain Guttermann, à Romenthal. Richert s'était fait pressant. « Bien entendu, avait-il dit, la France gardera la rive gauche du Rhin mais, à condition que vous agissiez vite, elle comblera vos vœux... Cinq personnes seulement sont au courant de notre plan mais l'une d'elles est le président du Conseil, Raymond Poincaré, et les quatre autres comptent parmi ce qu'il y a de plus important en France. L'action française dans la Ruhr vous fournit une occasion comme vous n'en retrouverez jamais de semblable et, d'ailleurs, l'armée française est prête à occuper la ligne du Main pour vous couvrir contre toute réaction de Berlin. Mais agissez! N'attendez plus! Engagez-vous! » Puis, Richert avait remis à Fuchs l'équivalent de 92 000 marks-or.

L'action exigée par Richert consistait en un putsch séparatiste. Une centaine de personnes devaient être assassinées, dont, inexplicablement, le docteur-paysan Georg Heim, considéré comme l'incarnation de l'autonomisme bavarois. Fuchs comptait sur l'ex-préfet de police Pöhner, protecteur de Hitler, comme dictateur et sur un autre ami de Hitler, le général von Epp, comme chef de ses forces armées. Un autre officier de la division bavaroise avait revendiqué ce commandement, mais, devait dire un témoin, ne put l'obtenir parce qu'il était détesté des autres conjurés. L'ambitieux déçu était cet énigmatique capitaine Karl Mayr, promu major, qui avait été le premier patron politique de Hitler. Il avait rencontré Richert, reçu de l'argent, dressé de sa main des listes de condamnations à mort. Fuchs accusait Mayr d'avoir dénoncé le complot par dépit.

La participation de Mayr n'était pas la seule raison qui faisait flotter autour de l'affaire le nom d'Adolf Hitler. Fuchs était le fondateur et le chef de la ligue ultra-nationaliste Blücher, associée à la S.A. et manœuvrant dans ses rangs. Machhaus tenait la rubrique musicale du *Völkischer Beobachter*. Kühles était le beau-frère d'un des premiers conférenciers nazis, le comte Bothmer. Ces corrélations renforçaient l'accusation de la *Münchner Post*. L'argent français répandu sur la Bavière (plus de cent millions de marks, devait dire le ministre de l'Intérieur Schweyer), l'air de prospérité du N.S.D.A.P., l'attitude de Hitler en face

129

de l'occupation de la Ruhr ne pouvaient pas ne pas faire naître des questions.

Loin de s'employer à dissiper le soupçon, Hitler le renforçait en durcissant son attitude. Il criblait d'outrages le chancelier de la résistance passive, Wilhelm Cuno. Il répétait que rien de valable ne pouvait être tenté avant que le gouvernement des criminels de novembre ait été balayé. Il raya de sa main cinquante membres du parti qui avaient participé à des manifestations antifrançaises organisées par d'autres groupements. A la solde des Français? Pourquoi pas?

Et pourquoi pas aussi à la solde des Italiens? Le Tyrol du Sud, peuplé par des Allemands, avait été donné à l'Italie par le traité de Saint-Germain. Hitler refusait de voir dans cette spoliation une pomme de discorde entre le monde germanique et l'Italie régénérée par le fascisme. L'ambassade allemande à Rome signalait qu'un nommé Kurt Lüdecke, aventurier international rallié au nazisme, essayait d'approcher Mussolini, pour en obtenir des subsides. « Mais, disait l'ambassadeur, Mussolini est bien trop avisé pour se compromettre avec la clique hitlérienne. » Le signataire, baron Konstantin von Neurath, devait devenir le Premier ministre des Affaires étrangères du chancelier Adolf Hitler.

D'autres indices, d'autres insinuations allaient entretenir le soupçon pendant de longs mois. Passant à Munich, après un séjour à Paris, le député travailliste anglais Edmond Morel confiait à von Kahr qu'il tenait d'un ministre de Poincaré qu'Adolf Hitler recevait de l'argent français par le canal de la Suisse — et, un peu plus tard, Hitler faisait en Suisse son unique voyage à l'étranger (l'Autriche exceptée) entre la guerre et sa première visite à Mussolini. On lui vit entre les mains des devises étrangères, et, une fois au moins, il paya le loyer de la Corneliusstrasse avec des couronnes tchécoslovaques. Non seulement les socialistes, mais un leader monarchiste, le conseiller médical Otto Pittinger, fondateur de la ligue « Bayern und Reich », devait reprendre contre le dictateur du N.S.D.A.P. l'accusation terrible d'avoir été déterminé dans son attitude en face de l'occupation de la Ruhr par les subsides de l'occupant.

Les insinuations, les accusations ne faisaient pas fléchir la ligne de conduite d'Adolf Hitler, mais elles l'affectaient. « Un soir, raconte Hanfstaengl, il rentra Theirschstrasse dans un véritable état d'accablement. Il me demanda de me mettre au vieux piano de sa logeuse. Une fugue de Bach et un passage des Maîtres Chanteurs le rassérénèrent un peu. »

Les recherches ultérieures n'ont pas apporté de confirmation. Rien n'a été décelé du côté français. La confidence du député Morel n'a pas été recoupée. Les couronnes tchèques dans les mains de Hitler pouvaient provenir des nombreux partisans qu'il avait parmi les Sudètes et les 33 000 francs suisses qu'il passe pour avoir rapportés de son voyage à Zurich provenaient probablement des Allemands établis en Suisse, dont un certain nombre sont identifiés parmi les premiers partisans du

N.S.D.A.P. Hitler engagea dix procès en diffamation, dont l'un se plaidait encore en 1932 : ils se terminèrent tous par la condamnation ou la rétractation des accusateurs.

Il est peu probable que Hitler reçût jamais de l'argent d'un gouvernement étranger. Mais le nombre des bienfaiteurs du N.S.D.A.P. s'accrut d'une manière sensible au cours des années 1922 et 1923.

Hitler ouvrait les bras à toutes les largesses, à une condition : c'est qu'elles n'en eussent point. « Si quelqu'un, disait-il, me met 100 millions de marks sur la table, je les prends sans hésiter — sauf s'il me demande en échange quoi que ce soit. » Il annonça dans une assemblée générale du parti, avec des roulades de gratitude, qu'une « dame finlandaise » — la baronne de Seidlitz — avait mis la moitié de sa fortune à la disposition de la cause nationale-socialiste. A cette première bienfaitrice, aux Bechstein et aux Bruckmann, s'ajoutèrent des industriels, des commerçants en gros, des propriétaires terriens. Certains n'appartenaient pas au N.S.D.A.P., n'avaient qu'une idée vague de sa nature et de son but, se dérobaient devant une demande d'adhésion. Ils cédaient devant l'insistance des appels d'argent ou considéraient la situation de l'Allemagne comme si grave que tout mouvement patriotique méritait d'être aidé.

Si précieux qu'ils fussent, ces concours ne dépassaient pas l'échelle des générosités individuelles. Ils ne provenaient pas de fédérations patronales ou de syndicats d'intérêts, mais uniquement de particuliers. Leur accroissement ne suivait que péniblement l'augmentation des besoins. Le siège central et les sections locales exigeaient des frais administratifs de plus en plus lourds. La S.A. avait, depuis l'été 1922, un uniforme, que le parti devait lui fournir. Le *Beobachter* était un gouffre. Hitler ne cessait de lancer des appels aux militants. « Le V.B. coûte le prix d'un bock. C'est un national-socialiste bien méprisable celui qui préfère un verre de bière au journal de son parti. » Comme tous les chefs de mouvements politiques dans le monde entier, une bonne partie de son activité consistait en une quête perpétuelle. Hanfstaengl, devenu son accompagnateur régulier, a fait un récit coloré d'une de ses chasses à l'argent.

Ils partirent, un beau matin d'avril 1923, dans une grosse voiture grise — une Selwe, marque disparue — dont l'achat, exigé par Hitler, avait vidé la caisse du parti. Hitler, qui ne conduisait pas, tout en sachant tout de l'auto, s'était assis, coiffé d'un serre-tête noir, à côté du chauffeur Emil Maurice. Hanfstaengl et le jeune Fritz Lauböck occupaient la banquette arrière. A Delitzsch, vingt kilomètres après Leipzig, ils furent arrêtés par un barrage de gardes rouges saxons. Hanfstaengl, contrefaisant l'accent américain, exhiba une pièce d'identité datant de son séjour à New York, déclara qu'il était un négociant en voyage d'affaires et, désignant Hitler : « Celui-là est mon domestique (1). » A Berlin, pendant que l'opulent Putzi descendait à l'Adlon, Hitler alla loger économiquement chez l'un des premiers nazis berlinois, Wilhelm Ohnesorge,

Guillaume sans Souci, dont il devait faire, dans son IIIᵉ Reich, un ministre des Postes. Le lendemain, ils se rendirent chez un ami d'Eckart, Emil Gansser, industriel et chimiste amateur, qu'ils trouvèrent employé à la confection d'une bombe pas plus grosse qu'une balle de tennis et assez puissante pour faire sauter une maison. Gansser se déclara malheureusement hors d'état d'aider le N.S.D.A.P., mais sachant que Hitler était menacé en Prusse d'arrestation, le fit reconduire chez Ohnesorge à l'intérieur d'une camionnette de livraison.

La matinée suivante commença au Zeughaus où Adolf pérora devant les vitrines à la gloire de l'armée prussienne et se poursuivit au Kaiser Friedrich Museum où il faussa compagnie à Putzi pour s'abîmer dans la contemplation de la nudité de Leda, peinte par Le Corrège. L'après-midi, il feignit de se laisser entraîner au Luna Park de Hellensee où l'attraction du jour consistait en un match de boxe féminin entre des adversaires vêtues d'une culotte très courte et d'un maillot transparent, puis l'on remonta dans la haute société pour dîner dans l'hôtel particulier des Bechstein. Hélène s'empara du chapeau déformé du Führer et le remplaça par un feutre de son mari, mais Carl refusa d'augmenter sa participation aux finances nationales-socialistes. L'expédition repartit sans avoir récolté un seul pfennig et Hitler eut encore la déception de ne pas trouver, en passant à Bayreuth, Winifred et Siegfried Wagner auprès desquels il avait été recommandé par Dietrich Eckart. Mais le portier consentit à lui faire visiter l'opéra où aucune représentation n'avait été donnée depuis la guerre. Les décors du « Hollandais Volant » pendaient encore sur la scène enténébrée. Hitler se tut pour la première fois depuis le début du voyage pour écouter Putzi raconter que son arrière-grand-père, Ferdinand Heine, avait été en correspondance avec Richard Wagner et que celui-ci avait enrichi d'un grand nombre d'anecdotes inédites le folklore familial.

Un double regroupement était en cours dans la foule mouvante des associations patriotiques bavaroises. Les plus conservatrices constituaient une Union des Groupements Patriotiques bavarois : Vereinigten Vaterländischen Verbände Bayerns, ou V.V.V.B. Les plus révolutionnaires formaient une Communauté des Ligues Patriotiques de Combat : Arbeit Gesselschaft der Vaterländische Kampfverbände. Sous la présidence d'honneur de l'ex-ministre président Gustav von Kahr, la première catégorie réunissait des sociétés d'anciens combattants, des syndicats libres, des associations d'étudiants, la ligue « Bayern und Reich », dirigée par l'inspecteur médical Pittinger, survivance désarmée des Einwohnerwehren, etc. La seconde catégorie comprenait la ligue Oberland, siège à Munich, du vétérinaire Weber; la ligue Unterland du lieutenant-colonel Hoffmann, siège à Ingolstadt; la Reichsflagge des capitaines Heiss et Röhm; deux petites unités de volontaires munichois; enfin la S.A. du parti national-socialiste. La ligue Blücher avait été exclue, en raison de l'affaire Fuchs et la ligue Wiking était également tenue en dehors. Son fondateur, Ehrhardt, tenait Hitler pour un phraseur. Hitler, de son côté, faisait interdire à ses adhérents tout contact avec les mouvements dirigés par Ehrhardt.

La S.A. était devenue une force considérable. Le « régiment de Munich », divisé en trois bataillons, commandé par le lieutenant de réserve Brückner, encadrait mille huit cents hommes dont l'uniforme se stabilisait en une chemise brune, une culotte noire et un képi brun bordé d'une ganse noire. Un corps de cavalerie (sans chevaux), une section d'artillerie (sans canons), une compagnie cycliste, un échelon motorisé, un bureau de renseignements, une formation sanitaire donnaient à la S.A. la structure d'une armée en miniature. Göring commandait en chef, arrivait aux parades sur un cheval noir, le casque d'acier en tête, l'ordre Pour le Mérite au cou.

Ludendorff se tenait au-dessus de toutes les ligues avec la conviction orgueilleuse qu'il était le seul chef réel du mouvement de régénération allemand. Il restait en Bavière pour des raisons de sécurité, mais il détestait les Bavarois, méridionaux, catholiques et autonomistes; redoutait la restauration des Wittelsbach et, par-dessus tout, que le kronprinz Rupprecht fût élevé au trône impérial pour remplacer les Hohenzollern fuyards. Mathilde von Kemnitz, à la veille de devenir la seconde *Frau* Ludendorff, régnait définitivement sur son esprit violent et simplificateur. Un soir, chez Gottfried Feder, elle entreprit Hitler pour lui annoncer qu'elle lui apportait la conception du cosmos dont le national-socialisme avait besoin comme base philosophique; il s'éloigna précipitamment et quitta la soirée en pestant contre les bas-bleus. Jamais les relations Hitler-Ludendorff ne furent autre chose qu'une association temporaire, le caporal exploitant le nom du général et le général cherchant à se servir du caporal comme d'un instrument.

La crainte d'une sécession bavaroise, s'ajoutant à l'invasion de la Ruhr et peut-être à une irruption polonaise dans les provinces orientales, hantait Berlin. Seeckt arriva en tournée d'inspection pour se rendre compte de l'état d'esprit de la Reichswehr bavaroise. Le général von Lossow lui transmit une demande d'audience d'Adolf Hitler, en lui disant que l'homme était susceptible de faire parler de lui. Seeckt accepta de le recevoir au ministère de la Guerre bavarois.

« *Herr* General, dit Hitler de but en blanc, je viens vous demander de prendre la tête des ligues de combat. — *Herr* Hitler, que faites-vous de mon serment de soldat? — *Herr* General, je ne vous demande pas de manquer au serment que vous avez prêté à la République de Weimar. C'est à nous, nationaux-socialistes, de conduire les dirigeants actuels à la seule place qui soit la leur : la potence. Lorsque nous aurons brûlé le Reichstag et fait place nette, nous irons vous trouver et vous demanderons de prendre le commandement. » Seeckt braqua sur son interlocuteur un monocle glacial : « Dans ces conditions, *Herr* Hitler, nous n'avons rien à nous dire. Bonsoir (2). »

Les préparatifs militaires des ligues se poursuivaient désormais ouvertement. Le 25 mars et le 15 avril, plusieurs milliers de miliciens en armes participèrent à des exercices de combat sur la Fröttmaniger Heide et, au retour, traversèrent Munich en chantant. L'attente du 1ᵉʳ mai éprouvait les nerfs. La journée était à la fois la fête du travail et l'anniversaire de la reprise de Munich sur la république des Conseils. Les syndicats annoncèrent leur intention d'organiser le même défilé que sous Guillaume II. Hitler fit savoir qu'un cortège rouge devrait lui passer sur le corps. La Communauté des Ligues de Combat ordonna la mobilisation générale de ses forces. Un putsch pouvait venir de la droite comme de la gauche. Une lutte sanglante pouvait opposer les deux extrêmes par-dessus les autorités débordées.

Le gouvernement bavarois décida de limiter les risques en cantonnant les deux manifestations : celle des rouges à la Theresienwiese ; celle des nazis dans l'Oberwiesenfeld. Toute la largeur de Munich s'interposait entre elles.

Le 30 avril au soir, deux mille cinq cents nazis et alliés se rassemblèrent sur l'Oberwiesenfeld. C'était encore le champ de manœuvres de la garnison et des casernes en bordaient l'un des côtés. Payant d'audace, le capitaine Röhm déclara qu'il réquisitionnait des armes pour mettre les formations paramilitaires en mesure d'assister la police contre le putsch d'extrême gauche qui devait avoir lieu le lendemain. Un certain nombre de fusils, plusieurs mitrailleuses firent ainsi leur apparition sur l'Oberwiesenfeld, mais Röhm lui-même — tancé par ses supérieurs — accourut en disant qu'il y avait contrordre et que les armes devaient être retournées. Les casernes se fermèrent et se verrouillèrent. Des excités proposèrent de les prendre d'assaut. Hitler, qui venait d'arriver avec un casque d'acier et sa croix de fer, s'y opposa.

La nuit fut sinistre. Les nazis grelottèrent autour de quelques maigres feux de bivouac. Au lever du jour, on leur fit faire des exercices d'ordre serré pour les réchauffer mais, à midi, ils attendaient encore. Enfin, les cordons de police qui barraient les issues de l'Oberwiesenfeld s'ouvrirent — mais la manifestation socialo-communiste de la Theresienwiese était achevée. Les nazis eurent la consolation de tomber sur une petite colonne qui regagnait un quartier lointain. Ils s'emparèrent de quelques drapeaux rouges qu'ils brûlèrent. Hitler fit un discours sur les cendres sans parvenir à effacer l'impression d'échec laissée par la journée. Le ministre plénipotentiaire Haniel manda à nouveau au chancelier Cuno que le péril national-socialiste était en recul et la *Neue Zürcher Zeitung*, observatrice qualifiée des choses d'Allemagne, informa les Suisses que le prestige de Hitler baissait à vue d'œil.

La résistance dans la Ruhr conservait de plus en plus difficilement son caractère de passivité. Le 26 mai, les Français fusillèrent sur la Golzheimer Heide, près de Düsseldorf, Albert Leo Schlageter (3), condamné à mort pour sabotage. Un cri d'indignation traversa l'Allemagne. L'agitateur bolcheviste Karl Radek fut le premier à célébrer

Schlageter « héros de la contre-révolution dont la mort sert la cause de la révolution... » A Munich, une manifestation expiatoire fut convoquée sur la Königsplatz pour le 1er juin.

Poursuivi devant le tribunal d'Empire de Leipzig pour un article injurieux sur le président Ebert, Dietrich Eckart se cachait dans la région de Berchtesgaden. Hitler était venu le rejoindre sur l'Obersalzberg, à l'auberge Platterhof, tenue par une Brunehild aux dents aurifiées, *Frau* Buchner, fondant de tendresse sous son regard. Le printemps inondait les vallées de verdure, faisait chanter les ruisseaux dévalant du Kehlstein encore enneigé. Hitler découvrit le magnifique paysage par lequel son Autriche natale rejoignait l'Allemagne. Drexler était de la partie, portant une cithare. Le martyre de Schlageter n'arrêta pas les chansons et il fallut les représentations énergiques d'Eckart pour que le Führer du N.S.D.A.P. acceptât de participer à la cérémonie du lendemain. Il revint à Munich, prononça un discours bref et sec, fit bénir les fanions des S.A. par l'abbé sudète Schachleiter et retourna à Berchtesgaden.

Le procès des séparatistes se déroula du 4 juin au 9 juillet 1923. Kühles et Machhaus s'étaient évadés dans le suicide. Le commandant français Richert s'était soustrait à la justice allemande et, désavoué avec désinvolture par son gouvernement, avait été renvoyé dans une garnison de l'intérieur. Le commandant allemand Mayr avait été reconnu par l'instruction comme un agent du contre-espionnage qui n'était entré dans la conjuration que pour la démasquer. Fuchs, comparaissant avec quelques comparses, fut condamné à douze ans de forteresse. Les débats, dont la sténographie couvre quatre cent huit pages, firent surgir à différentes reprises le nom de Hitler, mais sans qu'une accusation précise soit élevée contre lui.

L'absurde bataille de la Ruhr ne faisait que des vaincus. La France avait perdu la totalité de ses réparations et, faute de coke westphalien, les hauts fourneaux lorrains s'éteignaient l'un après l'autre. S'appuyant sur une consultation des conseillers juridiques de la Couronne, le Foreign Secretary, lord Curzon, démontrait, dans une note en cinquante-cinq points, que l'occupation de la Ruhr constituait une agression en pleine paix, qu'elle déchirait le traité de Versailles, mais, de son écriture menue, le robin Poincaré réfutait un par un les cinquante-cinq points de lord Curzon puis, devant un monument aux morts de la Meuse, déclarait que la France ne partirait de la Ruhr que « lorsqu'elle aurait été payée ». Le paiement étant impossible, on pouvait en conclure que la France était dans la Ruhr pour toujours.

Le mythe du gage productif s'était évanoui, mais le nationalisme français trouvait encore la justification de l'occupation dans les dommages gigantesques qu'il infligeait à l'adversaire. L'ablation de la Ruhr, complètement coupée du reste de l'Allemagne par un bouclage routier, fluvial et ferroviaire, ravageait l'économie allemande. Des dizaines d'usines fermaient faute d'acier ou faute de charbon. Le chômage prenait des proportions catastrophiques. L'entretien de la résistance passive, la nécessité d'assurer la survie de toute la population rhéno-westphalienne, patriotiquement oisive, entraînaient des charges qui ne pouvaient être financées que par une inflation démentielle. Le dollar valait quarante-six mille marks en avril; soixante-dix mille en mai; cent cinquante mille en juin; un million en juillet; trois millions au début d'août. L'Allemagne ruinait sa classe moyenne, détruisait sa bourgeoisie pour soutenir une lutte sans espoir.

Le Reichstag se réunit le 10 août. Le groupe socialiste annonça qu'il retirait le soutien qu'il avait accordé au cabinet. Fou de soulagement, Cuno courut démissionner. Quelques heures plus tard, Gustav Stresemann était appelé au poste de chancelier. Il constituait, pour la première fois dans l'histoire politique allemande, un cabinet dit de Grande Coalition, réunissant le parti populiste (Deutsch Völkspartei), les catholiques du Zentrum et les sociaux-démocrates. Ceux-ci obtenaient le poste de vice-chancelier et trois ministères essentiels : la Justice, les Finances et l'Intérieur.

Stresemann n'ignorait pas que cette rentrée des socialistes dans le gouvernement fédéral ouvrait un conflit avec la Bavière. Il tenta de le prévenir, fit le voyage de Munich, s'entretint avec Knilling « très vivement d'abord, puis amicalement », écrivit à l'archevêque de Munich, Michel cardinal Faulhaber, en lui demandant d'apaiser les esprits. Ni le ministre-président, ni le hautain prélat n'accédèrent à son plaidoyer. Munich s'ancra plus profondément dans la conviction que Berlin était un repaire de malfaiteurs et qu'il était réservé à la Bavière bleue et blanche de ramener sur l'Allemagne le noir-blanc-rouge du Reich bismarckien.

Le Deutsche Tag de Cobourg avait fait école. Les villes bavaroises devinrent tour à tour le théâtre de manifestations patriotiques. On se rassemblait le samedi soir. On créait l'ambiance par une retraite aux flambeaux. Le dimanche, un réveil en fanfare précédait les offices divins en plein air, puis les anciens combattants, les associations nationalistes, les autorités locales, la Reichswehr se rendaient au pas cadencé sur la place principale pour écouter les Führers. L'ancien drapeau impérial et le bicolore bavarois flottant sur les têtes recouvraient de vastes divergences, des compétitions fielleuses pour la clientèle et les subsides. Mais un sentiment commun, la haine du gouvernement de Berlin, qualifié infatigablement de judéo-marxiste, unissait les tendances différentes et les volontés disparates.

Hitler était la grande vedette des Journées Allemandes. Son existence commençait à être connue en dehors de la Bavière mais il passait encore pour l'homme de Ludendorff. C'est ainsi que le *Times* le qualifia lorsqu'il parla de lui pour la première fois — en l'appelant Hintzler. Il s'entourait d'ailleurs d'un certain mystère. Ses gardes du corps avaient l'ordre de briser l'appareil de tout reporter tentant de le photographier et, lorsqu'une agence américaine lui offrit la somme considérable de cent dollars pour son portrait, il répondit qu'il ne l'accorderait pas à moins de trente mille. On vient à mes réunions, disait-il, parce que j'intrigue les gens ; on y viendra moins si mon visage devient familier. Un jour cependant, un photographe d'Associated Press surgit devant Hitler, prit un cliché et se perdit dans la foule avant que les gorilles aient eu le temps de l'empoigner. Hitler, alors, accorda à Heinrich Hoffmann le monopole photographique de sa personne.

Cet Hoffmann — un homme de petite taille, aux yeux clairs lumineux, actif et avide d'argent — était déjà un photographe à sensation. Il avait enregistré une rencontre secrète de Guillaume II et de Nicolas II, ainsi qu'une querelle entre le Kaiser et son chancelier Bethmann-Hollweg au moment des incidents de Saverne. Son adhésion au parti national-socialiste remontait à 1921 et sa carte portait le numéro 427, mais son intimité avec Hitler ne commença qu'en 1923. L'atelier et le domicile du photographe se trouvaient au 50 Schellingstrasse, presque en face du 39, qui abritait le *Völkischer Beobachter*. Hitler devint un visiteur presque quotidien. Hoffmann ne pouvait cependant pressentir qu'il aurait un jour pour vendeuse une jeune personne nommée Eva Braun. Née en 1912, elle grandissait tout à côté, Isabellestrasse, au foyer très catholique et très petit-bourgeois de l'instituteur Fritz Braun.

Au cours du printemps et de l'été 1923, le parti enregistra trente mille adhésions nouvelles. Invoquant ses dissensions, le ministre de l'Intérieur bavarois Franz Schweyer n'en continuait pas moins de soutenir que son dynamisme était en baisse (4). Les éléments relativement modérés déploraient l'influence que l'ex-rouge Hermann Esser, dont la réputation était celle d'un gredin, paraissait exercer sur Hitler. Des critiques en sens inverse trouvent leur expression dans une curieuse lettre de Gottfried Feder en date du 10 août 1923 : « Vous vous laissez trop volontiers entraîner par Mister (sic) Hanfstaengl dans la « Société ». La « Société » n'a rien à faire avec votre Mission... Je comprends que vous trouviez un délassement dans un cercle de jolies femmes, mais vous risquez de voir s'élargir une brèche entre les masses et le cercle étroit qui vous entoure... » Feder demandait que le parti fût structuré et pourvu d'un « état-major » général, critique à peine masquée contre le Führerprinzip. « Le temps des condottieri est révolu... »

Nuremberg passait pour une ville rouge. Lorsque les associations patriotiques décidèrent d'y tenir un Deutsch Tag, les partis de gauche jurèrent qu'ils ne toléreraient pas que les réactionnaires revanchards vinssent parader sous leurs yeux. Ils ne parvinrent même pas à organiser une contre-manifestation. Le 1er septembre, des dizaines de trains spéciaux déversèrent à la gare centrale des foules dont les tenues allaient du feldgrau de la guerre aux costumes du folklore. Elles campèrent à la Luitpoldhaine où devaient s'élever, quelques années plus tard, les colisées du IIIe Reich et, le lendemain, entrèrent dans la vieille ville sous une mer d'oriflammes blanc-bleu et noir-blanc-rouge. L'enthousiasme transportait une population qu'on disait conquise à la république de Weimar. « Non seulement les femmes, dit le rapport de police, mais beaucoup d'hommes pleuraient. »

Hitler parla dans les six rassemblements entre lesquels se fractionnèrent les cent mille marcheurs de Nuremberg. Ses S.A. produisirent l'impression la plus profonde par leur nombre, leur discipline, leur air de résolution. Le destin de la médiévale Nuremberg, si germanique avec ses églises gothiques, ses maisons à pignons, ses rues tortueuses, son énorme bourg, était fixé dans l'esprit émotif et sentimental de Hitler.

A Nuremberg, les ligues patriotiques de combat resserrèrent encore leurs liens. Un Kampfbund fut scellé entre la S.A. nationale-socialiste, le Bund Oberland et la Reichsflagge. Le chef de cette dernière ligue, le capitaine en retraite Adolf Heiss, prit peur, battit en retraite, mais Röhm provoqua une scission et, sous le nom de Reichskriegflagge, forma à Munich une troupe d'environ trois cents gaillards à toute épreuve. Le porte-fanion fut un jeune homme à lunettes, rejeton d'une très pieuse famille munichoise, fils d'un ancien précepteur à la cour, Heinrich Himmler. L'ex-chef des Einwohnerwehren, le lieutenant-colonel Kriebel, se chargea de coordonner l'activité militaire des ligues de combat.

La tragédie allemande atteignait une intensité fantastique. Stresemann avait espéré ouvrir une négociation avec la France, mais Poincaré exigeait au préalable l'arrêt immédiat et inconditionnel de la résistance passive. Elle se poursuivait jusqu'au chaos. L'Allemagne reprenait son visage de détresse de 1918. La Ruhr était totalement morte, avec ses hauts fourneaux éteints, ses gares de triage silencieuses, ses milliers de chalands immobiles, sa population famélique dans laquelle la mortalité infantile avait décuplé. Ailleurs, les usines fermaient en chaîne, le chômage prenait des proportions terrifiantes, les chemins de fer s'essoufflaient, le charbon manquait dans les foyers. L'inflation était devenue quelque chose de grotesque dans sa monstruosité. Du 1er au 10 septembre, le montant des billets en circulation passa de trois cents à dix mille milliards de marks et le cours du dollar de trois à cent soixante millions. L'épargne, les valeurs à revenu fixe, les hypothèques, les placements de père de famille achevaient de s'anéantir. L'inconscient Poincaré, qui mérite de passer dans l'histoire comme le principal marchepied d'Adolf Hitler, ruinait, abolissait joyeusement la classe moyenne allemande, détruisait l'assise la plus solide de la nation, la préparait à être la proie d'un aventurier.

En Bavière, l'épreuve de force, la marche sur Berlin se préparaient ouvertement. Les ligues de combat intensifiaient leur entraînement et perfectionnaient leur armement. Hitler s'occupait plus que jamais de réunir des ressources financières. C'est à cette époque qu'il alla glaner à Zurich 33 000 francs suisses, et c'est encore à cette époque que son admiratrice énamourée, Hélène Bechstein, lasse de la ladrerie de son mari, puisa dans sa cassette à bijoux un lot de brillants, de saphirs et de rubis qui permirent à Hitler de gager un emprunt de 60 000 autres francs suisses. C'est encore à cette époque que l'homme réputé le plus riche d'Allemagne, Fritz Thyssen, fit son apparition à Munich et dans la carrière d'Adolf Hitler.

Successeur de son père à la présidence des Aciéries Réunies, Thyssen avait été expulsé par les Français pour sa participation à la résistance passive dans la Ruhr. Il voulait se rendre compte par lui-même de cette Bavière qui apparaissait comme le dernier pilier de l'ordre social dans une Allemagne menacée par la décomposition et l'anarchie.

Ludendorff lui recommanda d'aller écouter Adolf Hitler. « J'assistai à plusieurs de ses meetings. Je fus impressionné par ses dons oratoires, sa capacité à remuer les masses, l'ordre militaire qui régnait parmi ses adhérents... Je ne me rappelle pas exactement les circonstances de notre premier entretien, mais seulement que Hitler et Ludendorff étaient d'accord pour une expédition militaire contre la Saxe, afin de déposer le gouvernement communiste du docteur Zeigner, le but final de l'expédition étant de mettre fin à la démocratie de Weimar, dont la faiblesse conduisait l'Allemagne à l'anarchie... Les fonds manquaient. Je donnai environ 100 000 marks-or... non pas à Hitler directement, mais à Ludendorff en lui disant d'en disposer comme il le jugerait bon (5)... » On ignore la part que le général fit à Hitler.

***

Le 25 septembre, Stresemann convoqua les ministres-présidents des États et Villes Libres du Reich. Il leur dépeignit la situation et leur fit part des avertissements qu'il recevait. Il n'existait aucune chance de sortir du torrent de l'inflation aussi longtemps que le gouvernement fédéral devrait dépenser quotidiennement l'équivalent de 40 millions de marks-or pour financer la résistance passive. On envisageait l'émission d'une nouvelle monnaie, le Roggen-mark, le mark-seigle, basée sur le prix de cette denrée, mais il était hors de question d'y recourir avant un assainissement financier. Des conséquences politiques tragiques suivaient la débâcle économique et monétaire. En Saxe, et dans le Land voisin de Thuringe, les communistes étaient sur le point de s'emparer du pouvoir. En Rhénanie, les mouvements séparatistes s'étaient reconstitués avec des chefs prolétariens comme l'ouvrier Matthes et l'ancien socialiste Smeets, qui, dans ses réunions publiques, déclarait : « Les Français sont des hommes, les Prussiens sont des barbares... Je ne connais que la patrie rhénane... » La proclamation d'une République rhénane était imminente et le grand industriel westphalien Otto Wolf annonçait au chancelier que la population excédée de souffrance s'y rallierait. Hugo Stinnes lui-même, qui avait incarné l'esprit de résistance, Hugo Stinnes, dont les jours étaient comptés, avait dit à Stresemann : « Il faut céder. » La poursuite de la résistance passive menaçait jusqu'à l'unité allemande. Le gouvernement du Reich se résignait à y renoncer.

Aucun des ministres-présidents ne combattit cette décision, mais celui de Bavière, Eugen Ritter von Knilling, fit un discours pour souligner que l'invasion de la Ruhr avait déchiré le traité de Versailles et qu'il comptait bien que l'Allemagne ne se prêterait à aucune négociation sur la base de sa validité.

Le lendemain soir, ayant proclamé l'abandon de la résistance passive, Stresemann attendait à la chancellerie le bon conseiller, l'ami des mauvais jours, l'ambassadeur d'Angleterre, lord d'Abernon. Le téléphone appela de Munich. Knilling faisait savoir que, sur sa proposition, et pour prévenir les troubles prévisibles après la renonciation à la résistance passive, son gouvernement avait décidé de nommer commissaire général d'État en Bavière l'ex-ministre-président Gustav von Kahr, en lui transférant des pouvoirs discrétionnaires pour maintenir l'ordre et maîtriser la situation économique. Stresemann répondit qu'il connaissait la décision, puisque Knilling avait commis l'incorrection de la communiquer à l'agence Wolff avant de la lui annoncer, mais qu'il s'élevait contre elle avec la dernière énergie. Kahr avait été porté au pouvoir une première fois, en 1920, par le putsch Kapp. Il avait plongé l'Allemagne dans une crise internationale grave en s'opposant désespérément à la dissolution des gardes bourgeoises, Einwohnerwehren. Il était l'homme des ligues d'extrême droite et un monarchiste mystique. Sa nomination était aussi intempestive que possible. Elle allait contraindre le gouvernement fédéral à prendre des mesures pour affirmer son autorité et sauvegarder l'unité du Reich.

Là-dessus, on annonça lord d'Abernon. Stresemann raccrocha l'appareil.

Hitler et celui qu'il avait nommé chef d'état-major politique du N.S.D.A.P., Scheubner-Richter, apprécièrent ainsi la nomination de Kahr comme commissaire général d'État en Bavière : *ein Schwerer Schlag* — un coup dur... « La situation, qui nous était si favorable il y a encore vingt-quatre heures, s'est brusquement retournée. Nous sommes conduits à une riposte énergique pour parer à la manœuvre habile de l'adversaire... »

L'effondrement de la résistance passive donnait raison à l'homme, qui rompant l'unanimité nationale, en avait prédit l'inanité dès le premier jour — mais la dictature de Kahr rendait beaucoup plus difficile l'exploitation d'une victoire payée par l'humiliation de la patrie. Kahr avait pour lui l'opinion conservatrice, les principales ligues patriotiques, la Reichswehr du général von Lossow, la police d'État du colonel von Seisser. On pouvait croire possible de balayer d'un coup de main un Knilling faible et déconsidéré. Il fallait, avec Kahr, prendre du champ.

Quatorze réunions simultanées avaient déjà été annoncées pour stigmatiser la nouvelle trahison dont l'Allemagne était la victime. La première décision de Kahr fut de les interdire. Hitler s'inclina. « Je jugerai aux actes Son Excellence le Commissaire Général d'État... »

La France acclamait la renonciation à la résistance passive, célébrait la ténacité de Poincaré, savourait une victoire dont elle n'allait pas tarder à découvrir le néant. L'Allemagne était agitée de sentiments contradictoires, humiliation, colère et soulagement mêlés. La réapparition de von Kahr signifiait une nouvelle dissidence de l'insupportable Bavière, venant s'ajouter à toutes les calamités qui affligeaient la nation. L'article 48 suspendit, pour la quatrième fois en quatre ans, le fonctionnement des institutions constitutionnelles. Tous les pouvoirs gouvernementaux furent transférés au ministre de la Défense, l'ancien bourgmestre de Nuremberg, Otto Gessler, seule figure inamovible au milieu du tourbillon qui, depuis 1920, avait fait passer sur l'écran de la politique allemande six cabinets. Dans son ombre, le général Hans von Seeckt devenait l'autorité suprême du Reich.

Le « Bonsoir » et le monocle du 11 mars brûlaient l'orgueil de Hitler. Le moment de la vengeance était arrivé. Le *Völkischer Beobachter* du 27 septembre ouvrit ses colonnes par un article intitulé : *Die Diktatoren, Stresemann und Seeckt*. Le commandant en chef de l'armée était dénoncé comme un faux patriote et un enjuivé. La générale, née Dorothéa Jacobson, juive de Francfort-sur-l'Oder, adoptée par « un certain Fabian », gouvernait son époux, lequel renonçant à défendre l'intégrité du territoire allemand, capitulait devant les Français !

« En vertu de l'ordonnance prise la veille, raconte Gessler, mes pleins pouvoirs s'étendaient à la Bavière où le général von Lossow était mon représentant. Je lui télégraphiai de saisir et d'interdire le *Beobachter* en employant, s'il le fallait, la force. » La réponse arriva également par télégramme : « *Befehl unausführbar* — Ordre inexécutable (signé) Lossow. »

Ayant en main le télégramme de Gessler, Lossow l'avait porté à Kahr. « J'ai, lui dit celui-ci, reçu la même demande et l'ai repoussée en disant que l'interdiction du *Völkischer Beobachter* était susceptible d'entraîner des troubles graves. Vous êtes un général bavarois, et je ne saurais admettre que vous vous prêtiez à outrepasser l'une de mes décisions. »

Depuis cinq ans, la Reichswehr avait seule maintenu l'unité allemande, brisant le putsch de Kapp, maîtrisant les insurrections communistes, supprimant les mouvements séparatistes nés de la défaite. Le refus d'obéissance de Lossow signifiait la calamité suprême : la scission de la Reichswehr.

Quarante-huit heures plus tard, Kahr donnait tout son sens à l'attitude bavaroise. Il suspendait pour dix jours le V.B. en raison d'un entrefilet, « Artilleurs à vos pièces... L'ordre d'ouvrir le feu ne tardera pas... », qu'il considérait comme un appel à l'insurrection. Il niait qu'il existât une contradiction entre son refus du 28 et son acte du 30. La Bavière ne reconnaissait pas l'état d'exception proclamé à Berlin — mais la Bavière avait son propre état d'exception, et elle l'appliquait en suspendant le *Beobachter*.

Stresemann aurait voulu négocier. Gessler et Seeckt lui représentèrent que le principe de la subordination, base de l'institution militaire, était en cause et qu'aucune transaction ne pouvait être envisagée. Une ordonnance présidentielle cassa Lossow. Kahr répondit en nommant le général révoqué commandant militaire de la Bavière, avec juridiction sur toutes les formations de la Reichswehr stationnées sur le territoire du Land. Le 22 octobre, dans les cours des casernes, officiers et soldats levèrent rituellement deux doigts pour jurer fidélité au gouvernement bavarois, « curateur pour le peuple allemand jusqu'au rétablissement des relations entre la Bavière et le Reich ». Les généraux von Ruith et Kress von Kressenstein, commandant l'infanterie et l'artillerie divisionnaires, ainsi que le colonel Etzel, commandant le 20ᵉ R.I. à Ratisbonne, refusèrent de prêter le serment en disant qu'il constituait un acte insurrectionnel.

Immédiatement après la prestation de serment, Lossow réunit au siège de la région militaire 24 officiers supérieurs de l'armée, de la police et des ligues paramilitaires. Il les invita à se tenir prêts à marcher sur Berlin pour y établir une dictature de salut public. Les hommes des ligues seraient incorporés comme des réservistes dans les unités régulières dont on espérait ainsi tripler l'effectif. Le péril communiste en Thuringe fournissait un prétexte pour concentrer les troupes à la frontière nord de la Bavière, première étape vers Berlin.

Les ondes avaient déjà engagé les hostilités. La radio militaire de Nuremberg adressait des appels aux divisions de Potsdam, Stettin, Hanovre, Breslau, Dresde, Francfort-sur-l'Oder pour leur demander de se joindre à la décision de Munich et sauver la patrie. La radio militaire de Berlin répondait que la 7ᵉ division (bavaroise) était en état de mutinerie et qu'elle serait ramenée, s'il le fallait par la force, dans l'obéissance. La guerre de Sécession allemande était virtuellement ouverte.

Poincaré avait posé comme condition à toute négociation l'abandon de la résistance passive. Il soutenait maintenant, avec une mauvaise foi colossale, qu'il n'avait eu en vue que des négociations directes avec les industriels rhéno-westphaliens. Le gouvernement allemand était dessaisi dans les provinces occidentales. La voie était gardée libre devant l'entreprise des autonomistes rhénans.

Ils brûlaient les étapes. Vingt-quatre heures après le serment bavarois, une République rhénane avait été proclamée à Aix-la-Chapelle. Quatre jours plus tard, c'était à Coblence, siège de la Haute Commission Interalliée, que les séparatistes hissaient leur drapeau vert et rouge. Le Palatinat, territoire bavarois sur la rive gauche du Rhin, se constituait en république autonome, sous la présidence du propriétaire foncier Heinz aus Orbis. Le mouvement n'avait nulle part de racines profondes, consistait en petites bandes soudoyées et transportées par les autorités françaises, allant de ville en ville pour s'emparer des préfectures et des mairies que les autorités légitimes réoccupaient après leur passage. Mais la menace redoutable était l'émission d'un florin rhénan, garanti par la France, qui se serait substitué au mark agonisant.

Il agonisait tragiquement. Du 1er octobre au 1er novembre, le cours du dollar passait de 40 millions à 130 *milliards* de marks-papier. Le prix du kilo de pain atteignait 125 milliards. Les presses à billets tournaient jour et nuit. La crainte de manquer de papier et la peur d'une grève des imprimeurs hantaient les nuits du ministre des Finances. Les ouvriers se faisaient payer deux ou trois fois par jour, et se précipitaient dans les magasins pour se débarrasser des fortunes colossales et dérisoires qu'ils venaient de recevoir. Les étiquettes montaient encore plus vite que la dénomination des billets de plus en plus petits et de plus en plus grossiers. A la fin, personne ne voulait plus rien vendre, et les produits alimentaires n'arrivaient plus dans les villes. L'Allemagne vivait un véritable délire, courait à la famine et à la dissociation.

Le péril rouge s'ajoutait au séparatisme et à l'inflation. Une insurrection était péniblement réprimée à Hambourg. En Saxe, le ministre-président Erich Zeigner prenait des communistes dans son gouvernement, ordonnait la formation de centuries prolétariennes et le désarmement de la 4e division militaire. La Thuringe suivait l'exemple de la Saxe. La Bavière, avec son gouvernement conservateur, était le seul roc un peu ferme au milieu d'une mer déchaînée. Mais aurait-elle la force de sauver l'Allemagne en perdition ?

Hitler brûlait d'agir, prenait de plus en plus conscience de son personnage, s'exaspérait des lenteurs et des irrésolutions des Bavarois. « J'avais eu, au printemps, raconte le général von Lossow, une série d'entretiens avec Hitler. Ils reprirent à l'automne, mais la forte impression qu'il m'avait faite au début s'atténua par la répétition de ses trop longs discours... Au printemps, il me déclarait qu'il ne nourrissait aucune ambition personnelle et qu'il se contenterait d'être le tambour du mouvement de libération nationale. A l'automne, il se prenait pour le Mussolini allemand, pour le Gambetta allemand, et ses fidèles n'étaient pas loin de voir en lui le Messie allemand... » Hitler disait à Lossow qu'il ne restait qu'à marcher lorsqu'on avait franchi le Rubicon et qu'un général qui s'était emparé d'une division pour se dresser contre ses supérieurs hiérarchiques ne pouvait être qu'un rebelle victorieux ou un vulgaire mutin. Il ajoutait que Lossow avait tort de voir en Gustav von Kahr le régénérateur de l'Allemagne. « C'est peut-être un bon administrateur ; ce n'est pas un dictateur... Le seul homme qui assure à un soulèvement militaire une certitude de succès est Ludendorff. Au-dessous du grade de colonel, tous les militaires sont pour lui. La Reichswehr ne tirera jamais sur Ludendorff... »

En réalité, les Bavarois hésitaient sur la rive berlinoise du Rubicon. A la fin d'octobre, dit Hitler, Kahr et Lossow se raccrochèrent à un brin de paille. La tourmente qui passait sur l'Allemagne ouvrait la possibilité d'un changement de régime sans qu'il soit nécessaire de recourir à la guerre civile, d'aller jusqu'à une marche armée de la Bavière sur Berlin.

Hugo Stinnes se mourait. A sa place, directeur général du groupe, Friedrich Minoux, vint à Munich pour informer les dirigeants bavarois des développements qui permettaient d'entrevoir, dans l'excès de l'épreuve, une issue sans tragédie.

Le régime se décomposait. L'énergique Gessler avait fait occuper Dresde, dispersé le gouvernement et les milices rouges, nommé un commissaire fédéral, mais ce succès, loin de consolider Stresemann, risquait de lui porter un coup fatal. Les socialistes étaient restés sourds au plaidoyer disant que la Reichswehr ne pouvait pas faire face à la fois au péril communiste en Saxe et au péril séparatiste en Bavière, et, indignés de la déposition de Zeigner, alors que Kahr restait en place, avaient retiré leurs ministres du gouvernement. Stresemann avait péniblement comblé les vides, mais, ravagé par le nouveau coup qu'il venait de recevoir, s'était alité, abandonnant les rênes du pouvoir. Les menaces de famine, de la guerre civile, de la dissociation de l'Allemagne ne détournaient pas les partis de poursuivre au Reichstag leurs querelles minables. La seule chance de salut consistait à remplacer le gouvernement infirme par un Directoire de personnalités indiscutables. Les préparatifs s'achevaient. On comptait sur le général von Seeckt, en dépit de ses attitudes antérieures. On attendait l'adhésion massive de la population, excédée, malade d'incertitude. La preuve était apportée que l'Allemagne n'était pas faite pour la démocratie parlementaire. Elle acclamerait un régime qui la ramènerait à ses traditions d'ordre et d'autorité.

Une nouvelle liaison fut convenue, confiée cette fois au chef de la police bavaroise, le colonel von Seisser. Avant de partir pour Berlin, il vit à deux reprises Ludendorff et Hitler. On leur demandait de se tenir tranquilles, de ne pas compromettre par une action irréfléchie le grand changement qui allait s'accomplir. Ludendorff promit qu'il n'entreprendrait rien sans avertir les autorités bavaroises. Hitler refusa de s'engager, mais finit par dire qu'il s'abstiendrait de toute initiative susceptible de mettre le parti national-socialiste en conflit avec la Reichswehr.

Le 4 novembre fut un beau dimanche ensoleillé. Tout ce qui comptait en Bavière était accouru à Munich portant dans des sacs à provisions des fortunes nominales colossales qu'un seul déjeuner dévorait. Le kronprinz Rupprecht posa dans la Hofgarten la première pierre du monument aux morts de l'armée bavaroise. Mais la foule frémissante attendait un grand événement, la proclamation du Direktorium dont elle faisait une formule magique contre le désastre dans lequel l'Allemagne se débattait. Elle se dispersa déçue. Les nazis se battirent avec la police et, malgré l'interdiction officielle, défilèrent derrière leurs drapeaux. « Le prestige de Hitler, écrivit le ministre plénipotentiaire du Wurtemberg, Karl Moser, est à nouveau en hausse. »

La foule munichoise ignorait que le rêve du Directoire s'était brisé la veille.

A Berlin, Seisser avait trouvé Minoux revenu de son assurance, disant qu'il fallait attendre que la faim et le froid aient porté le mécontentement populaire jusqu'au désespoir. Les dirigeants des associations patriotiques n'étaient pas, comme à Munich, les chefs de milices armées, maîtresses de la rue, mais des lièvres vivant sur le souvenir de l'échec de Kapp, déprimés par l'atmosphère prolétarienne de leur grande ville. La déception des déceptions était le général von Seeckt. Il avait essayé de ne pas recevoir Seisser. Il s'était entouré d'un nuage de généralités. Il avait repoussé la proposition de mettre la Reichswehr à la disposition de la réaction nationale. La lettre qu'il adressait à Gustav von Kahr débordait de recommandations de prudence, n'annonçait pas la moindre velléité d'action.

Le mardi 6 novembre, les chefs des ligues paramilitaires se retrouvèrent devant le triumvirat Kahr, Lossow, Seisser. La convocation précédente avait pour but de leur dire : « Soyez prêts! » Cette fois, on leur disait : « Interdiction stricte de bouger. » Les formes furent à peine respectées. Le chef militaire du Kampfbund, le lieutenant-colonel Kriebel, s'indigna d'avoir été traité comme un Gefreite menacé par un Feldwebel. Lossow et Seisser avertirent qu'ils s'opposeraient à toute folie telle qu'un putsch destiné à s'effondrer en trois ou quatre jours.

A nouveau, il existe une lacune dans une page importante de la vie d'Adolf Hitler. Il n'est pas possible d'établir à quel moment précis, à la suite de quelle délibération, sur le coup de quelle inspiration, il décida de reprendre l'initiative en passant à l'action devant laquelle le triumvirat battait la chamade. Les seuls qui furent informés, dans la journée du 7 novembre, furent Göring, Scheubner-Richter, Kriebel, le docteur Weber et Röhm. « Scheubner, dit Hitler, me demanda si Ludendorff devait être mis au courant. Je répondis : non. » Le général avait donné sa parole de ne rien entreprendre sans en avertir Lossow et Seisser; Hitler voulait s'épargner le risque d'un point d'honneur (6).

Les premiers flocons de neige de l'hiver tourbillonnaient dans l'après-midi du 8 novembre. Le personnel de la Bürgerbräukeller, 29 Rosenheimerstrasse, préparait la grande salle pour la réunion au cours de laquelle Son Excellence le Commissaire Général von Kahr devait exposer à l'élite de la société munichoise, convoquée par invitations individuelles, les perspectives politiques et les raisons de son attitude. Adolf Hitler s'attarda, en compagnie du photographe Hoffmann, dans une petite maison de thé de la Gärtnerplatz, puis il se rendit au chevet de Hermann Esser, malade d'une jaunisse. La nuit était proche lorsqu'il arriva Schellingstrasse, en même temps que Göring portant un paquet dans lequel se trouvait son casque d'acier. Il choisit cinq ou six gardes du corps : Amann, Graf, Rosenberg, etc., leur recommanda de ne pas oublier leur pistolet, puis dans la Benz rouge qui avait remplacé la Selwe, franchit le pont de l'Isar et s'engagea dans la Rosenheimerstrasse. Son imperméable recouvrait une jaquette à laquelle il avait épinglé sa croix de fer.

Röhm avait convoqué, à la Löwenbräukeller, une « réunion de camarades ». Brückner avait reçu, le matin même, l'ordre d'y envoyer deux bataillons de S.A. et de conduire le troisième Rosenheimerstrasse. Streicher était appelé de Nuremberg et Strasser de Landshut, avec tous leurs hommes. Le bataillon Oberland était chargé d'entraîner les soldats des casernes de l'infanterie et du génie. Les lieutenants Rossbach, Wagner et Pernet, ce dernier beau-fils de Ludendorff, devaient faire prendre les armes aux cadets de l'École d'Infanterie. La police de Munich n'avait éventé aucun de ces préparatifs, improvisation de la dernière heure. Le service d'ordre, autour de la brasserie où von Kahr prenait la parole, se réduisait à quelques agents.

La chope coûtait un trillion de marks. Toutes les tables de la vaste salle, surplombée par une galerie surbaissée, étaient occupées. L'élite de la société munichoise était là. Le vestiaire disparaissait sous les fourrures des Damen, les pelisses et les chapeaux de soie des Herren, les manteaux et les sabres des Offiziere. Knilling, ses ministres et ses hauts fonctionnaires avaient pris place sur l'estrade des musiciens, en avant de laquelle on avait dressé une petite tribune. Le conseiller commercial Zentz, organisateur de la réunion, avait salué l'auditoire et donné la parole à Son Excellence von Kahr. « L'homme le plus énergique, était-il en train de dire, est impuissant à sauver son peuple s'il ne reçoit pas un appui actif de l'esprit public... » Il était 8 h 45, le 8 novembre 1923, au soir...

Il y eut, à l'entrée, une bousculade. « Je crus, dit Kahr, que c'étaient des communistes venant perturber la réunion. » Il ne reconnut Hitler que lorsque celui-ci fut à deux pas, monté sur une chaise et brandissant un pistolet. Des S.A. armés s'incrustaient dans la foule, au milieu des cris de femmes et du fracas des chopes se brisant sur le sol. Hitler tira une balle en l'air, hurla : « Silence! », s'empara de la tribune d'où Kahr s'était retiré. Sa voix gutturale retentit : « La Révolution Nationale a éclaté! La salle est cernée par six cents hommes armés. Si l'ordre n'est pas immédiatement rétabli, une mitrailleuse sera hissée dans la galerie. Le gouvernement bavarois est dissous. Un gouvernement provisoire du Reich va être constitué. Excellence von Kahr, Excellence von Lossow, Monsieur le Colonel von Seisser, je vous invite à me suivre. Je réponds de votre sécurité... » Ils furent conduits dans une petite salle attenante au vestiaire. Kahr avait eu le temps, dit-il, de murmurer aux deux autres : « *Komediespielen. — Jouons la comédie.* »

Göring avait remplacé Hitler à la tribune. Il creva, lui aussi, le plafond d'une balle de revolver, puis fit un petit discours disant que personne ne devait bouger, ou gare... On avait la chance d'assister à un événement historique et, jovial : « Vous avez votre bière! »

Dans la petite salle, Hitler prenait à témoin son pistolet : « J'ai là quatre balles, si l'affaire rate, trois pour vous, une pour moi. » Kahr joua les stoïques : « Vous pouvez me tuer ; vivre ou mourir n'a pas d'importance. » Mais Hitler ne voulait pas tuer. Aux hommes qu'il menaçait, il distribuait les plus hauts postes de l'État : à Lossow, le ministère de la Reichswehr ; à Seisser, le ministère de la Police ; à Kahr, la régence en Bavière, avec l'ex-préfet de police Pöhner, comme ministre-président. Ludendorff serait généralissime de la nouvelle armée allemande, et, lui, Hitler, chancelier du Reich !

Les trois hommes tentèrent de se concerter. Hitler coupa court : « Ces Messieurs ne doivent pas se parler. » Il sortit un moment, laissant au docteur Weber le soin de surveiller le trio, reparut à la tribune, jura qu'il serait demain victorieux ou mort. Il venait de regagner la petite salle lorsqu'on entendit à côté des « Heil ! » et des « Hoch ! ». Ludendorff, que Scheubner-Richter était allé chercher à la Ludwighöhe, arrivait en pardessus civil. « Messieurs, dit-il à Kahr, Lossow, Seisser, je suis aussi surpris que vous. Mais le pas est franchi et il s'agit de la patrie allemande. Je ne puis vous dire qu'une chose : Soyez avec nous ! »

Lossow céda le premier d'un bref : « Gut ! C'est bon ! » Seisser fit un signe d'assentiment. Kahr finit par déclarer : « Je consens à prendre la responsabilité de la Bavière comme lieutenant général de la monarchie. » Hitler haussa les épaules : « Personnellement, dira-t-il à son procès, cela m'était totalement égal. La question de la monarchie bavaroise ne m'intéressait pas. » Il revint triomphant dans la grande salle, à la tête de ses ministres. On échangea des accolades et des déclarations patriotiques. « Nous ne pouvions nous douter, diront beaucoup de spectateurs, qu'il s'agissait d'une comédie... »

A la Löwenbräu, Röhm avait annoncé au milieu d'acclamations délirantes, le grand événement qui se déroulait de l'autre côté de l'Isar. Les centuries se formèrent en colonne et se mirent en marche, musique en tête, vers la Rosenheimerstrasse. Elles n'avaient pas encore atteint les Ludwigbrücke quand un motocycliste apporta à Röhm l'ordre d'occuper le ministère de la Guerre. Il rebroussa chemin avec le contingent de ses Reichskriegflagge, pendant que la S.A. continuait sa marche vers la Bürgerbrau. Le ministère de la Guerre n'était gardé que par quelques plantons. Röhm s'y installa, barricada les issues et attendit.

Bund Oberland était moins heureux. Ceux de ses membres, dont le général en retraite Aether, qui s'introduisirent dans la caserne du génie, furent désarmés et arrêtés. A la caserne du 19e R.I., l'intervention énergique d'un capitaine fit cesser une distribution d'armes et expulser les putschistes. Les Cadets de l'École d'Infanterie qui avaient suivi les lieutenants Rossbach, Wagner et Pernet tournèrent sans mission précise dans le centre de la ville et prirent le parti de rallier la Bürgerbräukeller.

La soirée historique s'achevait. Les portes avaient été ouvertes. La foule opulente s'écoulait dans la nuit très sombre. Les S.A. avaient mis en état d'arrestation Knilling et ses collègues, mais, à 22 h 30, Kahr, Lossow et Seisser sortirent libres, montèrent dans leurs voitures et se dirigèrent vers le centre de Munich. Esser, qui s'était arraché de son lit, arriva au même moment, s'étonna qu'on laissât partir ainsi des personnages aussi importants. Le docteur Weber répondit que les trois Messieurs avaient donné au général Ludendorff leur parole d'officier allemand de rester fidèles à la révolution nationale qu'Adolf Hitler venait de proclamer.

Sur l'autre rive de l'Isar, les Messieurs se séparèrent. Kahr gagna le Commissariat général. Lossow, suivi de Seisser, se rendit au bureau de la place où le commandant d'armes, le général Danner, l'accueillit en disant : « Excellence, c'était bien du bluff? » Les généraux Ruith et Kress étaient également présents, en civil. Ils dirent à Lossow qu'ils avaient spontanément pris des mesures pour résister au putsch, que les casernes étaient désormais à l'abri d'un coup de main, que les garnisons de Landshut, Ratisbonne, Passau, Augsbourg avaient été alertées et qu'elles se préparaient à envoyer des renforts à Munich. Lossow approuva puis, jugeant la Kommandantur trop exposée, se transporta à la caserne du 19e R.I., en compagnie de Seisser.

Au Commissariat général, Kahr s'était retiré dans son appartement privé. Pöhner, flanqué de son adjoint Frick, en força l'entrée et demanda au régent de Bavière de notifier à toutes les autorités la révolution qui venait de s'accomplir. Kahr tergiversa, gagna du temps et, apprenant que Lossow et Seisser se trouvaient à la caserne d'infanterie, décida d'aller les rejoindre. Un détachement de l'École des Cadets occupa le Commissariat général quelques instants après son départ.

Stresemann, remis sur pied, avait été informé du putsch en achevant de dîner, avec le docteur Schacht, à l'hôtel Continental. La situation aurait pu être tragique si le gouvernement avait eu affaire à d'autres qu'à des putschistes amateurs. La garnison de Berlin se réduisait à un régiment fourni par les Länders et le hasard voulait que la seule troupe de garde, ce soir-là, fût la compagnie bavaroise. Mais Hitler n'avait pas pris la peine de pousser des ramifications dans la capitale du Reich et il avait même omis de faire occuper le central téléphonique de Munich. De la chancellerie, où le conseil des ministres se réunit précipitamment, Stresemann, Gessler et Seeckt purent se concerter avec Kahr et Lossow. A 2 h 55 du matin, la radio de Munich diffusa un communiqué disant que le commissaire général d'Etat von Kahr, le lieutenant général von Lossow et le colonel von Seisser réprouvaient le coup d'État de Hitler et que l'adhésion qui leur avait été arrachée par la force était sans valeur. Des affiches reproduisant le communiqué furent hâtivement commandées dans les imprimeries. Elles furent composées à côté des journaux annonçant la révolution nationale et énumérant les ministres du « chancelier » Adolf Hitler.

Le sommeil de Munich était à peine troublé. Des nazis saccageaient la rédaction de la *Münchner Post,* arrêtaient le maire socialiste et se faisaient remettre par l'imprimerie des frères Parcus 14 605 trillions de marks en coupures de cinquante milliards, mais les rues voisines n'eurent même pas connaissance de ces actes de violence. Hitler fit une apparition au ministère de la Guerre, félicita Röhm, harangua ses soldats, puis retourna à la Bürgerbräukeller transformée en forteresse. Ludendorff arriva à son tour, visiblement soucieux, et, à cinq heures du matin, reçut le colonel Leupold, chargé par Lossow de l'informer que la Reichswehr n'était pas derrière le putsch. Il grommela quelque chose dans laquelle il était question de la valeur de la parole d'un officier bavarois, puis se fit reconduire chez lui.

Les heures se traînent. L'aube, péniblement, délaie la nuit. On commence à poser les affiches désavouant le putsch. La police prend position dans les rues, arrête dans les faubourgs les camions amenant les nazis de l'extérieur. Un fort détachement de la Reichswehr, avec des minenwerfers et des canons, encercle le ministère de la Guerre, que Röhm jure de défendre jusqu'à la mort. Hitler reste totalement inerte, somnolant et pérorant, ne cherchant même pas à s'informer. « Jusqu'à midi, dira-t-il, aucune nouvelle ne me parvint... » Il attend.

Lorsque Ludendorff reparaît, il trouve Hitler résigné. L'affaire est manquée. Il ne reste plus qu'à s'enfuir vers Rosenheim pour essayer de trouver un refuge dans la montagne.

Ludendorff est d'un autre avis. Le putsch dans lequel il a été entraîné à son insu, il refuse d'y renoncer sans lutte. Il croit immensément à la puissance de son nom. Son apparition dans les rues de Munich à la tête d'un cortège patriotique doit soulever une vague de fond populaire, un torrent d'enthousiasme, une marée de colère contre les parjures que sont Kahr et Lossow. Et comment la Reichswehr, et même la police, recrutée parmi les anciens combattants, tireraient-elles contre le soldat qui fut l'âme de la guerre allemande de 1914 à 1918 ?

Le cortège se forme vers midi. Il est fort d'environ deux mille hommes, dont une centaine porteurs de fusils de guerre. La consigne est donnée de les décharger.

Le premier obstacle est un barrage de police verte tendu en avant des ponts Ludwig. L'officier qui le commande, le lieutenant Höfler, a l'un de ses frères dans les rangs des marcheurs. Il parlemente, laisse la tête de la colonne venir au contact de ses hommes qui sont enfoncés d'une poussée brutale, désarmés, frappés, traînés en captifs à la Bürgerbräukeller.

L'Isar est franchie. La grande artère du Tal conduit vers le centre, vers les quartiers officiels. Le cortège tourne à angle droit dans la Weinstrasse, approche du théâtre ordinaire des manifestations munichoises, la place de l'Odéon, la Residenzplatz, la Feldherrnhalle. Des applaudissements de plus en plus nourris crépitent sur les trottoirs.

Au ministère de la Guerre, dont le cortège se rapproche, le premier sang vient de couler. Des coups de feu partis d'un toit ont blessé deux soldats de la Reichswehr. La riposte a tué le lieutenant de réserve Casella et blessé mortellement un autre membre de la Reichskriegflagge. Röhm, sommé de se rendre, répond qu'il n'obéit qu'aux ordres du général

Ludendorff. Il a fait dresser les chevaux de frise dans la Schönfeldstrasse. Le porte-fanion Himmler, maigre jeune homme à lunettes, est parmi les hommes qui les défendent.

La Weinstrasse se prolonge par la Theatinerstrasse, par laquelle on accède à la place de l'Odéon. Un solide barrage de police verte l'obstrue. Le cortège hitlérien tourne à droite, dans l'étroite Perustrasse, puis à gauche, dans la Residenzstrasse, qui conduit également à la place de l'Odéon. Deux porte-drapeaux ouvrent la marche. Hitler suit, au premier rang, bras dessus bras dessous avec Scheubner-Richter à sa droite et Ulrich Graf à sa gauche. Ludendorff est un peu plus à droite, s'efforçant de gagner un pas sur ses voisins. Göring marche au second rang, ainsi que Rosenberg, Streicher, Strasser, Hess, Amann... toute l'élite, tout l'état-major nazi.

La Feldherrnhalle, le Portique des Maréchaux, se trouve à la pointe du triangle formé par les Theatiner et Residenzstrassen. Le lieutenant Michael von Godin était en réserve dans la première de ces rues avec sa section de police. Le cortège ayant changé d'itinéraire, il se précipita pour renforcer le barrage de la Residenzstrasse. Les nazis criaient : « Ne tirez pas! Son Excellence Ludendorff est là! » Godin, « le visage rouge de fureur », suivant un témoin, tenta de s'emparer d'un drapeau. Un coup de feu, dont il ne fut jamais possible d'établir qui l'avait tiré, claqua, explosa en une salve, suivi de détonations espacées. Le pavé se joncha de morts et de blessés. Le cortège tourbillonna, se dispersa, emplissant les petites rues adjacentes des nazis criant que Ludendorff était mort, que Hitler était mort et que l'Allemagne était perdue.

Ludendorff n'était pas mort. Sans daigner saluer les balles, il avait marché tout d'une pièce vers le barrage de police qui s'était ouvert devant lui. Hitler n'était pas mort. Son voisin de gauche, Ulrich Graf, l'avait couvert de son corps recevant une blessure presque fatale. Son voisin de droite, Scheubner-Richter, tué net, l'avait entraîné dans sa chute et, en tombant, s'était renversé sur lui. Hitler ne sut jamais comment il s'était dégagé de l'étreinte de Scheubner et comment il s'était éloigné de la Feldherrnhalle éclaboussée de sang. La voiture sanitaire nationale-socialiste stationnait sur la place Max-Josef, en face de la poste centrale. Le docteur Walther Schulze, qui avait déjà recueilli un adolescent blessé d'une balle perdue, y fit monter le Führer. Il s'était luxé l'épaule dans sa chute, paraissait hébété, presque hagard.

La voiture zigzagua dans les petites rues du centre, déposa le jeune blessé chez ses parents dans le Tal, et, à la demande de Hitler, se dirigea vers Uffing. Les Hanfstaengl y possédaient deux villas, l'une habitée par la mère, l'autre par le jeune ménage. Putzi n'était pas rentré de Munich mais sa femme américaine ouvrit la porte sans hésitation au Führer vaincu.

A Munich, on dénombrait les victimes : seize morts chez les nazis, dont Scheubner-Richter et le vice-président du parti, Oskar Kröner, trois morts parmi les policiers. Röhm se résignait, évacuait le ministère de la Guerre, se constituait prisonnier. Des mandats d'amener étaient lancés contre Göring, Weber, Kriebel, Eckart, Brückner, etc. Gustav von Kahr sortait victorieux de l'épreuve commencée la veille à la Bürgerbräukeller.

Mais l'opinion publique se tournait déjà contre lui. Knilling, libéré après sa courte détention, déclarait en Conseil des ministres que Kahr était devenu en vingt-quatre heures l'homme le plus impopulaire de Bavière et que son maintien comme commissaire d'État était impossible. L'Université manifestait aux cris de « *Kahr parjure!* » et « Vive Hitler! ».

Frau Hanfstaengl avait logé Hitler dans une petite pièce sous les combles. Le docteur Schultze le tortura en essayant vainement de remettre en place l'épaule luxée. Il n'était pas sorti de son accablement, disait que tout était perdu, parlait de suicide, promettait de s'éloigner dès que les Bechstein lui auraient envoyé la voiture rapide qu'il leur avait fait demander. Il essaierait de trouver une cachette du côté de Berchtesgaden.

Le 11 novembre — jour fatal — le poste de police de Weilheim reçut, par le canal de la préfecture de Haute-Bavière, l'information d'un dénonciateur disant qu'Adolf Hitler se cachait à Uffing, chez *Frau* Hanfstaengl. Le lieutenant Rudolf Belleville partit dans un camion avec douze policiers, mais il fouilla d'abord longuement la villa de Madame-Mère. Le soir était tombé lorsqu'il se présenta chez la belle-fille. Hitler parut sur le palier, en pyjama blanc, déclara qu'il se rendait et tendit la main à Belleville, qu'il connaissait depuis 1919. Il avait suivi de ses combles la fouille de la villa voisine, mais n'avait fait aucune tentative pour s'échapper. Les policiers durent l'aider à s'habiller, geignant de douleur.

La voiture des Bechstein arriva quelques minutes après le départ du camion de la police emmenant le captif à la forteresse de Landsbergam-Lech, sur la route de Munich à Lindau.

8

LE PRISONNIER DE LANDSBERG
ÉCRIT « MEIN KAMPF »

Le procès des principaux acteurs du putsch de Munich commença le 26 février 1924, dans la salle d'honneur de l'ex-école d'Infanterie. Dix accusés de haute trahison prirent place avec leurs avocats à de petites tables séparées faisant face à la longue table surélevée derrière laquelle siégeaient le président du tribunal, Georg Neithardt, et ses deux assesseurs. Ces accusés étaient : Ludendorff, Hitler, Kriebel, Weber, l'ex-préfet de police Pöhner, son adjoint Frick, le capitaine Röhm, les lieutenants Brückner, Wagner et Pernet.

Cette liste était une sélection. D'autres accusés devaient être jugés dans un procès postérieur. D'autres s'étaient soustraits à l'action de la justice, dont Göring, qui, grièvement blessé de deux balles dans l'aine, s'était évadé de l'hôpital où il avait été admis sur parole et réfugié en Autriche. Dietrich Eckart, arrêté le 12 décembre, détenu jusqu'au 22, était mort à Berchtesgaden deux jours après sa libération. Vingt ans plus tard, au sommet de sa puissance, Hitler continuait à citer avec affection et admiration celui qui, dans les jours difficiles, avait été son mentor.

Un événement de première importance s'était inséré entre le putsch et l'ouverture du procès. Le cauchemar monétaire avait pris fin avec la brusquerie d'un réveil en sursaut. De l'idée d'un Roggen-mark, d'un mark-seigle, le jeune financier Hjalmar Schacht avait tiré le Rentenmark dont la principale qualité technique résidait dans l'aspiration passionnée du public pour une devise stable. Émis le 15 novembre, à la parité d'un trillion, un milliard de milliards de marks-papier, le Rentenmark consacrait la perte d'une fortune immense, la ruine des épargnants, la prolétarisation de la classe moyenne. Mais il rendait une base à la vie. Il fut accueilli avec une véritable ferveur.

Un autre événement, une volte-face, ouvrait sur l'avenir des perspectives moins sombres. Après avoir juré qu'il ne remettrait jamais la créance de la France à l'arbitrage des financiers internationaux, Raymond Poincaré avait accepté la constitution d'un comité présidé par le général businessman américain Charles Dawes. Le comité élaborait un plan pour l'aménagement des réparations dont on pouvait espérer un retour au réalisme. Mais la Ruhr restait occupée. L'aventure séparatiste, ayant totalement échoué en Prusse rhénane, ne s'était prolongée au Palatinat bavarois que pour être liquidée en deux tragédies : l'assassinat à Spire, du gouvernement séparatiste et le lynchage à Pirmasens (1) de ses derniers militants. Les relations franco-allemandes restaient empreintes de haine.

Sauf le lieutenant Wagner, les accusés étaient en civil. Hitler portait la même jaquette, ornée de sa croix de fer, qu'à la Bürgerbräukeller. Il prit la parole après la lecture de l'acte d'accusation. S'exprimant sans éclat de voix, presque sans gestes, il construisit le système qui allait retourner la défense en accusation. Kahr, Lossow et Seisser avaient poursuivi le même but que les inculpés ici présents. Ils voulaient, comme eux, faire partir de Munich le mouvement de libération nationale et chasser le gouvernement judéo-marxiste, inféodé à l'étranger, qui prolongeait à Berlin le règne des criminels de novembre. Lui, Hitler, par son intervention à la Bürgerbräukeller, n'avait fait que forcer des volontés fléchissantes, que relancer une tentative qui se laissait entraver par des difficultés surestimées. Kahr, Lossow et Seisser avaient accepté les postes qu'il leur offrait dans le futur gouvernement du Reich. Ils lui avaient donné l'accolade en public. Lui, Hitler, pouvait les retenir en otages ; il les avait laissé partir librement parce qu'il avait cru en leur parole — et, à peine libres, ils avaient traîtreusement, de connivence avec les gens de Berlin, écrasé l'espoir de régénération nationale que l'auditoire de la Bürgerbräukeller avait acclamé !

Après Hitler, tous les accusés prononcèrent des apologies d'eux-mêmes, longues et agressives. Le public applaudissait. Le président se prodiguait en prévenances. Il laissa Ludendorff donner lecture d'un pamphlet de quarante-deux feuillets dactylographiés dont il avait fait distribuer le texte à la presse. Mais la morgue du général, ses attaques contre l'Église catholique et contre la dynastie bavaroise causèrent une gêne, mirent mieux en relief la modération de forme et la souplesse d'argumentation d'Adolf Hitler.

Kahr, Lossow et Seisser comparurent comme témoins à partir du douzième jour des débats. Kahr n'était plus commissaire d'État et Lossow avait été mis à la retraite d'office (2). Fouaillés de questions, alternativement par le président et par Hitler, ils durent reconnaître qu'ils avaient partagé les intentions qui amenaient les accusés devant leurs juges et ne purent nier qu'ils avaient donné à Hitler leur parole d'honneur. Lossow objecta qu'il avait été menacé d'un pistolet. La réplique de Hitler le foudroya : « Que doit-on penser d'un général allemand qu'un seul pistolet suffit à dompter ? »

Pour Hitler, le procès de Munich représente une promotion que des années de travail politique n'eussent pas suffi à lui assurer. Dans toute l'Allemagne, les journaux lui consacraient des colonnes. La tentative de coup d'État, ridiculisée hors d'Allemagne sous le nom de « putsch de brasserie », prenait un autre éclairage en s'insérant dans une entreprise à laquelle les autorités civiles et militaires les plus hautes du Land de Bavière avaient participé. Le nom d'Adolf Hitler sortait de l'ombre, pénétrait dans les mémoires, s'amplifiait aux dimensions de la nation.

Les débats s'achevèrent le 31 mars sur un grand discours de Hitler. Il annonça que le putsch du 8 novembre resterait dans l'histoire comme une étape de la régénération allemande : « Il n'aurait échoué que si une mère était venue me dire : *Herr* Hitler, vous avez la mort de mon fils sur la conscience. Aucune ne l'a fait. Plusieurs, au contraire, m'ont écrit pour me dire qu'elles étaient fières de leur sacrifice et qu'elles m'encourageaient à poursuivre mon combat pour la libération de l'Allemagne. C'est un devoir qui m'est dicté par les martyrs de la Feldherrnhalle. Je l'accomplirai. »

Les peines furent légères. Ludendorff était acquitté. Röhm, Frick, Brückner, Wagner et Pernet étaient condamnés à un an et deux mois de prison, mais le tribunal, en leur accordant le bénéfice du sursis, ordonnait leur mise en liberté immédiate. Hitler, Weber, Kriebel et Pöhner recevaient cinq ans, mais avec la spécification qu'ils seraient libérables au bout de six mois si le gouvernement bavarois estimait que les circonstances politiques ne s'opposaient pas à cette mesure de clémence.

Le soir même, une puissante escorte ramenait Hitler à Landsberg. Weber et Kriebel l'accompagnaient. Pöhner restait à Munich pour un traitement médical.

Landsberg-sur-Lech est une petite ville médiévale aux toits couronnés de nids de cigognes. Ce qu'on appelait la Forteresse était, en réalité, une prison modèle reconstruite peu d'années auparavant. Cinq cents détenus occupaient la partie destinée au droit commun. Aux politiques, on avait réservé un pavillon de quatorze chambres, dont l'assassin d'Eisner, le comte Arco-Valley, était l'unique pensionnaire en novembre, au moment de l'incarcération de Hitler. L'épaule luxée de celui-ci avait été réduite à l'infirmerie, puis on lui avait assigné au premier étage, la chambre numéro 7 que, seuls, les barreaux des fenêtres assimilaient à une cellule. Il la retrouvait, après avoir été détenu à l'École d'Infanterie pendant les trente-trois jours du procès. Kriebel et Weber furent logés dans les deux cellules voisines, numérotées 8 et 9. L'appartement aménagé au rez-de-chaussée pour Son Excellence le général Erich Ludendorff resta vacant.

Des deux fenêtres de Hitler, la vue se déployait sur la vallée du Lech. L'ameublement n'était pas sensiblement inférieur à celui du garni de la Thierschstrasse : un lit de fer, une lampe de chevet, une table, deux sièges, une machine à écrire. Il s'y ajouta, dès le lendemain, une profusion de fleurs.

Arco-Valley avait été transféré dans une autre partie du pénitencier. Le chef du Bund Oberland, le chef militaire du Kampfbund et le chef du parti national-socialiste restèrent seuls. Dans cette prison bienveillante, les cellules n'étaient fermées que la nuit. Les trois hommes se fréquentaient librement, prenaient leurs repas ensemble, se promenaient à loisir dans une longue allée plantée d'arbres fruitiers. Le contraste de ses deux compagnons amusait Hitler. Kriebel, que les gardiens appelaient « papa Kriebel », était un colosse, officier de toutes ses fibres : lorsqu'il recevait un colis, il brisait les ficelles d'un violent effort. Le docteur vétérinaire Weber, au contraire, dénouait patiemment les nœuds. Il portait lunettes, cultivait la gymnastique, l'histoire naturelle et l'astronomie. Une éclipse de soleil étant survenue, Weber en expliqua le mécanisme à ses deux co-détenus.

Hitler dira que son séjour à Landsberg avait été une année d'Université aux frais du gouvernement. Les livres s'entassaient dans sa chambre-cellule. Il écrivit un long article, qu'il fit parvenir à la revue *Deutschland Erneuerung*, la Renaissance Allemande, dont l'un des directeurs était l'Anglais naturalisé, gendre de Richard Wagner, l'écrivain raciste Stewart Houston Chamberlain. Précurseur de *Mein Kampf*, l'article marque une étape importante dans le développement de la pensée hitlérienne ; l'avènement de l'idée de l'espace vital, Lebensraum.

La doctrine nationale-socialiste avait été imprégnée jusqu'alors de la pensée bismarckienne. Le fondateur du IIe Reich considérait comme indispensable à la survie de son œuvre une alliance avec la Russie. Les premiers nazis ne répudièrent pas ce principe, soutinrent qu'il reprendrait toute sa force lorsque la Russie aurait été délivrée du fléau, le bolchevisme, sécrétion du judaïsme, qui la torturait. L'Angleterre, au contraire était, au même titre que la France, l'ennemie irréductible du peuple allemand et l'Italie, traîtresse à la Triple Alliance, voleuse du Sud Tyrol, n'était pas autre chose qu'une ridicule nation latine, méritant une correction exemplaire, n'inspirant que le mépris.

Hitler renverse ces données. La France seule reste à l'ouest l'ennemi héréditaire qu'il faut écraser pour trancher d'une manière définitive la question de la suprématie militaire en Europe. L'Italie et l'Angleterre sont les alliées naturelles de l'Allemagne. Le Tyrol du Sud n'est qu'une affaire de second ordre, qu'il faut avoir la clairvoyance d'oublier. La rivalité maritime et coloniale contre l'Angleterre ne doit pas être ressuscitée. L'Allemagne doit laisser à l'empire britannique les mers et les continents d'outre-mer. C'est à l'est, dans l'étendue continentale euro-asiatique — et par conséquent aux dépens de la Russie — que l'Allemagne doit conquérir l'espace nécessaire au pain et au développement de son peuple. *Mein Kampf* ne sera que l'amplification de ce condensé.

Le 29 avril, le quartier politique se peupla. Un second procès envoyait à Landsberg, pour des séjours de trois à six mois, trente-deux individus condamnés pour leur participation au putsch. L'ex-chauffeur de Hitler, Emil Maurice, était du nombre, ainsi que le chef de sa petite garde du corps, embryon de la S.S., Josef Berchtold. L'appartement de Ludendorff fut converti en dortoir et, à l'exception de celles de Hitler, de Kriebel et de Weber, toutes les cellules reçurent plusieurs détenus. La vie devint celle d'une caserne, avec le réveil à heure fixe, le rapport, les marques extérieures du respect. Berchtold exigeait une discipline rigoureuse. Les exercices physiques étaient obligatoires, et les combats de boxe si réalistes qu'ils furent interdits après qu'un des pugilistes eut été envoyé à l'hôpital dans un état alarmant.

Adolf Hitler, qui venait à peine de franchir son trente-cinquième anniversaire, s'abstint toujours de se mêler aux activités corporelles de ses compagnons de captivité — la pensée d'être surclassé par des individus plus jeunes, plus robustes et mieux entraînés lui étant insupportable. Il présidait les repas en commun, sous une banderole à la croix gammée, tolérée par le directeur de la prison, Otto Leybold. Les menus étaient les mêmes que ceux du personnel pénitentiaire, avec un carafon de vin ou un demi-litre de bière matin et soir.

C'est à Landsberg qu'Adolf Hitler mûrit l'idée des autoroutes et de l'automobile populaire. Il passait le plus clair de sa journée dans sa chambre, lisant, écrivant, dessinant et cogitant. Il était entouré du respect de ses codétenus et de la considération des gardiens. On l'appelait soit « *Herr* Hitler », soit « le Chef », les expressions « Führer » et « Mein Führer » n'étaient pas encore d'un usage courant.

Un flot humain, affirme un geôlier enthousiaste, déferla sur Landsberg : « chefs de l'industrie et du monde des affaires, prêtres de toutes les confessions, paysans, petits-bourgeois, avocats, officiers, professeurs, propriétaires, artistes, manœuvres, nobles, journalistes, éditeurs... » arrivant en auto, en camion, à vélo, à pied pour passer devant les murailles qui enfermaient Adolf Hitler. Les visites, limitées en principe à six heures par semaine, étaient plutôt des audiences qu'il accordait. Elles avaient lieu dans l'un des deux petits parloirs du premier étage, mais Heinrich Hoffmann, transgressant le règlement de la prison, pénétra dans la cellule du captif avec un appareil photo dissimulé sous son veston. Le cliché qu'il ramena, Adolf Hitler derrière des barreaux, couvrant l'Allemagne d'un regard fier et mélancolique, devint à des millions d'exemplaires un objet d'attendrissement.

Hanfstaengl, pendant son exil volontaire en Autriche, avait recherché la demi-sœur de Hitler, Angela Raubal. Il la trouva dans une maison ouvrière, où elle vivait avec sa fille, Angelina, dite Géli, allongeant les ressources de sa petite pension en travaillant comme femme de charge dans un institut pour étudiants israélites, Mensa Academica Judaïca. La sœur cent pour cent, Paula Hitler, vivait de son côté dans une mansarde, copiant des enveloppes pour une compagnie d'assurances. Hanfstaengl emmena Géli, alors âgée de quinze ans, à l'opérette, et ce fut peut-être par son canal que les relations se renouèrent entre Angela et Adolf. Elle fut, en tout cas, la seule ou l'une des très rares visiteuses de Landsberg, où, dit le geôlier Lurker, Hitler lui donna les marques « d'un tendre amour fraternel ». Géli, qui devait marquer d'un épisode tragique la vie de son oncle, ne paraît pas avoir accompagné sa mère.

L'idée d'écrire *Mein Kampf* fut suggérée à Hitler par Max Amann. L'ancien adjudant avait dû procéder à la liquidation des biens du parti et de son journal, l'un et l'autre interdits. L'actif ne dépassait pas une quinzaine de milliers de marks, mais Amann était parvenu à sauver du désastre les éditions Eher, qui employaient une vingtaine de personnes. Il demanda à Hitler d'écrire un pamphlet qu'il voulait publier sous le titre *Cinq ans de lutte contre le Mensonge, la Sottise et la Lâcheté*. Hitler se mit à l'œuvre, dictant à Emil Maurice qui, horloger de son état, et mal préparé au métier de secrétaire, tapait sur la machine ferraillante avec deux doigts.

Un nouveau pensionnaire arriva à Landsberg le 15 mai : Rudolf Hess s'était constitué prisonnier dans l'intention d'être réuni à l'homme qu'il admirait plus que tout au monde. Le tribunal avait comblé ses vœux en lui infligeant un an, six mois et trois jours de prison. Il releva Maurice dans la transcription de la pensée de Hitler. Désormais, la voix sonore du chef martelant ses phrases et le cliquetis de la vieille machine à écrire firent partie des bruits familiers de la division politique de Landsberg. Le dévot Lurker raconte que les gardiens se collaient à la porte pour recueillir à la source même la pensée sublime.

Publié en 1933, le témoignage de Lurker, alors S.S. Sturmführer, est sujet à caution. Ce n'est pas moins vrai des récits en sens contraire d'Otto Strasser. Suivant cet ennemi aveugle, c'est son frère Gregor qui donna aux détenus de Landsberg la recette pour se débarrasser des discours dont Hitler les assommait : lui suggérer d'écrire ses mémoires. « Strasser et les autres purent désormais jouer aux cartes et boire tranquillement... » La faille de l'histoire c'est que Gregor Strasser ne fut jamais le compagnon de captivité d'Adolf Hitler. Il ne fut arrêté que le 2 février 1924, à Landshut, pour tentative de reconstitution du N.S.D.A.P. et envoyé à Landsberg — mais, au lieu d'être dirigé vers la Forteresse, il fut simplement détenu à la maison d'arrêt, et remis en liberté sans procès le 26 février.

Avant son arrestation, Hitler avait eu le temps de griffonner un billet : « Cher Rosenberg, c'est vous maintenant qui dirigerez le mouvement. » Le destinataire avait trouvé un asile chez une vieille dame qui, dit-il, avait pour lui des soins maternels. Enhardi en constatant que la police bavaroise ne se livrait pas à une chasse à l'homme, il passa la frontière autrichienne aux environs de Noël, dans une neige épaisse, pour prendre langue à Salzbourg avec les fugitifs de Munich, Esser, Rossbach, Hanfstaengl, Streicher, etc. Göring, lui, était à Innsbruck. Opéré, hors de danger, mais souffrant de douleurs qui furent à l'origine de son goût pour la morphine, il s'était luxueusement installé dans le plus grand hôtel de la Maria-Theresia Strasse, encourant la jalousie et la censure des émigrés désargentés de Salzbourg. Il disait que Hitler s'était comporté comme un pleutre à la Feldherrnhalle et croyait que sa propre carrière politique avait pris fin sous les balles devant lesquelles le Führer s'était couché.

Rosenberg trouva les réfugiés de Salzbourg agités et divisés. Un plan pour enlever Hitler au cours de son procès avait été abandonné à la demande et sur l'intervention de son avocat, Lorenz Roder. Le chef d'une branche nationaliste dissidente, Albrecht von Graefe, proposait aux débris du N.S.D.A.P. d'adhérer à son parti populiste de la Liberté, Deutschevölkische Freiheitpartei. Ludendorff avait donné son accord, mais Esser et Streicher dénonçaient le projet comme une collusion avec un parti bourgeois et une basse tentative pour déposséder Hitler en profitant de la captivité qu'il subissait pour la patrie. Le très jeune Rosenberg manquait de l'autorité nécessaire pour imposer un arbitrage. Il rentra à Munich indécis et dépassé.

Le miracle du Rentenmark n'avait pas stabilisé la politique allemande. Tout en conservant les Affaires étrangères, Stresemann avait cédé la chancellerie au leader centriste Wilhelm Marx. Hitler était encore devant ses juges, le 13 mars, quand les supplications du président Ebert n'empêchèrent pas les socialistes de passer à nouveau dans l'opposition. La dissolution du Reichstag devint inévitable. Les nouvelles élections furent fixées au 6 mai 1924. Elles devaient être précédées d'un mois par le renouvellement du Landtag de Bavière.

Un nouveau brandon de discorde tomba au milieu des nazis privés de leur chef. Esser et Streicher réprouvèrent toute candidature national-socialiste et, pour défendre la pureté doctrinale, fondèrent la Communauté Populaire Grande Allemagne, Grossdeutsche Volkgemeinschaft. Ludendorff, Feder, Strasser, Frick répondirent en créant un Mouvement national-socialiste de la Liberté, N.S. Freiheitbewegung, qui étroitement allié à von Graefe, entreprit de combattre la démocratie avec l'arme de la démocratie : le suffrage universel.

La situation n'était pas simplifiée par le capitaine Röhm. Il avait, à sa libération, reçu par écrit d'Adolf Hitler la mission de reconstituer une formation de combat faisant revivre l'esprit et l'organisation de la S.A. Tout en s'appliquant à cette tâche avec des arrière-pensées insurrectionnelles, il n'avait pu résister aux séductions du Reichstag : mensualité de 600 marks, immunité parlementaire, carte de circulation gratuite sur les chemins de fer. Il figurait sur la liste raciste à côté de Graefe et de ses conservateurs renforcés.

Le besogneux Rosenberg avait fini par se prononcer pour la participation aux élections — en essayant de se faire enrôler sur la liste pleine de rêves. On lui rappela qu'il était naturalisé de la veille et qu'il était présomptueux de vouloir entrer de plain-pied au Parlement allemand. A la déception qu'il ressentit, s'ajouta une lettre sévère de Landsberg. Hitler rappelait qu'il avait toujours combattu les alliances et soutenu qu'un parti antiparlementaire comme le N.S.D.A.P. devait se défendre d'entrer dans le parlementarisme. Il entendait désavouer les nationaux-socialistes qui cédaient au mirage du Reichstag et du Landtag.

Consterné, Rosenberg demanda audience au prisonnier de Landsberg. Ludendorff consentit à l'accompagner pour une entrevue difficile. Le philosophe abscons et le général restaurateur du paganisme unirent leurs arguments pour démontrer au captif que la lutte électorale était momentanément la seule forme d'action susceptible de revivifier le national-socialisme. Hitler, de mauvaise grâce, renonça à jeter l'anathème sur les candidats.

L'Allemagne n'avait plus de raison particulière de mécontentement. Le séparatisme rhénan était mort. L'inflation s'éloignait comme un mauvais rêve. Les blessures faites à l'économie par l'occupation de la Ruhr se cicatrisaient. Les foules reprenaient leur aspect plantureux. Pourtant, les doubles élections du 6 avril et du 4 mai enregistrèrent une avance importante de l'extrême droite et de l'extrême gauche. Vingt-trois nationaux-socialistes entraient au Landtag de Bavière. Au Reichstag, les imprudents socialistes tombaient de cent soixante et onze à cent sièges. Les communistes doublaient leur représentation, faisaient élire soixante-deux des leurs. A l'autre aile, les nationaux-allemands avaient quatre-vingt-seize élus, devançant le Zentrum et talonnant la social-démocratie. La coalition des groupements racistes obtenait, à la surprise générale, un million neuf cent mille voix, qui leur donnaient trente-deux élus. Ludendorff, Strasser, Frick, Feder, Pöhner, Röhm lui-même en étaient.

Marx et Stresemann restèrent au pouvoir, un peu plus affaiblis. On mit plusieurs semaines pour trouver un successeur au ministre-président bavarois von Knilling. Un journaliste de petite apparence, rédacteur en chef du *Moniteur d'Augsbourg,* Heinrich Held, parvint à former un cabinet. Les nazis du Landtag lui déclarèrent une guerre sans merci.

Stériles en apparence, les élections du 4 mai portèrent un nouveau coup aux institutions de Weimar dans l'esprit public. Elles eurent une conséquence encore beaucoup plus importante en modifiant d'une manière totale l'optique politique d'Adolf Hitler.

Le directeur de la prison l'enregistre dans un rapport au ministre bavarois de la Justice : « *Herr* Hitler est sans nul doute devenu plus mûr et plus calme... Il entend reconstruire son mouvement, non plus pour renverser le gouvernement par la force, mais pour atteindre ses buts par des moyens légaux. » Leybold ne se trompait pas. Hitler avait reconnu qu'une tentative comme celle des 8 et 9 novembre relevait de la puérilité politique, qu'elle entraînait dans des risques immenses pour des chances de succès à peu près nulles. Il avait découvert dans le principe sacré de la démocratie qu'il voulait détruire, le suffrage universel, un levier d'une puissance immense pour un propagandiste tel que lui. L'émeutier romantique est tombé sous les balles de la Feldherrnhalle. Celui qui va sortir de la prison de Landsberg-sur-Lech est un homme politique conscient des réalités. Le « tambour » de la révolution nationale va se doubler d'un manœuvrier capable et adroit.

Momentanément, Hitler est réduit à l'impuissance. Il ronge son frein. Son refus de participer aux exercices physiques, la suppression de la suée oratoire hebdomadaire, l'excellent ordinaire de la prison, l'abondance des sucreries qu'il reçoit du dehors entraînent un embonpoint grandissant. Après l'éclairage du procès, un certain oubli s'étend autour de lui. Son élection au Reichstag a fait de Ludendorff le chef du national-socialisme, et un grand rassemblement dans la ville industrielle saxonne de Halle, deux cent mille participants, trois mille neuf cents drapeaux, ressemble à son apothéose. Il s'abstient jalousement de mentionner le nom de Hitler.

Une autre manifestation extrêmement provocante se déroule à Munich. Des couronnes de bronze symbolisant tous les territoires perdus ou occupés, Dantzig, Posen, Prusse occidentale, Silésie, Memel, Schleswig, Palatinat, Ruhr, Rhénanie, Alsace-Lorraine, Sarre, Bohême allemande, Sud Tyrol sont accrochées sous la Feldherrnhalle au milieu d'une pompe irrédentiste. Personne ne paraît se souvenir de ceux qui sont tombés à la même place, moins d'un an auparavant, et de leur chef captif. Au kronprinz Rupprecht qui préside la cérémonie, on a suggéré de demander la libération du volontaire qui a combattu dans son armée. Rupprecht a refusé.

Des élections françaises ont suivi de quelques jours les élections allemandes. Battu par les partis qui combattent l'occupation de la Ruhr, Poincaré a cédé la présidence du gouvernement et la direction des Affaires étrangères à l'universitaire radical Édouard Herriot. Le président de la République Alexandre Millerand, qui congédia Briand, stérilisa la conférence de Gênes, poussa la France dans la Ruhr, est contraint de démissionner. D'autres élections, en Grande-Bretagne, ont amené au pouvoir, pour la première fois, le parti travailliste et son chef, Ramsay Macdonald, qui, pendant la guerre, frôla la cour martiale pour menées pacifistes. Les affaires européennes se présentent sous un jour nouveau.

Les experts du comité Dawes proposent aux gouvernements de réduire la dette des réparations des cent trente-deux milliards de marks-or de l'état des paiements de Londres à vingt-six milliards en principal. L'extinction en serait assurée par des annuités s'élevant progressivement à deux milliards de marks. Le jeu des intérêts étend l'exécution du plan sur trente-sept ans. Les amis de l'Allemagne, Keynes, d'Abernon, conseillent d'accepter en faisant valoir que le paiement des premières annuités, réduites à un milliard, ne présente pas de difficulté et que des allégements interviendront à coup sûr dans l'avenir. Stresemann suit leur conseil. Le 19 août, à Londres, après avoir obtenu la promesse que la Ruhr serait évacuée dans un délai d'un an, il signe le plan Dawes. L'ensemble des intérêts économiques, y compris Fritz Thyssen, donne son approbation. Le nationalisme politique dénonce la mise en esclavage du peuple allemand, la transformation de l'Allemagne en colonie.

160

Parmi les gages du plan Dawes, figurent les chemins de fer. Une modification de la Constitution est nécessaire pour leur aliénation. Elle exige une majorité des deux tiers du Reichstag — impossible à obtenir si la conjonction des extrêmes, communistes et nationalistes, n'est pas dissociée.

Bataille acharnée. En première et deuxième lecture, le vote unanime du parti deutsch national entraîne le rejet de la loi. L'échec du plan Dawes paraît consommé. La bataille de la Ruhr va reprendre. L'Europe retombe dans le chaos...

Troisième lecture. Le comte Westarp, nationaliste éclairé, a exhorté son groupe, lui a représenté le désastre dans lequel il va précipiter l'Allemagne. Il est partiellement entendu. Quarante-huit députés renversent leur vote, donnent à Stresemann une majorité de 311-127. Le plan Dawes est sauvé! Ludendorff, saisi d'une véritable crise de rage, hurle de sa voix pointue : « Il y a dix ans, j'ai gagné la bataille de Tannenberg. C'est aujourd'hui le Tannenberg juif! » Il quitte la salle, suivi de tous les députés racistes.

La lutte intestine ne s'en poursuit pas moins. Une réunion de conciliation, à Salzbourg, s'achève par une querelle acerbe et le *Simplisissimus* publie une caricature montrant les chefs racistes se disputant, à l'instar des généraux d'Alexandre, la couronne d'Adolf-le-Grand. Fritz, Feder, conquis par le Reichstag, feraient volontiers oublier qu'ils proviennent d'un mouvement subversif. Strasser sort de Bavière, aborde les masses ouvrières de Berlin et de la Ruhr, donne à sa propagande un violent accent social, s'abstient de rendre à Hitler autre chose qu'un hommage froid et condescendant. Röhm s'autorise du mandat qu'il a reçu de Hitler pour attirer dans son Frontbann de jeunes officiers de la police et de la Reichswehr, pêle-mêle avec d'anciens membres des corps francs et des meurtriers grâciés de la Sainte-Vehme, comme Stennes, Heines, le comte Helldorf. Comme Strasser, mais avec des méthodes beaucoup plus brutales, il pénètre dans ce grand Berlin prolétarien qui intimide les Bavarois. Mais Ludendorff s'est mis dans la tête qu'une reprise des hostilités contre la France est possible, s'offre pour ramener « notre cher drapeau noir-blanc-rouge à l'ouest du Rhin ». Il revendique, en conséquence, le commandement du Frontbann. Röhm répond qu'il en est, et qu'il entend en rester, le seul chef. Un congrès convoqué à Weimar pour essayer de rétablir l'harmonie ne fait que consacrer la brouille du capitaine et du général.

Les inconditionnels, Esser et Streicher, ont tenté d'obtenir l'arbitrage de Hitler. Il a répondu, le 8 juillet, qu'il abandonnait officiellement la direction du parti et qu'il ne prendrait aucune position avant d'avoir recouvré sa liberté.

Un terme possible approche. Six mois vont être écoulés depuis le verdict du tribunal de Munich. Il donne au gouvernement bavarois la possibilité d'élargir le prisonnier de Landsberg s'il estime que les circonstances politiques ne s'y opposent pas. Leybold le recommande d'une manière pressante, en faisant à nouveau le dithyrambe de son pensionnaire assagi et mûri.

Le ministre-président Held propose à son conseil une solution intermédiaire : libérer, et, immédiatement après, expulser. Le ministre de l'Intérieur Stützel s'associe à la proposition. Le ministre de la Justice Gürtner la combat en rappelant que Hitler, s'il reste sujet autrichien, a versé son sang dans l'armée bavaroise. Held se rend auprès du chancelier de la République voisine, Mgr Seipel, pour lui faire part de son intention de rendre à l'Autriche un de ses enfants. Le prélat répond que, en vertu d'une loi de 1875, Adolf Hitler a perdu la nationalité autrichienne en s'engageant dans une armée étrangère. Il fermera, en conséquence, sa frontière à l'apatride. L'idée de l'expulsion est abandonnée.

Röhm vient au secours du ministre-président. En dépit des conseils de prudence de Hitler, il a donné au Frontbann un caractère nettement subversif. Le 17 septembre, Held fait arrêter les capitaines von Prusek et Weiss, les lieutenants Oswald et Brückner, quelques jours plus tard le commandant Faber et le capitaine Seydel, tous accusés de complot contre le gouvernement bavarois. Ils sont remis en liberté quelques jours plus tard, mais le prétexte est trouvé : les circonstances politiques ne permettent pas la libération anticipée d'Adolf Hitler.

L'automne revint. La plupart des occupants du quartier politique de Landsberg, leur peine purgée, s'en allèrent. Le silence se rétablit sur la petite prison. Hitler, assisté de Hess, travaillait assidûment à *Mein Kampf*. Douze chapitres, qui devaient constituer le premier volume, naquirent ainsi.

L'ouvrage est une autobiographie, pleine d'inexactitudes et de confusions, volontaires ou involontaires, coupé d'immenses digressions. Toutes les lois de la composition littéraire sont méconnues, mais le souffle oratoire traverse les douze discours juxtaposés que les douze chapitres sont en réalité. *Mein Kampf* n'a pas été écrit mais déclamé. Il est l'exutoire de l'orateur privé de ses auditoires. Y rechercher le reflet de philosophes dont Hitler a tout au plus effleuré les œuvres, Schopenhauer ou Nietzsche, Gobineau ou Spengler, Lanz ou Rosenberg, est un exercice d'école. La lecture est ardue, comme celle de tous les discours dont l'indispensable redondance devient insupportable et souvent ridicule lorsqu'elle est couchée sur le papier. Qui donc peut lire Mirabeau? ou Jaurès?

L'oubli s'épaississait autour de Hitler. « Son nom, écrivait l'envoyé du Wurtemberg, n'est presque plus mentionné. » Leybold constatait que le flot des visiteurs de Landsberg était tari. L'inquiétude grandissait chez le captif. Il suffisait que le gouvernement applique sans indulgence le jugement du tribunal de Munich pour qu'il soit maintenu sous les verrous jusqu'au 1er avril 1929. Qui se souviendrait encore d'Adolf Hitler?

Le deuxième Reichstag était encore plus ingouvernable que le premier. Le chancelier Marx renonça à reconstituer son cabinet disloqué.

Ebert prit le risque de reconvoquer les électeurs sept mois seulement après la précédente consultation. On eut l'heureuse surprise, le 7 décembre 1924, d'un recul des extrêmes. Les communistes perdirent le tiers de leurs mandats. Les racistes ne retrouvèrent que 900 000 de leurs 1 900 000 voix et 14 seulement de leurs 32 élus. Ni Röhm ni Ludendorff n'en étaient. L'indépendant Hans Luther, ex-bourgmestre d'Essen, reconstitua un cabinet centriste auquel les socialistes, renforcés de 100 à 131 sièges, accordèrent leur appui. On put espérer une stabilisation de la politique allemande dans un climat économique tournant au beau.

Cet apaisement retirait à Held son prétexte pour prolonger la captivité de Hitler. Les divisions du mouvement national-socialiste lui paraissaient rendre sa remise en liberté inoffensive. Il alla jusqu'à espérer que Hitler libéré ne s'incrusterait pas dans un Munich où ses anciens partisans étaient à couteaux tirés, qu'il transporterait sa présence ailleurs.

Le 20 décembre, à 2 heures du matin, Leybold courut annoncer à son prisonnier d'élite sa levée d'écrou. A 10 heures, Hitler passa en revue le personnel de la prison, le remercia de ses bons soins et lui distribua les 200 marks qu'il possédait. Une Mercedes-Benz l'attendait à la porte, mais la sentinelle refusa à Hoffmann l'autorisation de photographier l'instant historique du Führer sortant de sa geôle. Hoffmann le remit en scène devant l'une des portes de la ville. Hitler boutonné dans un trench-coat, tête nue, les jambes prises dans des leggings, n'eut jamais l'air plus conquérant.

Le soir, il coucha dans sa chambre meublée de la Thierschstrasse. Quatre jours plus tard, il passa la veillée de Noël chez les Hanfstaengl. Il ne toucha ni à la dinde, ni au vin, expliquant qu'il avait découvert à Landsberg que la viande et l'alcool lui étaient pernicieux et qu'il avait décidé de s'en abstenir.

RÉSURRECTION, DIFFICULTÉS ET
LUTTES INTERNES DU PARTI NAZI
1925-1926

Dès 2 heures de l'après-midi, des groupes se formèrent dans la Rosenheimerstrasse. A 5 heures, une longue queue stationnait devant la Bürgerbräukeller. Quand les portes s'ouvrirent, la salle se remplit en quelques minutes et la police barra la rue. Les fameuses affiches rouges avaient reparu sur les murs, le *Völkischer Beobachter* avait été remis en vente et la nouvelle s'était répandue dans Munich : *Der Hitler spricht wieder.* Environ 4 000 personnes avaient payé un droit d'entrée d'un mark pour l'entendre.

On était le 27 février 1924. Le 4 du mois précédent, à la demande du ministre de la Justice, Franz Gürtner, très favorable au national-socialisme, Adolf Hitler avait été reçu par le ministre-président bavarois, Heinrich Held. Après l'entretien, Held avait déclaré : « La bête féroce est apprivoisée ; on peut maintenant la tenir en laisse. » Hitler avait reconnu que le putsch de 1923 était une erreur. Il avait fermement promis de s'abstenir de toute action illégale, de tout recours à la violence. Le très catholique docteur Held s'était plaint des attaques de Ludendorff contre l'Église romaine. Hitler avait répondu : « Je n'ai plus rien à faire avec Ludendorff. » A moitié convaincu, Held avait levé l'interdiction dont le parti national-socialiste et son journal étaient frappés. Mais il avait averti Hitler qu'il ne tolérerait aucune incartade de sa part.

Sa rentrée, Hitler avait choisi de la faire à l'endroit même d'où était parti son putsch malheureux. Le programme portait : « *Neugründung* (nouvelle fondation) *der* N.S.D.A.P.* » Un scandale financier passionnait l'Allemagne. Juif oriental, le brasseur d'affaires Julius Barmat avait compromis plusieurs hommes politiques centristes et socialistes, dont l'ex-chancelier Bauer. Hitler put flétrir les criminels de novembre, le judaïsme corrupteur et la vénalité des politiciens. Il avait interdit qu'on sténographiât son discours.

Ni Ludendorff, ni Strasser, ni Röhm, ni Rosenberg, ni Drexler, n'assistaient à la réunion. Hitler réaffirma contre ces absents le Führerprinzip : « Je conduis seul le mouvement, et nul ne me posera de condition aussi longtemps que j'en assumerai la responsabilité. » A la fin de la réunion, Esser, Streicher, Frick, Feder, le chef des nazis de Thuringe, Dinter, le leader raciste bavarois, Buttmann, montèrent sur l'estrade et, théâtralement, déclarèrent qu'ils se rangeaient sans restriction sous l'autorité de Hitler. Held tourna en dérision cette scène édifiante : « La réconciliation de la Bürgerbräu est une farce. Ils sont plus divisés que jamais... »

Au moment où Hitler parlait, le président Ebert agonisait. Il avait autorisé l'entrée de Barmat en Allemagne et le scandale l'éclaboussait. Les grèves de 1918 lui étaient jetées au visage. Les 150 procès en diffamation qu'il avait engagés se terminaient par des condamnations de principe, mais, tout en infligeant un mois de prison au journaliste Rothardt, un tribunal de Magdebourg avait écrit dans ses attendus que Fritz Ebert s'était rendu coupable de haute trahison en arrêtant, en pleine guerre, la fabrication des munitions. Le coup acheva un homme qui souffrait depuis longtemps de terribles douleurs abdominales. Le 28 février 1925, le premier président de la République allemande trépassait, à l'âge de cinquante-deux ans, sur une table d'opération. L'élection de son successeur, au suffrage universel, conformément à la Constitution de Weimar, fut fixée au 29 mars.

Le jugement du ministre-président Held sur les divisions du parti nazi n'était pas vérifié par les faits. Röhm renouait avec Hitler. Rosenberg rentrait en grâce, obtenait la rédaction en chef d'un V.B., dont la manchette allait porter désormais, à la place du nom de Dietrich Eckart, la mention : « *Herausgeber* (Éditeur) Adolf Hitler ». Ludendorff et Strasser démissionnaient du Mouvement de la Liberté, revenaient au N.S.D.A.P. Le national-socialisme se reconstituait autour d'un leader qui n'avait rien perdu de son dynamisme. A défaut d'une sténographie, le résumé du discours de rentrée par les observateurs de police montra à Held que Hitler n'avait pas tenu la promesse de modération qu'il lui avait faite. Et maintenant, il annonçait cinq réunions de masse. A un mark l'entrée, elles suffiraient à regarnir la caisse du parti !

La question de l'expulsion revint sur le tapis ministériel, à nouveau demandée par Stützel, combattue à nouveau par Gürtner. Held crut avoir trouvé mieux. Pour commencer, les cinq réunions de masse furent interdites. Puis, le 9 mars, une ordonnance retira à Adolf Hitler le droit de prendre la parole en public sur le territoire bavarois.

Interdit de parole en Bavière, Hitler l'était déjà en Saxe, en Bade, dans l'Oldenbourg, à Hambourg, etc. Il allait l'être en Prusse. Sur les 14 Länder de la République, seul le Brunschwig, le Mecklenburg-Schwerin, la Thuringe et le Würtemberg toléreraient son éloquence. Ils comptaient ensemble sept millions d'habitants — de telle sorte que les neuf dixièmes de l'Allemagne se fermaient devant le verbe d'Adolf Hitler !

Le coup était rude. Hitler perdait son moyen d'action le plus puissant. Il devait laisser à d'autres — rivaux éventuels — la propagande directe, le contact des masses, la griserie devant les mers humaines sur lesquelles il exerçait son magnétisme. Il se résigna assez facilement. L'orateur céda le pas à l'organisateur. Le siège du parti fut rouvert 50 Schellingstrasse. L'Allemagne fut divisée en 25 Gaus, correspondant aux circonscriptions électorales, chaque Gau étant dirigé par un Gauleiter assisté d'un Geschäftführer, ou gérant. Dans beaucoup de régions, ces cadres étaient vides. Hitler exigea que l'organisation fût uniforme et que, dans la mesure du possible, les Gauleiters fussent rétribués.

Le candidat socialiste à l'élection présidentielle était le ministre-président prussien, Otto Braun, et le candidat du Zentrum, l'ancien chancelier Wilhelm Marx. Les communistes présentaient le député Thälmann. La droite classique n'avait trouvé à leur opposer qu'une faible personnalité, le docteur Jarres, bourgmestre de Duisburg. Ludendorff brûlait d'entrer dans la compétition. En dépit du refroidissement de leurs relations, Hitler l'encouragea, le désigna comme le candidat officiel du parti ouvrier national-socialiste allemand.

Agé de soixante-dix-huit ans, le maréchal Hindenburg était retourné dignement dans la retraite d'où le tocsin de 1914 l'avait tiré. Les rares conseils qu'il donnait étaient de modération et de tolérance. Au moment du putsch Kapp, il avait télégraphié au général von Luttwitz en lui demandant de retirer les troupes de Berlin et de rétablir une situation conforme à la constitution. Le putsch de Munich lui avait arraché cette exclamation : « D'un Hitler, je comprends. Mais mon Ludendorff ! A quelles folies le conduisent son amour de la patrie et son besoin d'action ! » Lorsqu'il avait connu la candidature de son ex-quartier-maître général, il lui avait écrit en le suppliant de la retirer. « Mon cher ami, votre candidature met l'Allemagne en péril... Renoncez-y ! Exaucez ce qui est peut-être ma dernière demande dans cette vie... » L'orgueilleux général commençait à dire publiquement qu'il n'y avait eu à Tannenberg qu'un vainqueur, et que ce vainqueur était, lui, Ludendorff. La supplique de son vieux chef le laissa indifférent.

Les craintes de Hindenburg étaient superflues. La candidature Ludendorff ne divisa même pas d'une manière appréciable les forces nationales, ne fit que mettre en évidence l'insignifiance du parti dont il portait les couleurs. Il obtint, dans toute l'Allemagne, 210 968 voix, 0,7 % des suffrages. Jarres venait en tête, suivi par Braun, Marx et Thälmann. Aucun candidat n'atteignait la majorité absolue. L'élection allait être décidée au deuxième tour.

Faisant pour une fois acte d'abnégation, la social-démocratie décida de retirer Braun. La victoire de Marx parut assurée. Mais une idée jaillit dans le camp nationaliste : remplacer le pâle Jarres par Hindenburg.

La brillante idée n'était pas nouvelle. Dès 1920, l'ex-chef de cabinet du Kaiser, von Berg, avait entrevu dans Hindenburg le Mac Mahon allemand. Guillaume II ayant donné son assentiment, le maréchal avait déclaré qu'il n'avait aucun goût pour la politique, mais qu'il avait prêté serment d'obéissance à son souverain et maître, et qu'il serait candidat contre Ebert si c'était le meilleur moyen de restaurer la monarchie. La prolongation du mandat d'Ebert par le Reichstag avait déjoué le projet.

Cette fois, une délégation de députés de droite vint offrir la candidature à Hindenburg : il la repoussa. L'amiral Tirpitz revint à la charge, représenta que Marx était un catholique de gauche, dont l'élection mettrait en péril l'Allemagne conservatrice et protestante. Hindenburg l'avait sauvée en 1914 ; la patrie l'appelait au secours pour la deuxième fois.

Le 28 avril 1925, le général-feldmarschall Paul von Beneckendorff und von Hindenburg, réclamé trois ans auparavant par les Alliés comme criminel de guerre, était élu président de la République allemande. Devançant Marx de 900 000 voix seulement, il devait sa victoire aux 1 900 000 électeurs que le communiste Thälmann avait conservés sur son nom.

La lutte avait été chaude. Une détente lui succéda. L'entrée en fonction du président, le 11 mai, ressembla à une fête nationale. Hindenburg, en civil, prêta serment à la Constitution, annonça qu'il conservait sans changement le cabinet Luther. Stresemann était attaqué haineusement dans la presse nationaliste : « Hindenburg, dira-t-il, me reçut avec bienveillance, et, malgré la renonciation qu'il impliquait à l'Alsace-Lorraine, n'éleva aucune objection contre le pacte de sécurité rhénan en cours de négociation. » Les socialistes eux-mêmes s'apprivoisèrent. Le ministre de l'Intérieur de Prusse, Carl Severing, déclara en sortant d'une audience, que le nouveau président produisait une impression « non antipathique ». L'étranger, que l'élection avait alarmé, se rassura.

Entre-temps, le 7 avril, Hitler avait écrit aux autorités de Linz qu'ayant quitté l'Autriche en 1912 (en réalité en 1913), et servi plusieurs années dans l'armée allemande, il était incertain de son statut ; qu'il demandait en conséquence à être relevé officiellement de la qualité de sujet autrichien. La jeune République ne tenait pas à conserver Adolf Hitler parmi ses ressortissants : appliquant la récente décision de Mgr Seipel elle fit diligence pour lui donner satisfaction. Le 30 avril 1925, Hitler acquit enfin la qualité de heimatlos, d'apatride, sous laquelle il s'était inscrit en arrivant à Munich, douze ans auparavant. Il continua à ne rien faire pour devenir Allemand.

Le N.S.D.A.P. reconstitué comptait 28 000 cotisants. Le *Völkischer Beobachter* redevint quotidien le 1er avril. Un rival potentiel, Ernst Pöhner, s'élimina en se tuant, le 11 avril, dans un accident d'auto. Mais deux problèmes se posaient à Hitler, le problème Röhm, le problème Strasser.

Röhm se flattait d'avoir recruté en Allemagne et en Autriche 30 000 militants dont il s'appliquait à faire des militaires. Il acceptait de fondre cette puissante milice dans la S.A., mais à la condition expresse d'être le chef autonome de celle-ci, d'en désigner les cadres et de pouvoir lui donner des ordres indépendamment de la direction politique du parti. Le 16 avril, il laissa au domicile de Hitler une note disant que c'était une question de confiance et qu'il se retirerait s'il n'obtenait pas satisfaction. Hitler s'étant abstenu de répondre, il mit sa menace à exécution le 30 avril.

Fort noirci, non sans raisons, Röhm n'était pas dépourvu d'une certaine loyauté. « En souvenir des heures belles et rudes que nous avons vécues ensemble, écrivit-il à Hitler, je te remercie du fond du cœur pour ta camaraderie et je te demande de me conserver ton amitié personnelle. » Il prononça la dissolution du Frontbann, dont la plupart des membres rejoignirent la S.A. La Bolivie, en conflit avec le Paraguay au sujet du Gran Chaco, demandait à l'Allemagne une mission militaire. Röhm s'y fait adjoindre, disparaît momentanément.

Gregor Strasser était l'un des quatre députés purement nationaux-socialistes rescapés du désastre électoral de décembre. En se ralliant à Hitler, il s'était fait reconnaître une autonomie pour la direction du mouvement en Allemagne de l'Ouest et du Nord. Aucun heurt frontal ne s'était encore produit, mais une tension grandissait entre la direction bavaroise et les groupes nazis d'outre-Main.

L'été de 1925 arriva. L'extraordinaire capacité de récupération de l'Allemagne se donnait libre cours. Le mark était redevenu une monnaie forte. Les Français évacuaient la Ruhr. En Rhénanie, leurs officiers passaient avec envie devant les restaurants et les magasins dans lesquels leur solde en francs fondants ne leur permettait plus d'entrer. Édouard Herriot était tombé sous le poids des folies du Cartel des Gauches, mais, revenu aux Affaires étrangères, Briand travaillait avec Stresemann au rapprochement franco-allemand. Sept ans après la fin de la grande guerre, on était en droit de croire enfin que l'Europe entrait dans une ère d'apaisement.

Ces temps rassérénés n'étaient pas propices à la propagande d'Adolf Hitler. 1925 n'en fut pas moins pour lui une année de prospérité matérielle. « Il mène, disait le ministre-président Held, une existence de seigneur avec l'argent qui lui est donné pour son mouvement. Il a déjà à sa disposition deux autos. » Le jeune Baldur von Schirach le vit arriver avec émerveillement à Weimar. « Tout à coup, s'avança une auto comme je n'en avais vu jusqu'alors qu'en image : une Mercedes-Krompressor à six places avec des roues à rayons. Je fus fasciné... » Hitler avait remeublé et agrandi d'une deuxième pièce son logement de la Thierschstrasse. Il était un habitué du restaurant Heck, classé par Beadeker comme l'un des meilleurs de Munich. Il s'installait dans le lieu auquel il devait donner une célébrité mondiale : Berchtesgaden.

Le triangle dont Berchtesgaden est le centre pénètre comme un coin dans le territoire autrichien. Une route difficile, taraudée de nids de poule, s'élevait de la vallée de la Weissbach, conduisait à l'Obersalzberg, qui tire son nom d'une vieille mine de sel. De puissants sommets enneigés jusqu'en juin encadrent les collines dont la vue s'étend magnifiquement sur les Alpes de Salzburg. Le plus proche, le Kehlstein, 1 860 mètres, n'était alors accessible que par un sentier exténuant et périlleux.

Hitler revint à Berchtesgaden peu de temps après sa sortie de Landsberg. Dietrich Eckart était mort à l'hôpital de la petite ville. Il avait vécu, il s'était même caché à l'hôtel Platterhof, sur l'Obersalzberg, où Hitler retrouva le souvenir des soirées qu'ils avaient passées ensemble. Une villa, *Haus Wachenfeld,* appartenant à un commerçant de Hambourg, était disponible, sur la route descendant vers Berchtesgaden. Hitler la loua. On ignore la date exacte, le prix et les conditions de la location.

En 1925, le logis était assez modeste : grand toit enveloppant, salle à manger, petit living-room, trois chambres à coucher. Le mobilier était du faux bavarois rustique. La décoration comprenait une cage dorée dans laquelle s'ébattaient des canaris, un arbre à caoutchouc et une profusion de coussins brodés d'une devise ou d'un souhait. Le nouveau locataire ajouta à ces symboles petits-bourgeois une croix gammée.

Hitler n'aimait pas la neige et ne comprenait pas le ski. L'alpinisme lui était étranger. Son sport montagnard consistait uniquement en longues promenades qui le conduisaient parfois jusqu'au plus romantique des lacs alpestres, le Königssee, inséré entre des parois verticales de 1 000 mètres de haut. Il portait alors le costume bavarois, culotte de cuir, bretelles brodées d'edelweiss, courte veste verte, chapeau à blaireau. Son chien était à cette époque un superbe berger allemand, Prinz, cadeau de *Frau* Bechstein.

Rudolf Hess était sorti de prison quelques jours après Hitler. C'est à l'Obersalzberg qu'il prit sous la dictée les quinze chapitres qui allaient faire le deuxième tome de *Mein Kampf.*

Le premier tome était sorti en librairie, avec un tirage de 18 000 exemplaires, le 18 juillet. Un prêtre raciste, Bernard Stempfle, auquel l'hitlérisme réservait une fin tragique, s'était chargé de la correction des épreuves. Les ennemis de Hitler affirment que Stempfle récrivit la totalité de l'ouvrage, aidé par le maître de la Geopolitik, le professeur Haushofer. Hitler n'avait aucune prétention de styliste : « Je ne suis pas un écrivain. Voyez quel italien parle et écrit Mussolini. Je ne peux pas en faire autant en allemand... » Il est douteux, toutefois, qu'il ait laissé modifier sa prose au delà de retouches superficielles.

« Nullement écrivain », Hitler devait faire par la plume une fortune. Le moment des droits d'auteur gigantesques n'est pas encore venu, mais, dès 1925, *Mein Kampf* assure à son auteur un revenu annuel régulier de plusieurs dizaines de milliers de marks. Les jours de bohème sont révolus.

Hitler avait accueilli la défaite écrasante de Ludendorff à l'élection présidentielle en disant : « Cette fois, au moins, sommes-nous débarrassés de lui. » L'orgueilleux général reportait le poids de sa mortification à la fois sur Hindenburg et sur Hitler. Il découvrait que le premier était franc-maçon et vouait au second une animosité que tous les succès du national-socialisme devaient alimenter. Rassemblant quelques fidèles, il fonda, en août 1925, le Tannenbergbund, que les nazis devaient interdire dès leur arrivée au pouvoir. Les routes des deux marcheurs historiques de la Feldherrnhalle divergent définitivement, mais ses attaques délirantes contre le christianisme, ses tentatives pour restaurer le paganisme teutonique, l'influence extravagante de Mathilde von Kenmitz (qu'il épousera en 1926), retirent désormais à Erich Ludendorff toute importance politique. Il ne reparaîtra dans ce récit que par la vision prophétique et catastrophique que la haine de Hitler devait lui inspirer.

Tout autre était la dissidence nationale-socialiste grandissant en Allemagne du Nord.

La lutte de Gregor Strasser dans les districts ouvriers de l'Allemagne industrielle, dominée par les deux partis marxistes, était beaucoup plus dure que dans la Bavière rurale et conservatrice. Intimidés et malmenés, les partis bourgeois abandonnaient la place et les tribunes publiques, se cantonnaient dans une activité en vase clos. Les nazis n'étaient qu'une poignée, mais ils prétendaient tenir tête, rendre coup pour coup. Ils étaient également conduits à des prises de position politiques et sociales beaucoup plus radicales que dans le Sud. De nombreux militants, dont le frère de Strasser, Otto, dépassaient les socialistes, rivalisant avec les communistes dans la dénonciation du système capitaliste.

Le 21 août 1925, Strasser vint parler à Elberfeld, morne ville de la Ruhr. La réunion était organisée par un Rhénan de vingt-huit ans, tête volumineuse, regard étincelant, voix puissante, visage anguleux, poitrine creuse, silhouette frêle, boitant d'un pied-bot. Strasser s'enquit. Le tribun malingre s'appelait le docteur Joseph Goebbels. Il était employé comme secrétaire par un député conservateur au Landtag de Prusse, Franz von Wilgerhaus, aux appointements minables de 100 marks par mois.

« Vous êtes, dit Strasser à Goebbels, un garçon doué. Nous ferons quelque chose ensemble. Je peux vous donner 200 marks par mois... » Le marché fut conclu sur-le-champ.

Le soir, Goebbels, consigna dans son journal sa première impression de Gregor Strasser : « Un type formidable. Un vrai vieux Bavarois massif. Un humour merveilleux... » Strasser s'était déjà ouvert au jeune Rhénan de ses griefs et des projets pour réduire l'omnipotence d'Adolf Hitler : « Il me raconte des choses attristantes sur Munich. Hitler est mal entouré. Esser est son mauvais génie... Au début de septembre, paraîtront des *Lettres Nationales-Socialistes* qui seront éditées par Strasser et que je rédigerai. Nous aurons un moyen de combat contre les bonzes refroidis de Munich... » La litanie des éloges de Strasser reprend ensuite et s'achève sur une note inattendue : « Il a beaucoup d'Anka (1). » Anka Stalhlerm, dont les futures lois de Nuremberg feront une demi-juive, avait été le premier grand amour de Joseph Goebbels.

Le 9 septembre 1925, la dissidence prit une forme concrète. Réunis à Hagen, Ruhr, les Gauleiters de l'ouest et du nord décidèrent de fonder une « Communauté de Travail », *Arbeitgemeinschaft*. Le journal de Goebbels exulte : « Très important. Tous les Gaus du nord et de l'ouest fusionnent. Direction commune : Strasser. Gérance commune : moi. Siège : Elberfeld. C'est tout ce que nous voulions... Nous arriverons bien à faire fléchir Hitler. »

Destinées aux cadres nazis, les *Lettres Nationales-Socialistes* reflétèrent l'esprit corrosif de Goebbels : « Dans les *N.S. Briefe,* écrit le futur Gauleiter de Hambourg, Albert Krebs, tout ce qui était sacro-saint à Munich, le salut allemand, le Führerprinzip, l'antisémitisme collectif... était mis en doute ou ouvertement ridiculisé... Une doctrine d'Elberfeld se créa. Elle visait à arrêter le développement du parti tel qu'il se poursuivait à Munich et voulait imposer à Hitler une constitution qui eût fait de lui un primus inter pares, et non un despote absolu... » Elberfeld devenait un contre-Munich.

Le programme du parti national-socialiste n'avait pas évolué depuis les 25 points du 24 février 1920. Hitler y restait attaché, non par dogmatisme, mais, au contraire, par empirisme. « *Le Nouveau Testament*, répondait-il aux critiques, est, lui aussi, plein de contradictions ; voyez ce qu'il a fait du christianisme... » Le groupe d'Elberfeld repoussa cette désinvolture : « Notre premier soin, dit Otto Strasser, fut de dresser un programme économique, politique et culturel... dirigé contre le capitalisme aussi bien que contre le marxisme. » Le programme d'Elberfeld réclamait « une féodalité étatique », tous les biens fonciers devant être nationalisés et loués aux particuliers. Il rejoignait le fascisme italien dans le corporatisme, mais s'en séparait en répudiant le totalitarisme. La Prusse disparaissait et l'Allemagne, divisée en cantons, devenait une fédération à l'image de la Suisse. On s'efforcerait d'étendre la même organisation à toute l'Europe pour en faire une autarcie par la suppression des barrières douanières et par le désarmement.

Le fond du débat entre les deux nazismes était la primauté du nationalisme ou du socialisme. L'école d'Elberfeld reprochait à la centrale de Munich d'être imprégnée de conservatisme, de s'appuyer sur le grand capital et la petite bourgeoisie, de ne donner qu'une adhésion verbale à la transformation de la société par des réformes révolutionnaires. Goebbels faisait l'éloge de Lénine, déplorait que communistes et nazis se cassent la tête, alors qu'ils n'avaient que des ennemis communs. Au Gauleiter de Poméranie, le professeur d'Université Vahlen, disant qu'il fallait restaurer le patriotisme dans les masses, il répondait qu'il fallait conquérir les masses par une doctrine socialiste, et que tout le reste passerait ensuite « comme un vent de tempête ».

Le différend débouchait sur la politique internationale. L'école d'Elberfeld repoussait la conception hitlérienne d'une alliance avec l'Angleterre et l'Italie, voyait dans la Russie prolétarienne l'associée naturelle de l'Allemagne prolétarienne contre le capitalisme occidental. Stresemann achevait alors de négocier le pacte rhénan, partait pour Locarno, apportait au monde un merveilleux espoir de paix — et Goebbels éclatait en invectives contre ce « gros cochon repu », conspirant contre un ordre nouveau. Locarno ne constituait pas seulement une renonciation à l'Alsace-Lorraine ; il vendait l'Allemagne au capitalisme occidental afin de jeter ses enfants dans « une guerre sainte contre Moscou... Jamais on n'avait vu pareille infamie! »

La question de l'indemnisation des princes dépossédés par la révolution de 1918 survint comme une pierre de touche entre Elberfeld et Munich. Les princes demandaient réparation, en vertu de l'article 153 de la Constitution républicaine, interdisant toute expropriation sans indemnité. Contre cette revendication, les partis marxiste, socialiste et communiste, mettaient en jeu pour la première fois la procédure du référendum prévue par l'article 50 de la Constitution. La confédération des Gauleiters de l'Allemagne du Nord déclara que rendre, ou payer, leurs terres et leurs châteaux aux rois, grands-ducs et ducs responsables de la guerre, alors que tant d'épargnants avaient été ruinés par l'inflation, constituait une scandaleuse immoralité. Le parti national-socialiste ne devait pas craindre de s'associer momentanément avec les marxistes pour s'y opposer.

De Munich, arriva la décision d'Adolf Hitler : prince ou non, tout Allemand avait droit aux garanties inscrites dans la Constitution. L'indemnisation, dans la mesure où elle concernait les biens privés des ex-familles régnantes, était justifiée.

Otto Strasser raconte ainsi ce qui s'ensuivit. Les Gauleiters de l'Allemagne du Nord se réunirent en novembre à Hanovre. Hitler avait envoyé Gottfried Feder pour le représenter. Goebbels entra en transes : « Pas d'espions parmi nous! » Puis, après les explications de Feder, il sauta sur une chaise en criant : « Je demande que le petit-bourgeois Adolf Hitler soit exclu du parti! »

L'histoire est belle. Mais elle est fausse. Goebbels déplorait en Hitler — comme d'ailleurs en Gregor Strasser — des tendances conservatrices, mais il admirait l'homme avec fougue et ferveur. Maint passage du *Tagebuch* le prouve. « Je viens de lire *Mein Kampf*. Un ouvrage formidable. Je suis totalement emballé... Strasser m'écrit que Hitler n'a pas confiance en moi. Que cela me peine. Si seulement je pouvais avoir deux heures de tête-à-tête avec lui. Mais il est aussi entouré qu'une Majesté d'autrefois... Hitler est là. Ma joie est grande. Il m'accueille comme un vieil ami... Que je l'aime! Il parle. Que je me sens petit. Heil Hitler! » La proposition d'exclure Hitler fut peut-être faite par l'un des Gauleiters présents ; mais pas par Goebbels.

Otto Strasser se trompe également sur la date de la réunion de Hanovre. Elle eut lieu, non en novembre 1925, mais le 25 janvier 1926. A l'exception de celui de Cologne, Robert Ley, tous les Gauleiters de l'Ouest, du Nord et de l'Est se prononcèrent contre les explications apportées par Feder. Ils maintinrent leur opposition à l'indemnisation des princes et adoptèrent le programme d'Elberfeld. Un défi direct était lancé au Führerprinzip. L'infaillibilité du pape était révoquée par la majorité des cardinaux.

Bamberg répondit à Hanovre. Hitler convoqua pour le 15 février les Gauleiters indociles dans la petite ville bavaroise. Goebbels, qui accompagnait Strasser, se mit en route plein d'espoir : « Personne ne croit plus à Munich. A Bamberg nous ferons les difficiles et attireront Hitler sur notre terrain. Nous ferons d'Elberfeld la Mecque du national-socialisme. »

Hitler avait fait sa salle. Les Bavarois étaient en nombre. Une dizaine seulement des Gauleiters du Nord, Rust, Lohse, Ziegler, etc. étaient présents, les autres s'étant excusés sur la longueur et le coût du déplacement. Hitler prononça un chaleureux éloge de la personne et du travail de Gregor Strasser, confirma l'autonomie tactique du mouvement en Allemagne du Nord, mais réaffirma la nécessité du Führerprinzip et maintint toutes ses thèses en politique internationale comme en politique intérieure. Suivant le faux témoin Otto Strasser, « le secrétaire de Gregor », Joseph Goebbels, se leva après cet exposé : « M. Adolf Hitler a raison, clama-t-il (à cette époque, le mot « führer » n'avait pas encore été introduit dans le vocabulaire du parti), ses arguments sont à un tel point convaincants qu'il n'y a ni honte ni reniement à reconnaître les erreurs qui furent les nôtres et à nous rallier à lui. »

En réalité, le discours de Hitler consterna Goebbels : « Je suis comme un homme qui reçoit un coup sur la nuque. Qu'est Hitler? Un réactionnaire? Question russe : complètement à côté. L'Italie et l'Angleterre alliées naturelles de l'Allemagne : effrayant! Notre mission est l'anéantissement du bolchevisme : incroyable! Nous devons hériter de la Russie. 180 millions!!! Et les princes! Il ne faut pas ébranler le principe de la propriété : horrible!... C'est de loin la plus grande déception de ma vie. Je ne crois plus en Hitler. »

Si le discours de Hitler avait consterné Goebbels, la réplique de Strasser le déçut : « Lourde, vacillante, incertaine. Le bon, le loyal Strasser! Dieu que ces cochons nous surclassent! » Pourtant, la conclusion de la rencontre de Bamberg fut une cote mal taillée. Strasser, promu organisateur du N.S.D.A.P., montait en grade, devenait officiellement le numéro deux du parti, conservait les *Lettres Nationales-Socialistes*, obtenait l'autorisation de fonder à Berlin une maison d'édition. Mais le programme d'Elberfeld était abandonné et Adolf Hitler confirmé comme le chef unique et omnipotent du mouvement. Une trêve était conclue; le conflit restait ouvert.

Le 28 février 1926 — un an après la reconstitution du N.S.D.A.P. — toute la haute bourgeoisie de Hambourg se rassembla dans la salle des fêtes du luxueux hôtel Atlantic, sur l'Alster. Interdit en public, Adolf Hitler venait parler comme invité du Club National, après les plus hautes personnalités allemandes : les chanceliers Stresemann, Luther, Cuno; le docteur Schacht, le maréchal von Mackensen ; le général von Seeckt, l'amiral von Tirpitz, etc. Son discours fut un chef-d'œuvre d'habileté. Il masqua le socialisme derrière le nationalisme, ménagea la dynastie Hohenzollern, défendit la politique impériale d'avant-guerre, justifia l'indemnisation des princes par la défense du principe de la propriété, n'accabla que le gouvernement républicain pour sa faiblesse dans la défense de l'idéal et des intérêts allemands, recueillit une ovation des millionnaires hambourgeois, et, probablement, quelques subsides dont le parti avait le plus urgent besoin. Le N.S.D.A.P. avait dans la grande ville hanséatique un noyau d'une soixantaine d'adhérents luttant péniblement dans un milieu hostile ; Hitler s'abstint de rendre visite à ces pionniers. Son option était prise entre l'ouvriérisme et l'embourgeoisement. C'est en cultivant les forces traditionnelles de l'Allemagne, en faisant appel aux passions du passé qu'il s'élève vers le pouvoir.

« Je fus surpris, raconte le baron Otto von Dungern, ex-aide-de-camp du Kronprinz impérial, de recevoir la visite de Hitler, accompagné de Rudolf Hess. Marchant de long en large, il m'exposa avec une grande véhémence qu'il soutenait l'indemnisation des princes avant tout parce qu'il savait les services que les familles régnantes dépossédées avaient rendus à l'Allemagne. Il ajouta qu'il serait scandaleux que les princes ne lui accordent pas une aide financière importante, alors qu'il prenait pour la défense de leurs patrimoines des risques politiques sérieux, et me demanda d'intervenir dans ce but auprès du Kaiser en exil. Je lui répondis que je n'avais pas de relations suivies avec Doorn mais que j'essaierai de faire connaître sa démarche par un ami... »

Le 31 décembre 1925, le N.S.D.A.P. enregistrait vingt-sept mille sept cent dix-sept adhérents dont plus du tiers était enrôlé dans la S.A. Hitler l'avait réorganisée après le départ de Röhm en prenant ses précautions pour qu'elle reste une milice uniquement politique, étroitement subordonnée à sa personne. Le 23 mai 1926, les chemises brunes de Munich prêtèrent le serment suivant : « Je jure à mon Führer Adolf Hitler la foi et la fidélité la plus indéfectible et m'engage à lui obéir de la manière la plus absolue. » Les instructions données par Hitler rappelaient que la S.A. ne devait avoir aucun caractère militaire ou paramilitaire, ridiculisaient la velléité de faire avec quelques exercices des ersatz de soldats. Tout port d'armes, toute constitution de dépôts d'armes étaient interdits sous peine d'expulsion immédiate. Mais l'homme par lequel Hitler remplaça Röhm, le Gauleiter de Westphalie, Pfeffer von Salomon, ex-capitaine de cavalerie, allait avoir de la peine à étouffer l'officier de carrière sous le militant.

La Stabwache, devenue d'abord Stosstruppe, avait pris son nom définitif de Schutzstaffel, Échelon de Protection, en abrégé S.S., le 9 novembre 1925, anniversaire de la fusillade de la Feldherrnhalle. Elle constituait dans chaque localité importante un noyau d'hommes à toute épreuve dont la première mission consistait à fournir une garde du corps à

Hitler. Ses groupes locaux ne devaient pas dépasser une dizaine d'hommes et son effectif total au 31 décembre 1925 ne s'élevait qu'à deux cent soixante hommes. Simple branche de la S.A., la S.S. s'en distingua immédiatement par un esprit de corps faisant de chacun de ses membres un individu grave, affectant l'austérité, s'isolant dans l'abnégation. En face du brun, elle s'était vouée au noir : brassard noir, casquette noire, cravate noire en attendant un uniforme complet. Son premier chef, Julius Schreck, se plaignit d'être brimé par Pfeffer, donna sa démission pour redevenir le chauffeur de Hitler. L'ancien compagnon de captivité Josef Berchtold le remplaça. Sa taille n'en faisait pas l'idéal physique de l'homme nordique dont le racisme hitlérien se réclamait, mais son énergie et son courage compensaient les centimètres qui lui manquaient.

L'ex-porte-fanion de Röhm, Heinrich Himmler, n'avait pas été poursuivi après le putsch de Munich. Il avait été ensuite secrétaire, puis suppléant de Gregor Strasser dans le Gau de Basse-Bavière, mais une visite à Hitler l'avait fasciné. Il venait d'entrer dans la S.S. avec la carte numéro 168.

Le référendum contre l'indemnisation des princes recueillit plus de quinze millions de voix, manquant toutefois la majorité absolue requise par la Constitution. La politique intérieure dévora le treizième cabinet depuis la fondation de la République, mais le président Hindenburg eut une attitude irréprochable en rappelant à la chancellerie son concurrent de l'année précédente, Wilhelm Marx. En France, une panique financière ramenait au pouvoir Raymond Poincaré, mais sa politique de contrainte était morte. Briand conservait les Affaires étrangères. L'admission de l'Allemagne à la Société des Nations était organisée pour septembre. Mais les déchaînements du chauvinisme ne faisaient trêve ni en France ni en Allemagne, dénonçaient Locarno, là comme illusion, ici comme une trahison.

Le deuxième congrès national du N.S.D.A.P. se tint à Weimar du 5 au 7 juillet. La croix gammée fut déployée dans le théâtre qui avait vu s'élaborer la constitution républicaine. La réussite scénique, dit Baldur von Schirach, fut brillante. « L'appel général eut lieu au Nationaltheater... Plus de cinq cents porte-drapeaux marchèrent en demi-cercle sur la scène. Devant eux étaient dressés quatre étendards, bannières carrées, surmontés d'aigles de fer forgé et argenté. Hitler avait dessiné cet emblème en s'inspirant des drapeaux des églises catholiques, des aigles des légions romaines et, surtout, des étendards fascistes... Le signal solennel de l'appel fut donné par l'apparition du « drapeau sanglant », celui qui avait été porté le 9 novembre 1923, à la tête du cortège qui trouva à la Feldherrnhalle de Munich une fin tragique... Hitler le confia à la garde de la S.S. qui venait d'être fondée et il consacra les étendards des nouvelles unités S.A. en les touchant du drapeau sacré... Il ne portait pas d'uniforme, mais un costume étrange : veste grise, bretelles de cuir, cravate et col, culotte, chaussettes grises et souliers bas bavarois... »

Pfeffer von Salomon lui présenta quinze mille S.A., masse brune, dans laquelle étaient noyés les deux cents S.S. noirs.

Le Gauleiter local était l'écrivain raciste Arthur Dinter, « géant au crâne luisant et carré, qui rappelait Luther, et qui se considérait d'ailleurs comme le Luther du XXe siècle ». Il attaqua la religion dans des termes d'une telle violence que des protestations se firent entendre dans l'auditoire. Hitler, qui avait fait bénir ses nouveaux fanions par un prêtre catholique et par un pasteur protestant, répondit qu'il n'avait pas l'intention d'ouvrir une guerre de religion, qu'il voulait au contraire fondre les deux confessions chrétiennes en parfaite harmonie dans le national-socialisme. La rédaction du *Beobachter* reçut l'ordre de ne pas mentionner le discours de Dinter, qui, peu de temps après, fut relevé de ses fonctions et disparut du mouvement.

Joseph Goebbels avait participé au deuxième congrès dans un état d'enthousiasme. Son doute de Bamberg s'était dissipé. « Hitler parle. Profond, mystique, presque un Évangile... Je remercie le destin de nous avoir donné un tel homme... » Hitler achève sa conquête au cours des douze jours que Goebbels, après Weimar, passe à Berchtesgaden. « C'est, confie le jeune Rhénan à son journal, un génie... l'instrument d'un destin divin... Aimable, bon et généreux comme un enfant. Subtil, rusé et souple comme un chat. Rugissant et gigantesque comme un lion... » Une nuit, pendant que Hitler parle sur la galerie de la maison Wachenfels, Goebbels, qui n'a pourtant rien d'un mystique, voit dans le ciel un nuage en forme de croix gammée éclairé par une lueur qui ne peut provenir des étoiles. « Ma tête, disait Hitler, ne roulera pas dans le sable avant que j'aie accompli ma mission. » Goebbels est transporté : « Ma dernière crainte tombe. L'Allemagne vivra ! Heil Hitler ! »

Le conflit de Hitler et des Strasser n'avait pas fait d'éclat à Weimar. Il ne cessait, cependant, de prendre de l'acuité. La maison d'édition fondée par les deux frères avait acquis plusieurs périodiques et créé un quotidien, *Berliner Arbeiter Zeitung,* qui reprenait les thèses socialistes de l'école d'Elberfeld. « Notre idéologie, écrit Otto, s'exprimait dans les feuilles que je dirigeais avec ardeur. Notre organisation démocratique s'opposait aux dispositions de plus en plus capitalistes du N.S.D.A.P. » Goebbels s'était jadis brouillé avec Pfeffer von Salomon, lequel, dans sa Westphalie couverte d'usines, refusait d'admettre que le mouvement national-socialiste devait être agressivement prolétarien. Otto Strasser reprenait à Berlin la formule dont l'influence de Hitler avait détourné Goebbels.

Sous une version ou sous une autre, la pénétration nazie dans la capitale du Reich restait d'une lenteur désespérante. Le dur petit noyau que Röhm avait recruté pour son Frontbann se décourageait et se dissociait. Le Gauleiter Sclamge s'était démis de ses fonctions. Le chef de la S.A. berlinoise, Kurt Daluege, et la majorité des adhérents refusaient de reconnaître l'autorité de son suppléant, Erich Schmiedicke. Goebbels avait parlé à Berlin avec un grand succès et, à Weimar, des militants berlinois lui avaient dit qu'ils souhaitaient l'avoir comme Gauleiter. Mais il n'aimait pas l'énorme cité, qu'il appelait une mer d'asphalte et un cloaque de vice. « Je ne suis heureux, disait-il, que lorsque j'en pars... »

Après les jours ensoleillés de Berchtesgaden, l'ambition du petit docteur était d'être nommé directeur de la propagande nationale du parti. Mais il n'extériorisa pas sa déception lorsqu'il reçut du Chef une lettre l'envoyant à Berlin comme Gauleiter, aux appointements de 600 marks par mois. « Berlin, dit-il, est parfait pour moi. » Aucune instruction ne lui était donnée au sujet de l'attitude qu'il devait avoir à l'égard de son ancien patron Gregor Strasser. Il comprit sans peine la consigne que cette omission recouvrait.

Le 1er novembre 1926, le docteur Joseph Goebbels quittait Elberfeld et cette Ruhr où il avait fait ses premières preuves d'agitateur. Il arriva à la Potsdamer Bahnhof dans une grisaille enténébrée. Il avait vingt-neuf ans et pesait 50 kilos. On le chargeait de conquérir presque sans moyens une ville de quatre millions d'habitants dans laquelle l'existence du national-socialisme n'était peut-être pas connue de cinq mille personnes. Il se mit à l'œuvre aussitôt.

10

COMBATS PIED A PIED POUR LE POUVOIR
1927-1929

Le deuxième volume de *Mein Kampf* parut en librairie le 10 décembre 1926. Il reprenait le sillon du premier, partait de cette réunion du 24 février 1920, dans laquelle Hitler voyait le début de l'essor. Quinze chapitres suivaient, dans le même désordre, que les douze chapitres du premier volume. La part d'autobiographie est moindre, mais de longs passages, l'essentiel de quatre ou cinq chapitres, sont consacrés à l'historique du N.S.D.A.P. et aux principes d'organisation que Hitler lui avait appliqués.

La redondance, l'enflure oratoire, les fautes de composition, l'absurdité de certaines déclamations sont flagrantes dans le second volume comme dans le premier, mais le mouvement du récit est souvent excellent et beaucoup d'idées, vraies ou fausses, sont exprimées avec éclat et clarté. La modération, parfois la sagesse, se mêlent à l'outrance, peignent l'homme d'État perçant sous l'agitateur. Hitler n'adopte aucune des thèses du paganisme nordique soutenu par Lanz, Ludendorff, Rosenberg, Dinter, Himmler, etc. L'antisémitisme délirant mis à part, son racisme reste modéré, quelquefois hésitant. Hitler refuse d'attaquer les Églises, souhaite l'atténuation du schisme religieux qui divise l'Allemagne en deux confessions. Il n'a recours à aucune démagogie sociale, ne promet aucune révolution mirobolante, ne met pas en cause les principes du système de production et d'échanges capitalistes. Ses fureurs inépuisables sont dirigées contre les hommes qui ont provoqué la défaite et contre ceux qui acceptent l'abaissement de l'Allemagne. « Un jour, un tribunal allemand aura à juger et à faire exécuter quelques dizaines de milliers de responsables de la trahison de novembre et de ses conséquences... » Hitler sort d'une période de l'histoire européenne dans laquelle le nationalisme fut la loi suprême, le fléau des peuples et le tyran des individus. Il est de la même essence que les revanchards français, que les jingoïstes anglais ou les panslavistes russes. Mais il les surpasse par l'emportement comme par ses dons de remueur de masses et le peuple qu'il sut conquérir était dans une phase de vigueur qui, comme la France napoléonienne, en fit un instrument terrible puis, après une brève période de gloire, un martyr.

Le second volume de *Mein Kampf* valait 12 marks comme le premier. Il se vendit sensiblement moins bien. La différence se maintint quand l'ouvrage prit sa vitesse de croisière. On vendit, jusqu'en 1930, vingt-trois mille exemplaires du tome premier et treize mille seulement du tome second. Les revenus de Hitler s'en ressentirent comme ses déclarations fiscales en font foi : 1925 : RM 19 834; 1926 : RM 15 903; 1927 : RM 11 494. Ils remontent, en 1929, à RM 15 448, grâce à des conférences et à des interviews payées. Mais Hitler ne reçut jamais du N.S.D.A.P. autre chose que le remboursement de ses frais, au reste assez lourds.

Le deuxième tome de *Mein Kampf* s'achève sur quelques lignes assez surprenantes : « En novembre 1923... le parti ouvrier national-socialiste fut dissous et frappé d'interdiction dans toute l'Allemagne. Aujourd'hui, en novembre 1926, nous le retrouvons jouissant d'une pleine liberté dans le Reich entier, plus puissant et mieux organisé que jamais. » Cette affirmation satisfaite n'est pas conforme aux faits. Le N.S.D.A.P. restait interdit dans la plupart des Länder et son chef privé du droit de prendre la parole dans les trois quarts de l'Allemagne. Son journal, le *Völkischer Beobachter*, était périodiquement l'objet de suspensions dont le nombre allait s'élever à trente-quatre entre 1925 et 1933. Son tirage dépassait péniblement mille cinq cents exemplaires et son déficit chronique posait de mois en mois le problème de sa survie. Hitler n'avait encore reconstitué qu'un mouvement modeste dont l'emprise sur le public n'avait même pas retrouvé la force qu'il avait exercée à l'époque dramatique de l'occupation de la Ruhr.

L'année 1927 commença dans un optimisme universel. De toutes les nations occidentales, seule l'Angleterre souffrait d'une crise de structure dont son orgueil l'empêchait de discerner les causes. L'Amérique, sous la présidence inerte d'un fermier du Vermont, Calvin Coolidge, baignait dans une prospérité sur laquelle aucun nuage ne semblait pouvoir se lever. L'Italie ne connaissait encore que les bienfaits du fascisme : l'ordre, l'activité, la restauration de la fierté nationale. Les finances de la France, saccagées par des gouvernements de gauche, avaient été reconstituées par Poincaré. L'Allemagne avait retrouvé la stabilité politique sous le chancelier Wilhelm Marx, rappelé aux affaires (après l'échec d'une tentative Adenauer), par l'homme qu'il avait failli battre à l'élection présidentielle, le maréchal von Hindenburg. Stresemann ayant conduit l'Allemagne dans la Société des Nations, négociait l'évacuation par anticipation de la rive gauche du Rhin. La tension entre la Bavière et le Reich avait beaucoup décru grâce à la sagesse du ministre président Heinrich Held. Le régime de Weimar se consolidait, enfonçait des racines dans un pays où la démocratie parlementaire était une innovation.

Les derniers éléments de la commission militaire interalliée de contrôle du désarmement quittaient l'Allemagne. Le rapport final de son chef, le général Nollet, établissait que le Reich s'était conformé aux prescriptions du traité de Versailles. L'effectif de la Reichswehr n'excédait pas les cent mille hommes autorisés. Son armement n'enfreignait pas les prohibitions du traité. La « Reichswehr noire », formation supplétive camouflée en unités de travailleurs, avait disparu. Il était vrai que des officiers allemands faisaient des stages en Russie, pour s'initier dans l'armée rouge aux engins défendus, mais pas une seule ligne, dans les textes imposés par les vainqueurs, ne faisait de cette pratique une infraction. Il était également vrai que la Reichswehr, avec ses soldats de douze ans de service, était une armée de sous-officiers, mais les alliés avaient choisi cette formule et il n'était réellement pas possible d'imposer à l'Allemagne d'avoir une mauvaise armée, en même temps qu'une armée en miniature. Aucune argutie ne pouvait détruire le fait que l'Allemagne avait rempli sa part dans le contrat établi par le quatorzième point wilsonien, confirmé par le préambule de la partie V du traité de Versailles. L'Allemagne avait désarmé; c'était aux autres signataires d'honorer l'engagement qu'ils avaient pris en désarmant à leur tour.

Ils songeaient surtout à s'en dispenser. Constituée l'année précédente, dans le cadre de la Société des Nations, une commission préparatoire à une conférence générale pour la réduction des armements n'avait pris jusqu'alors qu'une seule décision : s'ajourner.

Le principal argument par lequel on persistait à contester l'accomplissement intégral des clauses militaires de Versailles concernait le colonel général von Seeckt. La France considérait que les circonscriptions militaires allemandes devaient être autonomes, soutenait qu'un commandement centralisé était contraire au traité, demandait en conséquence que la Heeresleitung fût retirée à Hans von Seeckt. Le gouvernement allemand refusait de se plier à cette conception bizarre d'une armée sans chef. Seeckt désapprouvait le pacte rhénan, et, à Locarno, dont il disait qu'il faisait de l'Allemagne « un objet », préférait Rapallo et la coopération militaire avec la Russie. D'un autre côté, il continuait de porter la rancune des milieux ultranationalistes en raison de la position qu'il avait prise contre le putsch Kapp et le putsch Hitler. A peine sexagénaire, peu aimé mais hautement réputé, Seeckt paraissait devoir rester plusieurs années encore à la tête de l'armée.

Un article du publiciste Berthold Jacob, dans la *Welt am Morgen,* le précipita dans une retraite prématurée.

Jacob révélait qu'aux dernières grandes manœuvres un officier du 9e régiment d'infanterie n'appartenait pas à la Reichswehr. Il s'agissait du prince Guillaume de Prusse, fils aîné du Kronprinz, en deuxième position sur la ligne directe de succession. Seeckt expliqua au ministre de la Reichswehr Otto Gessler, que l'autorisation lui avait été demandée par le Kronprinz lui-même et que le jeune prince n'avait été qu'un spectateur sous l'uniforme de l'ancienne armée. Gessler répliqua qu'il était intolérable qu'une décision comportant les plus graves conséquences intérieures et extérieures ait été prise à son insu, et qu'il se voyait au regret de relever le colonel général de ses fonctions.

La révocation de Seeckt devait être signée par le maréchal-président commandant en chef de la Reichswehr. On demandait au vieux monarchiste qu'il disait être resté de frapper un général pour la faute vénielle d'avoir permis au petit-fils de son ancien maître d'être présent sur un terrain de manœuvre! Il tenta de faire rapporter la sanction. Gessler et le chancelier Marx offrirent leur démission. Hindenburg s'inclina. « J'ai envisagé, écrit-il au chancelier, de résigner mes fonctions... Après une lutte intérieure douloureuse, je me suis résolu à approuver le congédiement de von Seeckt pour épargner à l'Allemagne de nouveaux malheurs... » Hindenburg demanda ensuite que le colonel général en retraite Hans von Seeckt fût nommé commissaire du Reich pour les questions de désarmement. Le cabinet fit celui qui n'entend pas.

L'affaire Seeckt atteste la consolidation de la République. Elle montre ce qu'a d'excessif la formule ressassée de la Reichswehr « État dans l'État ». Le remplacement de Seeckt par Wilhelm Heye, général sans signification politique, ne provoqua dans l'armée aucun mouvement. Oubliant leurs griefs, les nationalistes avaient jeté des flammes en disant que le gouvernement avait obéi à une double crainte indigne, celle de la France et celle du Reichstag. Quelques jours plus tard, quatre nationalistes n'entrèrent pas moins dans le cabinet Marx. Les adversaires de la République devenaient un dernier carré et les mouvements extrémistes, celui de Hitler compris, perdaient l'importance que les épreuves des années précédentes leur avaient donnée.

Une excellente situation matérielle coopérait à cette détente. On était sorti du cauchemar des réparations. Le plan Dawes fonctionnait, permettant à la France de faire le service de sa dette à l'Amérique et à l'Angleterre, tout en conservant un reliquat appréciable d'un milliard de marks-or. La charge paraissait légère sur les épaules de l'Allemagne rendue à l'activité. L'industrie et l'agriculture se modernisaient. Les villes se dotaient à l'envi de stades, de piscines, de logements municipaux. L'agent général des paiements du plan Dawes, le banquier américain Parker Gilbert, avait tenté d'actionner un frein en soulignant que la brillante prospérité germanique reposait trop largement sur des emprunts onéreux à l'étranger : il s'était entendu reprocher d'intervenir dans un domaine qui n'était pas de sa compétence. La réputation du travail allemand, du sérieux allemand, de l'intégrité allemande amenait des concours qui suppléaient à la disette des capitaux proprement allemands. Le docteur Schacht était l'un des rares experts qui partageassent les préoccupations de Parker Gilbert, mais il donnait ses avertissements d'une telle hauteur de faux col qu'il inspirait surtout l'envie de le contredire.

L'interdiction de parole frappant Adolf Hitler devenait moins justifiable dans le nouveau climat allemand. Le 13 janvier 1927, le député national-socialiste Frick la mit en question devant la commission juridique du Reichstag. Le représentant du gouvernement soutint que les garanties individuelles inscrites dans la Constitution de Weimar ne s'étendaient pas aux étrangers. Frick eut beau jeu pour répondre que, étranger ou non, Hitler avait combattu quatre ans pour l'Allemagne et saigné pour elle. La commission, communistes compris, suivit Frick, proposa une résolution invitant le gouvernement du Reich à intervenir auprès des Länder pour que toutes les mesures restrictives de la liberté de parole et de réunion fussent levées. Une motion particulière appliquait cette recommandation au cas Hitler. Les deux textes furent ratifiés par le Reichstag dans sa séance du 23 mars.

La Bavière n'avait pas attendu le vote du Reichstag pour délier la langue de Hitler. Le chef de la fraction nationale-socialiste au Landtag, Rudolf Buttmann, accepta de se porter garant qu'il tiendrait, cette fois, sa promesse de rester strictement dans la légalité. Sur la foi de cette assurance écrite, Held, le 5 mars, débâillonna le chef du N.S.D.A.P.

Le 9 mars, Hitler retrouva le cirque Krone. Sept mille enthousiastes lui firent une ovation interminable. Ils se dispersèrent ensuite dans un silence angélique. Une affiche du parti avait interdit toute démonstration à l'issue de la réunion. « Aucun bruit dans la rue. Nous ne gagnons pas de sympathies en chantant pendant que les autres dorment... »

La Saxe avait précédé la Bavière. Les autres Länder suivirent, à l'exception de la Prusse dont le gouvernement socialiste fit durer l'interdit pendant encore une année.

*

Le nouveau Gauleiter de Berlin, Joseph Goebbels, avait trouvé une permanence lépreuse dans une cave de la Potsdamerstrasse, une caisse vide, un parti insignifiant et inactif. Les frères Strasser avaient installé dans la capitale leur maison d'éditions, Kampfverlag, leur imprimerie et leur journal, *Der Berliner Arbeiter* : ils s'empressèrent de les déménager dans la grande banlieue, à Lenitz, hors de la juridiction de Goebbels.

La tâche de Goebbels eût été décourageante même si le parti avait été uni. La loi du 27 avril 1920 avait rattaché au Berlin impérial, lequel comptait déjà trois millions d'habitants, la nébuleuse des villes satellites : Charlottenburg, Schöneberg, Neukölln, Wilmersdorf, Lichtenberg, Pankow, Köpenik, etc. pour créer la plus grosse unité urbaine d'Europe continentale. Ce Gross Berlin couvrait quatre-vingt-sept mille huit cent dix hectares, depuis le quartier gouvernemental portant ses lourds bâtiments néo-gothiques jusqu'à des bois, des champs et des lacs. La capitale de deux gouvernements, celui du Reich, celui de la Prusse, était aussi la ville industrielle la plus importante d'Allemagne. Sa couleur politique était un rouge vif. Les socialistes contrôlaient tous les rouages municipaux. Leur préfet de police, Grzesinski, sortait du syndicalisme de combat et les chances d'avancement de ses subordonnés passaient par l'adhésion au S.P.D. Les communistes talonnaient les socialistes aux élections et les dominaient dans la rue. Leur centrale, Karl-Liebknecht Haus, sur la Bülowplatz, affirmait leur puissance : une énorme bâtisse noire décorée par les portraits géants des trois « L », Lénine, Liebknecht, Luxemburg. Qu'un groupuscule pût conquérir le Gross Berlin contre ces forces marxistes écrasantes passait l'entendement. Qu'il pût même attirer l'attention des Berlinois, au milieu des sollicitations innombrables d'une capitale immense, n'était pas vraisemblable.

Sur une liste d'un millier, Goebbels commença par biffer quatre cents noms d'adhérents au N.S.D.A.P. dont les cotisations étaient en souffrance ou dont l'activité avait cessé. Il imposa aux autres une contribution exceptionnelle et déménagea sa permanence dans un local plus décent de la Lützowstrasse. Il loua ensuite, pour le 17 février 1927, les salles Phärus, dans le quartier prolétarien de Wedding. Des affiches rouge sang annonçaient le thème de son discours : « L'effondrement de la classe bourgeoise. » Pour se rendre à la réunion, les six cents nazis défilèrent dans les rues ouvrières, sous le drapeau à la croix gammée, derrière la stature gigantesque du chef de la S.A. de Berlin, Kurt Daluege. Dans la salle les Rouges commencèrent une obstruction forcenée. A un signal donné, les S.A. se jetèrent sur les perturbateurs. Un combat s'engagea à coups de chaises et de bouteilles de bière, mais les communistes eurent la surprise d'être dominés, rossés et expulsés. Pendant toute la bagarre, Goebbels était resté à la tribune, impassible, les bras croisés. Il se fit apporter un jeune S.A. sévèrement blessé, lui serra la main et, de sa voix retentissante, amplifiée encore de sortir d'un corps frêle, lança : « Je renonce à mon sujet de ce soir. Je vous parlerai du S.A. inconnu... » Le lendemain, tous les journaux étaient pleins de la bataille des salles Phärus et le bureau de la Lützowstrasse enregistra deux mille six cents demandes d'adhésion (1).

La lutte se poursuivit avec un acharnement croissant. Les communistes défendaient leur citadelle contre l'agression d'une poignée d'extrémistes intrépides. Ils couvraient les murs d'affiches : *Berlin ist nicht München. Berlin bleibt Rot.* Le pavé était régulièrement ensanglanté par la rencontre des deux drapeaux rouges, celui de la croix gammée et celui de la faucille et du marteau.

Hitler parla à Berlin pour la première fois le 1er mai 1927. Comme son ostracisme oratoire n'avait pas encore été levé en Prusse, la réunion, cinq mille auditeurs, eut lieu sur invitations personnelles au grand établissement nocturne du Clou, 82, Mauerstrasse. Toutes les années précédentes, le local avait été retenu par la S.P.D. pour la célébration de la fête du travail. Les socialistes eurent leur revanche quatre jours plus tard.

Goebbels avait organisé à la Maison du Combattant une réunion dont le thème était la mise en accusation de Jakob Goldschmidt, président de la Darmstädter *und* National Bank (Danat). Un perturbateur nommé

Fritz Stucke fut expulsé et blessé par les S.A. L'Association républicaine et socialiste Reichsbanner le produisit, la tête bandée, dans une réunion, en le présentant comme un paisible pasteur sur lequel la sauvagerie nazie s'était acharnée. En réalité, l'individu était un ivrogne d'habitude, interdit par l'Église évangélique et qui devait finir comme un petit fonctionnaire du IIIe Reich. Mais le prétexte suffit pour motiver l'interdiction du N.S.D.A.P. Une mesure supplémentaire retira à Goebbels le droit de prendre la parole en public.

« On forçait la S.A., écrit Goebbels, à retirer ses chers uniformes bruns, ses fiers drapeaux étaient roulés, les insignes du parti ne pouvaient plus être arborés. Discrètement et la rage au cœur, nous piquions au revers droit de nos vestons une épingle. » Les porteurs d'épingle se battaient presque chaque soir avec des commandos rouges sur le Kurfürstendamm. Les journaux bourgeois blâmaient les nazis, les rendaient responsables du préjudice causé à la vie nocturne de la capitale. Goebbels essayait de tourner l'ordonnance d'interdiction en reconstituant la S.A. sous des noms ironiquement bucoliques, *Zum ruhigen See, Zur schöne Eiche,* mais le vice-préfet de police Bernhard Weiss déjouait ses ruses, relançait l'action judiciaire, fermait les permanences camouflées, arrêtait les militants.

A la fin de juin, des affichettes furent apposées sur les kiosques de Berlin avec ces simples mots : *Der Angriff.* Un ou deux jours plus tard, d'autres affichettes annoncèrent : *Der Angriff erfolgt am 4 Juli!* De quelle « Attaque » s'agissait-il? On pensa à un putsch communiste. On interpella au Landtag. Le voile fut déchiré lorsqu'une troisième affichette fit savoir que l'*Angriff* était un nouvel hebdomadaire paraissant le lundi pour défendre les exploités contre les exploiteurs. Directeur : le docteur Joseph Goebbels.

Der Angriff ne fut jamais un journal, mais toujours un pamphlet. Goebbels l'écrivait d'une encre semblable à son éloquence, en phrases courtes, pressées et percutantes. Esprit cultivé et orné, parfaitement capable d'une discussion philosophique, sachant déployer du charme et de l'objectivité dans les contacts privés, il abordait la propagande en pur technicien, uniquement soucieux du rendement, pratiquait de la manière la plus lucide et la plus cynique un mépris total de la vérité. Avec un pauvre tirage de deux mille exemplaires, et une collection de factures impayées, l'*Angriff* ouvrait la carrière de journaliste d'un des hommes qui surent le mieux faire mentir l'imprimerie.

Une lutte venimeuse sévissait déjà entre Goebbels et les frères Strasser. Tous les journaux de la Kampfverlag avaient publié un article sur les malformations physiques découlant des mélanges de sang qui, à travers quelques références historiques transparentes, dont le pied-bot de Talleyrand, visait le Gauleiter difforme de Berlin. Goebbels répondait en faisant dire que les Strasser étaient des Juifs et que, bourgeois eux-mêmes, pharmaciens opulents de Landshut, ils trahissaient le national-socialisme pour le compte des partis bourgeois. L'apparition de l'*Angriff* porta le conflit à son paroxysme. Gregor écrivit à Hitler que la nouvelle publication constituait une concurrence inadmissible à son propre journal et qu'il demandait au Chef de l'interdire. Hitler répondit hypocritement que, bien entendu, l'*Arbeiter* demeurait l'organe officiel du parti en Allemagne du Nord, mais que l'*Angriff* était l'affaire privée du docteur Goebbels et qu'il ne lui était pas possible d'intervenir pour en arrêter la publication.

Les statuts du parti exigeaient encore que le Führer fût confirmé chaque année par une réunion plénière de la section munichoise. La formalité fut accomplie le 27 juillet, à la Bürgerbräukeller, devant mille quatre cents personnes, puis Hitler dressa un bilan de l'activité du mouvement. Il lui attribua cent quatorze sections et soixante-dix mille adhérents, contre trente-six mille trois cents au début de 1926. La police met en doute ce chiffre : « Il n'est pas question de soixante-dix mille ; le parti compte cinquante mille membres tout au plus. » La social-démocratie enregistrait à la même époque neuf cent quatre-vingt-dix mille six adhérents et cent quatre-vingt-quatre mille quatre-vingt-dix-neuf adhérentes. Le national-socialisme restait une formation très secondaire sur le tableau politique allemand.

A défaut du nombre, le parti possédait un sens grandiose de la mise en scène. Le troisième congrès, siégeant à Nuremberg du 19 au 21 août 1927, fut une brillante représentation commençant par l'arrivée simultanée de seize trains spéciaux à la gare centrale et se clôturant par le fleuve de feu de huit mille porteurs de torches incendiant les rues médiévales du reflet sanglant. Hitler décida que les congrès seraient annuels et se tiendraient toujours à Nuremberg.

La levée de l'interdiction de parole, partielle d'abord, puis totale, rouvre à Hitler un vaste champ d'activité. Le compte rendu de ses réunions au cours des années 1927, 1928 et 1929, leur critique ou leur satire dans la presse adverse, les rapports et analyses de la police auxquels elles donnent lieu forment un dossier volumineux permettant de suivre presque au jour le jour le sillage oratoire du Führer, mais dans le détail duquel il serait fastidieux d'entrer. Il s'entremêle aux activités électorales du N.S.D.A.P. participant d'une manière systématique à toutes les compétitions pour les diètes des États, les municipalités, les guildes d'étudiants, etc. Hitler avait commencé par vouloir enlever le pouvoir d'un coup de main ; c'est désormais une lutte pied à pied qu'il poursuit — dans l'incompréhension, l'impatience, l'ironie, quelquefois l'opposition ouverte des éléments extrémistes de son parti.

Après celui de Bavière, le premier Landtag où les nazis parvinrent à pénétrer fut celui de la rouge Thuringe : vingt-sept mille neuf cent dix-huit voix (3,41 %) et deux sièges sur cinquante-six, le 30 janvier 1927. Trois mois plus tard, le Brunswick leur donna dix mille trois cent cinquante-huit voix (3,7 %) et un siège sur quarante-huit. Entre-temps, Hambourg avait voté pour son Sénat, mais l'élection fut cassée et les électeurs convoqués à nouveau le 19 février 1928 : les nazis, qui avaient eu neuf mille sept cent cinquante-quatre voix (1,5 %) et deux sièges au premier scrutin, en obtinrent au second quinze mille soixante (2,1 %) et trois sièges. Hitler célébra cette montée comme une grande victoire. Les activistes haussèrent les épaules : combien nous faudra-t-il de siècles pour arriver au pouvoir à ce train-là ? Pas un seul analyste de la politique ne croyait que le national-socialisme pût conquérir l'Allemagne par le suffrage universel.

La plaie d'argent continuait de tourmenter Hitler. Le trésorier national, Franz Xaver Schwarz, un quinquagénaire de comptable que les jeunes nazis tournaient en dérision, ne cessait de gémir sur les dépenses extravagantes du Führer et donnait sa démission à jet continu. Il réussit à présenter un exercice 1926-1927 en équilibre : recettes, RM 114 707 ; dépenses, RM 114 582 — mais il exigea un relèvement de la cotisation mensuelle de 60 à 80 pfennig et une contribution spéciale de 2 marks pour faire face aux frais du congrès de Nuremberg. Les sacrifices pécuniaires imposés aux fervents du national-socialisme avaient toujours été lourds ; ils ne cessaient de s'accroître, provoquant des murmures dans les rangs.

Sur les 114 000 marks de recettes pour 1926-1927, 86 000 provenaient des cotisations, 16 000 de quêtes diverses et 12 000 seulement de largesses individuelles. Schwarz fit constituer un groupement ironiquement appelé Opferring, Cercle des Victimes, dont les membres s'engageaient à aller au delà de la cotisation régulière, mais les résultats furent médiocres. « Au début de l'été, lit-on dans un rapport de la police bavaroise, *Herr* Hitler envoya son secrétaire Hess en Allemagne du Nord pour essayer d'ouvrir des sources d'argent nouvelles, mais la mission est restée infructueuse. » Ce n'est pas tout à fait exact : la mission de Rudolf Hess découvrit Emil Kirdorf.

Le conseiller secret Kirdorf était quinteux et difficile. Cofondateur du Kohlensyndikat, organisme de répartition et de contrôle des charbons de la Ruhr, il n'avait pas craint de se quereller avec Guillaume II quand celui-ci avait fait adopter les premières lois sociales. En 1927, ayant franchi le cap des quatre-vingts ans, il avait renoncé à la présidence du Kohlensyndikat et à la direction des aciéries de Gelsenkirchen, vivait à Dortmund comme un retraité opulent. Hess parvint à s'ouvrir sa porte, l'intéressa au national-socialisme, lui fit accepter une invitation au congrès de Nuremberg. Quelques semaines plus tard, le 27 octobre 1927, Kirdorf réunit chez lui une quinzaine d'industriels allemands et leur présenta Adolf Hitler. Il fallut les procès de l'après-guerre pour dissiper la légende suivant laquelle la réunion de Dortmund aurait décidé de verser au N.S.D.A.P. un subside d'un demi-mark par tonne de charbon distribuée par le Kohlensyndikat. En réalité, les industriels de Dortmund restèrent tièdes devant l'exposé de Hitler, se dérobèrent devant son appel d'argent. Seul, le retraité Kirdorf versa 100 000 marks sur sa fortune personnelle. « En dehors de lui, dit August Thyssen, je doute que Hitler reçut à cette époque (1927) beaucoup de subsides des industriels allemands. » Le patronat réservait son appui à la droite classique, éprouvait peu de sympathie pour un parti proclamant son anticapitalisme et, par surcroît, ne croyait pas aux chances de succès du N.S.D.A.P. Je reviendrai sur la question à mesure du déroulement de ce récit.

***

Le monument commémorant la victoire allemande de Tannenberg était une forteresse médiévale dominant un paysage de lande et de forêt. Pour l'inaugurer, le maréchal-président von Hindenburg débarqua à Königsberg, le 17 septembre 1927, du croiseur *Berlin*. Toute la population de la province qu'il avait sauvée de l'invasion russe, mais que le traité de Versailles isolait derrière le corridor polonais, faisait la haie sur la route du champ de bataille qu'il n'avait pas revu depuis 1914.

Hindenburg avait fait dire à Ludendorff qu'il l'espérait à ses côtés sur ce qui avait été le théâtre de leur gloire commune. L'orgueilleux général refusa. « Il n'y a eu à Tannenberg, disait-il, qu'un seul vainqueur : MOI! »

Hitler n'était encore jamais venu en Prusse-Orientale, mais le nazisme trouvait déjà des enthousiastes dans une région dont la menace polonaise renforçait le nationalisme traditionnel. Un groupe de jeunes gens, déployant le drapeau rouge à la croix gammée, lança sur le parcours du cortège le cri de guerre du parti : « *Deutschland Erwache!* » Hindenburg crut qu'ils lui reprochaient de dormir. Le minuscule incident devait laisser une longue trace dans son esprit.

Le discours du président du Reich défendait l'Allemagne contre l'accusation d'avoir voulu et déclenché la guerre. « Ni la cupidité, ni la haine, ni la soif de conquêtes ne nous mit les armes à la main... » Les termes du discours avaient été arrêtés d'accord avec Marx et Stresemann. Toute l'Allemagne acclama cette protestation. Hors d'Allemagne, les journaux français furent à peu près les seuls à trouver en elle une répudiation du traité de Versailles et la preuve que l'Allemagne était incorrigible.

Le 80e anniversaire de Hindenburg, 2 octobre 1927, suivait de près la cérémonie de Tannenberg. Trois mois auparavant, joignant le sens de l'intérêt familial à la ferveur de la reconnaissance patriotique, le député conservateur Elard von Oldenburg-Januschau avait suggéré au chancelier Marx de faire acheter par l'État le domaine de sa belle-sœur, Neudeck, près de Tannenberg, pour l'offrir au président entrant dans l'octogénariat. Marx répondit qu'il ne pouvait être question de disposer des deniers de l'État pour cette largesse, mais qu'il suggérait à Oldenburg de rassembler le million de marks nécessaire en ouvrant une souscription dans les provinces de l'est que Hindenburg avait défendues. Oldenburg étendit sa quête à toute l'Allemagne. Les industriels westphaliens ne furent pas les derniers à apporter leur obole au Bélisaire des marches orientales. Paul von Hindenburg *und* Beneckendorff devint ainsi un Junker. Considérant son âge et la lourdeur des droits successoraux, on jugea expédient de mettre secrètement l'acquisition au nom du fils, aide de camp de son père, le colonel Oskar von Hindenburg.

La maison, sans style particulier, était spacieuse, commode, précédée d'une vaste terrasse, entourée de frondaisons superbes. Le voyage exigeait la traversée du Korridor, mais le train passait d'une traite et l'on épargnait au maréchal la vue des gardes-frontières polonais en accomplissant le parcours de nuit. Un millier d'hectares faisait participer le chef de l'État aux soucis des propriétaires terriens affectés par la mévente des produits agricoles, criblés de dettes, couverts d'hypothèques, souffrant d'une impression d'abandon dans leur île terrestre aux communications défectueuses et aux services publics insuffisants. Dès le conseil des ministres du 21 décembre 1927, Hindenburg s'autorisa de son expérience pour élever la voix en leur faveur. Une loi sur l'Osthilfe, l'Aide à l'Est, votée au début de 1928, ne l'empêcha pas de revenir à la charge avec une inconscience de vieillard. On verra ses attaches avec la Prusse-Orientale peser sur la politique allemande, entraîner d'irréparables erreurs.

Une influence grandissait dans l'ombre. En 1919, le major Kurt von Schleicher, en uniforme de l'état-major général, avait traversé Berlin insurgé, aux côtés du général Groener, pour venir dire au président Ebert que le maréchal Hindenburg préférait mourir plutôt que d'accepter l'élection des officiers par les conseils de soldats. Huit ans plus tard, le colonel Schleicher faisait créer un Ministeramt, bureau de liaison entre la présidence, le Reichstag et la Reichswehr, organe hybride entre la politique et l'armée, propre au génie d'intrigue de son titulaire. Son amitié avec le colonel von Hindenburg, un ancien camarade du 3ᵉ régiment de la garde à pied, favorisait sa pénétration dans l'entourage du maréchal. Schleicher évitait de se mettre en lumière, préférait l'influence au pouvoir, mais l'on commençait à savoir dans Berlin qu'une Éminence grise guidait les pas politiques du chef de l'État.

Successeur de Noske, ministre de la Reichswehr depuis 1920, à travers douze cabinets successifs, Gessler avait eu raison de Seeckt en faisant fléchir la résistance de Hindenburg. Il devait le payer. Au début de 1928, le maréchal, dont la rancune était excitée par Schleicher, déclara qu'il ne voulait plus entendre parler de Gessler. Marx, menacé de la démission de ses ministres nationalistes, ne crut pas pouvoir défendre son collaborateur. On revit au ministère de la Guerre, pour la première fois depuis l'empire, un général — à vrai dire celui qui avait précipité la fuite de Guillaume II en disant que le serment qui lui avait été prêté ne justifiait pas le suicide de l'armée allemande, Wilhelm Groener. Il devait connaître à son tour la duplicité de Schleicher et l'ingratitude de Hindenburg.

Le sacrifice de Gessler ne sauva pas Marx. Quelques semaines plus tard, sa majorité se dissocia sur une question fiscale. Le Reichstag fut dissous le 31 mars. Les nouvelles élections furent fixées au 20 mai. Hitler contraignait son parti à se battre depuis trois ans dans toutes les élections partielles ou mineures. Il allait affronter maintenant l'épreuve du suffrage universel dans la totalité du Reich.

***

Une neige tardive recouvrait Munich. Göring et Hanfstaengl s'arrêtèrent devant la porte de Hitler après avoir pataugé sur le quai de l'Isar. Göring invita son compagnon à entrer avec lui. Hanfstaengl refusa. Les retrouvailles de l'ex-caporal du régiment List et de l'ancien commandant de l'escadrille des Damiers eurent lieu sans témoin.

La figure de Hermann Göring commençait à s'effacer des mémoires nationales-socialistes. Guéri de ses blessures, il n'était rentré en Allemagne qu'après l'amnistie pleine et entière des événements de 1923. Représentant à Berlin d'une firme aéronautique suédoise, il n'avait manifesté aucun empressement à reprendre un rôle actif dans le N.S.D.A.P. Il continuait de dire que Hitler s'était comporté comme un pleutre devant la Feldherrnhalle. Les élections du 20 mai réveillaient ses ambitions. Le capitaine Hermann Göring venait demander au Führer Adolf Hitler une place de choix sur la liste nazie.

Hitler fit remarquer à son visiteur qu'il avait été absent bien longtemps et que son nom ne disait plus grand-chose aux militants. Göring répondit en demandant si deux balles dans le ventre n'étaient pas un titre égal à quelques discours. Il sortit rayonnant, après avoir décroché une septième position sur la liste nationale. Suivant Otto Strasser, il avait menacé Hitler de le déshonorer s'il persistait dans son refus.

Les élections furent une victoire de la gauche. Le centre et la droite enregistrèrent des reculs sensibles. Le S.P.D. gagna vingt et un sièges. Hermann Müller, qui avait signé le traité de Versailles avec la conviction qu'il clouait son cercueil politique, fut rappelé à la chancellerie par le même maréchal Hindenburg qui avait attribué la catastrophe de 1918 au coup de poignard des socialistes dans le dos de l'armée allemande. Le Landtag de Prusse, renouvelé le même jour que le Reichstag, donna à la social-démocratie une majorité absolue de deux cent vingt-neuf sièges sur quatre cent cinquante. La journée du 20 mai 1928 fut interprétée dans le monde entier comme la consécration de la République de Weimar.

Le N.S.D.A.P. recueillit huit cent neuf mille voix, 2,6 % des votants, en léger recul par rapport à 1925. Il n'obtint la majorité que dans deux arrondissements bavarois, mais la récupération des restes lui donna douze sièges sur quatre cent quatre-vingt-onze députés. Göring était donc élu, avec Frick, Feder, Gregor Strasser, von Epp, etc. Et Goebbels! L'ennemi fanatique de l'institution parlementaire faisait son entrée au Parlement dans un ricanement de diable boiteux : « Mon but est plus que jamais de le détruire. Je ne suis pas un M.d.R., mais uniquement un I.d.I. et un I.d.F. » Autrement dit, je ne suis pas un membre du Reichstag, mais un titulaire de l'immunité parlementaire et de la gratuité sur les chemins de fer.

A Berlin, la liste nazie n'avait obtenu que trente-neuf mille voix — mais leur unique apparition électorale antérieure, dans une élection partielle à Spandau, ne leur en avait donné que cent trente-sept. Goebbels salua cette progression comme le commencement d'une percée irrésistible. Son élection lui rendant automatiquement la liberté de parole, il retrouva le Sportpalast, la tribune par excellence, disait-il, pour parler au peuple allemand. Les foules ne se lassaient pas de son éloquence percutante et gouailleuse, mais jamais il ne tenta de se servir de ses dons oratoires pour supplanter le Führer du parti. Il avait établi comme un principe scientifique que le culte d'un homme était indispensable à la victoire d'un mouvement de masse et, bien qu'il restât en désaccord avec Hitler sur de nombreux points, bien qu'il se sentît probablement plus intelligent, il travaillait à en construire le mythe. L'usage systématique de l'appellation : « *Mein* Führer », l'introduction du salut : « *Heil* Hitler! » font partie des créations du docteur Goebbels.

Le Staatenlos Adolf Hitler ne pouvait qu'aller écouter les discours de ses élus dans la galerie publique du Reichstag. Mais il sillonne l'Allemagne, assisté de son secrétaire Rudolf Hess, servi par son factotum Julius Schaub, conduit par son chauffeur Julius Streck, auquel succédera Erich Kempka. Ses discours, d'une heure trente à deux heures trente, reprennent inexorablement la thèse de l'Allemagne trahie et de la juiverie pullulant sur ses plaies. L'orchestration atteint une véritable perfection. L'auditoire est mis en condition par des fanfares, des chants, l'entrée rutilante des drapeaux. Hitler attend dans un local voisin, renseigné de minute en minute sur l'ambiance. Lorsqu'il juge le moment venu, il apparaît au milieu de sa garde, impassible, grave comme le destin. L'onde sonore de l'acclamation ébranle l'édifice, roule et retentit dans la rue. Le discours est écouté dans un silence religieux, interrompu de vivats frénétiques, et la communion patriotique s'achève sur le cantique du *Deutschland über Alles*. Il est rare désormais que des perturbateurs se risquent à affronter un service d'ordre expérimenté et brutal.

Quelques points focaux attirent Hitler dans ses grandes tournées oratoires. A Bayreuth, il est l'hôte de la famille Wagner et s'abreuve d'antisémitisme avec le gendre, l'Anglais teutonisé H. S. Chamberlain. A Weimar, il descend au pittoresque hôtel Elefant, sur la Marktplatz, et fréquente le Deutschtheater. Il n'aime pas Goethe, dont l'universalisme est pour lui une trahison de l'Allemagne, mais Schiller est aussi une illustration de Weimar et Hitler l'admire depuis l'époque où, écolier, il dessinait à traits de plume minutieux le grand col de dentelle recouvrant la cuirasse et le feutre à larges bords de Wallenstein. Nuremberg, Würzburg, Augsburg, Eichstädt, Goslar l'attendrissent et l'enthousiasment. Des paysages allemands comme la vallée du Neckar lui tirent des larmes. L'Allemagne, l'Allemagne seule! Rien de ce qui est au delà des frontières de la germanité n'a pour lui d'appel. Il n'éprouve l'envie de connaître ni l'Amérique, ni l'Inde, ni l'Italie, à peine la Grèce — et uniquement parce que le génie allemand s'y est épanoui avec l'invasion des Doriens. L'Allemagne possédait et dévorait comme une fièvre cet Allemand marginal.

Hitler ne se cantonnait pas dans les villes, généralement conservatrices, de l'Allemagne romantique. Il envahit la citadelle marxiste de la Saxe industrielle, tient de grands meetings à Zwickau et à Chemnitz sans que les Rouges tentent de couvrir sa voix. Dans l'ouest, il a une prédilection pour Mannheim, siège des établissements Mercedes-Benz qui ont gagné son cœur en lui accordant un crédit que les autres firmes d'automobiles lui refusèrent. A Essen, la police vérifie une à une quatre mille cartes de membres du parti, l'interdiction de parler en public étant encore debout en Prusse. Elle est enfin levée par le Landtag le 30 août 1928. Six semaines plus tard, brièvement présenté par le Gauleiter Goebbels, Hitler aborde la grande arène berlinoise du Sportpalast, avec comme thème : « L'unique manière de briser nos chaînes. » La police doit fermer les portes, après que vingt mille personnes qui, toutes, ont payé leur place, se furent entassées. Elles sortent grisées.

En son chancelier socialiste, juge de son état, qu'on appelait Müller-Franken, Müller-Franconie, pour le distinguer dans la multitude des Meuniers, Hindenburg avait été charmé de découvrir un esprit orné et conciliant, qui l'entourait d'une déférence délicate, acceptait ses conseils de meilleure grâce que le centriste Marx. Au Reichstag, *die Grosse Koalition,* sociaux-démocrates, populistes allemands, catholiques du Zentrum et du parti populiste bavarois, possédait une confortable majorité contre les communistes en légère hausse, les nationalistes affaiblis et la poignée de nazis. Groener était resté au ministère de la Reichswehr. Les Finances avaient été confiées au socialiste Hilfering, gynécologue professionnel et financier amateur. Gustav Stresemann conservait les Affaires étrangères. Mais, pendant la campagne électorale, à Munich, il était tombé sans connaissance, terrassé par une congestion cérébrale, en essayant de dominer les sifflets à roulettes des nazis. Un peu remis sur pied par un séjour en Égypte, il avait eu en mai un blocage momentané des reins, puis, en août, pendant une cure en Thuringe, une perte passagère de la parole. Goebbels, dans l'*Angriff,* dansait à l'avance une danse macabre : « Les jours de Stresemann sont comptés. L'alcool, la bonne chère et son médecin juif les ont abrégés... »

La conscience de la brièveté de ses jours, dont se délectait Goebbels, raccourcissait les ambitions que Stresemann avait nourries. Il renonçait à obtenir la révision pacifique des frontières orientales, limitait ses visées à la libération anticipée du territoire allemand à l'ouest. Deux zones rhénanes restaient occupées, celle de Coblence et celle de Mayence, qui devaient l'être respectivement jusqu'en 1930 et 1935. A cette dernière date, les Sarrois devaient dire, par un plébiscite, s'ils optaient pour l'Allemagne, pour la France ou pour leur maintien sous la tutelle de la S.D.N.

La question des réparations se trouvait liée à la question rhénane. Aux termes du traité, l'évacuation anticipée était un droit si l'Allemagne satisfaisait par avance à ses obligations. Pour les Français, satisfaire voulait dire payer. Pour les Allemands, satisfaire voulait dire s'engager à payer. Le plan Dawes n'était qu'un arrangement provisoire puisque, sur les injonctions de Poincaré, le nombre des annuités, autrement dit le montant de la dette, n'avait pas été fixé. La stratégie de Stresemann allait consister à échanger un règlement théoriquement définitif contre le retrait des troupes occupant la Rhénanie.

Après de laborieuses négociations, l'Angleterre, la France, l'Italie, la Belgique, le Japon et l'Allemagne convinrent, le 16 septembre 1928, qu'un nouveau comité d'experts remettrait la question à l'étude. Bien qu'elle fût au nœud du problème, en raison de ses propres créances, l'Amérique s'était encore dérobée, se bornant de nouveau à fournir au comité d'experts son président, le président de la General Electric, Owen D. Young.

Le mois suivant, le parti deutsch-national tint son congrès à Berlin. Le mécontentement régnait dans les rangs. Les élections de mai avaient fait tomber les voix du parti de 6,2 à 4,4 millions, abaissé l'effectif du groupe parlementaire de cent deux à soixante-deux députés. On attribuait cette chute à l'amollissement du nationalisme, au relâchement de l'opposition, à la participation de quatre deutsch-nationaux au gouvernement Marx. Le bouc émissaire était le président du parti, le comte Kuno Westarp, un gentilhomme de la vieille école porté à la compréhension et à la conciliation. Hugenberg l'attaquait depuis des années. Il le supplanta. Peu d'hommes vont jouer un rôle aussi déterminant dans l'avènement de Hitler.

Physiquement, Alfred Hugenberg était l'Allemand de l'époque impériale tel que le caricaturait le dessinateur alsacien Hansi. Tout était carré dans son personnage, y compris sa redingote qu'on eût dit découpée dans du fer. Une chevelure blanche taillée en brosse arrêtait d'une ligne nette un visage à l'expression qu'on eût pu appeler lunaire si la lune était carrée. On ne pouvait soupçonner sous cette apparence de fonctionnaire subalterne un ancien directeur général des établissements Krupp et le créateur d'un réseau multiforme d'influence couvrant toute l'Allemagne par le quotidien *Berliner lokal Anzeiger,* une chaîne complète de journaux régionaux, l'agence d'informations Telegraphen Union, l'agence de publicité Ala, la grande firme cinématographique Ufa. Hugenberg y ajoutait encore un rôle extrêmement actif de collecteur et de répartiteur de fonds électoraux.

Les idées du détenteur de cette puissance étaient, elles aussi, carrées, repoussaient tout compromis avec la démocratie, condamnaient l'in-

La fièvre est tombée. A l'issue d'une réunion électorale à la Hofbräu-haus de Munich, Hitler est venu s'attabler auprès de ses lieutenants : de g. à dr. : Weber, Stras-ser, Hitler. Schwarz, Amann et Graf. (Photo H. Hoffmann.)

Reichsparteitag (fête du Parti) en 1926, à Weimar. De sa Mercedes-Kom-pressor, Hitler salue la S.A. Debout, à ses côtés, l'un de ses meil-leurs lieutenants, Rudolf Hess. (Photo Ullstein Bilderdienst.)

Réorganisation du N.S.D.A.P. Le 27 février 1925, Hitler préside à Munich la réunion consacrant la « Nouvelle Fondation » (Neugründung) de son parti. De g. à dr. : Rosenberg, Buch, Schwarz, Hitler, Strasser, Himmler. (Photo Copress.)

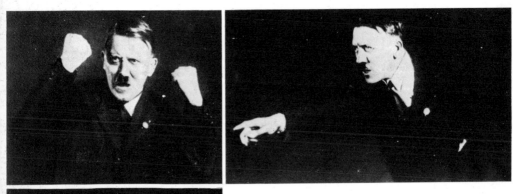

C'est du grand théâtre : poings levés, bras tendus, index tour à tour menaçant ou prophétique, Hitler est passé maître dans l'art de l'explosion verbale. Il n'a pas son pareil pour cajoler les masses, les tenir interminablement en haleine pour mieux les séduire. (Photos H. Hoffmann.)

Réunion du N.S.D.A.P. à Starnberg en 1926. (Photo Otto Vanek.)

La harangue hitlérienne lors d'un meeting S.A. en 1928.
(Photo National Archives, Washington.)

A 42 ans, Hitler apprécie soirées, fêtes, réceptions mondaines. Il aime s'y montrer charmeur, entouré d'un essaim d'admiratrices, comme ici chez Meyerhofer à la Saint-Sylvestre 1931-1932. Le plus souvent, les femmes ne sont pour lui que d'agréables figurantes... (Archives Paris-Match.)

... deux exceptions pourtant : sa nièce Geli Raubal (à g.) dont le suicide le bouleversa au point de vouer à son souvenir un véritable culte ; puis Eva Braun (à dr.) qui lui donnera un amour sans partage. (Archives Paris-Match et Photo National Archives, Washington.)

Été 1931 : pique-nique à l'Oberzalsberg en compagnie de Geli Raubal.
(Photo National Archives, Washington.)

C'est en avion que Hitler reçoit pour ses 43 ans les
vœux très fleuris de ses lieutenants.
(Photo Heinrich Hoffmann.)

Quoique porté vers le dessin d'architecte, Hitler
s'essaie parfois à la caricature : dans cette « plaisanterie » sur le problème juif, il s'est volontairement
donné l'air hirsute. Texte : « Si Sarah pouvait constater comme mes cheveux se sont dressés ! »

A Potsdam, en 1932, Hitler célèbre la Reichsjugendtag (journée de la Jeunesse du Reich) entouré de la fer
des militantes de la Ligue de la Jeune Fille Allemande. (Archives Paris-Match.)

Hitler affectionne particulièrement cette pa
plie qui lui donne l'air « aventurier »
feutre, trenchcoat, grosses chaussettes
laine, bottines et muni de sa célèbre crava
qu'il ne quitte guère, il donne ses ordre
l'Oberster S.A. Führer Pfeffer. Au sec
plan, à droite, Rosenberg. (Photo Copress

Hitler et Röhm au travail à la Maison Br
(Photo National Archives, Washington.)

En 1932, au congrès de Nuremberg, des milliers d'étendards hitlériens, portés par les S.A., submergent les rues de la vieille cité. (Photo B. N., Paris.)

Campagne électorale à Berlin en 1933. Sur l'immense affiche, placardée au fronton du journal nazi « Der Angriff », le Führer domine une marée humaine : « Le Peuple se dresse ! l'heure a sonné ! ». (Coll. Ringart.)

Le triomphe d'Adolf Hitler. Au soir du 30 janvier 1933, des fenêtres de la Wilhelmstrasse à Berlin, le chanc
nouvellement promu assiste en compagnie de Göring à l'interminable retraite aux flambeaux des S.A.,
S.S. et du Stahlhelm. (Photo Süddeutscher Verlag.)

Une des premières sorties dans Berlin du président du Reich et de son nouveau chancelier : aux côtés
Hindenburg maussade, Hitler, radieux, répond aux ovations. (Photo H. Hoffmann.)

fluence des syndicats, s'opposaient à la politique d'exécution des traités, appelaient à la restauration de la monarchie, au rétablissement de l'ordre matériel et moral de la vieille Allemagne. Une immense présomption faisait croire à Hugenberg que lui seul pouvait être l'artisan de cette remise en ordre et de cette remise en place d'une nation. Il était d'ailleurs sincère et désintéressé dans ce sens qu'il voyait en l'argent l'instrument au service de la cause à laquelle il croyait.

Les experts ne se réunirent à Paris que le 9 février 1929. Le parti national-socialiste avait enregistré au 31 décembre précédent cent huit mille sept cent dix-sept adhérents. La situation de l'Allemagne s'assombrissait. Le côté factice d'une prospérité qui éblouissait le monde commençait d'apparaître, et les avertissements de Schacht et de Gilbert de se vérifier. L'extravagante montée de Wall Street entraînait des rapatriements de capitaux américains, contraignait le Reich à relever son taux d'escompte, provoquait le ralentissement de l'activité économique. Deux millions trois cent mille chômeurs étaient recensés à la date du 15 février et le problème de leur indemnisation accroissait les difficultés budgétaires du Reich. Le ministre socialiste des Finances, Rudolf Hilferding, en était réduit à l'expédient d'aliéner le monopole des allumettes contre un prêt de 250 millions de dollars du brasseur d'affaires suédois Ivar Kreuger. Le mécontentement paysan, sous l'impulsion de l'agitateur Hamkens, prenait une forme anarchique, adoptait pour symbole le drapeau noir. Le 1er mai, une émeute communiste éclatait dans le quartier berlinois de Wedding : dix-neuf tués. Quelques jours plus tard, des bombes paysannes détonnaient dans le Schleswig-Holstein, détruisaient dans une formidable explosion le bureau d'agriculture d'Itzehoe.

Les travaux du comité Young se poursuivirent sur une toile de fond de malaise, dans la conviction croissante qu'il existait quelque chose d'irréaliste dans la chaîne de paiements internationaux que la guerre mondiale avait laissée derrière elle. Lloyd George, qui voulait presser le citron allemand jusqu'à en faire crier les pépins, disait maintenant aux Communes que les versements envisagés par les experts du comité Young exigeraient une réduction meurtrière des salaires allemands. Mais la France persistait dans le mythe des réparations et, avec une stupidité parfaite, l'Amérique continuait d'exiger le remboursement des emprunts qu'elle avait consentis pendant la guerre aux Français et aux Anglais.

Le 31 mai, le comité Young déposa son plan. Il proposait de ramener de 2 500 à 1 988 millions de marks-or le montant moyen des indemnités dues par l'Allemagne, en faisant une distinction entre une fraction de 660 millions non différables et un reliquat différable si la balance des paiements du débiteur l'exigeait. Le nombre des annuités pleines et entières était fixé à trente-sept, mais l'Allemagne devrait s'acquitter encore de vingt-deux annuités non différables correspondant à la dette franco-britannique envers les États-Unis. Elle serait, si elle s'exécutait scrupuleusement, libérée pleinement et totalement des obligations financières contractées à Versailles le 31 mars 1988!

Une opposition forcenée se déchaîne. Alfred Hugenberg déclare au Reichstag que le plan Young ferait de l'Allemagne une colonie franco-anglaise et, le 7 juillet, sans attendre la conférence des puissances convoquée à La Haye, fonde un comité national pour l'appel au peuple. Le comité groupe le parti national allemand, le Stahlhelm et le parti national-socialiste des ouvriers allemands — le parti d'Adolf Hitler!

Conjonction extravagante. La droite classique haïssait les idées hétéroclites, la démagogie vitupérante, l'anticapitalisme des nazis. Fort d'un million d'adhérents, comptant Hindenburg parmi ses membres d'honneur, imbu de l'esprit des tranchées, monarchiste jusqu'aux moelles, le Stahlhelm considérait la S.A. pleine de figures inquiétantes avec un mépris salubre. L'alliance contractée par Hugenberg causa dans le camp nationaliste de l'étonnement, ne parut justifiée que comme une coalition de circonstance contre le plan esclavagiste du comité Young.

Du côté nazi, la surprise et le mouvement de recul furent plus prononcés encore. Jamais le parti deutsch-national n'avait été appelé autrement que « Die Reaktion ». On portait dans son blason le mot « socialisme »; on s'enfiévrait contre la tyrannie de l'argent, la lâcheté et la décomposition de la bourgeoisie; on condamnait le capitalisme à une mort violente — et l'on se retrouvait les alliés de tout ce que l'Allemagne comptait de plus rétrograde!

Des mouvements d'indiscipline récurrents avaient déjà amené Hitler à rappeler, dans une note extrêmement énergique, que toute activité para-militaire, toute constitution d'armement, toute participation à des exercices de combat étaient strictement interdites aux membres du parti et que toute infraction entraînait l'expulsion immédiate. L'inconcevable alliance avec Die Reaktion aggravait le mécontentement, accroissait la suspicion sur la véritable nature et sur les mobiles réels du Führer. La S.A. de Berlin, avec ses éléments extrémistes, très proches des communistes qu'ils assommaient, fut plus profondément secouée. Mais l'ex-Marat berlinois, Joseph Goebbels, conserva une fidélité de paladin à son Führer.

Je n'ai pu reconstituer les conditions dans lesquelles Hitler traita avec Hugenberg. Il était à coup sûr conscient du trouble qu'il jetait dans son parti et de la nouvelle distance qu'il prenait à l'égard du national-socialisme primitif. Inversement, son alliance lui donnait de la respectabilité dans les classes moyennes où il trouvait ses conquêtes les plus faciles. Il brisait, grâce à la presse Hugenberg, la demi-conspiration du silence dont ses discours avaient été entourés jusqu'alors. Mais il n'y eut jamais, entre lui et l'ancien directeur général de Krupp, une coopération véritable. Chacun voyait dans l'autre un instrument pour son ambition.

Les gouvernements se réunirent à La Haye le 6 août 1929. Stresemann s'y traîna. La deuxième zone rhénane, celle de Coblence, était en instance d'évacuation. Il exigea, pour donner son accord au plan

Young, qu'elle fût étendue sans délai à la zone de Mayence. « Vous me demandez, disait-il, de faire accepter à mon pays des charges d'une lourdeur et d'une longueur sans précédent dans les rapports entre les nations. Comment y parviendrai-je si je n'obtiens pas ce que tous les Allemands demandent avec ferveur : la libération du sol national? »

Briand résista, puis céda. Il fut convenu que, sauf en Sarre, le dernier soldat français aurait quitté les territoires rhénans le 30 juin 1930 Stresemann soupira : « C'est trop loin pour moi. Je ne verrai pas la libération de mon pays... (2). »

Le précieux avantage arraché par Stresemann, l'évacuation de la Rhénanie cinq ans en avance de la date fixée par le traité, n'apaisa pas la fureur sacrée de Hugenberg. Le 12 septembre, son comité remettait en branle le mécanisme du référendum en déposant un projet de loi repoussant le plan Young, répudiant toutes les obligations découlant de l'aveu de culpabilité et inculpant de haute trahison tout chancelier ou ministre qui contracterait une obligation ayant cet aveu de culpabilité pour base. Dix pour cent des électeurs devaient contresigner ce texte pour contraindre le Reichstag à le discuter. Repoussé, il était soumis de plein droit au suffrage direct de la nation et proclamé loi de l'État s'il était ratifié par la majorité absolue des citoyens politiquement majeurs.

Stresemann mourut le 3 octobre. Il avait, quelques heures avant son dernier soupir, empêché la dislocation de la Grande Coalition sur une question d'assistance aux chômeurs. Un docteur Julius Curtius le remplaça aux Affaires étrangères en se déclarant son disciple et le continuateur de sa politique. Mais personne ne se fit d'illusion sur la solidité d'un gouvernement sauvé in extremis par un moribond.

Le 25 novembre, la haute cour constata que quatre millions cent trente-cinq mille trois cents signatures avaient été recueillies et dûment vérifiées. Les trois quarts provenaient des provinces à l'est de l'Elbe. Elles représentaient 10,02 % des électeurs. La loi « contre la mise en esclavage du peuple allemand » devait être obligatoirement soumise au Reichstag puis, après le refus prévisible de celui-ci, à la Nation.

Au Reichstag, Hugenberg recueillit le premier fruit de son alliance avec Hitler : le parti deutsch-national se scinda, le comte Westarp et ses amis refusant de s'associer à une politique de catastrophe. La campagne du référendum commença ensuite. Dès le début, il fut flagrant que Hitler ne la menait qu'avec une demi-activité, soit qu'il ne crût pas à la procédure du référendum, soit qu'il manquât d'enthousiasme pour une bataille dans laquelle il ne jouait pas le rôle principal.

Les urnes s'ouvrirent le 22 décembre 1929. La déception fut profonde dans les centaines de comités constitués pour s'opposer à la mise en esclavage de l'Allemagne. Il aurait fallu plus de vingt millions de votants pour dicter le rejet du plan Young : on en compta cinq millions huit cent vingt-cinq mille quatre-vingt-deux, 13,81 % seulement des électeurs. Le référendum contre l'indemnisation des princes avait recueilli quinze millions de voix.

Le vote du 22 décembre complétait la signification des élections du 20 mai. En dépit des ombres grandissant sur l'économie, malgré l'absurdité foncière d'un plan de paiement s'étendant sur cinquante-neuf ans, l'Allemagne refusait de se lancer dans l'aventure. Entouré du respect populaire dû aux anciens combattants, le Stahlhelm avait organisé dans toutes les grandes villes des rassemblements de cent mille hommes sac au dos ; ils n'avaient pas entraîné une nation dont on continuait de dire à l'extérieur qu'elle n'était pas capable de résister à un pas cadencé. Quand 1929 disparut du calendrier, la République démocratique allemande paraissait scellée.

Mais le destin s'avançait d'une marche irrésistible. Deux mois auparavant, le Stock Exchange de Wall Street s'était effondré, donnant le signal de la grande crise mondiale qui allait porter Adolf Hitler au pouvoir.

11

PERCÉE DU NATIONAL-SOCIALISME
1929-1931

Le numéro 16 de la Prinzregentplatz, sur la rive droite de l'Isar, se trouve en face du théâtre où se déroulait, depuis 1901, le festival annuel Richard Wagner. En prenant congé de la Thierschstrasse, le 5 septembre 1929, le wagnérien Adolf Hitler s'installa dans l'appartement de neuf pièces qui allait rester jusqu'à sa mort son domicile privé. Le ménage Winter, lui un ex-brosseur du général von Epp, elle une ex-femme de chambre d'une comtesse Törring, entra à son service. Et Geli Raubal vint s'installer à son foyer.

Après avoir renoué des relations à la prison de Landsberg, Adolf Hitler était resté en correspondance avec sa demi-sœur, Angela Raubal, poursuivant à Vienne sa vie de veuve besogneuse. Il lui demanda d'être la gardienne et l'hôtesse de Haus Wachenfels. Née le 4 janvier 1908, Angelina (Geli) acheva d'y grandir.

Entre la jeune fille et le dactylographe occasionnel de Landsberg, le chauffeur horloger Emil Maurice, une romance s'ébaucha. Hitler la brisa brutalement, après une scène terrible. Congédié — il devait rentrer en grâce ultérieurement — Maurice fut remplacé par Julius Streck. Et, laissant Angela dans la maison de Berchtesgaden, Adolf prit Angelina à son nouveau domicile, sous le prétexte transparent d'études médicales à l'Université. Elle y renonça au bout de quelques jours.

Tout Munich vit Hitler amoureux. Il escortait Geli au théâtre et au concert. Il l'accompagnait chez le couturier en vogue Ingo Schröder. Il attendait chez la modiste pendant qu'elle faisait sortir tous les chapeaux et, à la grande confusion de son oncle, quittait la boutique sans rien acheter. Il l'emmenait souper au café Heck et à l'Osteria Bavaria. Il supportait ses bouderies, souffrait qu'elle lui coupât la parole en public, qu'elle bâillât ostensiblement à ses tirades politiques ou qu'elle lui arrangeât sa cravate en se moquant de son manque d'élégance. Mais il était d'une jalousie exténuante. Hoffmann lui dit un jour que la jeune fille souffrait des limites trop strictes qu'il mettait à ses sorties et à ses divertissements. « J'aime Geli, répondit-il. Je ne l'épouserai pas, parce que je dois rester célibataire pour remplir ma mission, mais son avenir m'est si cher que je me sens lié par le devoir de veiller sur elle et de contrôler le cercle de ses connaissances mâles jusqu'au moment où j'aurai trouvé l'homme digne d'elle... »

Geli Raubal était, sans plus, une assez jolie fille, une brunette ronde de visage sous un petit front buté, plus vive qu'intelligente, mais aimée pour sa gaieté. Hitler, convaincu qu'elle avait en elle l'étoffe d'une cantatrice wagnérienne, lui fit donner des leçons par le chef d'orchestre Adolf Vogel, puis, lorsque celui-ci eut renoncé à la tâche, par un ancien officier d'ordonnance de Ludendorff, l'ex-capitaine d'artillerie Hans Streck, devenu maître à chanter. « Je n'ai jamais eu, disait-il, une plus mauvaise élève, et, si ce n'était pas pour *Herr* Hitler, je lui demanderais de se chercher un autre professeur. »

Il est établi qu'Adolf Hitler n'était ni homosexuel, ni incapable d'amour physique. Suivant l'autopsie faite par une commission de médecins russes, il lui manquait le testicule gauche, mais cette anomalie ne constitue ni une rareté, ni une cause d'impuissance. Toutefois, le Führer des Allemands était sujet à des formes de perversion sexuelle découlant d'une forte imagination mal assortie à des moyens physiques médiocres. Hanfstaengl prétend qu'il recueillit d'une amie commune ce soupir de Geli Raubal : « *Mein Onkel ist ein Ungeheuer* (un monstre). Personne ne peut s'imaginer ce qu'il exige de moi... » Otto Strasser, qui lui faisait un brin de cour, raconte qu'il vit arriver un jour une Geli bouleversée. « Elle avait les yeux rouges, sa petite figure ronde toute défaite et l'air apeuré d'une bête traquée... Avec colère, dégoût, horreur, elle me confia les étranges propositions dont son oncle la poursuivait... » L'extrême galanterie d'Adolf, ses regards appuyés, ses baisemains prolongés, ses soupirs enamourés, ses envois de fleurs et de parfums, ses abandons langoureux sur une épaule ou sur une poitrine avaient pour contrepartie l'asservissement et l'humiliation qu'il imposait aux élues.

Non loin de la brune, la blonde tendait ses filets. Eva Braun venait d'entrer comme demoiselle de magasin chez Hoffmann. Celui-ci l'appréciait peu, la trouvait sotte et frivole. Elle était plus jolie et plus distinguée que Geli Raubal, tout en portant sur son visage régulier un certain air de dureté. « Ses jambes, dira le maréchal Keitel, étaient parfaites. C'était toujours la première chose qu'on remarquait en la voyant. » Elle jeta tout de suite son dévolu sur Hitler, mais celui-ci était bien trop épris de sa nièce pour accorder à une autre fille plus que les empressements qu'il prodiguait à l'éternel féminin. Geli, au reste, en conçut très vite une sérieuse jalousie. Son oncle pouvait être un monstre; elle le voulait néanmoins pour elle seule.

Ces complications sentimentales se déroulaient au milieu du début de la grande tragédie allemande. Latente en 1929, la crise économique éclata brutalement au début de 1930. Le seul mois de janvier accrut d'un million le nombre de chômeurs. Les difficultés budgétaires s'aggravèrent, entraînant le remplacement du gynécologue-ministre des finances Hilferding par le professeur de sciences économiques Paul Moldenhauer. Réunis dans une deuxième conférence de La Haye, les gouvernements européens arrêtaient les détails d'application du plan Young, proclamaient le règlement définitif des réparations et la liquidation du passé. Mais, acclamé par tout ce que l'Allemagne comptait de nationalistes, Schacht refusa la participation de la Reichsbank au financement de la Banque des Règlements Internationaux, organisme d'exécution du plan. On dut le remplacer à la tête de l'Institut d'émission allemand par l'ancien chancelier Hans Luther.

Les élections régionales attestaient la montée lente et régulière du national-socialisme : 6,8 % des voix en octobre 1929 en Bade ; 8,1 % en novembre à Lübeck ; 11,31 % en Thuringe en décembre. Ce dernier résultat plaçait le N.S.D.A.P. en position d'arbitre. Un siège lui fut offert dans le gouvernement de coalition des partis bourgeois. Hitler désigna pour l'occuper l'un de ses coaccusés du procès de Munich, le docteur Wilhelm Frick, qui se fit attribuer la police et l'éducation. Le berceau de la constitution républicaine, Weimar, fut ainsi la première capitale dans laquelle un nazi atteignit un rang ministériel.

A Berlin, les nazis récoltèrent cent trente-deux mille six cent quatre-vingt-dix-sept voix aux élections municipales du 17 novembre, cent fois plus qu'en 1925, mais encore un très faible pourcentage à côté des deux grands partis marxistes et même de la démocratie chrétienne. La conquête de la capitale du Reich restait difficile. En échec dans les quartiers ouvriers, elle commençait par les quartiers peuplés d'employés et de commerçants épris d'ordre, effarés par la dissolution des mœurs, inquiets de l'assombrissement économique, enclins à l'antisémitisme, attirés par un socialisme qui parlait le langage de la patrie.

Le 14 janvier 1930, le nommé Albrecht Hoeler, menuisier de profession et souteneur de son état, se fit ouvrir par la taulière le logement de la fille Erna Jaenicke, 62 Frankfurterstrasse. Le garçon qui l'avait supplanté auprès de la demoiselle, Horst Wessel, fils dévoyé d'un pasteur, commandant la Sturm S.A. N° 5, n'eut pas le temps de saisir son pistolet. Une balle, pénétrant dans la bouche, lui transperça la tête. Il fut transporté à l'hôpital de Friedrichhaine, où il agonisa pendant six jours. Le docteur Goebbels tenait son héros.

Il le cherchait depuis plusieurs mois. Il avait cru le trouver dans le S.A. Hans Georg Kütemeyer, dont le cadavre avait été repêché dans le Landwehrkanal — mais Kütemeyer était trop notoirement un alcoolique qui s'était suicidé ou noyé accidentellement dans une crise d'éthylisme. Goebbels se rejeta sur Wessel. Celui-ci avait providentiellement écrit, quelques semaines avant sa mort, un poème de seize vers dépeignant la S.A. marchant d'un pas ferme et tranquille sous son drapeau déployé. Goebbels fit mettre le poème en musique, donnant au national-socialisme l'hymne *Horst Wessel Lied,* qui, pendant seize ans, allait être joué immédiatement après le *Deutschland über alles* dans toutes les cérémonies nazies. Le mort eut des funérailles dramatiques à la lueur des torches, et Goebbels termina l'oraison funèbre par les premiers mots du poème de Wessel : « *Die Fahne hoch...* » clamés d'une voix si retentissante qu'un frisson parcourut la foule. Mais il avait vainement cherché à obtenir la présence de Hitler au chevet du cercueil. Le Führer avait écouté Göring qui lui déconseilla d'aller à Berlin où sa sécurité ne pouvait être pleinement assurée.

Les relations politiques se tendaient. En dépit de l'urbanité et de la déférence de son chancelier Hermann Müller, l'étiquette socialiste du gouvernement devenait plus insupportable à Hindenburg, à mesure qu'il s'affermissait dans sa fonction. Il disait au général Schleicher qu'il entendait se servir de l'article 48 pour remettre les choses en ordre avant de mourir. Schleicher s'ouvrit de cette intention au jeune leader du Zentrum, Heinrich Brüning, en lui disant qu'il pouvait être l'homme de la situation dans un cabinet présidentiel. Brüning conseilla d'attendre l'évacuation de la Rhénanie avant de prendre des libertés avec la Constitution de Weimar.

Né en 1885, Brüning avait terminé la guerre commandant d'une compagnie de mitrailleuses sur le front occidental. Faisant partie des vaillants qui luttèrent jusqu'au bout, pied à pied, il ne comprit ni la reddition, ni l'abolition de la monarchie. Son soupçon monta jusqu'à Hindenburg. « Je ne lui ai jamais pardonné, avait-il dit au général Groener, d'avoir sacrifié le Kaiser. Ce vieil homme est-il vraiment digne de confiance? » Après la défaite, le professeur-docteur Heinrich Brüning avait occupé un poste à la direction des syndicats chrétiens puis, bien que Rhénan et catholique, s'était fait envoyer au Reichstag par Breslau. « Son long visage glabre, dira François-Poncet, ses lèvres minces, ses lunettes sans monture rappelaient certains prélats romains avides de pouvoir. » Célibataire, il vivait une existence ascétique, habitait dans un hôpital de bonnes sœurs. Il y avait, sous cette écorce austère, un esprit rigide et rationnel, croyant plus à l'administration des choses qu'au gouvernement des hommes, associant des instincts monarchiques et conservateurs aux aspirations sociales de son parti.

Brüning approcha Hindenburg pour la première fois dans une réception chez le chancelier Müller. Il lui parut très vieux et très usé. L'impression ne se dissipa pas, quelques jours plus tard, quand l'ancien chef de section fut convoqué par le feld-maréchal. Hindenburg eut un accès d'attendrissement sénile. « Brusquement, il me prit la main et la tint longuement entre les deux siennes. Des larmes lui vinrent aux yeux. « Tout le monde, me dit-il, m'a abandonné dans ma vie. Vous devez me promettre de ne pas me laisser tomber jusqu'à mon dernier jour... » Quand je pris congé, il me prit la main à nouveau et la pressa encore longuement entre les siennes : « Ainsi, c'est promis, vous ne m'abandonnerez pas quoi qu'il arrive. Que Dieu vous garde! » Je ne puis nier que j'éprouvai un profond sentiment de commisération. »

Le plan Young fut ratifié le 11 mars. La situation économique se détériorait déjà. Le dernier arbitrage de Stresemann fixant à 3,5 ^o_o le prélèvement sur les salaires pour financer le fonds de chômage ne suffisait plus. Les services techniques demandaient 4 ^o_o. Les ministres bourgeois et les ministres socialistes — à l'exception de celui du Travail, Rudolf Wissell — se mirent d'accord sur un compromis à 3,75 ^o_o. Mais les syndicats s'y opposaient. *Partei und Regierung, Zwei; Partei und Gewerkschäften, eins...* La faction socialiste au Reichstag appliqua la règle proclamant l'unité du parti et des syndicats contre la dualité du gouvernement et du parti. Les ministres furent désavoués; le compromis fut repoussé.

Hermann Müller demanda au président Hindenburg de promulguer le compromis en vertu de l'article 48. Hindenburg répondit qu'il s'interdisait d'en faire usage au bénéfice d'un gouvernement dont le principe était de s'appuyer sur le Reichstag. Müller avait un pied dans la tombe. Il lutta à peine. Le cabinet constata que die Grosse Koalition était rompue et qu'il ne lui restait qu'à se retirer.

La victoire républicaine de 1928 aboutissait à une abdication. Un différend portant sur une fraction abattait le dernier gouvernement démocratique de la nouvelle Allemagne, fermait la phase parlementaire de la Constitution de Weimar.

Le cabinet Brüning était prêt. Curtius restait aux Affaires étrangères, Moldenhauer aux Finances et l'ex-chancelier Wirth remplaçait le socialiste Severing à l'Intérieur. Le 1er avril, trois jours seulement après la démission de Müller, Brüning ouvrait un chapitre nouveau dans la brève histoire de la République de Weimar en lisant sa déclaration ministérielle au Reichstag. Il ne dissimula pas qu'il était le chancelier du président, non celui du Parlement, et qu'il n'hésiterait pas à gouverner en provoquant le recours à l'article 48 si le soutien parlementaire lui était refusé. « Le présent Cabinet est la dernière tentative pour faire face à la situation dans laquelle se trouve l'Allemagne avec ce Reichstag... » L'article 48 avait été introduit dans la Constitution comme le moyen extrême d'affronter une crise exceptionnellement grave en revêtant momentanément le président du Reich de pouvoirs discrétionnaires. Brüning annonçait qu'il allait devenir l'instrument de gouvernement normal. La République subsistait; le parlementarisme avait vécu.

Brüning avait parlé, non comme un charmeur, mais comme un dompteur, après avoir eu soin d'obtenir la signature de Hindenburg sur un décret de dissolution du Reichstag. Le porte-parole de la social-démocratie, Breitscheid, déclara que ses amis et lui ne craignaient pas de retourner devant les électeurs, mais la menace avait produit son effet. Une motion de défiance fut repoussée à la majorité inattendue de 253-187. Socialistes en tête, l'Assemblée allait s'arranger pendant quelques semaines pour éviter une épreuve de force avec le chancelier présidentiel.

***

A Munich, le national-socialisme se donnait façade sur rue. Le palais Barlow, 45 Briennerstrasse, ex-légation impériale russe, puis légation royale d'Italie, était en vente. C'était une grande bâtisse à deux étages, couronnée d'une terrasse, à laquelle sa couleur ocrée avait fait donner le nom de Maison Brune, comme si elle était prédestinée à devenir le foyer du nazisme. Hitler s'en porta acquéreur pour un million et demi de marks. Le délabrement intérieur, les aménagements nécessaires au siège d'un parti, exigèrent un autre million.

La facture était lourde. Des critiques se firent entendre contre l'ostentation et la prodigalité d'Adolf Hitler. Le chef caissier Schwarz menaça à nouveau de donner sa démission. Hitler dépêcha Rudolf Hess dans la Ruhr, vers la vieille providence du parti, Emil Kirdorf. Mais Kirdorf se refroidissait, jugeait excessif l'antisémitisme nazi. Il orienta Hess vers l'homme qui passait pour le plus riche d'Allemagne, le président des Vereinigten Stahlwerke, Fritz Thyssen. Celui-ci accepta de mettre à la disposition de Hitler 300 000 marks pour aider au paiement de la Maison Brune. « Il ne s'agissait pas dans mon esprit, devait-il dire, d'un cadeau, mais d'une avance remboursable. Une faible partie seulement le fut. »

L'explication marxiste du phénomène Hitler exige qu'il ait été porté à la tête de l'Allemagne par les grands industriels, détenteurs réels et exclusifs du pouvoir en régime capitaliste. La haute finance juive elle-même aurait coopéré à cette élévation pour sauver les investissements américains en Allemagne. Le mouvement national-socialiste aurait bénéficié, en conséquence, de subventions immenses permettant la propagande et l'appareil d'intimidation qui assurèrent l'avènement du IIIe Reich.

Ces allégations ne correspondent pas aux réalités. En dépit du parti pris avec lequel ils ont été entrepris et poursuivis, les procès d'après-guerre en ont montré l'inanité. Ils permettent d'écrire l'histoire objective des rapports du nazisme et du capital.

Dès ses débuts politiques, Hitler eut des bienfaiteurs, les Brückmann, les Bechstein, la baronne Seydlitz, etc., dont les noms ont été mentionnés dans ce récit — mais le concours financier qu'ils apportèrent au mouvement naissant ne dépassa pas la mesure des largesses que des particuliers fortunés font au parti politique de leur choix. Les 100 000 marks du vieux Kirdorf entrent dans la même catégorie. Thyssen est plus important. Il reconnaît qu'il donna au parti socialiste et à son chef, sur sa fortune personnelle, un million de marks. Il ajoute que, en dehors de lui et de Kirdorf, il ne croit pas que beaucoup d'industriels aient accordé de fortes subventions à Hitler.

Les procès d'après-guerre confirment les dires de Thyssen. Gustav Krupp fut condamné, à travers la personne de son fils Alfried, pour le traitement des prisonniers et déportés dans ses usines, mais les débats établirent qu'il avait combattu Hitler jusqu'au moment où celui-ci eut le pied sur l'avant-dernière marche du pouvoir. Schacht affirme qu'il n'eut pas connaissance de relations étroites entre Hitler et la grande industrie, et Ludwig Kastel, qui dirigea la confédération du patronat allemand, atteste que, en dehors de Thyssen et de Kirdorf, aucun industriel important ne subventionna Hitler antérieurement à 1932. Friedrich Flick, dont le procès dura sept mois et noircit dix mille pages de comptes rendus, aida Stresemann, puis Brüning, puis Papen, puis Schleicher et, en novembre 1932, écrivait encore à Hugenberg qu'il lui envoyait de l'argent pour empêcher la victoire du mouvement national-socialiste. L'ensemble des industriels et des financiers allemands ne pouvait que détester le programme nazi, fumeux et démagogique et, jusqu'au tout dernier moment — on le verra — aucune confédération patronale n'ouvrit sa caisse au N.S.D.A.P.

En 1930 et 1931, le plus clair des ressources de celui-ci provenait toujours de la masse de ses adhérents. Hitler y veillait. « Le parti, disait-il, doit vivre sur lui-même sinon il n'arrivera à rien. Le denier de Saint-Pierre a pour l'Église romaine une importance matérielle considérable, mais sa signification principale repose sur le fait que chaque catholique se sent personnellement engagé par le sacrifice qu'il consent. » Le palais Barlow fut payé essentiellement, et non sans de sérieuses difficultés, par une quête colossale et par une cotisation spéciale de RM 2,50 sur les deux cent cinquante mille membres que le N.S.D.A.P. comptait alors.

La Maison Brune s'élevait à l'extrémité de la Briennerstrasse, non loin du Hofgarten, au cœur du Munich officiel, historique et architectural, à toute petite distance de la Feldherrnhalle devant laquelle des cortèges nazis allaient raviver périodiquement la mémoire des tués de 1923. Elle avait vue sur la Karolinenplatz, au centre de laquelle s'élève l'obélisque commémorant les trente mille Bavarois que Napoléon emmena mourir en Russie. La nonciature lui faisait face, et le contraste entre sa quiétude et l'agitation de la Maison Brune devait faire dire à Hitler : « Nous sommes comme les deux navires du *Hollandais Volant*, celui des vivants et celui des morts... » Ludwig Troost, qu'il proclamait le plus grand architecte moderne, et lui redécorèrent le palais Barlow, prodiguant le marbre et le bronze, donnant libre cours à leur néo-classicisme sévère et majestueux.

On pénétrait à la Maison Brune par un hall aménagé en musée du national-socialisme, avec le fanion de Schlageter à la place d'honneur, devant une plaque de marbre portant les noms des tués de la Feldherrnhalle. Le centre du premier étage était occupé par une salle dite sénatoriale, dont les soixante et un fauteuils de cuir rouge attendaient les « sénateurs » dont Hitler disait qu'ils constitueraient le collège suprême du parti et du Reich, avec la mission particulière de lui désigner un successeur — et qui ne furent eux-mêmes jamais désignés. Le reste de l'étage était occupé par les cabinets de travail de Hitler, Hess, Göring,

Goebbels et Strasser. Celui de Hitler était décoré d'un buste de Mussolini, d'un portrait en pied de Frédéric II et d'une grande toile représentant l'assaut du régiment List contre le village de Wytschaete, en novembre 1914. Des bureaux occupaient l'étage supérieur. La comptabilité et une cantine étaient logées au rez-de-chaussée. Des postes de guet furent installés dans des immeubles voisins comme une précaution contre une tentative d'assaut.

La croissance du parti s'accélérait. « Chaque mois, disait Hitler, nous apporte vingt mille adhérents nouveaux. » Il s'épanouissait dans cette réussite découlant de la détresse nationale grandissante. Werner Maser dénie le portrait conventionnel faisant du Hitler de cette époque « un original et un solitaire... raidi dans une haine maladive naissant de son origine incertaine et du monde bourgeois qui l'entourait... » Maser tombe probablement dans l'excès contraire en dépeignant Hitler mangeant deux steaks (d'autres sources affirment qu'il était déjà végétarien) et buvant jusqu'à sept chopes de bière, en compagnie de Geli, dans les cabarets de Munich. Mais il est dans la vérité psychologique, lorsqu'il soutient que le Hitler de 1930 était un être sociable et détendu. Il sortait de son domicile vers midi, passait presque chaque jour à l'atelier de Troost, qui ne prenait même pas la peine d'aller à sa rencontre dans l'escalier, déjeunait à l'Osteria Bavaria, dînait presque chaque soir chez les Hoffmann, conduisait Geli au spectacle et, bravant les critiques, notamment celles d'Otto Strasser, rentrait avec elle, Prinzregentstrasse, vers minuit. Il était sorti de la pauvreté et de l'obscurité, sans être entré encore dans l'isolement vertigineux du pouvoir. Ce fut à coup sûr la période de sa vie dans laquelle il fut le moins inhumain.

Le parti fermentait. L'alliance avec Hugenberg, l'achat du palais Barlow, le train de vie du Führer alimentaient l'acrimonie et l'ironie des milieux radicaux. Le petit capitaine von Pfeffer, à qui Hitler devait répéter continuellement que la S.A. était une milice politique, non une formation paramilitaire, déclara publiquement que l'acquisition de la Maison Brune était un « crime », alors que tant de ses hommes devaient rogner sur leur matérielle pour payer leur cotisation. Un « District de la Ruhr », dans lequel survivait la dissidence d'Elberfeld, dut être dissous, et les Führers locaux remplacés par un Gauleiter catholique et conservateur, Josef Terboven. Mais les récriminations contre les bonzes de Munich, issus d'une Bavière réactionnaire, chambrant Hitler, paraissaient inextinguibles. Le ralliement de Goebbels au Führer avait laissé subsister dans les rangs l'esprit et jusqu'aux arguments du premier Goebbels.

A Berlin, les S.A. étaient maintenant soixante mille. Un sur deux était un chômeur, beaucoup rivalisaient avec les rouges par la violence révolutionnaire et la propre centurie de Horst Wessel avait été dissoute pour extrémisme et insubordination. Le parti s'était regroupé Hedemannstrasse dans un local de trente-deux pièces, d'où Rathenau avait administré pendant la guerre le rationnement allemand, mais Goebbels avait fait séparer par une porte blindée les services du Gau et le poste de commandement de Walter Stennes. Ce dernier, un bel homme au visage sévère, neveu de l'archevêque de Cologne, ancien capitaine de police, ancien chef de corps franc, commandant de tous les S.A. à l'est de l'Elbe avec le titre d'O.S.A.F. (Oberste S.A. Führer) Ost, partageait les vues de son supérieur Pfeffer, jugeait absurde la tactique légaliste de Hitler, estimait que la S.A. n'occupait pas la place qui lui revenait dans le mouvement et qu'on devait l'armer pour qu'elle balaye d'un putsch la république juive de Weimar.

La dissidence des Strasser s'ajoutait au mécontentement des S.A. La lutte contre Goebbels se poursuivait, dit Otto, « à visière ouverte ». L'*Angriff* était écrit d'une plume plus brillante que le *Berliner Arbeiter*, mais celui-ci parlait un langage beaucoup plus accessible à un prolétariat plongé dans les affres de la crise. Le Kampfverlag prospérait au détriment de la maison d'édition officielle du N.S.D.A.P. et les *Lettres Nationales Socialistes* critiquaient avec entrain la centrale de Munich et le Gauleiter de Berlin.

Le 21 mai 1930, un coup de téléphone de Rudolf Hess convoqua Otto Strasser à l'hôtel Sans Souci. Hitler venait d'arriver de Munich. Pendant sept heures d'horloge, d'abord en tête à tête, puis en présence de Gregor, tour à tour menaçant et persuasif, les yeux tour à tour pleins de flamme et de larmes, il essaya de rallier le jeune révolutionnaire. Otto tint tête, continua de soutenir que le national-socialisme se devait d'attaquer le capitalisme aussi bien que le communisme et que la nouvelle orientation donnée au parti, l'alliance avec Hugenberg, équivalait à une trahison. Hitler garda son calme, mais annonça qu'il purgerait le parti de ses dissidents. « Je m'attendais, dit Otto, à être saqué le soir même. Rien ne vint. »

Hitler hésita encore un mois. Le 30 juin, le Gauleiter Joseph Goebbels reçut l'ordre d'expulser du parti « sans ménagement ni exception... tous les éléments destructeurs obéissant aux influences judéo-libéralo-marxistes ». Goebbels s'exécuta en sabrant tous les amis des frères Strasser. Otto télégraphia à Hitler qu'il lui accordait vingt-quatre heures pour révoquer les décisions de son Gauleiter. « Mon télégramme resta sans réponse. Le 4 juillet, j'avais cessé d'appartenir au parti national-socialiste allemand... » Le numéro suivant de l'*Arbeiter* parut avec ce titre : « Les socialistes quittent le parti » et une dénonciation en règle de Hitler.

Mais Gregor se désolidarisait de son frère, acceptait l'absorption du Kampfverlag, la suppression de l'*Arbeiter* et des *Lettres*. Otto fondait un « Front Noir » dans lequel il appelait tous les véritables nationaux-socialistes dégoûtés du réactionnaire Hitler et de son larbin Goebbels. Son manifeste promettait la destruction du système capitaliste et préconisait une étroite collaboration avec l'Union soviétique.

***

Devant la gare de Mayence, 30 juin, le général Guillaumat avait passé en revue le dernier bataillon de l'armée française du Rhin avant son embarquement dans le train du retour. Seule dans la presse allemande, la *Frankfurter Zeitung* eut une parole de remerciement pour la France renonçant à son gage rhénan cinq ans avant le terme fixé par le traité de Versailles. Les autres journaux écrivirent que l'évacuation se faisait attendre depuis Locarno et le prélat Kaas, chef du parti auquel appartenait le chancelier, ajoutait que la libération ne serait pas complète aussi longtemps que la souveraineté militaire ne serait pas rétablie sur tout le territoire du Reich. Le manifeste du président Hindenburg, contresigné par tout le cabinet, ne parlait que des souffrances et des sacrifices par lesquels la délivrance avait été payée, rappelait que la Sarre était encore séparée de la patrie allemande et demandait aux Sarrois de lutter avec énergie pour la rejoindre. Le nom de Stresemann était ostensiblement omis. « L'affaire, écrivait au Foreign Office l'ambassadeur sir Horace Rumbold, illustre deux traits déplaisants du caractère allemand, l'ingratitude et le manque de tact... »

Brüning faisait face à la crise économique avec un courage aveugle. La loi fiscale qu'il soumit au Reichstag augmentait l'impôt sur le revenu, alourdissait les taxes sur la bière et le tabac, portait à 4,50 % le prélèvement sur les salaires au bénéfice des chômeurs. Son ministre des Finances ayant refusé de le suivre sur le terrain d'une rigueur qui paraissait alors extrême, il le remplaça par le ministre de l'Économie, Hermann Dietrich. Mais, le 16 juillet, la loi fiscale fut repoussée en première lecture par deux cent cinquante-six voix contre cent quatre-vingt-treize.

Il restait une chance : la loi fiscale pouvait être sauvée si le groupe deutsch-national sortait de l'opposition ne fût-ce que l'espace d'un vote. Le comte Westarp le demanda avec émotion. Hugenberg s'y opposa avec passion. Un effort personnel de Brüning pour le fléchir resta infructueux. Hugenberg posa des conditions ostensiblement inacceptables, donna libre cours à une hostilité inflexible contre le président et contre le chancelier.

La séance du 18 juillet 1930 marque l'un des tournants du drame européen. Les arguments de Kuno Westarp avaient retourné vingt-cinq députés nationalistes. La loi de finances ne fut battue en dernière lecture, après un débat violent et confus, que par deux cent trente-six voix contre deux cent onze. Gottfried Feder avait demandé la confiscation des biens juifs et l'expropriation des banquiers. Des quolibets saluèrent cette double proposition. « Vous me prendrez au sérieux, riposta Feder, quand nous serons cent nationaux-socialistes dans cette assemblée... » Les rires redoublèrent.

Un peu de négociation de la part de Brüning lui aurait probablement épargné sa défaite. Rien, au reste, ne l'obligeait à dissoudre le Reichstag, la loi repoussée devant être promulguée en vertu de l'article 48. Il s'imagina que le nom de Hindenburg lui garantissait une victoire, lui permettrait de ramener une majorité décidée à soutenir sa politique. D'une petite boîte rouge posée devant lui, il sortit le décret de dissolution signé d'avance par le président. Le silence dans lequel la lecture fut écoutée aurait été plus profond encore si l'assemblée avait soupçonné quelle boîte de Pandore le jeune chancelier venait d'ouvrir...

***

Le Stahlhelm était interdit dans les territoires du Land de Prusse appartenant à la zone démilitarisée. Hindenburg, membre d'honneur de la puissante association, avertit le ministre de l'Intérieur prussien qu'il ne participerait pas aux cérémonies fêtant la libération du territoire si ses camarades du Casque d'Acier en étaient éliminés. Severing céda. Le Stahlhelm, sac au dos et casque en tête, remplaça la Reichswehr sur le parcours du maréchal en uniforme de l'ancienne armée. A Coblence, le pont sur la Moselle se rompit sous l'enthousiasme populaire, noyant trente-cinq personnes, dont plusieurs enfants.

Cet accident de sinistre augure coïncide avec la première défaillance physique de Hindenburg. « Il devint, dit Brüning, un vieillard en une nuit. Il ne me reconnut pas quand je l'accueillis à son retour à la gare de la Friedrichstrasse. Il fallut que son fils et aide de camp, le colonel von Hindenburg, lui dise : « Père, c'est M. le Chancelier du Reich et M. le ministre du Reich Treviranus... »

Quelques jours plus tard, Brüning accompagna le maréchal pour une tournée dans les provinces orientales. Il mesura l'erreur de jugement qu'il avait commise en s'imaginant que la stature du vieux soldat lui garantissait la victoire aux élections du 14 septembre. « A ma surprise et à ma consternation, je constatai que la popularité du Reichspräsident était très faible. Le mythe Hindenburg était mort... »

L'été fut misérable. L'activité industrielle se ralentit encore. Le chômage augmenta. La réduction des horaires de travail, la compression des salaires, la mévente agricole alimentèrent la récession économique qui les avait provoquées en réduisant les ressources dans la partie de la population qui conservait un emploi. L'Allemagne entra véritablement dans la crise, commença sa descente dans le désespoir.

Vingt-quatre partis se disputaient la faveur des électeurs. L'apathie apparente du public faisait croire que la participation serait faible et que le 14 septembre ne changerait rien au tableau politique. Toutes les campagnes furent languissantes, conventionnelles, fatiguées. Sauf celle du N.S.D.A.P.

Gregor Strasser restait le directeur de la propagande nazie. Mais Gregor Strasser n'était plus qu'un opposant boudeur, trop faible pour rompre, trop affecté par la disgrâce de son frère pour combattre.

Goebbels le supplanta. Il organisa six mille meetings, louant des chapiteaux de cirques pour y entasser les foules, recommandant de préparer l'ambiance par une retraite aux flambeaux, réglementant les moyens d'électriser les auditoires par les uniformes, les fanfares, l'appel des morts, les acclamations rythmées; munissant tous les orateurs d'une brochure qui unifiait la doctrine, orientait les colères contre les Juifs, le plan Young, la corruption du régime. Un nouveau scandale arrivait à point nommé. Trois Juifs, les frères Sklarek, s'étaient fait attribuer le monopole de la fourniture des uniformes à la ville de Berlin et, à l'aide de fausses traites, avaient réussi une escroquerie d'une dizaine de millions de marks. Les femmes de leaders de la social-démocratie avaient reçu en cadeau des manteaux de fourrure; Goebbels donna des instructions pour que cette munificence juive aux criminels de novembre fût utilisée dans toutes les manifestations de propagande. « Les manteaux des frères Sklarek, disait sir Horace Rumbold, seront le collier de la reine de la République allemande... » Il disait aussi que le parti national-socialiste n'avait pas beaucoup d'argent et qu'il n'était pas subventionné par les industriels, mais qu'il était riche d'une fortune incalculable dans le fanatisme de ses trois cent mille adhérents. « On prétend qu'ils comptent obtenir trois millions de voix et quarante ou cinquante sièges. Ces chiffres me paraissent tout de même exagérés. »

Goebbels faisait une tournée de discours en Silésie. On l'informa que la révolte des S.A. de Berlin avait éclaté. Ils avaient occupé les locaux de la Hedemannstrasse, brisaient le mobilier, se déclaraient en grève, refusaient de participer à la campagne électorale en collant des affiches et en assurant la protection des réunions. Stennes demandait que ses hommes fussent rétribués, que la S.A. fût déclarée autonome et qu'elle obtînt une participation beaucoup plus importante sur la liste des candidats nationaux-socialistes aux élections du 14 septembre. Son supérieur, Pfeffer von Salomon, s'associait à ces revendications.

Sans vergogne, Goebbels fit appel à sa vieille tête de turc, Isidor, alias Bernhard Weiss, vice-préfet de police de Berlin. Les recors d'Isidor vidèrent Stennes et ses S.A. des locaux dévastés de la Hedemannstrasse. Les journaux et les chansonniers éclatèrent de rire. Le ridiculiseur était ridiculisé! L'intrépide docteur au pied-bot se réfugiait à la première averse sous le parapluie de la Loi. Cette pitrerie portait évidemment aux chances électorales du parti national-socialiste un coup dévastateur!

Hitler, à son tour, accourut. Il jugea la situation trop délicate pour procéder brutalement. Il reçut Stennes, lui parla paternellement, parcourut les permanences des S.A. sans paraître s'apercevoir que beaucoup lui tournaient le dos, accepta de leur accorder un salaire de 8 marks par service d'ordre. La cotisation mensuelle était alors de RM 1,20; Hitler fit ajouter une surcharge de 20 pfennig pour couvrir la rémunération des chemises brunes. Sa colère ostensible ne tomba que sur Pfeffer, depuis longtemps en disgrâce dans son esprit. Il le convoqua à Berchtesgaden, lui reprocha sauvagement d'être un imbécile, lui retira toutes ses fonctions et annonça que lui, Hitler, prenait personnellement le commandement de la S.A. Il alla ensuite parler à Francfort où l'acclamation frénétique de dix-sept mille auditeurs lui fit connaître que l'incident de Berlin n'avait pas entamé son prestige et celui de son parti.

Les sondages pseudo-scientifiques n'existaient pas encore. Les pronostics étaient colorés suivant les craintes et les espoirs. La veille du vote, Hanfstaengl demanda à Hitler quel était le sien : « Je serai satisfait, répondit-il, avec quarante sièges. Cela traduirait une croissance organique saine pour le mouvement. » Le chiffre de quarante fut également retenu par Goebbels dans le numéro de l'*Angriff* qui parut le matin du scrutin.

La soirée plongea l'Allemagne dans la stupeur. Contrairement aux prévisions, les électeurs et les électrices avaient submergé les bureaux de vote. Une vague nationale-socialiste sortait des urnes pleines. A Berlin, les nazis avaient obtenu, en 1928, seize mille cinq cent cinq voix ; ils en obtenaient cent cinquante-huit mille deux cent cinquante-sept. La Prusse-Orientale, vieille terre conservatrice et monarchiste, les plaçait en tête de tous les partis, avec deux cent trente-sept mille cinq cent six voix, contre deux cent cinq mille sept cent trente-huit au parti Deutsch National. Dans la circonscription de Breslau, ils passaient de neuf mille deux cent cinquante-huit à deux cent cinquante-neuf mille deux cent vingt-sept voix, et, dans la circonscription de Francfort-sur-l'Oder, de huit mille cent quatre-vingt-quinze à deux cent quatre mille cinq cent quatre-vingt-quinze. Dans l'Allemagne du sud, ils talonnaient le parti catholique du Zentrum et dans la ruche ouvrière de Westphalie, ils suivaient les communistes à cinquante mille voix. On considérait presque comme un échec que, dans leur Bavière originelle, ils eussent simplement triplé leurs voix, de deux cent quinze mille neuf cent cinquante à six cent soixante-dix-sept mille cinquante-sept, reculant même à Munich, leur berceau, de cent cinq mille à quatre-vingt-six mille. Mais l'ensemble du Reich, qui leur donnait huit cent neuf mille suffrages et 2,6 % des votants en 1928, leur en attribuait, en 1930, six millions quatre cent six mille et 18,3 %.

Le lendemain, l'*Angriff* parut avec un énorme « 107 » à travers toute sa première page. Tel était le nombre des élus du N.S.D.A.P. D'un groupuscule, sa représentation parlementaire passait à un bloc qui n'était précédé que par les cent quarante-trois députés de la social-démocratie. Une situation sans précédent se trouvait créée : Adolf Hitler, apatride, ni élu ni éligible, devenait l'un des hommes les plus importants du nouveau Reichstag, envahissait la République par l'intérieur de son institution fondamentale, le Parlement !

Aucun témoin n'a enregistré le comportement de Hitler en cette soirée du 14 septembre 1930. Elle lui apportait un triomphe. Elle justifiait la tactique légaliste qu'il avait maintenue si opiniâtrement contre les impatiences, les emportements, les fureurs et même les révoltes de son parti. Elle prouvait que le bulletin de vote pouvait être une arme révolutionnaire. Elle attestait que les campagnes dénigrant et ridiculisant le national-socialisme n'empêchaient pas un nombre déjà immense d'Allemands de voir en lui l'espoir. Hitler put ressentir pour la première fois cette griserie d'infaillibilité qui, d'apothéose en apothéose, devait le conduire au désastre et à la mort.

Les répercussions étaient profondes en Allemagne et hors d'Allemagne. La S.D.N. était en séance à Genève, où Curtius s'efforçait de continuer Stresemann : la consternation, dit-il, s'abattit sur l'assemblée. La défaite infligée à la politique de Locarno était d'autant plus mortifiante que la France avait laissé tomber son bouclier rhénan deux mois et demi auparavant. « La victoire nationale-socialiste, écrivit l'ambassadeur de Grande-Bretagne à Paris, Ronald Campbell, affaiblit considérablement la position de M. Briand dont la destitution est réclamée par une partie de la presse... » Charles Maurras faisait retentir quotidiennement dans la manchette de l'*Action Française* un : « Mayence! Mayence! » sonnant comme un glas. Le spectre de la guerre se dressait à nouveau sur l'Europe.

Hindenburg fit preuve de sang-froid, écrivit à Brüning qu'il lui conservait toute sa confiance et qu'il lui demandait de poursuivre sa tâche sans se laisser impressionner par les élections de la veille. Une contre-réaction ne tarda pas à se produire. On se convainquit que le peuple allemand venait d'avoir un coup de mauvaise humeur mais il n'était pas convenable qu'il emboîtât le pas d'une manière durable derrière un agitateur apatride brandissant un programme extravagant. Le succès nazi était bien une vague : elle retomberait.

Quelques jours s'écoulèrent. Le nom de Hitler se raréfia un peu. Il se reposait à l'Obersalzberg des fatigues de la campagne électorale. L'avocat Hans Frank parvint jusqu'à lui, l'informa qu'il était le défenseur de trois jeunes officiers de la Reichswehr en instance de comparution devant la Haute Cour de Leipzig sous l'inculpation de haute trahison. Ils servaient au 5ᵉ régiment d'artillerie, en garnison à Ulm. L'un, le lieutenant Richard Scheringer, avait déjà été condamné à dix ans de travaux forcés — mais par un conseil de guerre français pour sa participation à la destruction d'une imprimerie séparatiste, à Coblence. Les deux autres étaient le lieutenant Hans Ludin et le premier lieutenant Hans Friedrich Wendt. Ils avaient entrepris de constituer dans tous les régiments des cellules qui, lors du prochain putsch national-socialiste, s'opposeraient à la répétition des événements de novembre 1923, empêcheraient l'intervention de la Reichswehr contre les putschistes. *Herr* Hitler accepterait-il de venir comme témoin à décharge devant le tribunal?

Herr Hitler commença par s'emporter. Il rugit en apprenant que le client de Frank, Scheringer, meneur de la conspiration, s'était abouché par deux fois avec le chef révoqué de la S.A., Pfeffer von Salomon. Les rapports du parti et de la Reichswehr avaient été définis par lui, Hitler, avec toute la clarté possible, et c'était également avec toute la clarté possible qu'il s'était expliqué sur le coup de force. Le parti montait au pouvoir par des voies légales et, s'il respectait et honorait l'armée, s'il entendait la restaurer dans sa puissance mutilée par Versailles, il devait être catégoriquement hostile à toute participation militaire à la lutte nationale-socialiste sur le terrain politique. Les trois lieutenants le desservaient et le procès de Leipzig était une machine de guerre dirigée contre lui, Hitler!

Frank insista. Le procès donnerait au Führer l'occasion de préciser sa position et, sans justifier les trois lieutenants, il pourrait demander au tribunal de prendre en considération le patriotisme de leurs intentions. Hitler se décida : « Soit. J'irai! »

Le 25 septembre, la grande ville de Leipzig était sur pied. Une foule épaisse s'agglomérait sur la Rossplatz, devant l'hôtel Haufe, pour entrevoir l'homme que sa surprenante victoire de la quinzaine précédente désignait comme le chef futur du peuple allemand. Le premier témoin à décharge, sous la lourde coupole abritant la juridiction suprême du Reich, était un officier de haute moralité et de grande réputation, le colonel commandant le 5e d'artillerie, Ludwig Beck. Il reconnut que la Reichswehr devait se tenir en dehors de la politique, mais s'indigna que trois officiers eussent été arrêtés comme des malfaiteurs et estima hors de proportion avec les faits qui leur étaient reprochés l'inculpation énorme de haute trahison. Cette déposition sobre et forte frappa Hitler; elle devait jouer un rôle déterminant dans la carrière et la tragédie de Ludwig Beck.

Hitler parla à son tour. Il rappela un discours qu'il avait adressé à la Reichswehr le 25 mars de l'année précédente. Il lui avait dit que, petite armée de métier, elle était un cadre qu'il promettait de remplir avec la grande armée nationale de l'Allemagne régénérée, mais qu'il ne demandait pas son concours direct pour la conquête du pouvoir. Il n'envisageait en aucune manière de le recevoir autrement que de la volonté libre et pacifique du peuple allemand.

Le président Baumgarten objecta qu'il y avait eu le putsch de 1923...

Hitler : Je ne m'en repens pas. La situation était exceptionnelle. La Bavière était sur le point de se séparer. J'ai conscience d'avoir, avec le sang des martyrs de la Feldherrnhalle, sauvé l'unité du Reich. J'ai prouvé depuis lors mon respect des lois.

Le président : Connaissez-vous les *Lettres Nationales-Socialistes?*

Hitler : Ce n'était pas une publication officielle du parti : Gregor Strasser y écrivait des articles dont je n'avais connaissance qu'après leur impression.

Le président : Je lis dans les *Lettres Nationales-Socialistes* ce passage d'un article signé de l'écrivain Reinhold Muchow : « Hitler ne nous laisse rien ignorer de la dureté de la lutte lorsqu'il nous dit que des têtes rouleront dans le sable, soit les nôtres, soit celles de nos ennemis, mais nous ferons en sorte que ce soit les leurs... »

Hitler : Je parle sous la foi du serment, devant Dieu tout-puissant.

Lorsque je serai légalement arrivé au pouvoir, je constituerai légalement un tribunal devant lequel je traduirai les responsables du malheur dans lequel l'Allemagne est plongée. Alors, oui, il est possible que, légalement, des têtes roulent...

La salle croula sous les acclamations. L'un des lieutenants, Wendt, fut acquitté. Scheringer et Ludin s'entendirent condamner à dix-huit mois de prison. Ce dernier seul devait rester fidèle au national-socialisme — et finir ses jours en 1945 au bout d'une potence tchécoslovaque. Wendt se rallia au Front Noir d'Otto Strasser et s'enfuit d'Allemagne lorsque Hitler prit le pouvoir. Le fougueux nazi Scheringer vira au communisme, survécut à la guerre et devint un fonctionnaire du parti en Allemagne de l'Est.

Le journaliste américain Karl von Wiegand assistait au procès de Leipzig. Il fit demander à Hitler d'écrire trois articles pour la chaîne de journaux Hearst, en proposant un cachet de mille dollars. Hitler accepta avec empressement : « Cela me permettra de descendre au Kaiserhof quand j'irai à Berlin... » Les trois articles dépeignirent le calvaire de l'Allemagne, dénoncèrent le plan Young comme la cause de la crise mondiale, suggérèrent à l'Amérique de provoquer son abrogation, affirmèrent que le national-socialisme n'avait pas d'autre but que la restauration de la prospérité et la consolidation de la paix.

Hitler restait pour le personnel politique allemand une énigme. Brüning manifesta le désir de faire sa connaissance. L'ex-gauleiter de Hambourg, Alfred Krebs, se chargea de porter ce souhait à l'Obersalzberg. La sérénité de l'arrière-été baignait la montagne. Geli Raubal, que Hitler présenta comme sa nièce, servit le thé sur la galerie de bois de Haus Wachenfels. Hitler se répandit en plaintes contre l'indiscipline des S.A. et la stupidité de Pfeffer, puis il déclara qu'il avait besoin de s'isoler pour réfléchir à l'invitation du chancelier. Krebs resta en tête à tête avec Geli. Elle lui parut superficielle et triste, répondit par monosyllabes ennuyées lorsqu'il essaya de la faire parler de politique, ne s'anima que lorsque la conversation s'orienta vers la musique et le cinéma.

Hitler reparut au bout d'un long moment : « Je négocierai bientôt avec Staline. Je puis bien causer avec Monsieur Brüning. »

L'entretien eut lieu le 9 octobre au domicile du ministre nationaliste dissident Treviranus. Frick et Strasser assistaient leur chef en témoins muets et des sections d'assaut passaient et repassaient en chantant sous les fenêtres. Le chancelier s'engagea à délivrer l'Allemagne des chaînes de Versailles en deux ou trois ans si le parti national-socialiste n'entravait pas son action. « Pendant le premier quart d'heure de sa réponse, raconte-t-il, Hitler parut si gauche et si timide que Treviranus et moi échangeâmes des regards stupéfaits. Puis il s'anima, puis il s'emporta. » Le mot *Vernichten* (anéantir) revint de plus en plus fréquemment, d'abord contre le S.P.D., puis contre l'ennemi héréditaire, la France, puis contre la Russie, repaire du bolchevisme... Il se faisait fort d'abattre tous ces ennemis en peu de temps, avec le concours de l'Italie et de l'Angleterre... Aucun terrain d'entente n'était concevable, mais Hitler promit à Brüning qu'il s'abstiendrait de l'attaquer personnellement. « Nous nous séparâmes plutôt amicalement... » Suivant Krebs, Hitler ressentit devant la personnalité forte et froide qu'était Brüning un complexe d'infériorité qu'il devait compenser par un redoublement de haine.

La certitude d'une victoire complète et prochaine emplit désormais Adolf Hitler. Il tire ses plans d'avenir, commence à dire qu'il n'aura qu'un temps limité pour accomplir l'œuvre gigantesque à laquelle il est appelé. Devant les directeurs des journaux nationaux-socialistes, il trace le schéma du parti tel qu'il doit être pour servir d'instrument adéquat à ses desseins. L'organisation pyramidale est calquée sur l'Église catholique, avec à la base la masse des fidèles, le clergé étant représenté par les Politischen Leiter, les Gauleiters équivalant aux évêques et un futur Sénat dans le rôle du collège des cardinaux. Au sommet le Pape, lui, Hitler. « Je ne revendique pas l'infaillibilité en matière spirituelle. Mais je proclame, pour moi et mon successeur, l'infaillibilité en matière politique. J'espère que le monde l'acceptera, comme il accepte l'infaillibilité du Saint-Père... » Seul des auditeurs, le comte Reventlow, qui n'est pas un pur nazi, se permet de sourire, glisse à l'oreille de son voisin une plaisanterie irrévérencieuse sur Son Éminence, Joseph cardinal Goebbels. Mais Rudolf Hess, qui est loin d'être un cerveau borné, accepte le dogme et le paraphrase : « Il n'est pas question de savoir si Hitler est ou n'est pas exempt d'imperfections. Il s'agit d'un principe destiné à prévaloir dans le monde moderne contre l'investiture monarchique ou la soi-disant souveraineté populaire des démocraties... »

Le nouveau Reichstag se réunit le 16 octobre 1930. La loi prussienne interdisant le port d'uniforme dans un rayon d'un mille autour du palais législatif, les députés nazis arrivèrent avec leur tenue dans une valise, s'habillèrent à l'intérieur, formèrent dans la salle des séances un bloc brun compact, saluèrent leur chef absent d'un « Heil Hitler! » retentissant. L'un d'eux, Edmond Heines, était un assassin de la Sainte-Vehme, condamné à la réclusion perpétuelle, puis grâcié. Le socialiste Severing le désigna à l'indignation publique, provoquant un long tumulte. Mais le socialiste Löbe fut réélu à la présidence, et son groupe décida d'accorder ses voix à Brüning, lequel obtint une majorité de 318 contre 236, la minorité étant constituée par la coalition des nationaux-socialistes, des nationalistes de Hugenberg et des communistes. Le Reichstag s'ajourna ensuite au 3 décembre. L'Allemagne respira.

L'automne fut assez paisible. La seconde session du Reichstag confirma la première. Brüning poursuivait sa politique de rigueur budgétaire et de déflation économique. Il éprouvait une difficulté croissante à faire comprendre ses intentions au président Hindenburg, mais le vieil homme signait docilement les décrets-lois qu'il lui présentait et lui réitérait l'assurance de sa confiance : « Vous êtes mon dernier chancelier. Je ne me séparerai jamais de vous... » A d'autres moments, la versatilité de la vieillesse amenait sur ses lèvres d'étranges plaintes : « Comme protestant et Prussien de l'est, il est proprement intolérable que des succès qui resteront dans l'histoire soient associés au nom d'un catholique du Zentrum... »

Le 30 novembre, une élection au Sénat de Brême donna un démenti à ceux qui voyaient dans la flambée nazie du 14 septembre un feu de paille : loin de baisser, le chiffre des voix nationales-socialistes bondit de vingt-six mille cent trente-sept à cinquante et un mille trois cent vingt-quatre. Le même 30 novembre, le nombre des chômeurs enregistrés atteignit trois millions sept cent soixante-deux mille. Il était évalué à quatre millions neuf cent mille quand l'année 1930 disparut du calendrier.

La Maison Brune de Munich fut inaugurée le 1er janvier 1931. Un revenant était là : Ernst Röhm, rentré de Bolivie. Il rentrait également dans ce parti national-socialiste dont il avait vu l'enfance fragile, et qui était devenu, pendant son absence, un géant. « La S.A., lui avait dit Hitler, traverse une crise grave. J'ai besoin d'un homme énergique pour la discipliner. Acceptes-tu d'être son chef d'état-major ? » Röhm avait répondu qu'il était à la disposition de son Führer.

L'adhésion au national-socialisme du jeune architecte Albert Speer (né en 1905) est typique de l'attraction que Hitler exerçait sur toutes les couches de la société allemande. Assistant professeur dans une école technique berlinoise, il fut entraîné par ses élèves, en janvier 1931, dans une réunion réservée aux étudiants. Hitler vint en civil, dans un complet bleu bien coupé. « Son aspect et son langage contredisaient absolument l'image que je m'étais faite d'un démagogue en uniforme, rugissant et gesticulant... Il commença à parler d'une voix presque hésitante, non sur le ton d'un discours, mais en exposant des considérations historiques... tempérant son ironie par un humour de bon aloi et le charme de l'Allemagne du sud... s'affermissant progressivement pour atteindre une force de persuasion irrésistible... » Speer adhéra quelques jours plus tard, recevant la carte Nº 474 481. « J'ignorais tout du parti et de sa doctrine. Je fus conquis par Hitler seul. »

Il ajoute ceci : sa mère, bonne bourgeoise de Heidelberg, fut si impressionnée par une parade nazie, image d'ordre au milieu de la décomposition ambiante, qu'elle adhéra aussi — mais la mère et le fils gardèrent leur adhésion secrète à l'égard du père, dont le conservatisme libéral n'acceptait pas le totalitarisme hitlérien.

La stature de Brüning grandissait. Inconnu quelques mois auparavant, le leader catholico-syndicaliste se révélait à l'opinion internationale comme un homme de gouvernement capable d'endiguer le double déferlement du nazisme et du communisme, tout en faisant face à une situation économique désastreuse et en libérant l'Allemagne des chaînes du traité de Versailles. Il fit voter le budget de 1932 sous les injures des nazis lui criant qu'il était un chancelier franco-polonais, puis, quand le Reichstag se fut ajourné pour six mois, promulgua, en vertu de l'article 48, l'ordonnance du 28 mars 1931 suspendant les libertés inscrites dans la Constitution. Toutes les réunions publiques devaient être l'objet d'une autorisation. Les discours, affiches, tracts étaient soumis à une censure préalable. Le port en public des uniformes politiques et le déploiement d'insignes étaient interdits. Des peines d'amende et de prison sanctionnaient les infractions. Brüning, pour défendre la République, mettait la légalité républicaine en vacances, acceptait d'avoir recours aux procédés de la dictature.

Ensemble, les nazis, les nationalistes et les communistes avaient quitté le Reichstag en déclarant qu'ils ne siégeraient plus dans une Assemblée asservie. L'ordonnance du 28 mars les menaçait dans leur propagande. On attendit intensément la réponse d'Adolf Hitler.

Elle consista en un ordre adressé à toutes les formations du N.S.D.A.P. :

« J'attends de tous les membres et de tous les fonctionnaires du Parti, des S.A. et des S.S. le respect le plus complet et le plus strict de l'ordonnance du 28 mars. Notre légalité est aujourd'hui plus que jamais la base de notre existence et, par conséquent, la garantie de notre succès final. Nous avons résolu d'atteindre notre but par des moyens constitutionnels — et nous l'atteindrons! »

C'en était trop! Un vent d'indignation se leva. Le Führer était une poule mouillée; ou pis! Les Gauleiters de l'Allemagne de l'est, Prusse-Orientale, Poméranie, Brandebourg, etc. se réunirent à Weimar le 31 mars dans un état de violente exaspération. Goebbels les rejoignit — sans qu'il soit possible d'établir s'il eut l'intention de se rallier à leur révolte, ou s'il accourut pour la combattre. Derrière son dos, le soulèvement des nazis berlinois reproduisit, en l'aggravant, la mutinerie de l'automne précédent. Stennes occupa à nouveau le siège du Gau et la rédaction de l'*Angriff*. Otto Strasser courut s'enfermer avec lui et, pendant trois jours, fit paraître le journal en annonçant la destitution du « réactionnaire Hitler ». Stennes et lui se proclamèrent « chefs des S.A. révolutionnaires », déclarèrent que le parti, libéré de son virus petit-bourgeois, reprenait sa place à la tête du mouvement prolétarien. On envoya une délégation à Weimar pour essayer d'entraîner Goebbels en réchauffant sa vieille ardeur révolutionnaire. Mais le Gauleiter de Berlin venait de partir pour Munich, optant à nouveau pour Hitler.

Hitler donnait fréquemment l'impression de la nonchalance et du fatalisme. Il se ressaisissait dans les crises. Il consigna Goebbels à Munich, s'abstint d'avoir recours à Röhm qu'il savait de cœur avec les mutins, partit pour Berlin avec un petit groupe de fidèles. « Une fois de plus, relate Hanfstaengl, j'eus l'occasion d'admirer la maîtrise avec laquelle

Hitler faisait face instinctivement et instantanément à une situation difficile... comme de constater l'insincérité des effusions poussées jusqu'aux larmes avec lesquelles il médusa les S.A. Il alla de quartier en quartier, de permanence en permanence, de local en local, en sorcier capable de rasséréner par sa parole même des estomacs mécontents. » L'écrivain nazi Karl Richard Ganzer note que Mussolini, lorsque la crise Matteoti fondit sur lui, était déjà chef de gouvernement, disposant des organes de l'État, ou encore que Cromwell, lorsqu'il brisa la révolte des anabaptistes, avait derrière lui une force militaire imposante — alors que Hitler n'était que le chef d'un parti d'opposition dépourvu de tout moyen de contrainte, armé uniquement de son pouvoir de persuasion.

Otto Strasser attribue la victoire de Hitler à d'autres armes que sa rhétorique et ses larmes. « Il fit appel à un individu mystérieux, l'un des grands assassins de la Sainte-Vehme, dont le nom, Schulz, suffisait à faire frémir l'Allemagne. Schulz brisa la révolte par la terreur... » Ancien sous-officier de carrière, amnistié d'une longue peine d'emprisonnement, désigné avec quelque exagération comme le créateur de la Reichswehr noire, le lieutenant Paul Schulz appartenait en réalité au clan du propre frère d'Otto, Gregor Strasser. Il participa à l'épuration de la S.A. berlinoise comme adjoint de celui qui allait devenir son nouveau chef, Karl Ernst. Mais l'instrument principal avec lequel Hitler brisa la révolte fut la S.S.

Heinrich Himmler avait pris le commandement de cette élite le 6 janvier 1929. Bien qu'il eût son bureau à la Maison Brune, c'était encore une figure subalterne dans la hiérarchie nationale-socialiste, et personne ne pressentait le rôle que ce gaillard myope, gauche, renfermé et ennuyeux était appelé à jouer dans l'histoire allemande. Sa S.S., toujours subordonnée à la S.A. ne groupait pas en 1931 beaucoup plus d'un millier de membres et la section de Berlin, sous les ordres de Kurt Daluege, ne représentait que quelques dizaines d'hommes — au milieu de plusieurs milliers de S.A.

Daluege et ses S.S. berlinois escortèrent Hitler pendant qu'il allait de permanence en permanence, intimidant les opposants les plus exaltés, assurant par son air de résolution, non seulement sa sécurité physique, mais aussi le maintien autour de lui d'une atmosphère de déférence et de respect. Hitler récompensa son corps d'élite d'un mot qui allait devenir sa devise : *S.S. Mann, Deine Ehre heisst Treue!* Ton Honneur s'appelle Fidélité! Il n'y eut jamais, pour Adolf Hitler, de vertu plus haute, comme il n'y eut jamais de crime plus bas que la trahison de sa personne, dans laquelle il incarnait l'Allemagne. La fantastique carrière de la S.S. dans la paix et la guerre, le sacrifice et l'infamie, s'ouvre par la tentative anti-hitlérienne d'avril 1931.

Cette tentative tourna court. Les Gauleiters réunis à Weimar rentrèrent dans l'obéissance avant d'en être réellement sortis. Les S.S. libérèrent la Hedemannstrasse. L'*Angriff* reparut en disant que son délire de trois jours avait été le fait de quelques traîtres et qu'Adolf Hitler demeurait plus que jamais le Führer du national-socialisme et le sauveur de la patrie. Stennes, à qui les journaux hitlériens rendaient emphatiquement son titre de « capitaine de police », fut convoqué à l'hôtel « Herzog von Coburg », près de la gare d'Anhalt, foudroyé par Hitler, destitué et exclu du parti. Goebbels, autorisé à revenir de Munich, assistait à l'exécution. « Dites-moi, Hanfstaengl, dit Stennes en s'en allant, est-ce que Hitler sait qu'il avait à côté de lui l'instigateur de la révolte? C'est ce sale cochon, et lui seul, qui a voulu braver l'ordre interdisant des démonstrations de force sur la voie publique. » Hitler avait au moins un soupçon, puisqu'il laissa passer dix jours avant de réintégrer Goebbels dans ses fonctions de Gauleiter de Berlin. Quant au capitaine Stennes, il alla prendre du service chez Tchang Kaï-chek.

Sur la scène internationale, une nouvelle querelle faisait rage. Recherchant la diversion d'un succès en politique extérieure, le gouvernement allemand avait négocié un projet d'union douanière avec l'Autriche. Le gouvernement français protestait, menaçait, dénonçait dans la suppression de la frontière douanière le préambule de l'Anschluss si énergiquement interdit par les traités de paix. Au même moment, le pilier qui portait la fragile économie autrichienne, la banque Kreditanstalt, fermait ses guichets et l'un de ses directeurs, Ludwig Schüller, se jetait dans le Danube, qui traînait son corps jusqu'en Hongrie, à cent kilomètres en aval. La déconfiture se propageait en chaîne dans toute l'Europe centrale, des Carpates au Rhin.

Ces coups du sort s'acharnant contre l'Allemagne, l'Europe et le monde, poussaient Hitler vers le pouvoir. Mais des craintes grandissaient devant la montée brutale du national-socialisme. L'Église catholique sortait de la neutralité. Tous les évêques bavarois et ceux de l'archidiocèse de Cologne faisaient lire en chaire une lettre pastorale condamnant l'idéologie raciste et l'évêque de Mayence refusait la sépulture chrétienne au Gauleiter de Hesse, Peter Gemeinder. Le nouveau chef de la Heeresleitung, successeur du successeur de Seeckt, le général von Hammerstein-Equord, ne craignait pas de dire dans une réunion d'officiers que la désobéissance serait un devoir patriotique si le peuple allemand était assez insensé pour se donner comme maître un fou.

Hitler répondait à l'opposition des milieux conservateurs par un mélange d'intimidation et de séduction. Il reçut à deux reprises le rédacteur en chef des *Leipziger Neueste Nachrichten,* Richard Breitling, sous l'engagement que leur conversation ne serait pas publiée, mais en sachant bien qu'elle serait communiquée aux milieux d'affaires commanditant le quotidien saxon (1). Il avertit les possédants qu'il n'a pas besoin d'eux, alors qu'ils ont besoin de lui, et qu'ils commettraient une faute fatale en s'attirant son courroux. Mais il les rassure sur ses intentions à l'intérieur comme à l'extérieur. Il fait plus que jamais une distinction fondamentale entre le capital spéculatif, qu'il abattra, et le capital productif, qu'il protégera. La paix européenne n'a rien à craindre de lui. Il juge possible d'établir des relations « saines et satisfaisantes » même avec la France, à condition que « Paris veuille bien reconnaître dans le gouvernement de Berlin celui d'un grand voisin et renoncer à le considérer comme un outil ».

L'arrivée de l'été n'apporta à la détresse allemande que l'adoucissement d'une température plus clémente. Un ouvrier sur trois était sans travail et les cascades de faillites jetaient de nouveaux flots de chômeurs sur le pavé. Trois cent cinquante-sept institutions financières, banques, caisses d'épargne et de prévoyance, avaient suspendu leurs paiements. Brüning se fit inviter en Angleterre dans l'espoir d'obtenir l'appui du gouvernement britannique dans ses efforts pour la mise en sommeil du plan Young. Son départ, à Cuxhaven, fut salué par une manifestation des communistes criant : « A bas le dictateur de la faim! » Son retour, le 2 juin, par Bremerhaven, après des conversations décourageantes, eut lieu au milieu d'une manifestation nazie aux cris de : « *Deutschland Erwache!* Mort à Brüning! » Entre-temps, une nouvelle ordonnance de détresse (Notverordnung) avait réduit l'indemnité de chômage, augmenté les taxes sur le tabac, la bière, l'essence, etc., amputé de 4 à 8 % les traitements des fonctionnaires, qui l'avaient été déjà de 6 % en février. Des émeutes faisaient des blessés et des morts à Hambourg, Mülheim, Kassel, Francfort.

Brüning avait pris le paquebot *Europa* à son escale de Southampton. L'ambassadeur des États-Unis, Frederick M. Sackett, rentrant de Washington, se trouvait à bord. Il raconta qu'il avait supplié le président Hoover de mettre fin au plan Young en renonçant à la créance américaine. Hoover avait refusé avec irritation en déclarant que l'Allemagne pouvait et devait payer.

A Bremerhaven, Sackett et son épouse prirent place dans le train du chancelier, mais celui-ci les fit installer dans un wagon différent du sien, en leur recommandant de se tenir du côté couloir pour ne pas risquer d'être blessés par un jet de pierre. A Berlin, les arrivants durent traverser un barrage de grossières injures. Les journaux hitlériens imprimaient que Brüning et Sackett avaient fait bombance à bord de l'*Europa* et dévoré 300 marks de caviar. Pendant que les chômeurs...

Plusieurs jours anxieux s'écoulèrent encore. Le 18 juin, à 5 heures du soir, l'ambassadeur Sackett se fit annoncer chez Brüning. Il croyait percevoir une modification dans les dispositions d'esprit de la Maison-Blanche, et pensait qu'il n'était pas impossible de déclencher une action américaine si l'on parvenait à obtenir du président von Hindenburg qu'il adresse au président Hoover un appel personnel, un message de détresse de l'Allemagne en perdition...

Une heure suffit pour obtenir l'assentiment de Hindenburg. Brüning et le secrétaire d'État von Bülow rédigèrent ensuite en anglais le texte de la supplique qu'ils traduisirent et dont ils donnèrent lecture par téléphone au signataire, alors à Neudeck. Après avoir décrit la situation sans issue de son pays, le généralissime de l'empire allemand embrassait les genoux de la puissance qui avait vaincu ses armées : « Vous seul, Monsieur le Président, comme représentant de la grande nation américaine, pouvez prendre immédiatement les mesures qui dissiperont les périls pesant sur l'Allemagne et sur le monde... » On s'abstint de communiquer à la presse ce texte pénible pour la fierté nationale.

Hoover était à Indianapolis. Il rentra à Washington, s'enferma, consulta pendant quarante-huit heures. Le samedi 20 juin fut une journée torride, si chaude que des milliers d'automobiles restèrent en panne sur les routes, leur radiateur en ébullition. Elle s'achevait dans une atmosphère suffocante quand les journalistes furent brusquement convoqués à la Maison-Blanche. On leur remit le texte de la proposition que le président adressait au Congrès et aux gouvernements intéressés : un moratoire d'un an pour tous les paiements internationaux découlant des dettes de guerre et des réparations. Hoover précisait qu'il ne recommandait pas pour autant l'annulation ni des premières ni des secondes, et qu'il persistait dans son refus de reconnaître entre elles un lien.

En dépit de ces restrictions, la proposition Hoover fit l'effet d'une commotion électrique dans un monde angoissé et harassé. On salua en elle une initiative généreuse et hardie, la restauration de la confiance, la fin de la crise, un nouveau départ.

La France fit exception. Elle était relativement épargnée dans la catastrophe économique mondiale. Elle détenait un stock d'or important et s'enorgueillissait d'une monnaie dont la force lui paraissait la récompense de sa sagesse. Son provincialisme intellectuel ne lui permettait pas de comprendre que son privilège relatif ne venait que d'une économie repliée sur elle-même, moins vulnérable parce qu'elle était plus sommaire, mais qui devrait expier dans la reprise l'avantage qui lui venait du marasme. Bien qu'elle ne fût qu'un faible résidu d'espoirs colossaux, sa part du plan Young, 52 %, représentait une rente annuelle de RM 842 millions, laissant dans sa trésorerie, après le service des dettes à l'Amérique et à l'Angleterre, un excédent de deux milliards et demi de francs. Les meilleurs experts français niaient l'acuité, sinon la réalité, de la crise allemande, continuaient de soutenir qu'elle n'était qu'une mise en scène dans le but d'esquiver le paiement des réparations. La soudaineté de la proposition américaine donna lieu de croire qu'elle avait été négociée clandestinement ; qu'elle constituait un nouvel épisode de la conjuration entre l'Allemagne et le monde anglo-saxon pour frustrer de sa créance la principale victime de la guerre mondiale. La presse et la tribune françaises retentirent d'outrages contre le président des États-Unis, « parvenu insolent », écrivit un grand quotidien du matin. La réponse ne fut pas un refus tranchant, mais une demi-acceptation exigeant une négociation. L'effet psychologique s'atténua. La crise, un moment enrayée, reprit son cours.

Le consortium textile Nordwolle, de Brême, avait déposé son bilan. Sa faillite entraîna la déconfiture de la Darmstädter und National Bank (Danat), l'un des quatre grands établissements de crédit allemands. Le président s'en trouvait être le brasseur d'affaires juif très aventureux Jakob Goldschmidt, que Goebbels avait personnellement mis en accusation au début de la bataille pour Berlin. La propagande nazie claironna cette nouvelle preuve de clairvoyance. Adolf Hitler et son national-socialisme allaient à la source des maux, au lieu d'épiloguer sur les effets. Celui qui savait diagnostiquer saurait guérir.

A nouveau, l'Allemagne trébucha au bord de la banqueroute. Le taux de l'escompte fut porté de 7 à 10 %, sans parvenir à enrayer la fuite des capitaux. Le Cabinet envisagea un moratoire général des dettes privées. Hans Luther entreprit sous un faux nom la tournée des capitales financières, mendiant des crédits. Amsterdam lui répondit que la Hollande n'avait pas d'argent à prêter. Bâle se déclara impuissante. Londres dit que l'unique place en mesure de secourir l'Allemagne était Paris. Luther, alors maire d'Essen, avait été expulsé par les Français pendant l'occupation de la Ruhr. Il ravala sa rancune, quémanda. Le gouverneur de la Banque de France, Clément Moret, et le ministre des Finances, P.E. Flandin, confirmèrent qu'ils possédaient les ressources nécessaires, mais posèrent des conditions politiques. Le gouvernement allemand devait dénoncer l'Anschluss douanier, renoncer à la construction d'un croiseur de 10 000 tonnes, mis en chantier dans le cadre des limitations du traité de Versailles, dissoudre le Stahlhelm, s'engager à ne pas soulever pendant dix ans la question des frontières orientales. Brüning fit répondre que les plus graves calamités financières étaient moins graves que l'aliénation de la souveraineté. Luther rentra les mains vides. Les guichets de la Danat furent fermés le jour même de son retour.

Cette fois, l'inquiétude gagna le gouvernement français lui-même. Sombrant dans le chaos, l'Allemagne pouvait entraîner l'Europe. La France consentit au moratoire Hoover, sous la réserve que la partie inconditionnelle de l'annuité serait versée à la Banque des Règlements Internationaux et employée à soutenir les monnaies de l'Europe Centrale, le mark inclus. Brüning, de son côté, renonça à l'Anschluss douanier et accepta, en retournant à Londres, de passer par Paris où aucun chef d'un gouvernement allemand n'avait mis les pieds depuis Bismarck. A défaut du concours qu'elle demandait, l'Allemagne obtint que les pays créanciers ne retirassent pas les trois milliards de dollars de crédit à court terme qu'ils possédaient encore chez elle. Brüning gagnait un répit.

La République allemande n'était pas encore tout à fait morte. Le 9 août, un référendum provoqué par le Stahlhelm pour obtenir la dissolution du gouvernement socialiste prussien ne fut approuvé que par 36,9 % des électeurs. Six semaines plus tard, le président du Conseil français du moment, Pierre Laval, et son ministre des Affaires étrangères, Aristide Briand, rendaient à Berlin la visite que Brüning et Curtius avaient faite à Paris en juillet. Goebbels fut averti qu'il prendrait les risques les plus sérieux si ses nazis se livraient à une démonstration d'hostilité sur le passage des deux Français. La visite, totalement stérile par ses résultats politiques, se déroula sans autre incident qu'une indigestion de Laval qui voulut à toute force manger une choucroute, refusant de croire que ce n'était pas un plat de l'Allemagne du Nord.

A ce moment, Adolf Hitler traversait l'une des tragédies privées de son existence, le suicide de sa nièce Geli Raubal.

Le 17 septembre 1931, Geli et Adolf dînèrent en tête à tête Prinzregentplatz. La femme de charge, Anni Winter, entendit une dispute. Geli disait qu'elle devait aller à Vienne pour une épreuve de chant. Adolf s'y opposait. Le repas tourna court. Geli gagna sa chambre et s'y enferma.

Le lendemain, Heinrich Hoffmann passa prendre Hitler, pour une tournée dans le nord de la Bavière. Du haut de l'escalier, Geli leur cria : « Au revoir, oncle Adolf! Au revoir, Monsieur Hoffmann! » Hitler hésita un instant, remonta l'escalier, pendant que Hoffmann allait l'attendre à la porte de la rue. Il descendit au bout d'un court moment, l'air sombre. Geli elle-même était très nerveuse. « Vraiment, dit-elle à *Frau* Winter, je ne m'entends plus du tout avec oncle Alf. »

Hitler quitta le Deutscher Hof de Nuremberg le lendemain, 18 septembre, à la fin de la matinée, allant à Bayreuth. Un peu avant Erlangen, on remarqua qu'une voiture suivait en forçant de vitesse. Une règle de sécurité voulait que l'auto du Führer ne se laissât jamais dépasser. Hitler allait donner au chauffeur Schreck l'ordre d'accélérer lorsqu'il remarqua que la voiture suiveuse était un taxi et qu'un chasseur du Deutscher Hof gesticulait à la portière. Rudolf Hess avait téléphoné de Munich en disant qu'il était absolument indispensable qu'il parlât à *Herr* Hitler et qu'il gardait la ligne. Dès que l'auto l'eut ramené au Deutscher Hof, Hitler se précipita dans la cabine téléphonique en jetant dans un fauteuil son chapeau et son fouet de chasse. Hoffmann entendit ses interjections entrecoupées : « Mon Dieu!... C'est horrible!... Hess, répondez-moi, sur votre parole d'officier, est-elle vivante ou morte?... Hess! Hess!... » Le fidèle secrétaire avait raccroché. Hitler sortit, décomposé : « Quelque chose est arrivé à Geli... Je n'ai pas de détails... Schreck, tire tout ce qu'il est possible de tirer de ta voiture. Je veux la revoir vivante... »

En route, un ennui mécanique immobilisa un moment la Mercedes-Kompressor. Lorsque Hitler arriva Prinzregentplatz, le corps de Geli avait été transporté à l'Institut Médico-Légal, par les soins de Gregor Strasser et de Franz-Xaver Schwarz, et les journaux avaient reçu un bulletin de la Maison Brune, signé par un docteur Adolf Dressler, disant que la nièce du Führer avait mis fin volontairement à ses jours. On tenta de le rattraper à l'aide d'un deuxième bulletin disant que la cause de la mort était le maniement imprudent d'une arme à feu. Trop tard!

Le soir même, la *Münchner Post* imprimait que la nièce du Führer des nazis avait l'os du nez brisé, que son corps portait des ecchymoses et qu'on avait trouvé dans sa chambre une lettre inachevée à une amie viennoise pour lui annoncer son arrivée prochaine — ce qui invitait à lire entre les lignes que Hitler avait brutalisé sa nièce et qu'il l'avait poussée au suicide, si même il ne l'avait pas tuée lui-même dans une crise de fureur. Le *Völkischer Beobachter* protesta dans son numéro du surlendemain, en annonçant des poursuites — qui ne vinrent jamais.

Un point au moins n'était pas inexact dans le récit du journal socialiste. La lettre inachevée, adressée à une certaine Felicitas — mais ce prénom féminin était peut-être un leurre — se terminait ainsi : *Wenn ich — hoffentlich recht bald — nach Wien komme fahren wir zusammen zum Semmering un...* (Lorsque j'irai à Vienne — je l'espère très prochainement — nous irons ensemble au Semmering et...) Le *d* de *und* n'avait pas été tracé. L'Oktober Fest se déroulait sur la Prinzregentplatz et son vacarme avait probablement étouffé la détonation fatale. *Frau* Winter ne s'était inquiétée que dans la matinée du lendemain. Son mari avait enfoncé la porte. Ils avaient trouvé Geli gisant sur un divan, la tête ensanglantée, le revolver de son oncle à ses pieds...

Il n'y eut pas d'autopsie. Le puissant ami de Hitler, le ministre de la Justice, Gürtner, fit le nécessaire pour que le corps de la désespérée fût discrètement expédié à Vienne, où l'inhumation eut lieu religieusement au cimetière de l'Est, en présence de Röhm et de Himmler. Hans Frank se chargea de l'aspect juridique de la question, et, dit-il laconiquement, parvint *blitzartig* à arrêter la propagande diffamatoire « avec le concours de la police, des médecins et de la famille de la défunte ». Le suicide est plus que probable, mais son motif demeure mystérieux. Maser pense que Geli était « vraisemblablement » enceinte, soit de son oncle, soit d'un jeune peintre viennois, probablement juif. Tous ceux qui l'ont connue disent que, frivole et pétulante, elle n'était pas du type à mettre fin à ses jours. Ils disent aussi qu'elle était impulsive, emportée, excessive, dans ses démonstrations de joie et de chagrin, de vitalité et d'abattement.

Hitler était anéanti de douleur. Hess, Göring et Strasser ne le quittèrent pas pendant deux jours et deux nuits, puis réussirent à le conduire chez l'imprimeur du *Völkischer Beobachter*, Adolf Müller, qui possédait une villa près du Tegernsee. Suivant plusieurs témoignages, c'est à partir de la mort de Geli qu'il éprouva pour la viande un dégoût total et devint un végétarien exclusif.

Dix ans plus tard, il disait encore à ses secrétaires que Geli Raubal représentait pour lui l'idéal de la femme allemande et qu'il l'aurait épousée après avoir accompli la tâche pour laquelle l'Histoire l'appelait. Mais il ne dévoila jamais ce qu'avait été leur dernière soirée, ni ce qu'il savait des motifs qui avaient armé contre elle-même le bras de la bien-aimée.

12

DEVANT HITLER, LES OBSTACLES
TOMBENT : CHUTE DE BRÜNING
octobre 1931-mai 1932

Le désespoir d'Adolf Hitler ne devait pas le tenir longtemps éloigné de l'action. Moins d'un mois après le suicide de Geli, le 10 octobre 1931, il entrait dans la résidence présidentielle pour la première audience que lui accordait Hindenburg.

Cédant à la pression du maréchal, Brüning remaniait son gouvernement, s'allégeait du ministre de l'Intérieur Wirth, survivant de l'époque parlementaire de la République, et du ministre des Affaires étrangères Curtius, qui se disait trop haut le continuateur de Stresemann. Le Cabinet prenait une coloration plus conservatrice et plus nationaliste. Et Schleicher avait réussi à convaincre le vieux soldat qu'il ne lui était plus possible d'ignorer l'homme qui, tout Autrichien et démagogue qu'il fût, dirigeait d'une manière discrétionnaire le second des partis allemands.

Les nazis emplissaient la Wilhelmstrasse, acclamant leur chef. Hitler, que Göring suivait, s'était mis en jaquette. Il n'est pas possible de savoir si Hindenburg le reçut debout, comme on l'a dit. Mais, avec un amour-propre entêté de vieillard, il revint sur la manifestation de Tannenberg vieille de cinq ans : « Vos jeunes gens m'ont crié : *Erwache!* Comme si je dormais!... » Hitler jura qu'il y avait malentendu, que le cri national-socialiste *Deutschland Erwache!* ne pouvait être dirigé contre le chef vénéré des armées allemandes pendant la guerre mondiale. Un peu apaisé, Hindenburg fit appel au patriotisme de son visiteur en lui demandant, au nom des difficultés que l'Allemagne traversait, de ménager le nouveau gouvernement Brüning. Hitler répondit qu'il n'envisageait pas d'arriver au pouvoir autrement que par la légalité, mais qu'il croyait à la nécessité d'une autorité dictatoriale pour remplacer le régime de Weimar et qu'il ne pouvait s'engager à suspendre ou à ralentir son action (1).

L'entrevue ne dissipa pas l'antipathie de Hindenburg. Il avait, au cours de la campagne de 1866, cantonné dans un village de Bohême nommé Braunau et la confusion qui en résultait lui avait fait décerner au Führer du national-socialisme le qualificatif méprisant de « caporal bohémien ». Le mouvement dont Hitler était le créateur lui inspirait une vive hostilité. « J'ai peur, avait-il dit à Hugenberg, que ce national-socialisme soit très socialiste et très peu national. Ce n'est pas un parti digne de confiance. Pourquoi vous êtes-vous allié avec lui? » Hugenberg expliqua qu'il empêchait l'hitlérisme de glisser vers le communisme. Hindenburg ne fut pas convaincu et l'audience du 10 octobre ne l'édifia pas sur la personnalité de Hitler. « Je n'en ferais pas, dit-il, un ministre des Postes. » Il devait en faire un chancelier du Reich et un dictateur.

Le lendemain de la première rencontre Hindenburg-Hitler, l'opposition nationale se réunit en congrès dans la petite ville thermale de Bad Harzburg. Des princes dépossédés, dont le Kronprinz allemand, des généraux de l'ancienne armée, dont Mackensen et Seeckt, des magnats de l'industrie comme Thyssen et Vörgler, coudoyèrent des révolutionnaires comme Goebbels et Röhm. Sans se soucier de saper le crédit de l'Allemagne, le docteur Hjalmar Schacht prononça un discours dans lequel il déclara que le mark était désormais une monnaie sans valeur. Hugenberg et Hitler représentaient les deux pôles dissemblables de ce rassemblement disparate : l'un « bourgeoisissime », avec sa redingote cubique, ses cheveux blancs en brosse, sa bonhomie artificielle, sa lourde démarche; l'autre dramatique, avec son visage sévère, sa mèche brune barrant son front, ses bottes et sa chemise d'uniforme, son bras tendu. Il le tint à l'horizontale pendant tout le défilé de sa S.A., puis, quand la tête de colonne du Stahlhelm fit son apparition, quitta ostensiblement la tribune officielle. Un échange de lettres acrimonieux s'ensuivit, mais Seldte et Duesterberg ne purent obtenir ni une explication ni l'expression d'un regret.

Le « Front de Bad Harzburg » n'eut jamais pour ciment qu'une opposition féroce contre le gouvernement du Reich et le gouvernement prussien d'Otto Braun. Les nazis ne cessèrent pas d'appeler le parti deutsch national *Die Reaktion,* ni les conservateurs de considérer avec inquiétude des démagogues marchant sur un drapeau à peine moins rouge que celui des communistes. Hugenberg reconnaissait dans le privé que l'accession au pouvoir de Hitler était « hautement indésirable » et qu'elle constituerait un danger pour l'Allemagne, mais il était convaincu que les forces conservatrices sauraient l'écarter lorsqu'il aurait servi à renverser Brüning. Il croyait que le prochain chancelier ne pouvait être autre que lui, Alfred Hugenberg.

Brüning avait pris pour lui-même les Affaires étrangères et réuni le ministère de la Reichswehr et le ministère de l'Intérieur, l'armée et la police, entre les mains énergiques du général Groener. « Le nouveau cabinet, dit-il en le présentant au Reichstag, est encore plus indépendant des partis que le précédent. » En dépit de cette répudiation du parlementarisme, tous les partis de l'ex-Grande Coalition votèrent pour Brüning, lui donnèrent une petite majorité de deux cent quatre-vingt-quatorze voix contre deux cent soixante-dix à la conjonction des extrêmes, les communistes et le front de Bad Harzburg. L'Assemblée s'ajourna ensuite jusqu'en février, laissant au cabinet le soin de gouverner par des ordonnances présidentielles. Du régime de Weimar, démocratie trop parfaite, il ne survivait que le pouvoir d'exception accordé au président du Reich comme un expédient de catastrophe, par l'article 48 de la Constitution.

Hitler était rentré à Munich caustique sur ses alliés et fort mécontent de son entrevue avec Hindenburg. « Je respecte le vieux monsieur, dit-il à Baldur von Schirach, mais il ne comprend rien à ce qui se passe. Je ne suis pour lui que le caporal autrichien et un fauteur de trouble. Il me met dans le même sac qu'un Thälmann... » Le parti était la seule réalité ferme, le seul levier pour la conquête du pouvoir.

Après la Thuringe, le Brunswick, vieux pays guelfe, avait été le deuxième Land à compter dans son gouvernement un ministre national-socialiste. Hitler le récompensa le 18 octobre en rassemblant dans sa petite capitale cent quatre mille chemises brunes. Il annonça qu'il créait vingt-quatre Standarten nouvelles. « Je pense, dit-il, que ce sont les dernières avant la victoire totale et définitive de notre mouvement... »

Hambourg-la-Rouge avait voté le 27 septembre, accordant au N.S.D.A.P. 25,9 % des suffrages. La Hesse, conservatrice, la Hesse de Heidelberg et de Mayence, vota le 15 novembre. Les deux cent quatre-vingt-onze mille cent quatre-vingt-neuf voix de la liste nazie représentaient 37 % des votants, lui donnaient vingt-sept députés sur les soixante-dix du Landtag. Ce qui apparaissait quelques semaines auparavant comme une vue de l'esprit, ce que les extrémistes du national-socialisme dénonçaient comme une chimère, une victoire de la dictature par le principe sacré de la démocratie, le suffrage universel, devenait une imminente possibilité.

Les vieillards cyniques qui régissaient la politique italienne avant 1923 disaient, en parlant de Mussolini : « Nous l'aurons avec un sous-secrétariat aux Beaux-Arts. » Brüning n'était ni un vieillard ni un cynique, mais il entretenait l'illusion qu'Adolf Hitler ne résisterait pas à la tentation d'une participation subalterne au pouvoir. L'élection de la Hesse, qui donnait au N.S.D.A.P. et au Zentrum une majorité à la diète de Darmstadt, lui parut une excellente opportunité pour expérimenter dans le cadre d'un gouvernement régional une coopération avec le mouvement hitlérien. Il prit contact nuitamment et clandestinement avec Strasser, puis se rendit de sa personne à Mayence pour provoquer des pourparlers entre le notaire Brockius, chef hessois du Zentrum, et son ancien clerc, le docteur Werner Best, Gauleiter N.S.D.A.P. de Hesse-Darmstadt. Hitler avait fait savoir qu'il ne repoussait pas par principe la proposition du docteur Brüning et qu'il ferait connaître les conditions qu'il jugeait nécessaires à sa réalisation.

Le document Boxheimer tomba sur la tentative comme un pavé.

Il fut apporté au chef de la police de Francfort par un certain docteur Schäfer, député au Landtag et transfuge du N.S.D.A.P. Des perquisitions

225

en vérifièrent l'authenticité et la revue républicaine *Das Parlament* en livra le texte à l'indignation publique. Réunis à l'auberge Boxheim, entre Heidelberg et Worms, dans l'alcool joyeux de la victoire, Best et les cinq principaux nazis hessois avaient dressé par écrit la liste des mesures que le parti aurait à prendre après la conquête du pouvoir. La propriété privée serait provisoirement abolie, les comptes en banque bloqués, le paiement des dettes suspendu, les salaires supprimés, les stocks de vivres saisis, tous les hommes valides de plus de seize ans enrôlés dans des compagnies de travail. Chacun recevrait sa nourriture, à l'exception des Juifs, condamnés par prétérition à mourir de faim. Toute résistance serait réprimée avec la plus grande brutalité et tout détenteur d'armes fusillé sans jugement.

La façade légaliste du nazisme s'effondrait devant ce répertoire de mesures sauvages, ce bréviaire de subversion sociale organisée!

Le général Groener demanda la Haute Cour pour les conspirateurs. Brüning biaisa, objecta qu'il était difficile de trouver une base juridique, le document Boxheimer spontanément désavoué par Göring, n'ayant pas été suivi d'effet. Les poursuites, mollement engagées, étaient destinées à se perdre dans les sables. François-Poncet, qui commençait son ambassade historique, estima que le jeune chancelier laissait passer une occasion de se défaire du mouvement hitlérien et déplora qu'il n'eût pas l'audace d'utiliser pour se défendre les procédés employés pour l'attaquer. « De ce jour, j'eus l'impression que Brüning était perdu... » Mais Poncet ignorait les tractations avec Hitler qui gênaient Brüning aux entournures. L'échec, au reste, ne dissipa pas totalement les illusions de celui-ci. Écrivant ses Mémoires, quarante ans après, il laisse encore échapper un soupir de regret : « L'affaire Boxheimer fut funeste ; elle brisa ma tentative pour établir une coopération entre le N.S.D.A.P. et le Zentrum... »

En réalité, l'affaire Boxheimer n'eut aucune répercussion sur le déroulement des événements. Hitler ne voyait dans les négociations qu'il avait autorisées qu'une occasion de compromettre Brüning. Lui-même fit connaître dans le *Völkischer Beobachter* les exigences qu'il aurait posées pour son parti : présidence du gouvernement de Hesse et ministère de l'Intérieur, avec pleins pouvoirs sur la police. Coopérer signifiait pour lui dominer.

***

Obscur quelques mois auparavant, Hitler devenait une figure mondiale. Il avait établi sa résidence berlinoise à l'hôtel Kaiserhof (« *Haus allerersten Ranges* » disait Baedeker) à cent pas de la chancellerie du Reich. Son appartement, une chambre et un salon, à l'extrémité d'un long corridor, donnait sur la Wilhelmplatz. Les journaux de gauche ironisaient : « Le Führer des ouvriers dans un palace! » Mais les journalistes internationaux accouraient en foule, subissaient un filtrage sévère et, s'ils étaient acceptés, payaient tribut. Hanfstaengl, chargé des relations avec la presse étrangère, demanda à Hitler pourquoi, le même jour, il avait fait séparément deux déclarations presque identiques à deux correspondants américains, au lieu de les recevoir ensemble. Il cligna de l'œil : « Chacun de leurs journaux me paie un dollar le mot... » Les finances du parti n'étaient pas sorties de leur délabrement chronique, les lieutenants de Hitler avaient des chambres sur le même palier et le règlement des notes hebdomadaires du Kaiserhof était souvent difficile. A plusieurs reprises, Göring apporta à son chef les sommes nécessaires pour lui épargner l'affront d'être refoulé vers un gîte moins onéreux. On n'a jamais su s'il les prenait sur sa fortune personnelle ou s'il les recevait du milieu opulent dans lequel il ne cessait d'étendre ses relations.

Les journalistes étrangers qui furent reçus par Hitler consentirent rarement à reconnaître en lui l'étoffe d'un homme d'État. Dorothy Thomson, alors fort célèbre, tira d'un entretien de vingt minutes un livre : *I saw Hitler...,* dans lequel elle le dépeignit comme un petit homme insignifiant, un simple tambour... La conversation avait été sans aménité. Les airs supérieurs de la prêtresse du libéralisme avaient exaspéré Hitler et l'odeur qu'elle exhalait ne l'avait pas incliné à l'indulgence. La porte était à peine fermée sur le dos de Dorothy qu'il criait à Schaub : « Ouvre les fenêtres. Ça pue l'alcool ! »

Hitler prenait généralement ses repas dans son appartement, non sans appréhension, car il était convaincu que les cuisines du Kaiserhof étaient pleines de bolchevistes et une intoxication alimentaire de Röhm avait éveillé chez lui la peur d'un empoisonnement. Il se montrait quelquefois dans la salle à manger et le grand salon où son apparition soulevait la même rumeur que celle d'une vedette de l'écran.

Un jour, il dit à Göring qu'il avait invité une amie de Goebbels à prendre le thé. Göring se mit à rire.

— Ha ! Ha ! la Pompadour de Goebbels ! — La Pompadour ?... — Oui. Goebbels l'a connue en donnant des leçons à son fils et depuis... — Voyez-vous un inconvénient ?... — Non, mais il faut être prudent avec une Pompadour.

Elle était grande, blonde, belle, rayonnante et divorcée. Son ex-mari, *Herr* Quandt, lui servait une pension mensuelle de 4 000 marks sur laquelle elle vivait élégamment dans un bel appartement de la Reichskanzlerplatz, à Charlottenburg. Elle avait fait la connaissance de Goebbels non comme précepteur de son fils, mais comme orateur au Sportpalast. Un travail volontaire au secrétariat du Gau n'avait pas tardé à être suivi d'une liaison avec le Gauleiter, mais un remariage aurait fait perdre à Magda sa grasse pension alimentaire, et Joseph avait pour toute ressource les 600 marks de son indemnité parlementaire et les 400 marks qu'il recevait du parti... A lui seul, le loyer de la Reichskanzlerplatz coûtait 450 marks !

Le thé fut pris sur une table d'angle du grand salon. Magda avait amené son fils, Harold. Hitler avait avec lui Schaub, Sepp Dietrich et l'ex-officier Otto Wagener, dont il avait fait le chef de la section économique du N.S.D.A.P. et son agent de liaison avec les milieux industriels. La conversation du Führer et de la jeune femme fut si intense que Wagener dut rappeler qu'on allait à l'Opéra et qu'il était temps de partir.

Au retour, Wagener accompagna Hitler dans son appartement. Il était pensif. Il parla comme s'il se parlait à lui-même : « Je croyais que c'en était fini pour moi des sentiments humains... Depuis la mort de Geli, je croyais les avoir déposés avec elle dans la tombe... Aujourd'hui, ils m'assaillent à nouveau par surprise, mais avec une grande violence... Est-ce que l'homme seul n'est rien? Est-ce qu'une liaison avec un autre être n'est pas la condition de son équilibre? L'homme avec la femme? La nature masculine et la nature féminine, source de force et de passion?... » Le solitaire doutait soudain des vertus de la solitude, entendait avec surprise un mystérieux appel. « Est-ce que ce n'est pas ce que les philosophes appellent le divin en nous?... Je sens que cette femme pourrait jouer un rôle dans ma vie, sans qu'il me soit nécessaire de l'épouser. Quel dommage qu'elle ne soit pas mariée... (2) »

La méditation à haute voix fut bruyamment interrompue par Schaub, Dietrich et Schreck. Ils venaient dire que *Frau* Quandt ne dormait pas et qu'elle invitait tout le monde chez elle. Hitler déclina. Ils partirent, emmenant Wagener. La fête battait son plein quand Goebbels fit son apparition, salué par de grands rires : « Quoi? Tu n'as pas sonné? Alors, tu as la clef! Ah! Ah! Compliments, Bravo! »

Hitler s'employa à favoriser le mariage de Goebbels en compensant la perte de la pension alimentaire de Magda. La cérémonie fut célébrée le 19 décembre 1931, dans le domaine mecklembourgeois de Severin, appartenant au premier mari, et somptueusement mise en scène par le régisseur Walter Granzow, chef nazi régional. Les témoins des mariés étaient le général Franz Ritter von Epp et le Führer Adolf Hitler.

Jamais les relations de Hitler et de Magda Goebbels ne se démentirent. On le verra prendre la défense de la femme contre les frasques du mari et excuser les frasques de la femme en disant qu'elles étaient une représaille contre les infidélités du mari. L'appartement de la Reichskanzlerplatz fut l'endroit de Berlin où Hitler se détendait, écoutant Hanfstaengl wagnérisant, s'entretenant avec les artistes que Goebbels rassemblait autour de lui, soigné et admiré par celle qui, après Geli, et plus qu'Eva Braun, fut son véritable amour. Eva et Magda mourront ensemble volontairement dans le bunker de Berlin, un peu comme les représentantes des millions de femmes allemandes qui, beaucoup plus que les hommes, crurent à Hitler, l'élevèrent sur la flamme de leur passion.

**

La quatrième ordonnance de détresse (Notverordnung) fut promulguée le 8 décembre 1931. Elle atteignait une rigueur inouïe. La taxe sur le chiffre d'affaires était portée de 0,85 % à 2 %. Les taux d'intérêt étaient portés de 25 à 50 %. Les transferts de capitaux à l'étranger étaient frappés d'une pénalité du quart de leur montant. Les gages, salaires et traitements devaient être ramenés à leur niveau du 10 janvier 1927. A la catastrophe qui désolait l'Allemagne, Brüning ne trouvait à opposer qu'une déflation impitoyable, pompier combattant un incendie en l'arrosant d'essence.

De nouvelles mesures pour le maintien de l'ordre public accompagnaient ces sévérités fiscales et économiques. « Devant l'hiver difficile qui commence, disait Brüning, le souci principal du gouvernement est d'empêcher les antagonismes politiques d'exploser... » Le droit de perquisition était étendu. Les autorités locales étaient invitées à confisquer les armes à feu. L'interdiction de porter ou de déployer en public des uniformes, insignes, emblèmes politiques était renforcée. Hitler renouvela l'ordre de se conformer strictement aux ordonnances, en avertissant qu'il prononcerait l'exclusion immédiate de tout adhérent ou de toute formation qui se mettrait en état d'infraction.

1931 s'achève. 1932 commence dans une tristesse rendue plus poignante par la liesse artificielle exigée par la tradition. « En entendant carillonner les églises, avoue Brüning, je ne pus contenir une crise de larmes... » Souci du présent, angoisse de l'avenir.

Hitler, comme d'ordinaire, boycotta la Nativité, puis passa à l'Obersalzberg une Saint-Sylvestre endeuillée par le souvenir de Geli. Politiquement parlant, il pouvait se féliciter de l'année qui s'achevait. Elle avait porté le nombre des inscrits au parti de trois cent quatre-vingt-neuf mille à huit cent six mille deux cent quatre-vingt-quatorze. De multiples organisations s'étaient créées sous son égide, faisant du N.S.D.A.P. un cadre englobant toutes les formes de l'activité politique et professionnelle. L'organisation des cellules d'entreprises (N.S.B.D.) avait été fondée le 15 janvier. L'appareil de politique agraire (N.S.D.A.B.), confié au théoricien du Sang et du Sol, *Blut und Boden,* Walther Darré, avait été fondé le 9 février. Le corps motorisé (N.S.K.K.) avait été fondé le 8 mai. L'École nationale des chefs S.A. avait été fondée le 15 juin. L'office de presse, à la tête duquel Hitler avait appelé le journaliste westphalien Otto Dietrich, avait été fondé le 1er août. La ligue des femmes nationales-socialistes avait été fondée le 1er octobre. Le bureau du Führer de la Jeunesse, rassemblant, sous Baldur von Schirach, la Hitler Jugend, la Bund de la jeune fille allemande, le groupement d'étudiants nationaux-socialistes avait été fondé le 30 octobre. En un an, l'ex-palais Barlow était devenu trop étroit pour le foisonnement d'organismes qui devaient leur existence à Adolf Hitler. Dans le même temps, le fléau du chômage avait fait passer le nombre de sans travail de quatre millions trois cent mille à cinq millions cinq cent soixante-six mille. Hitler eut l'audace de se féliciter d'une calamité qui ouvrait les yeux des masses allemandes sur la malfaisance du régime de Weimar et préparait le renouveau.

Au désarroi économique, 1932 ajoutait une épreuve politique

redoutable. Le mandat du président Hindenburg s'achevait au mois d'avril. Ses quatre-vingt-quatre ans sonnaient en février. Nul ne pouvait le remplacer et, d'un autre côté, il paraissait difficile de soumettre à nouveau un homme de cet âge au suffrage universel. Brüning envisagea d'utiliser l'expédient qui, en 1923, avait permis d'allonger de deux ans le mandat d'Ebert, la prorogation par un vote du Reichstag. Mais la Constitution exigeait une majorité des deux tiers. Comment la décrocher?

Dès le 3 janvier 1932, Brüning se mit en campagne. L'adhésion du Zentrum, le consentement des autres groupes du centre, la résignation du S.P.D. étaient acquis, mais il fallait obtenir, en outre, les voix d'un au moins des deux participants du front de Harzburg — les nazis de Hitler ou les nationalistes de Hugenberg.

Brüning vit Hitler le 6 janvier. Il lui démontra que son ralliement à la candidature de Hindenburg lui offrait une chance unique d'accéder à la direction de la politique allemande. Hitler parut tenté, demanda un délai de réflexion. La seconde entrevue eut lieu trois jours plus tard. Hitler déclara qu'il ne s'était encore arrêté à aucune décision, mais qu'il poserait en tout cas comme condition que l'extension du mandat présidentiel n'excédât pas deux ans. Brüning dut répondre qu'une allusion à une telle limitation mettait le vieux monsieur en colère; qu'il voulait une réinvestiture pleine et entière, ou rien du tout.

Hugenberg succéda à Hitler. Brüning comprit au premier coup d'œil qu'il n'avait à attendre de l'ancien directeur de Krupp qu'une hostilité implacable. « Avec vous à la chancellerie, lui dit Hugenberg, l'assentiment du groupe deutsch-national à la prorogation du mandat présidentiel par un vote parlementaire signifierait une adhésion à la politique que vous représentez et que nous combattons. Nous ne pouvons y consentir. »

Hitler s'aligna sur Hugenberg. Il convoqua le secrétaire d'État Meisner au Kaiserhof et lui dicta deux conditions : démission de Brüning, dissolution du Reichstag et du Landtag de Prusse. Hindenburg lui fit répondre qu'il n'envisageait pas de se séparer de son chancelier.

La situation devient extraordinairement confuse. Intrigues et contre-intrigues s'entrecroisent. Le fils aide de camp ravive l'hostilité du maréchal au catholicisme et au passé syndicaliste du chancelier. La bru, *Frau* Oskar von Hindenburg, abhorre Brüning, et, jouissant d'une large audience auprès d'un vieillard féru de ses petits-enfants, joint son travail de démolition à celui de son mari. Schleicher commence à critiquer Brüning en disant à Hindenburg qu'il est trop rigide, qu'il ne sait pas s'y prendre avec le national-socialisme et qu'il conserve avec la gauche des liens trop étroits. Brüning sent le sol se dérober peu à peu sous ses pas.

Pour se raffermir, il renchérit de nationalisme. Il a proclamé qu'il ne reprendrait pas le paiement des réparations à l'expiration du moratoire Hoover. Il se propose d'aller à Genève pour annoncer à la conférence que l'Allemagne reprend ses droits et qu'elle réarmera puisque les autres persistent à ne pas désarmer. Il promet à Hindenburg qu'il ramènera la droite au pouvoir dès qu'il en aura fini avec ces deux problèmes, et il se fait fort de restaurer la monarchie en plaçant la classe ouvrière devant ce dilemme : Hitler ou un roi. Le vieillard s'attendrit, pleure d'émotion, remercie son chancelier, mais, à d'autres moments, il le reçoit avec un visage de bois et des grognements hostiles. Sa lucidité s'éteint d'ailleurs à 5 heures du soir. « Je m'attendais tous les matins, dit Brüning, à apprendre que son valet de chambre l'avait trouvé mort dans son lit... »

Au début de sa présidence, le maréchal Paul von Hindenburg n'avait pas été heureux. « Je n'ai connu dans la vie, avait-il coutume de dire, que deux choses : obéir ou commander. Je ne fais ni l'une ni l'autre au poste qu'on m'a fait accepter... » Le gouvernement par l'article quarante-huit, qui faisait de lui un monarque absolu, l'avait réconcilié avec sa fonction. Il l'aimait. Elle lui permettait des décisions sans appel. Elle l'entourait de la pompe militaire qui avait été pendant plus d'un demi-siècle le sel de ses jours. Il disait que l'heure de la retraite avait sonné pour la troisième fois — et Brüning, dont la psychologie ne fut jamais le fort, attribuait à cette parole une sincérité dont elle était dépourvue. Le chancelier combattait, en invoquant l'intérêt suprême de l'Allemagne, un désir de repos qui n'était qu'une transparente hypocrisie. Désespérant d'une majorité des deux tiers au Reichstag, il imagina un comité de notables qui eût investi Hindenburg sans passer par la formalité parlementaire. C'était, pensait-il, le dernier recours.

Mais, lancée par le docteur Salm, bourgmestre de Berlin, une pétition pour une deuxième candidature se couvrit en quelques jours de trois millions de signatures. Hindenburg fit dire à Brüning de cesser ses efforts, et qu'il avait pris la résolution de demander directement au peuple allemand le renouvellement de son mandat. A son voisin de campagne, Oldenburg Januschau, s'affligeant qu'il devienne le drapeau de la gauche, il répondit avec irritation qu'il restait le même Hindenburg et qu'il se plaçait au-dessus des partis (3).

Une phénoménale inversion n'en bouleversait pas moins la politique allemande. A gauche, seuls les communistes opposaient un concurrent à l'ex-généralissime des armées impériales. Socialistes, démocrates, catholiques acceptaient de voter pour le vieux soldat monarchiste et réactionnaire qu'ils avaient combattu en 1925. A droite, Hugenberg exigeait que le parti deutsch-national ait un candidat, désignait un héros de la guerre, le lieutenant-colonel Duesterberg, dont on ne savait pas encore que le sang qu'il avait versé sur le champ de bataille était au quart juif. Duesterberg commandait en second le Casque d'Acier dont Hindenburg était membre d'honneur. Alors que l'association républicaine et socialiste Reichsbanner, porteuse des couleurs rouge-noir et or (jaune, la bande juive, disaient les nationalistes) allait assurer le service d'ordre dans les réunions pour Hindenburg! On vit, sur le Lustgarten, une manifestation pour la candidature du maréchal dans laquelle les drapeaux rouges étaient plus nombreux que les emblèmes de la République de Weimar!

Hitler hésita longuement. L'ardent Goebbels lui disait que le candidat du parti national-socialiste ne pouvait être un autre que son Führer. Mais la stature de Hindenburg faisait redouter un échec mortifiant. Le principe du national-socialisme excluait les décisions collectives, l'alibi des comités, laissait au chef la responsabilité sans partage de la décision. Convoqués à Munich le 5 février, tous les Gauleiters d'Allemagne attendirent l'annonce de la candidature, repartirent déçus et, certains d'entre eux, irrités. Hitler vint ensuite à Berlin, parla au Sportpalast devant quinze mille S.A., puis à la Tennishalle, devant les cadres du parti, mais il resta muet sur ses intentions. Le 22 février enfin, Hitler autorisa Goebbels à annoncer sa candidature dans le discours qu'il devait prononcer le soir même au Sportpalast. *Gott sei dank!*

L'immense vaisseau était plein à refus. Goebbels parla une heure entière sans aborder le seul sujet attendu, portant jusqu'au malaise physique l'impatience de son auditoire. Puis, d'une voix prophétique, il lança la nouvelle : « Quand je dis qu'Il sera notre candidat, je dis qu'Il sera demain le président du Reich car son élection est certaine! » Une formidable ovation roula et déferla pendant dix minutes. « Les hommes debout hurlaient. Beaucoup, hors d'eux-mêmes, riaient et pleuraient. La voûte menaçait de s'effondrer. Un mouvement qui déchaîne de pareils enthousiasmes est sûr de vaincre... »

Il restait une formalité à accomplir : faire de l'apatride Adolf Hitler un citoyen allemand. Le ministre national-socialiste de Thuringe Wilhelm Frick l'avait essayé une première fois en nommant son Führer commissaire de police (les chansonniers avaient dit : gendarme) à Hildburghausen. Le ministre national-socialiste du Brunswick Dietrich Klagges avait essayé une deuxième fois en nommant son Führer professeur de dessin à Brunswick. Aux deux fois, la crainte du ridicule avait conduit Hitler à refuser. Maintenant, la nécessité était pressante. Le 25 février, au début de l'après-midi, il quitta discrètement le Kaiserhof. Lorsqu'il revint, deux heures plus tard, il était conseiller du gouvernement du Brunswick, attaché à la légation du Land à Berlin, et, à ce titre, automatiquement revêtu de la nationalité allemande, donc juridiquement qualifié pour la candidature proclamée trois jours plus tôt par Goebbels. Le traitement qui lui fut assigné était de 4 400 marks par an. Il en perçut pendant quelques semaines les demi-mensualités s'élevant à RM 160, puis demanda et obtint sa mise en congé.

L'hiver, exceptionnellement rigoureux, accroissait la misère des chômeurs, rendait également la campagne électorale plus ardue. Goebbels imagina des formes de propagande inédites : un film que les nazis contraignaient les directeurs de salles à projeter sur leurs écrans, des disques miniatures envoyés par pli postal. Il gémissait sur la modicité de ses moyens financiers, mais les mêmes gémissements se faisaient entendre dans l'autre camp. « Grâce à mon intervention personnelle auprès de

Vögler, dit Brüning, l'Union des Aciéries, que nous avions sauvée de la faillite, souscrivit pour 5 000 marks à la caisse électorale pour Hindenburg, alors qu'elle devait, plus tard, mettre un demi-million à la disposition des hitlériens... » Il manquait surtout au camp présidentiel la masse fanatisée qui livrait la bataille de Hitler avec la ferveur d'une croisade. La participation personnelle du candidat Hindenburg se réduisit à la lecture d'un message radiodiffusé. Brüning, homme de cabinet, craignant la foule, fit un courageux effort, organisa quelques grands meetings. Mais il était impuissant à mettre en mouvement des masses comme les soixante mille Silésiens que Hitler rassembla à Breslau ou les quatre-vingt mille Berlinois qui l'écoutèrent dans la neige au Lustgarten.

L'action engendre l'optimisme. Le 13 mars au soir, les nazis massés dans leurs permanences croyaient ardemment à leur victoire. La cruauté de la déception égala la ferveur de l'attente. Sauf dans quatre circonscriptions de l'est, Hitler n'atteignait nulle part le nombre des suffrages recueillis par Hindenburg. L'ouest et le sud de l'Allemagne donnaient au maréchal des majorités massives, permettaient de penser qu'il ne serait pas nécessaire de recourir au deuxième tour prévu pour le 10 avril. A Paris, la foule qui attendait le résultat sur la place de l'Opéra poussa ce cri inouï, quinze ans après les obus qui avaient blessé la capitale française : « Vive Hindenburg! »

Hitler écoutait dans son cabinet de la Maison Brune le déluge des chiffres. Goebbels téléphona de Berlin, en larmes. Tous autour de lui avaient jambes et bras coupés. Tous pensaient qu'il ne restait plus qu'à accepter la défaite et qu'il fallait retirer à l'élection le plus possible de signification en concédant au maréchal la victoire sans concurrent au deuxième tour — s'il y avait un deuxième tour. Gregor Strasser commençait à prendre à témoin qu'il avait eu raison de soutenir que la candidature de Hitler était une erreur.

Hitler se taisait. Il se retira de bonne heure, s'enferma dans sa chambre de la Prinzregentplatz et resta longuement assis dans l'obscurité. A la fin de la matinée, les additions définitives donnaient les chiffres et les pourcentages suivants : Hindenburg, dix-huit millions six cent cinquante mille sept cent trente voix (49,6 %) ; Hitler, onze millions trois cent trente-neuf mille deux cent quatre-vingt-cinq (30,1 %) ; Thälmann, quatre millions neuf cent quatre-vingt-trois mille cent quatre-vingt-dix-sept (13,2 %) ; Duesterberg, deux millions cinq cent cinquante-sept mille cinq cent quatre-vingt-dix (6,8 %). Il ne manquait pas deux cent mille voix au président sortant pour être élu. Duesterberg avait déjà annoncé qu'il se retirait de la lutte et Hugenberg qu'il considérait comme acquise la victoire de Hindenburg.

A midi, la décision de Hitler était arrêtée : toutes les forces, toutes les ressources du parti seraient jetées dans une nouvelle bataille. Les Gauleiters étaient convoqués à Berchtesgaden pour procéder à une autocritique des méthodes de propagande employées au premier tour et pour recevoir des instructions en vue du second.

L'autocritique montra que les résultats étaient satisfaisants partout où le Führer s'était personnellement montré aux foules. Mais, sans trop de souci du fair play, Brüning décrétait une trêve de Pâques, interdisait toutes les manifestations politiques jusqu'au 3 avril, à midi. Hitler n'allait même pas disposer d'une semaine pour donner au courant populaire une nouvelle impulsion. Il enthousiasma les Gauleiters en leur annonçant qu'il faisait affréter un trimoteur de la Lufthansa pour s'affranchir des lenteurs du train et de l'auto.

Le Fokker affrété était immatriculé D 1720 et confié au pilote Heinrich Baur. La cabine était faite pour dix passagers, mais l'insuffisance des terrains contraignait fréquemment à en réduire le nombre de moitié. Chaque matin, avant l'aube, l'adjudant Schaub réveillait les passagers : le photographe Hoffmann, Hanfstaengl, les deux Dietrich, celui de la presse, Otto, et celui des S.S., l'ancien garçon boucher Ernest (Sepp), Brückner, etc. Le café était interdit au breakfast en raison des effets nauséeux qu'on lui prêtait en vol. L'arrivée du printemps n'avait pas beaucoup amélioré les conditions atmosphériques : le ciel, traversé de tempêtes, restait lourd de givre et la terre voilée de brume. Hitler rentrait en lui-même son appréhension de l'avion, ne trahissait sa nervosité que par l'intensité avec laquelle il regardait la carte et la fréquence avec laquelle il s'informait des conditions de vol. Dès l'atterrissage, les colonnes de voitures précipitaient le Führer vers les sites des réunions. La presse nationale-socialiste, dans la mesure où elle n'était pas interdite, célébrait lyriquement ce *Führers Flug auf Deutschland,* ce vol de l'archange rédempteur au-dessus de la patrie prostrée.

Cette organisation, que seuls l'effectif et le fanatisme du parti national-socialiste pouvaient porter, permit à Hitler de tenir en moins d'une semaine vingt et une réunions de masse. En Saxe, il parla à deux cent cinquante mille personnes en un seul jour. A Berlin, il attira au Lustgarten cent cinquante mille auditeurs, le double de la multitude qui l'avait écouté au même endroit le mois précédent. Chaque réunion rapportait au parti une petite fortune — sans pour autant éponger le déficit chronique dans lequel il vivait. « La question d'argent, disait Goebbels, se réglera d'elle-même quand nous serons au pouvoir... »

Le 10 avril, Hindenburg gagna moins d'un million de voix, passant de dix-huit millions six cent cinquante mille sept cent trente à dix-neuf millions trois cent cinquante-neuf mille six cent trente-trois. Thälmann en perdit plus d'un million, tombant de quatre millions neuf cent quatre-vingt-trois mille cent quatre-vingt-dix-sept à trois millions sept cent six mille trois cent cinquante-six. Hitler progressa de plus de deux millions, treize millions quatre cent dix-huit mille cinquante et un contre onze millions trois cent trente-neuf mille deux cent quatre-vingt-cinq, réduisant l'avance de Hindenburg à moins de six millions de voix, prouvant une fois de plus la justesse de son intuition. Il eût été un vaincu s'il eût suivi le conseil d'abandonner la bataille. Le gain qu'il réalisait entre les deux tours faisait de lui un vainqueur.

***

Brüning avait été accueilli d'une manière disgracieuse, le matin du 14 mars, lorsqu'il avait dû annoncer à Hindenburg que la victoire au premier tour lui avait échappé. Le résultat du 10 avril ne rasséréna pas le vieillard. Il n'arrivait pas à se réconcilier avec l'idée qu'il avait été maintenu à la présidence par les catholiques sentant le soufre romain et par les syndicalistes qui, en 1918, avaient arrêté la fabrication des obus. Brüning constata une aggravation dans les incertitudes d'humeur, dans les accès de malveillance du président. Il n'en concevait pas d'inquiétude excessive, ayant trop conscience que le maréchal lui devait la prolongation de sa position de plus que roi.

L'élection présidentielle avait tenu en suspens la question des formations paramilitaires nazies. L'interdiction de l'uniforme n'avait eu pour résultat que leur camouflage. En dépit des instructions de Hitler, Röhm revenait à sa nature première, organisait sa S.A. comme une armée, encasernait certaines unités, ébauchait tous les organes d'un système militaire complet, y compris une centurie navale et un corps aérien. L'interdiction de constituer des dépôts d'armes était transgressée. Au cours de la nuit électorale du 13 mars, la police prussienne avait arrêté des camions pleins d'hommes armés se dirigeant vers les grandes villes. Le 5 avril, quatre jours avant le deuxième tour, les ministres de l'Intérieur des Länder avaient été unanimes pour déclarer qu'ils ne répondaient pas de l'ordre public devant la croissance de l'armée privée nationale-socialiste. Le ministre de l'Intérieur et de la Reichswehr, Groener, demandait depuis longtemps sa dissolution.

Brüning se proposait de défendre à Genève le plan de réarmement dans la semaine suivant l'élection présidentielle. L'armée régulière serait doublée et la longueur du contrat d'engagement de ses membres réduite de moitié. Un service militaire à très court terme serait établi. La prohibition de l'artillerie lourde, des chars, de l'aviation ne serait maintenue que pour les matériels auxquels les autres nations consentiraient à renoncer. Brüning, lent à perdre l'espoir d'une coopération avec le N.S.D.A.P., avait d'abord tergiversé dans la question des milices hitlériennes, mais il comptait améliorer son dossier en l'enrichissant d'une ordonnance dissolvant la plus importante des armées privées. Il entraîna Hindenburg. Il fut convenu qu'on procéderait à la dissolution dès que l'Allemagne aurait voté.

Elle votait, dans l'après-midi du 10 avril, quand une dernière délibération eut lieu à la chancellerie. Le général von Schleicher déclara qu'il n'avait pas dormi de la nuit, pesant le problème. Il redoutait les conséquences d'une mesure brutale. Il suggérait une autre procédure. Groener devait écrire à Hitler une lettre ouverte lui demandant de dissoudre lui-même ses milices pour ne pas entraver la renaissance de l'armée allemande.

Groener repoussa la proposition de son ancien subordonné, qu'il jugeait humiliante et vaine. Mais il ne s'alarma pas outre mesure du différend surgissant entre lui et Schleicher. « Nos longues années d'amitié et de confiance mutuelle, écrivait-il le soir même, me permettent de penser que, à la fin, il tirera sur la même corde que moi. »

Brüning s'assura encore une fois du plein assentiment des commandants en chef de la marine et de l'armée, et, le 13 avril, rédigea le décret. L'article premier dissolvait et interdisait les organisations suivantes : S.A. (Sturmabteilung), S.S. (Schutzstaffel), Réserve S.A., Observateurs S.A., corps motorisé, corps aérien, corps de cavalerie, corps sanitaire, division navale, écoles de cadres, intendance. Les articles suivants ordonnaient la fermeture des casernements et la confiscation des uniformes, armes, archives, insignes, etc. des organisations visées.

Au moment de signer, Hindenburg eut une dernière hésitation, puis, devant la menace de démission de Brüning et de Groener, traça son nom large et tremblant au bas du décret. Le parti national-socialiste restait légal. Son armée privée ne l'était plus.

A nouveau, une question tient l'Allemagne en haleine : le parti national-socialiste s'inclinera-t-il ?

Il est devenu une force politique formidable. Il enregistre son millionième adhérent. Il peut compter sur l'appui des nationalistes de Hugenberg. Groener, véritable auteur de l'ordonnance de dissolution, est vulnérable. Général wurtembergeois et plébéien, une partie de la Reichswehr ne lui pardonne pas le rôle qu'il a joué dans la catastrophe de 1918, la désinvolture avec laquelle il a écarté le serment prêté au souverain, et comment il a exigé l'abdication de Guillaume II pour se précipiter dans un armistice infamant. Vengeant son père, le Kronprinz lui écrit une lettre insultante dans laquelle il déclare qu'il ne parvient pas à comprendre qu'un ministre de la Reichswehr prive la défense nationale de l'admirable matériel humain, *wunderbares Menschenmaterial,* que sont les S.A. et les S.S. Schleicher et le colonel von Hindenburg font déjà repentir le maréchal en lui représentant que sa signature, en retirant à la Reichswehr un renfort indispensable, met sa chère Prusse-Orientale en péril. Il écrit à Brüning que le décret de dissolution doit être étendu à l'association paramilitaire de la gauche, la Reichsbanner. Brüning esquive la demande par des atermoiements. Mais le parti national-socialiste serait en bonne posture pour s'insurger contre un décret tyrannique, œuvre d'un criminel de novembre plus coupable que les marxistes et les Juifs, un général capitulard !

Une nouvelle fois, la décision de Hitler, l'ordre d'obéir à la loi, provoque chez les miliciens en chemise brune incompréhension, irritation, colère et soupçon. Le ministre de l'Intérieur nazi du Brunswick, Klagges, qui a conféré au Führer la nationalité allemande, déclare qu'il proteste, mais que l'ordonnance sera appliquée dans son Land. La Maison Brune est occupée par la police bavaroise et fouillée de la cave au grenier, sous les yeux ironiques des Munichois. On en sort par camions entiers des uniformes, des armes, du matériel de propagande, des documents. Ils établissent qu'une mobilisation générale du parti était ordonnée pour le 13 mars, et qu'une victoire de Hitler sur Hindenburg aurait été suivie, la nuit même, par l'occupation des édifices publics, l'arrestation des dirigeants adverses et l'établissement d'un régime de terreur. Le document Boxheimer, désavoué par Göring et par Hitler, est confirmé par les archives du parti.

Devant les risées soulevées par sa docilité, en Allemagne et hors d'Allemagne, Hitler se borne à déclarer : « Je demande au peuple allemand de répondre le 24 avril. »

Des élections avaient lieu, ce jour-là, pour le renouvellement des diètes du Wurtemberg, de Bavière, d'Anhalt, et surtout du Landtag de Prusse, vaste assemblée de quatre cent vingt-deux membres, représentant 62 % de l'Allemagne, dont Berlin et la Ruhr, à peine inférieure en importance au Reichstag. Jamais la prépondérance social-démocrate n'y avait été menacée ni le gouvernement à direction socialiste qui en émanait mis en question. Otto Braun occupait le fauteuil de ministre-président depuis 1925 et, depuis 1928, Carl Severing n'avait cessé d'être ministre prussien de l'Intérieur que pour devenir, pendant deux ans, le ministre de l'Intérieur du Reich. A l'extérieur, les mots « Prusse » et « Prussien » disaient militarisme et féodalité ; à l'intérieur, ils signifiaient démocratie, socialisme, rempart de la République de Weimar.

L'ordonnance de dissolution fut le thème central de la campagne. Goebbels couvrit Berlin d'affiches annonçant une réunion contradictoire entre le chancelier Brüning et lui. On s'écrasa au Sportpalast pour assister à ce duel inattendu. Goebbels annonça que son antagoniste s'était dérobé, mais que la réunion contradictoire aurait lieu quand même. « Je donne la parole au *Herr* Reichskanzler... » La voix de Brüning sortit de l'enregistrement de son plus récent discours. Goebbels lui répondit point par point au milieu de l'hilarité. Nulle part, l'interdiction des uniformes et la dissolution de la S.A. ne furent préjudiciables à la propagande nazie.

Hitler avait donné l'ordre d'affréter le Condor D 1720 du 16 au 23 avril. Son deuxième Flug auf Deutschland lui permit de tenir, en moins d'une semaine, vingt-cinq réunions de masse, d'être vu et entendu par plus d'un million d'Allemands. Il découvrit cette Prusse-Orientale où il lui était réservé de vivre tant de désastres. De Königsberg, un petit avion le transporta à Allenstein, puis, comme la Mercedes-Kompressor était restée de l'autre côté du corridor polonais, une mauvaise auto le conduisit sur de mauvais chemins à Tannenberg, Willenberg, Ortelsberg, Johannisberg, Lyck. La province nostalgique dans son manteau lacustre et forestier, était une vieille terre conservatrice, mais la rigueur de son sort, sa quarantaine territoriale, la conscience de la menace polonaise l'avaient ralliée au violent nationalisme nazi. Elle fit à Hitler un accueil triomphal.

Le succès national-socialiste du dimanche 24 avril se traduit dans le tableau suivant :

	Sièges du N.S.D.A.P.	
	Avant	Après
Landtag de Wurtemberg	1	23 sur 80
Landtag d'Anhalt	1	15 sur 35
Landtag de Bavière...................	9	43 sur 128
Landtag de Prusse....................	6	162 sur 422

En Prusse, le parti national-socialiste arrivait en tête dans quinze circonscriptions sur vingt-trois. Il obtenait huit millions sept mille trois cent quatre-vingt-quatre voix et 38,3 % des suffrages exprimés. La social-démocratie ne conservait que quatre-vingt-treize de ses cent trente-sept sièges. Les partis intermédiaires, les démocrates, les populistes de feu Stresemann disparaissaient. Le Centre maintenait à peu près ses positions, les communistes amélioraient les leurs et les nationalistes payaient le front de Harzburg par une chute de leur représentation qui tombait de quatre-vingt-deux sièges à trente et un. La première séance fut une bataille à coups de chaises entre rouges et nazis. Aucune majorité ne pouvant se constituer, le gouvernement Braun-Severing resta en place. Mais il ne fut plus qu'un vestige impuissant.

La France vota quelques jours après la Prusse. Une évolution inverse la portait vers la gauche. La campagne avait été dominée par les vociférations des socialistes S.F.I.O. contre « les marchands de canons », par un déploiement d'antimilitarisme, par des appels passionnés au désarmement. Battu, le gouvernement national d'André Tardieu fut remplacé par un ministère radical-socialiste dirigé par Édouard Herriot, dont l'incapacité verbeuse avait été brillamment démontrée dix ans auparavant. Brüning se réjouit. Le changement de visage de la politique française aplanissait la voie vers les deux grands succès diplomatiques qu'il recherchait : l'égalité des droits en matière d'armement et l'annulation définitive des réparations. Il touchait au premier à Genève. Il comptait atteindre le second à la conférence convoquée à Lausanne pour le 16 juin.

Le Reichstag siégea le 11 mai. En termes habilement modérés, Göring interpella le gouvernement au sujet de la dissolution de la S.A. Brüning, victime d'une rage de dents, était absent. Groener monta à la tribune la tête bandée pour dissimuler une attaque de furonculose, ses faibles dons oratoires encore affaiblis par la souffrance. Le lendemain, soulagé par son dentiste, Brüning s'efforça de corriger la déplorable impression laissée par le discours de son ministre. Il dit aux députés qu'il n'était plus qu'à « cent mètres du but », promit que la situation intérieure s'améliorerait en fonction des succès en politique extérieure, décrocha un vote de confiance par deux cent quatre-vingt-sept voix contre deux cent cinquante-sept, se crut sauvé.

Mais le pouvoir n'appartenait plus au Reichstag. Brüning savourait son succès parlementaire quand un ordre l'appela dans le cabinet présidentiel. Hindenburg était hors de lui. Il avait dix fois demandé à son chancelier d'étendre le cabinet vers la droite ; il n'enregistrait que des échappatoires. *Herr* Brüning lui avait dit : « Après Genève » ; il lui disait maintenant : « Après Lausanne » — et derrière quel « après » se déroberait-il demain ? Groener était impossible. Il lui avait fait commettre, à lui, feld-maréchal, la faute insensée de signer le décret de dissolution de la S.A., qui retirait à la défense des frontières de l'est des volontaires indispensables. Il venait de se remarier à une femme au passé douteux. Il avait, lui disait le général von Schleicher, perdu la confiance et le respect des chefs de la Reichswehr.

Brüning répondit que le général Groener acceptait de se dessaisir de son portefeuille militaire pour se consacrer à ses lourdes fonctions de ministre de l'Intérieur. Hindenburg grommela qu'il serait préférable qu'il se retirât complètement du cabinet. Toutefois, il n'insista pas. Il partait le lendemain pour Neudeck, où il passerait sa permission de la Pentecôte. Les décisions seraient prises à son retour.

Lorsque Brüning revint au Reichstag, il trouva un champ de bataille. Juché sur la tribune des orateurs, le vice-préfet de police de Berlin Bernhard Weiss, que Goebbels ridiculisait sous le sobriquet d'Isidor, animait de la voix et du geste ses schupos poussant hors de la salle des séances une mêlée d'élus du peuple. La bagarre avait commencé au restaurant, quand un nazi avait giflé le député socialiste Klotz, lequel faisait état de lettres dérobées chez un certain Heimsoth, compagnon d'homosexualité d'Ernst Röhm. Le président Löbe avait fait appel à la police. Hitler blâma l'auteur de l'incident. Il se plaignait de Röhm, disait que ses mœurs faisaient une tache sur le parti (4).

A Neudeck, le Junker d'adoption, Paul von Hindenburg, accumulait contre son gouvernement de nouveaux griefs. Le ministre de l'Osthilfe, Schlange-Schöningen, préparait un plan pour le rachat des grands domaines insolvables et leur morcellement entre de petits propriétaires indépendants. Le comte Brünnack porta jusqu'au chef de l'État la protestation des agrariens. Les petits propriétaires qu'il était question d'implanter dans les marches de l'est viendraient des régions industrielles les plus frappées par le chômage, seraient donc en majorité des catholiques et peut-être des socialistes. C'était un plan de bolchevisme agraire que le cabinet Brüning proposait !

Là-dessus, Brüning demanda l'autorisation de venir à Neudeck pour soumettre au maréchal-président deux nouvelles ordonnances de détresse.

Après un long entretien avec Schleicher, Hindenburg lui fit répondre qu'il lui suffirait d'envoyer le secrétaire d'État Meisner.

Ce Meisner, dont Hindenburg avait hérité d'Ebert, et dont Hitler héritera de Hindenburg, était un rouage administratif bien huilé. Il essuya placidement la colère du maréchal. L'un des projets d'ordonnance réduisait les pensions des mutilés et des veuves de guerre. L'autre, magistralement inopportune, permettait l'expropriation des domaines insolvables, en vue de leur morcellement. Hindenburg cria qu'il ne se prêterait ni à la bolchevisation de l'Allemagne de l'est, ni à l'amputation des ressources de ceux et de celles qui avaient souffert pour la patrie dans leur chair ou dans leurs affections. Il ne signerait pas les Ordonnances qui lui étaient présentées. Il était las de demander que le gouvernement fût étendu vers la droite. Il voulait que Groener disparaisse définitivement et, avec lui, les syndicalistes du cabinet. Ils étaient trois : le ministre de l'Économie, Hermann Dietrich, le ministre du Travail, Stegerwald... et Brüning!

Pendant que Hindenburg séjournait sur sa terre de Neudeck, Hitler respirait l'air de la mer du Nord à l'auberge du père Tjerke, patron du canot de sauvetage de la petite station balnéaire de Horumersiel. Il y rencontra pour la première fois l'actrice Leni Riefenstahl. Il faisait de longues promenades sur les grèves avec son grand berger alsacien, Prinz. Mais ces vacances marines s'associaient avec la campagne électorale ayant pour enjeu, le 29 mai, le petit Land d'Oldenburg. Les landes et les tourbières s'étendaient de part et d'autre de la Weser, resurgissaient dans la chaîne des îles frisonnes. Sur la baie de Jade, Wilhelmshaven regrettait ses escadres englouties, mais l'ensemble de la population était rurale, conservatrice, en partie frisonne, parlant mal l'allemand. Hitler allait discourir dans les auberges villageoises aux longs toits de chaume, devant des auditoires minuscules de paysans aux yeux pâles, chaussés de sabots de bois.

Le samedi 28, Hindenburg rentra de Neudeck. Il reçut Brüning le lendemain à 11 heures. Le dialogue se résume ainsi :

Brüning. Herr Reichspräsident, j'ai besoin d'une preuve de votre confiance pour poursuivre ma tâche, et d'abord que vous signiez les deux ordonnances que je vous ai soumises. *Hindenburg. Herr* Reichskanzler, je ne vous signerai plus aucune ordonnance. Faites voter vos lois par le Reichstag, si vous pouvez. *Brüning.* Est-ce que cela signifie que le *Herr* Reichspräsident demande la démission du gouvernement? *Hindenburg. Ia wohl.* Votre gouvernement doit se retirer. Il est trop impopulaire. *Brüning.* Bien. Je vais réunir le cabinet et vous apporterai notre démission demain matin.

La nouvelle se répand vite dans Berlin. Elle est saluée au Q.G. hitlérien de la Heldemannstrasse, par des cris de triomphe. La soirée apporte une autre nouvelle jubilatoire : les nazis ont obtenu la majorité absolue à l'élection de l'Oldenburg. Ils occuperont, dans la nouvelle diète, vingt-quatre sièges sur quarante-six, pourront constituer pour la première fois un gouvernement homogène de la croix gammée. Il ne s'agit, certes, que d'un petit land, d'une fraction minuscule de la grande Allemagne, sept cent mille habitants à peine. Mais c'est un précédent, un commencement, une promesse...

Dès 9 heures le lendemain matin, l'ambassadeur des États-Unis, Frederick Sackett, demanda à Brüning de le recevoir d'extrême urgence. Ce qu'il fait, lui dit-il, est contraire à tous les usages diplomatiques, mais le départ du chancelier est une chose si grave, au moment où la marée hitlérienne monte en vagues énormes, qu'il croit de son devoir de lui communiquer une dépêche de l'ambassadeur américain à Paris, Hugh Gibson, rapportant une conversation avec le président Herriot. Le nouveau gouvernement français est décidé à reconnaître à l'Allemagne l'égalité des droits en matière d'armement. L'une des pages les plus ressenties du traité de Versailles est virtuellement déchirée — et c'est son œuvre, à lui, Brüning. Est-ce que cela ne constitue pas un fait nouveau, susceptible d'amener le président Hindenburg à reconsidérer le congédiement du cabinet?

Mais la présidence appelle : l'audience du chancelier est fixée à 11 h 55. La relève de la garde a lieu à midi. Le feld-maréchal von Hindenburg s'est fait une règle sans exception d'y assister. Et comment y manquerait-il en cette journée du 30 mai, alors que la musique des équipages de la flotte et un détachement de marins sont venus de Kiel pour commémorer la glorieuse bataille de Skagerrak, que les Anglais et les Français appellent bataille du Jutland? 11 h 55, cela veut dire que le président accorde à son chancelier révoqué les quelques instants nécessaires pour remettre la démission, saluer et prendre congé...

Quand Brüning est introduit pour la dernière fois dans le cabinet présidentiel, on entend la musique des marins entrant dans la Wilhelmstrasse. Hindenburg reçoit debout l'homme qui a gouverné en son nom pendant vingt-six mois et qui, il y a encore quelques semaines, se battait avec la dernière énergie pour sa réélection. L'audience consiste en un échange de phrases brèves dans lesquelles Hindenburg ne juge pas nécessaire d'inclure un mot de remerciement. Elle dure trois minutes et demie. Quand Brüning se retrouve dans la Wilhelmstrasse, il a l'impression que les fifres le persiflent, le poursuivent de leur ironie.

La page Brüning est tournée. Adolf Hitler n'est plus qu'à une courte marche du pouvoir.

13

HITLER EN ÉCHEC AU SEUIL DU POUVOIR
juin-novembre 1932

La succession de Brüning était prête. Dès le 26 mai, Schleicher avait fait venir Franz von Papen de sa terre de Westphalie. Il lui confia que Hindenburg était irrévocablement décidé à se défaire d'un chancelier qui lui avait fait commettre l'erreur de dissoudre la S.A. et qui résistait à ses demandes d'étendre le cabinet vers la droite. Le choix du maréchal pour réorienter la politique allemande était tombé sur lui, Papen.

Tout le passé politique de Papen se réduisait à douze ans de mandat au Landtag de Prusse. Officier démissionnaire, richissime par son mariage avec Fräulein von Boch-Balhaus, des faïenceries sarroises Villeroy-und-Boch, membre du Club des Seigneurs, Herrenclub, il s'était inscrit au Zentrum en raison du catholicisme de ses commettants, mais il n'en partageait pas l'idéologie et n'en possédait pas la confiance. « La fidélité du parti, lui dit le prélat Kaas, lorsqu'il le consulta, reste acquise à Brüning. »

Un quart d'heure après cette conversation, le 30 mai, Papen était devant Hindenburg. Le maréchal exhala ses griefs d'une voix que la rancune affermissait. « Dans quelle situation Brüning m'a-t-il mis ? J'ai été réélu par la gauche, alors que mes propres gens ont voté pour *ce* caporal ! Je veux avoir enfin un cabinet complètement indépendant des partis. Vous me dites que vous n'avez pas le soutien, que vous encourez même l'hostilité du vôtre. Cela m'est totalement égal ! » Puis, le maréchal avait coupé court aux dernières objections de Papen : « A l'appel de la patrie, un officier prussien ne connaît qu'un devoir : obéir ! (1) »

La liste ministérielle avait été dressée par Schleicher et Hindenburg. Schleicher lui-même, sortant de l'ombre pour la première fois, avait accepté le poste de ministre de la Reichswehr. « Nous provenions, dira l'un des membres du cabinet, d'un milieu social remarquablement homogène. Papen, Gayl, Eltz et moi-même (Frederich Edler von Braun) venions du régiment de la garde de Potsdam ; Schleicher était le camarade de régiment du fils Hindenburg ; Gürtner avait appartenu à l'artillerie bavaroise; Neurath au régiment des dragons d'Olga et Krosigk était un uhlan poméranien... » L'Allemagne comptait alors six millions de chômeurs complets, plus neuf millions de chômeurs partiels — et on lui donnait un gouvernement tiré d'une panoplie médiévale et militaire! Quatre des ministres s'enorgueillissaient du titre de barons d'Empire. La gouaille populaire donna à l'équipe ministérielle un surnom : cabinet des monocles.

Tout ce bouleversement était l'œuvre de Schleicher. Il avait sapé et abattu Brüning, après l'avoir élevé. Il avait découvert Papen et l'avait mis en valeur aux yeux du chef de l'État. Son influence s'exerçait par le canal d'Oskar von Hindenburg, mais elle découlait principalement de l'impression de maîtrise, d'habileté et de sang-froid qu'il produisait sur le maréchal-président. François-Poncet a tracé un portrait sur le vif de cet homme qui, dans les coulisses et sur la scène, joua un rôle si important dans un tournant décisif de l'histoire européenne. « Glabre, le crâne rasé, plus que blême, blafard, un masque où brillent deux yeux aigus, des traits noyés dans une mauvaise graisse, lèvres minces, à peine marquées... de fort belles mains... direct, brutal, gouailleur, caustique, souvent spirituel... » Fils d'officier, Souabe de souche, né en 1882 dans une ville de garnison du Brandebourg, Schleicher n'avait encore que quarante-quatre ans, et, jointe à sa réputation de rouerie, la rapidité d'un avancement qui devait beaucoup plus à des services politiques qu'à des services militaires, ne contribuait pas à le rendre populaire dans la Reichswehr. Il se flattait d'idées sociales, cultivait des relations dans les milieux syndicaux, éprouvait pour Hitler une réelle aversion, mais ne pensait pas qu'il fût possible de le neutraliser autrement que par l'habileté. Affaiblir le parti nazi en aggravant ses divisions, en utilisant l'antagonisme Hitler-Strasser était un moyen. Un autre moyen consistait à user Hitler aux aspérités du pouvoir, après avoir pris le soin de le placer entre deux solides garde-fous. « Vous vous étonnerez, disait-il, au président du Reichstag Paul Löbe, que je conseille de nommer ce gaillard, dieser Kerl, chancelier. Évidemment, si vous l'attelez avec un Brüning, il en aura la peau en quelques mois. Il en ira autrement si vous l'encadrez d'un côté par la Reichswehr, c'est-à-dire moi-même, et de l'autre côté par le maréchal. Nous aurons bientôt apprivoisé l'Adolf... (2) »

Au chancelier, Franz von Papen, théoriquement son supérieur, Schleicher avait eu la désinvolture de dire qu'il avait engagé le nouveau cabinet avant même que celui-ci fût constitué. « J'ai discuté avec Hitler. A condition qu'il soit raisonnable, je lui ai promis deux choses : la levée de l'interdiction de la S.A. et la dissolution du Reichstag. Hitler sera pris à son propre jeu. Le peuple est inquiet et las. De nouvelles élections renforceront les partis conservateurs... »

Hitler achevait de livrer une bataille électorale pour conquérir le Mecklembourg-Schwerin, un autre Land de sept cent mille âmes entre l'Elbe et l'Oder. Installant son quartier général à Severin, où Magda

Goebbels avait convolé, après y avoir régné en châtelaine, sous un précédent époux, il sillonnait la région en tous sens. Les paysans abandonnaient leurs attelages pour acclamer au passage sa caravane automobile et des réunions au clair de lune rassemblaient jusqu'à trente mille personnes. Hitler rentrait à Gut Severin entre 2 et 4 heures du matin, partait pour Berlin après un bref repos, afin d'y suivre les déroulements de la crise politique, et revenait l'après-midi sur le petit champ de bataille électoral. Son entourage remarquait qu'il devenait plus distant, plus cassant, plus colérique, plus imbu de son infaillibilité.

L'une des promesses de Schleicher, la dissolution du Reichstag, fut tenue le 4 juin. Les Mecklembourgeois allèrent aux urnes quelques heures plus tard. Le soir, le parti national-socialiste avait conquis son deuxième Land : trente sièges sur cinquante-neuf au Landtag de Schwerin, et l'organisateur des noces de Goebbels, le régisseur Granzow, était appelé à s'asseoir dans le fauteuil de ministre-président. Le caractère illusoire du calcul de Schleicher était déjà démontré.

Papen rencontra Hitler pour la première fois le 9 juin : « L'entrevue eut lieu sur mon initiative dans l'appartement d'un ami de Schleicher, M. von Alvensleben. Je trouvai Hitler étonnamment peu impressionnant... et cherchai en vain à comprendre le don qui expliquait son extraordinaire ascendant sur les masses. Il portait un complet bleu foncé, produisait l'impression d'un petit-bourgeois. Son teint malsain, sa petite moustache, sa curieuse coupe de cheveux, lui donnaient un air de bohème indéfinissable. Son attitude fut modeste et polie et, en dépit de ce que j'avais entendu, je ne me souviens pas d'avoir été impressionné par la puissance magnétique de ses yeux (3)... Mais je fus frappé par l'insistance fanatique avec laquelle il parlait des buts de son mouvement... » Le petit-bourgeois ne laissa pas d'illusions à l'aristocratique chancelier tout neuf : « Je regarde votre Cabinet comme un expédient temporaire et je poursuivrai mon effort pour faire de mon parti le plus puissant du pays. C'est à moi que la chancellerie doit revenir. »

La perspective de la réapparition des S.A. emplissait d'appréhension les gouvernements catholiques d'Allemagne du Sud. Le 12 juin, les docteurs Held, Bolz et Schmidt, ministres-présidents de Bavière, du Wurtemberg et de Bade, vinrent faire part de leurs soucis à Hindenburg. Il les reçut sans chercher à tempérer l'arrogance qu'il ressentait devant ses compatriotes d'outre-Main. On oubliait un peu vite qu'il était là, lui, Hindenburg, pour maintenir l'ordre et préserver la paix publique. Ces Messieurs d'Allemagne du Sud se faisaient des soucis qui n'étaient pas de leur ressort...

L'ordonnance fut abrogée cinq jours plus tard. Le docteur Held essaya d'en maintenir les effets en Bavière en interdisant le port d'uniformes politiques. Une nouvelle ordonnance de Berlin cassa la sienne. La situation de 1923 se reproduisait; les droits souverains de la

Bavière étaient transgressés — mais, cette fois, ce n'était plus la gauche qui exerçait sa contrainte sur Munich...

La dernière conférence des réparations s'ouvrait à Lausanne. Édouard Herriot livra une bataille inutile pour obtenir ce qu'il appela lui-même « un petit solde »; la remise à la Banque des Règlements internationaux de 3 milliards de marks-or sous forme de bons à émettre quand la situation financière le permettrait. Le geste était fictif; aucun bon ne fut jamais émis. La sombre histoire des réparations s'achevait, l'Allemagne ayant payé, selon le calcul français, 32 milliards 891 millions de marks-or, le sixième de ce qu'elle devait suivant l'état des paiements de Londres, mais tout de même six fois plus que l'indemnité de 5 milliards imposée à la France en 1871 par le traité de Francfort. Papen atteignit l'un des buts que Brüning s'était assignés, mais la concession purement psychologique de 3 milliards de bons fut dénoncée comme une nouvelle chaîne d'esclavage passée au cou de l'Allemagne. « Notre délégation, dit Papen, fut accueillie à la gare du retour par une pluie de pommes et d'œufs pourris... »

La campagne pour les élections au Reichstag, fixées au 31 juillet, commença dans le sang. « Il est vain, écrit l'historien de la République de Weimar, Erick Eyck, de rechercher qui, des nazis ou des communistes, furent les agresseurs... » Les deux adversaires avaient des troupes de choc presque identiques et partageaient la même idéologie de violence. Le premier tué fut le S.A. berlinois Steinberg qui tomba le 2 juillet dans le quartier rouge de Wedding. La journée du 10, qui vit cent mille chemises brunes au Lustgarten, fit dans toute l'Allemagne dix-huit tués et deux cents blessés graves. Une tournée de Goebbels en Rhénanie-Westphalie se déroula au milieu d'un déchaînement de haine. A Hagen, les communistes empêchèrent un meeting en plein air en incendiant une forêt. « Nous fîmes route, dit Goebbels, pistolet au poing, prêts à faire payer notre peau... » Elberfeld, dont il se flattait d'avoir fait le premier pilier du national-socialisme dans la Ruhr, s'ameuta pour lui interdire la parole et « je dus fuir ma ville natale (Rheydt), comme un criminel, sous les injures, les huées et les quolibets, poursuivi par des pierres et des crachats... » Le même jour, 13 juillet, on compta en Allemagne dix-sept tués.

Le plan de campagne de Hitler comportait un troisième Flug auf Deutschland, avec cinquante meetings du 15 au 30 juillet. La hâte, le manque de sommeil, les atterrissages répétés, la chaleur, les acclamations, le kaléidoscope des foules plongeaient les acolytes volants du Führer dans un vertige. « Nous n'étions plus autre chose, dit Hanfstaengl, que les soigneurs d'un boxeur, cherchant à le remettre en condition dans l'intervalle des rounds... » Quand on arrivait, au cœur de la nuit, dans un hôtel, Hitler demandait à Putzi un peu de musique. « Je m'échauffais les doigts avec du Bach et du Chopin, puis je passais à Tristan et aux Maîtres Chanteurs. Cela durait une heure ou davantage. Hitler se détendait en rêvassant pendant que, dans une pièce voisine, les autres compagnons du voyage se réconfortaient dans le tabac et l'alcool. » On repartait à l'aube, le corps lourd de sommeil.

Le 17 juillet était un dimanche. Les six mille S.A. d'Altona organisèrent un défilé à travers la ville. Lorsqu'ils arrivèrent dans le quartier des usines, dont beaucoup avaient fermé leurs portes depuis des mois, un feu plongeant partant des toits sema la mort dans leurs rangs. Les sirènes des ambulances, la ruée des voitures de police firent croire aux Hambourgeois que la guerre civile venait d'éclater à côté de chez eux. Cinq nazis avaient été tués net ; sept moururent à l'hôpital — et dix-neuf autres tués dans le reste du Reich faisaient du beau dimanche de juillet la journée la plus sanglante que l'Allemagne eût connue depuis 1919.

Le gouvernement prussien expédiait les affaires courantes après la perte de sa majorité au Landtag, mais le ministre-président Otto Braun s'était fait porter malade et gardait la chambre. Le 20 juillet, Severing et deux de ses collègues furent convoqués à la chancellerie. Papen leur demanda de comprendre que le massacre d'Altona, administrativement en Prusse, démontrait leur impuissance à maintenir la paix publique. En conséquence, il devait leur donner lecture de la décision que venait de prendre, en vertu de l'article 48, le maréchal-président : lui, chancelier von Papen, était chargé des fonctions de commissaire du Reich en Prusse. Il se désignait comme vice-commissaire du bourgmestre d'Essen, Franz Bracht, auquel il déléguait ses pouvoirs.

Protestant que le dessaisissement du gouvernement prussien constituait un coup d'État, Severing alla s'enfermer dans son ministère, sous les Linden. Le général von Rundstedt, commandant la région de Berlin, s'en fit ouvrir la porte et conduisit Bracht dans le cabinet de Severing. Celui-ci déclara qu'il cédait à la force. Les deux bêtes noires de Goebbels, le préfet et le vice-préfet de police Grezinski et Weiss, furent arrêtés et détenus quelques heures à la prison de Moabit. Le gouvernement prussien, pilier de la République de Weimar, avait vécu.

Douze ans auparavant, le putsch Kapp avait été vaincu en cent heures par la grève générale. Mais la crise économique avait brisé la capacité combative de la classe ouvrière allemande. Avec quinze millions de chômeurs totaux ou partiels, une grève générale était inconcevable. Le gouvernement prussien mis à pied fit appel à la solidarité juridique des autres Länder et saisit la Cour constitutionnelle de Leipzig. Tous ses fonctionnaires et les quatre-vingt-dix mille hommes de sa police passèrent docilement sous les ordres du docteur Bracht.

Hitler revenait de Prusse-Orientale. Sa caravane motorisée l'attendait à l'aéroport de Warnemünde pour le conduire à Stralsund, où une réunion en plein air avait été organisée pour le soir. L'avion se perdit au-dessus de la Baltique. La tempête faisait rage, l'essence baissait, l'angoisse grandissait. Préférant un atterrissage en catastrophe à un naufrage, Hitler donna au pilote Baur l'ordre de prendre un cap plein sud. On reconnut la côte dans une éclaircie au-dessus des toits médiévaux de Wismar. Le vent aida à atteindre Tempelhof. Il restait un litre d'essence dans les réservoirs...

Devait-on poursuivre le vol? Hitler le décida. Le trimoteur reprit l'air à 22 heures, se posa à Warnemünde, grâce à un balisage de fortune, mais il fallut faire revenir les voitures et franchir les cinquante kilomètres de Warnemünde à Stralsund. Il était 2 h 30 lorsqu'on atteignit le lieu de la réunion. Quarante mille personnes attendaient toujours, dans la nuit et la pluie, la parole du Führer. Le meeting s'acheva sous la clarté mouillée de l'aube nordique. Ceux qui nient qu'Adlof Hitler ait été élevé par une immense ferveur populaire devraient méditer sur la nuit de Stralsund.

L'importance de la participation électorale porta à six cent huit membres, chiffre sans précédent, l'effectif du Reichstag élu le 31 juillet 1932. Trente-sept listes, foisonnement ridicule, plaie de la République de Weimar, se disputaient les électeurs. Douze atteignirent les soixante mille suffrages nécessaires pour la conquête d'un siège. Les catholiques et les communistes progressèrent un peu. Les socialistes et les nationalistes reculèrent. Les partis intermédiaires s'effondrèrent. Les nazis étaient cent dix au moment de la dissolution. Ils revenaient deux cent trente, dépassant de haut le groupe de cent trente-trois membres du S.P.D. Avec les quatre-vingt-neuf communistes, ils constituaient une majorité révolutionnaire, mais négative, interdisant la reconstruction d'un gouvernement quelconque sur une base parlementaire, n'offrant à l'Allemagne que l'alternative entre une dictature de Hindenburg et l'appel à Hitler.

Néanmoins, les élections de 1932 ne firent pas retentir une cloche d'alarme comparable à celles que les élections de septembre avaient mises en branle. Les treize millions sept cent quarante-cinq mille sept cent quatre-vingt-une voix (36,9 % des votants) recueillies par les candidats nazis surpassaient à peine les treize millions quatre cent dix-huit mille cinquante et une obtenues par Adolf Hitler au second tour de l'élection présidentielle du printemps. A Berlin, au grand désespoir de Goebbels, les nazis perdaient même onze mille voix. La plupart des commentaires se firent écho : la marée brune était presque étale ; le jusant ne tarderait pas.

La nuit électorale avait été sanglante. A Königsberg, un chef nazi avait été assassiné dans la rue et, en représailles, deux dirigeants socialistes égorgés dans leur lit. Les journées qui suivirent ressemblèrent à une antichambre de guerre civile. Le 9 août, le docteur Bracht signa, pour la Prusse, une ordonnance punissant le crime politique de mort. Elle n'était pas encore promulguée quand deux nazis furent assassinés dans la petite ville silésienne d'Ohlau. Elle l'était depuis une heure quand une bande de chemises brunes, ivre de vengeance, envahit la petite localité sidérurgique de Potempa près de Gleiwitz. L'aubergiste Lachmann les conduisit à la maisonnette du chef communiste local, un jeune ouvrier nommé Konrad Pietrzuch. Il dormait dans le même lit que son frère Alfons. Ils l'en arrachèrent, le traînèrent dans une pièce voisine et le tuèrent en le piétinant. Après leur départ, la mère trouva le cadavre désarticulé de son fils.

L'Allemagne était submergée de violence. Une journée s'écoulait rarement sans un assassinat politique. Les nazis perdaient au moins autant d'hommes que les communistes et leur presse s'époumonait à dénoncer une terreur rouge qui, pour être le pendant de la terreur brune, n'était pas imaginaire. Mais les circonstances du forfait de Potempa, les bottes brisant les os d'un homme sans défense, avaient un caractère bestial qui provoqua un frisson d'horreur. Les assassins d'Ohlau furent déférés au tribunal de Brieg et les bourreaux de Potempa au tribunal de Beuthen. Une cause célèbre commençait.

Le rusé Schleicher affectait de n'être pas mécontent des élections. Recevant la presse étrangère, un long cigare blond aux lèvres, il compara plaisamment Adolf Hitler au jeune général Bonaparte montrant à ses soldats faméliques les grasses campagnes de l'Italie. Mais le général Hitler avait manqué la victoire en passant à côté de la majorité absolue au Reichstag. S'il se murait dans l'intransigeance, son mouvement était condamné à dépérir et à se dissocier. On pouvait espérer, ajouta Schleicher, qu'il comprendrait l'impossibilité d'une dictature par un seul parti et qu'il associerait son dynamisme aux efforts du maréchal et du chancelier pour sortir l'Allemagne de ses difficultés.

La situation de Hitler était effectivement délicate. Les vieux remous tourmentaient à nouveau la masse énorme et composite du parti. Les S.A., remis en uniforme, réencasernés par milliers, demandaient à en finir d'un coup d'épaule avec la démocratie et le capitalisme. Inversement, les têtes politiques estimaient le moment venu pour recueillir dans le cadre d'une coalition le fruit de leur longue lutte. Elles tombaient d'accord avec les têtes chaudes pour penser qu'on n'arriverait jamais à conquérir la majorité absolue au Reichstag et qu'en persistant dans l'attente, en s'acharnant dans le tout ou rien, on aboutirait à la dissociation du parti dans la déception et l'ennui. Frick, Funk et Röhm vinrent en délégation le dire à Hitler. Il les congédia en les renvoyant au Führerprinzip. Mais les deux tiers des élus du 31 juillet pensaient comme eux.

Hitler était sur ses gardes. « Il me faut, disait-il à Goebbels, une prudence de serpent. Une fausse manœuvre peut faire naufrager le navire à l'entrée du port. » Le soir de l'élection, il avait écouté *Les Maîtres Chanteurs,* à l'opéra de Munich, puis, le 5 août, il s'était rendu à Berlin où il avait eu un long entretien avec Schleicher, avant d'aller savourer à Berchtesgaden l'adorable été alpestre. Il faisait part de ses projets à ses intimes. Il exigeait la Chancellerie du Reich et la présidence de la Prusse, ainsi que le double ministère de l'Intérieur pour le parti. L'association qu'il fallait envisager avec d'autres forces politiques ne signifiait pas que le national-socialisme renoncerait à son caractère totalitaire. « Quand nous aurons le pouvoir, nous ne le lâcherons jamais... »

Hindenburg revint de Neudeck le 10 août. Papen lui dépeignit l'évolution des esprits chez les catholiques du Zentrum. Leur coalition avec le N.S.D.A.P. reconstituerait une majorité au Reichstag, permettrait de sortir de l'expédient de l'article 48 et de revenir aux pratiques constitutionnelles. Le problème était Adolf Hitler. Il exigeait la Chancellerie. Papen, pour ce qui le concernait, était prêt à s'effacer. Mais qu'en pensait *Herr* Reichspräsident?

Le vieux soldat n'eut pas la moindre hésitation : « Je ne prendrai pas la responsabilité de nommer Hitler chancelier du Reich... Hitler est un chef de parti et un cabinet présidé par Hitler serait un cabinet de parti, et non un cabinet national... »

En sortant de chez Hindenburg, Papen consulta ses ministres. Schleicher soutint qu'il ne fallait pas surestimer le danger d'un Hitler chancelier : il ne serait pas long à entrer en lutte avec les extrémistes de son parti et il deviendrait vite le défenseur de l'ordre social qu'il attaquait. Personne ne se rallia à cette manière de voir. Tour à tour, le ministre de l'Intérieur, von Gayl, le ministre des Affaires étrangères, von Neurath, le ministre de l'Économie, Warmbold, le ministre des Finances, von Schwerin-Krosigk, le ministre de l'Agriculture, von Braun, le ministre de la Justice, Gürtner, le commissaire-adjoint en Prusse, Bracht, déclarèrent qu'une expérience Hitler serait pleine de périls extérieurs et intérieurs et qu'ils se félicitaient qu'elle fût repoussée par Hindenburg.

Hitler quitta sa retraite montagnarde le 11 août, avec Goebbels. Sur la route de Munich, il s'arrêta à l'auberge Lambach, au bord du Chiemsee, pour déjeuner avec quelques chefs nazis. Il était à table au milieu d'eux lorsqu'on lui apporta un télégramme de Hindenburg le convoquant à Berlin sans délai. Les convives applaudirent. Hitler tempéra leur enthousiasme. « Le vieux monsieur, leur expliqua-t-il, va m'offrir de m'associer au pouvoir mais en me refusant le poste de chancelier. Or, c'est pour moi une *conditio sine qua non*. Le pouvoir ne m'intéresse que s'il me permet d'extirper le marxisme. »

Le même 11 août, Eva Braun ne s'était pas présentée à son travail. Le beau-frère de Hoffmann, le docteur Plate, accourut Schellingstrasse : « Heinrich, il vient de se passer quelque chose de très ennuyeux. Eva m'a téléphoné cette nuit. Parlant avec difficulté, elle m'a dit qu'elle avait tenté de se suicider. Elle s'est tiré une balle de 6.35 dans la région du cœur. Elle se plaint d'être négligée par Hitler et si solitaire qu'elle avait préféré en finir... Je retourne à l'hôpital. »

Hitler apprit la nouvelle en arrivant à Munich. Il n'y avait pas un an que Geli s'était donné la mort, et maintenant Eva... Il insista pour interroger le docteur Plate : « Dites-moi la vérité. Pensez-vous que *Fraülein* Braun a voulu uniquement se rendre intéressante et attirer mon attention sur elle? » Plate secoua la tête. « Le coup était dirigé droit vers le cœur. La balle a manqué l'aorte de quelques millimètres. Tout indique qu'il s'agit d'une authentique tentative de suicide... »

A Berlin, les Goebbels entouraient Hitler de jolies femmes. Ils lui avaient fait rencontrer la fille d'un chanteur d'opéra, Grel Skezak, dont ils ignoraient encore qu'elle eût une grand-mère juive. A la fin des soirées de la Reichskanzlerplatz, Hitler demandait à ses compagnons de rentrer sans lui au Kaiserhof, parce qu'il devait reconduire *Fraülein* Skezak — et ils remarquaient avec malice que les souliers du Führer n'avaient pas encore été déposés devant sa porte lorsqu'ils regagnaient leurs chambres, après une station au bar. *Fraülein* Braun était son repos munichois, dès l'époque de sa liaison difficile avec Geli Raubal. Il l'emmenait au cinéma, l'invitait à souper à l'Osteria Bavaria, la couvrait de fleurs — et sans doute coucha-t-il avec elle après que le premier chagrin du suicide de Geli fut retombé. Ce qui lui plaisait dans Eva Braun était son absence de toute prétention politique ou intellectuelle. Il mettait les jeunes filles allemandes en uniforme dans le D.D.B., disait que la femme allemande ne se maquillait pas, ne fumait pas, se considérait comme l'auxiliaire de l'homme, portait des enfants pour la patrie. Eva n'appartint jamais à une organisation quelconque du parti, fumait passionnément, admirait toutes les vedettes de Hollywood et, en dehors de l'obsession de se faire épouser, n'eut jamais d'autre sujet d'intérêt que la toilette et le flirt. Elle était l'exception du roi. Mais Hitler était loin de s'imaginer que son attachement pour lui pouvait aller jusqu'à un geste de désespoir.

Plate parti, Hitler arpenta l'atelier. « Voyez-vous, Hoffmann, cette fille a failli mourir par amour pour moi... J'ai la responsabilité de faire en sorte qu'elle ne recommence pas, mais cela ne veut pas dire que j'aie l'intention de l'épouser. La *chère amie* (en français) d'un homme politique doit être discrète... » Il alla voir Eva à l'hôpital, modifia son programme, laissa Goebbels partir pour Berlin par le rapide de nuit et, en dépit de l'urgence de la convocation présidentielle, ne quitta Munich en auto que le lendemain. Il était 10 heures du soir lorsqu'il arriva à Caputh, maison de campagne des Goebbels. Il se promena longuement sur la terrasse de la villa, réfléchissant au tragique incident de la veille et à la grave décision du lendemain.

A 10 heures, le samedi 13 août, Hitler est chez Papen. « L'air modeste et déférent, dit celui-ci, s'est dissipé. J'ai devant moi un politicien exigeant, rendu sûr de lui par un succès retentissant. » Papen doit dire à ce vainqueur que le président n'envisage pas de lui confier le poste de chancelier, mais qu'il lui propose d'entrer dans un cabinet de coalition où il pourra faire l'apprentissage du gouvernement. Il sera le premier, lui, Papen, à lui offrir sa place quand les dispositions de Hindenburg auront changé. Hitler répond qu'il a fait connaître sa position et qu'il n'en bougera pas. Il n'exige pas tous les postes ministériels, mais il ne saurait admettre que la direction de la politique allemande ne revienne pas au parti pour lequel 40 °₀ des Allemands et des Allemandes viennent de se prononcer. Puis il va déjeuner chez les Goebbels, les nerfs tendus.

A 3 heures, le secrétaire d'État Meissner appelle pour dire que le président attend *Herr* Hitler. « L'entrevue, répond-il, est sans objet, si la décision est déjà prise. — Elle ne l'est pas. Le président désire d'abord vous parler. »

Le palais présidentiel étant en réfection, Hindenburg réside à la chancellerie. Toute démonstration en uniforme est interdite, mais une foule en civil emplit la Wilhelmstrasse. Elle acclame Hitler à son arrivée. Elle le réacclame lorsqu'il sort. Des dizaines de mains touchent la Mercedes-Benz, dont la capote a été rabattue, pendant que deux policiers ferment la grille derrière elle. Mais l'étonnement et une certaine inquiétude se mêlent à l'enthousiasme. Le Führer est resté moins d'une demi-heure à l'intérieur de l'édifice. Cette brièveté ne présage rien de bon!

Hindenburg a reçu Hitler debout, entre Papen et Meissner, Frick et Röhm deux pas en arrière de leur chef. Le vieux soldat a brièvement demandé au vainqueur du 31 juillet ce qu'il voulait. Hitler a répondu qu'il n'était pas question d'entrer dans le gouvernement en exercice et que l'importance du mouvement national-socialiste lui donnait le droit de demander, pour lui et son parti, la pleine direction des affaires publiques. « Le président du Reich, relate la note rédigée par Meissner immédiatement après l'entrevue, a répondu par un non catégorique. Devant Dieu, sa conscience et sa patrie, il ne peut pas prendre la responsabilité de remettre la totalité du pouvoir à un seul parti, et d'autant moins que ce parti est systématiquement intolérant à l'égard de toute autre forme de pensée. » Surpris par la vigueur de la sortie, Hitler se borna à répondre qu'il ne pouvait modifier sa position. « *Hindenburg :* Alors, vous resterez dans l'opposition? — *Hitler :* Je ne vois pas ce que je pourrais faire d'autre. — *Hindenburg :* Dans ces conditions, j'entends que votre opposition soit chevaleresque, et que vous restiez conscient de votre responsabilité et de votre devoir envers la patrie. Je vous avertis que je sévirai énergiquement contre les actes de violence et de terrorisme auxquels vos S.A. sont enclins. » « Durée de l'entrevue, précise la note de Meissner : vingt minutes environ. »

Le trio nazi ne reprit son assurance que dans l'antichambre. Hitler avertit Papen et Meissner que l'opposition serait impitoyable et que la responsabilité des conséquences retomberait sur le gouvernement.

Place du Chancelier du Reich, la soirée fut sombre. Convoqués par le Führer, les chefs S.A. de la région de Berlin, ne cachaient pas leur inquiétude. « Ils se demandaient, dit Goebbels, s'ils parviendraient à garder leurs hommes en main. Rien n'est plus dangereux que d'avoir à apprendre à une troupe victorieuse que la victoire lui échappe. » Hindenburg avait pour lui son prestige, l'obéissance de la Reichswehr, le loyalisme des administrations. S'il maintenait son refus, la digue qu'il représentait devant le national-socialisme pouvait fort bien être inébranlable. Beaucoup de nazis pensèrent que Hitler venait de commettre une faute irréparable en refusant une vice-chancellerie qui aurait introduit le parti à l'intérieur d'une forteresse qu'il était impuissant à enlever d'assaut. Mais Hitler ne montra pas la moindre incertitude sur la sagacité de sa décision. Il donna l'ordre de la célébrer dans le *Völkischer Beobachter* et dans l'*Angriff* comme un Nein historique et partit le soir même pour Berchtesgaden. « Un grand désespoir, *grosse Hoffnungslosigkeit*, note Goebbels, règne chez les camarades du parti... »

La journée du 13 août renforçait la position d'opposant de Gregor Strasser. Beaucoup voyaient en lui la seule tête politique capable de sortir le N.S.D.A.P. de l'impasse dans laquelle l'intransigeance d'Adolf Hitler l'avait acculé. Il jetait autour de lui des antennes. « Je me rendais à Munich, raconte l'ex-chancelier Brüning, pour une conférence avec les populistes bavarois. A Halle, un émissaire vint me rejoindre dans mon wagon-lit et, jusqu'à Iéna, m'entretint de l'importance que Strasser attachait à une coopération avec moi. » Le deuxième émissaire, qui apparut un peu avant Munich, était l'âme damnée de Gregor, le lieutenant Paul Schulz. Il confirma que Strasser désirait avoir le plus tôt possible un entretien secret avec Brüning.

L'entretien eut lieu quelques jours plus tard, dans la petite ville wurtembergeoise de Tübingen. Strasser critiqua Hitler, mais en laissant entendre qu'il n'était pas impossible de le contraindre ou de l'écarter. Une deuxième rencontre fut convenue à Berlin, au domicile d'un industriel nommé Wolmann. Cette fois, Brüning eut la surprise de trouver, outre Strasser, Frick, Göring, Röhm, Goebbels — et Hitler. On reconnut la possibilité de reconstituer au Reichstag une majorité de gouvernement, mais Brüning douta que son parti pût accepter Hitler comme chancelier du Reich et ministre-président en Prusse. Quant à lui, il n'envisageait pas de revenir dans un gouvernement et considérerait son rôle comme terminé lorsque des contacts auraient été établis entre le Zentrum et le N.S.D.A.P.

Strasser était, sous ses apparences massives, un indécis et, en dépit de leur conflit de tendance, il conservait à Hitler un sentiment d'amitié. En même temps qu'avec Brüning, il négociait avec Schleicher. Leur mort prématurée et simultanée nous prive de savoir jusqu'où allèrent leurs intentions. On sait, au contraire, que Hitler ne crut jamais à une combinaison parlementaire avec le Zentrum. Il disait à Goebbels qu'il voulait uniquement semer le désarroi à la Wilhelmstrasse en la tenant, par des indiscrétions calculées, sous la menace d'un gouvernement noir et brun.

Les crimes post-électoraux de Haute-Silésie atteignaient leur double épilogue judiciaire. Aux assassins des deux nazis d'Ohlau, le tribunal de Brieg infligea quatre ans de prison. Contre les dénommés Kottisch, Wolnitza, Gräupner, Müller, assassins de l'ouvrier Pietrzuch, et contre l'aubergiste Lachmann, instigateur du crime de Potempa, le tribunal de Beuthen prononça une quintuple condamnation à mort. La disproportion entre le verdict de Brieg et la sentence de Beuthen était assurément flagrante, mais le télégramme que Hitler adressa aux cinq condamnés : « Mes camarades, devant le jugement monstrueux et sanguinaire qui vous frappe, je me sens lié à vous par une solidarité inconditionnée... »

produisit néanmoins un effet de stupeur. Solidarité avec d'abominables assassins! Beaucoup dirent que le chef du plus important des partis allemands avait perdu l'esprit et que l'avenir d'Adolf Hitler tenait désormais entre les murs capitonnés d'un cabanon.

En réalité, Hitler avait choisi le moindre risque. La S.A. était au bord de la révolte. Une nouvelle dissidence avait éclaté dans le quartier berlinois de Wedding. Le Front Noir d'Otto Strasser organisait le débauchage des chemises brunes en disant que Hitler n'était pas autre chose qu'un petit bourgeois réactionnaire et opportuniste. Le député Heines, ex-assassin de la Sainte-Wehme, avait organisé une manifestation dans la salle même du tribunal de Beuthen et, rentré à Berlin, menaçait d'une révolte si le parti abandonnait Kottisch et consorts. Hitler s'était souvent prononcé contre le terrorisme. Cette fois, il préféra encourir la désapprobation d'une partie de son électorat plutôt que de risquer la dissociation de la S.A.

Papen, Schleicher et Gayl délibérèrent à Neudeck le 30 août. Ils prirent acte qu'une coopération avec le Reichstag élu un mois auparavant était impossible et conclurent que l'unique manière de le tenir en respect consistait à suspendre en permanence au-dessus de lui la menace d'une dissolution. Hindenburg donna à Papen un blanc-seing, que le chancelier plia soigneusement dans un petit portefeuille rouge. Quant aux condamnés de Beuthen, Hindenburg décida de commuer leur peine en prison perpétuelle, non dit-il par faiblesse, mais uniquement parce que l'ordonnance punissant les crimes politiques de mort n'avait été promulguée qu'une heure et demie avant l'assassinat de Potempa, donc que les condamnés n'avaient pas eu le temps d'en être informés. « L'indulgence du président, devait dire Papen, fut une erreur. »

Le même jour, le nouveau Reichstag tenait sa première séance. La doyenne d'âge était la communiste Clara Zetkin, une moribonde que deux collègues portèrent au fauteuil présidentiel où elle prononça d'une voix défaillante un discours vitriolique contre les assassins nazis et le gouvernement Papen. « Je déclare, conclut-elle, le Reichstag ouvert, dans l'espérance, malgré mes infirmités actuelles, de pouvoir ouvrir bientôt le Congrès de la République des Soviets allemands... » Les chemises brunes recouvraient plus du tiers de la salle. Pas une seule interruption ne partit de leurs travées. On eut l'explication de ce silence insolite quand la vieille communiste proclama l'élection de Hermann Göring comme président du Reichstag par trois cent soixante-sept voix contre cent trente-cinq au socialiste Löbe et quatre-vingt au communiste Torgler. Cent trente-sept députés non-nazis avaient voté pour l'ex-capitaine aviateur, et la consigne de silence donnée au groupe national-socialiste était motivée par la crainte qu'un incident entraînât des défections. Les journaux interprétèrent la majorité de Göring comme l'indication que les nazis avaient conclu un pacte avec le Zentrum et qu'un gouvernement brun et noir était imminent.

Les négociations se poursuivaient effectivement au milieu d'un désaccord croissant au sommet du N.S.D.A.P. Le 2 septembre, au Kaiserhof, Gregor Strasser déclara qu'il était déraisonnable d'exiger la direction du gouvernement et que le parti pouvait entrer, avec le Zentrum, dans un cabinet présidé par le général von Schleicher. S'y refuser conduirait à une nouvelle dissolution du Reichstag. La succession précipitée des campagnes électorales avait épuisé les finances du parti, accumulé une dette de 7 à 8 millions de marks, mobilisé les militants à quatre reprises depuis le début de 1932, sacrifié leur tranquillité familiale et leurs intérêts professionnels dans des batailles politiques dont on leur avait dit qu'elles étaient décisives — et qui ne l'avaient pas été. Ils étaient las, et, pour certains, désabusés. Une nouvelle dissolution du Reichstag, une nouvelle campagne en 1932 pouvaient entraîner de graves déboires. Hitler répondit qu'il connaissait la situation mieux que personne et que, si une nouvelle bataille électorale était indispensable, le plus tôt serait le mieux.

Mais Papen se sentait bien en selle. Revenu de Neudeck, il montrait le portefeuille rouge contenant le blanc-seing de Hindenburg comme un dompteur montre son fouet. Il fortifiait son optimisme à la conviction que le creux de la vague économique était franchi. Le chômage amorçait une décrue. Le nombre des faillites tombait de mille trois cent quarante et une en janvier à quatre cent quatre-vingt-dix-neuf en août. Hindenburg encourageait son chancelier en lui disant que le mouvement national-socialiste était éphémère, qu'il entrerait dans son déclin dès que les conditions matérielles s'amélioreraient. La libération de l'Allemagne se poursuivait sans qu'il soit besoin d'avoir recours à *Herr* Hitler. Le 30 août, le baron von Neurath avait remis à l'ambassadeur de France un aide-mémoire faisant savoir que l'Allemagne reprenait sa liberté d'armement. Le 3 septembre, le Stahlhelm célébrait le Sedantag en faisant défiler cent quatre-vingt mille Casques d'Acier devant l'ex-Kronprinz, le vieux maréchal Mackensen et le ministre de la Reichswehr, Schleicher. Le vice-président Duesterberg avait attaqué indirectement l'hitlérisme en disant que l'Allemagne ne devait pas être gouvernée par un seul parti. Goebbels ripostait avec dépit : « Le Stahlhelm marche. Mais où va-t-il? » On pouvait en dire autant du nazisme. Rien n'était joué. Tout était en suspens.

Le Reichstag se réunit le 12 septembre. On s'attendait à une séance de pure forme, précédant une mise en vacances de longue durée. Papen n'avait pas apporté le portefeuille rouge. Le communiste Torgler avait déposé une motion de censure, mais le règlement prévoyait qu'elle devait être renvoyée à la suite de l'ordre du jour, c'est-à-dire enterrée, si un seul député le demandait. Le docteur Oberfohren, président du groupe deutsch-national, s'en était chargé. Aucune nervosité ne régnait dans le palais des lois à demi désaffecté...

Quand Torgler eut développé son interpellation, le président Göring demanda si quelqu'un s'opposait au vote de sa proposition. Aucune réponse. Le docteur Oberfohren n'était pas en séance et pas un député du petit groupe pro-gouvernemental n'eut la présence d'esprit de lever la main en disant : « Moi! » Göring prononça la phrase sacramentelle : « Je vais mettre aux voix la proposition de M. le député Torgler... »

Papen se leva, sortit en courant, se précipita à la Chancellerie. Le député nazi Frick demanda et obtint une suspension de séance d'une demi-heure. La salle se vida dans les couloirs. Les nazis se rassemblèrent au palais de la présidence du Reichstag. De vives discussions s'engagèrent. Göring y coupa court : « C'est au Führer de décider; le voilà! »

Hitler accourant du Kaiserhof n'avait eu que quelques instants pour peser sa décision. Il l'articula d'une voix qui ne souffrait pas de réplique : « La fraction nationale-socialiste votera la motion de censure... » Cela voulait dire que le gouvernement serait mis en minorité d'une manière écrasante — mais Papen arrivait avec son portefeuille rouge pour prévenir le vote en prononçant la dissolution du Reichstag!

La masse brune reflua dans la salle des séances, Goebbels rayonnant, Frick consterné, Strasser furibond. Papen n'était pas encore revenu au banc du gouvernement. « La séance est reprise, cria Göring. Je déclare le scrutin ouvert. »

On avait dû, à la Chancellerie, remplir le blanc-seing. Quand Papen fit sa réapparition, les huissiers porteurs des urnes commençaient à recueillir les bulletins dans les travées. Il brandit le décret de dissolution, en demandant la parole. La voix de tête de Göring domina la sienne : « Le Reichstag vote! » Papen escalada la tribune présidentielle, posa le décret devant Göring qui le repoussa en continuant de crier : « Le Reichstag vote! » Le chancelier descendit les degrés, quitta la salle, suivi de ses ministres. Quelques minutes plus tard, Göring annonçait que la motion de censure communiste était adoptée par cinq cent treize voix contre trente-deux.

Le gouvernement était renversé par le Reichstag. Le Reichstag était dissous par le gouvernement. Mais l'était-il? Tout dépendait du moment où le vote prenait son effet. S'il était considéré comme acquis dès l'instant où le scrutin était ouvert, Papen n'était plus chancelier lorsqu'il était revenu dans la salle des séances : la dissolution, en conséquence, était nulle et non avenue. Quarante-huit heures durant, une chicane de procédure parlementaire fit rage, entretenue non sans humour, par Göring. Hitler y coupa court. Les arguties juridiques ne l'intéressaient pas. Seule, la lutte comptait. Une nouvelle bataille s'engageait pour la conquête du peuple allemand. Toutes les énergies devaient être consacrées à la gagner.

Le D 1720 fut nolisé pour la quatrième fois. Cinquante réunions de masse furent organisées pour le Führer. Mais le délabrement des finances nazies ne permit pas un déploiement de propagande égal à celui qui avait précédé la victoire du 31 juillet. L'esprit aussi n'était pas le même. Les auditoires étaient moins compacts. Les enthousiasmes sentaient l'effort.

Un doute grandissait sur la tactique de Hitler. Au reste, la situation économique s'améliorait décidément. En octobre, le nombre des chômeurs baissa de cent vingt-trois mille. Hier, membre obscur du Landtag de Prusse, homme de cheval et homme de cercle, Franz von Papen se sentait pousser des ailes d'homme d'État. Il préparait une réforme constitutionnelle qui eût corrigé le système électoral vicieux du régime de Weimar et voulait revenir à la règle bismarckienne réunissant dans la même personne les fonctions de chancelier du Reich et du ministre-président de Prusse. Un jugement de la Cour de Leipzig condamnant la déposition du gouvernement prussien ne changea rien à la situation établie. Bracht échangea son titre de commissaire du Reich en Prusse pour celui de ministre sans portefeuille et continua d'exercer ses fonctions.

Les élections étaient fixées au 6 novembre. Quatre jours auparavant, une grève brutale, fomentée par les communistes, paralysa le système de transport berlinois. Hitler qui devait faire de la grève un crime d'État — donna l'ordre d'appuyer le mouvement. Suspendant un moment leurs tueries réciproques, communistes et nazis dépavèrent ensemble les rues de Berlin pour interdire la circulation des tramways. Goebbels avait conscience du tort que cette collusion causait au parti dans sa clientèle prépondérante de classes moyennes, mais, disait-il, nous les reprendrons facilement — alors qu'un travailleur perdu est perdu pour toujours. Il redoutait la grève générale, *eine furchtbare Waffe,* une arme terrible, et pensait qu'on en réduisait le danger en accentuant le caractère prolétarien du mouvement.

La veille du vote, le ministre de l'Intérieur, von Gayl, dressa le tableau de ses prévisions. Il comptait que le N.S.D.A.P. perdrait quatre-vingts sièges et que les partis bourgeois seraient les bénéficiaires de son recul.

Hitler clôtura la campagne au Sportspalast. Il se raidissait contre la désaffection populaire qu'il sentait croître et contre les intrigues bourgeonnant autour de lui. « Céder? Mille fois jamais! Nous vaincrons. Je ne perdrai pas mes nerfs. Ma volonté est inflexible et mon souffle plus long que celui de mes adversaires. » Au Kaiserhof, après le meeting, il réconforta ses lieutenants : « Nous perdrons des voix sur une large échelle, mais l'élection sera quand même un succès psychologique... » Son optimisme ne parvenait pas à réchauffer la confiance. « Nous luttons, écrit Goebbels, contre un vent de défaite. J'ai réussi à trouver 10 000 marks que je jette dans un dernier effort de propagande... Je fais le tour de la ville. L'atmosphère est lourde et déprimante. Nous sommes très contents que cette campagne électorale soit terminée. »

Devant les urnes, les foules du 6 novembre furent moindres que celles du 31 juillet. L'effectif du Reichstag se trouva réduit de six cent huit à cinq cent quatre-vingt-quatre sièges. Le N.S.D.A.P. perdait deux millions soixante-sept mille quatre cent quatre-vingt-quatorze voix, tombant de treize millions sept cent soixante-douze mille sept cent soixante-dix-neuf

(37,3 % des votants) à onze millions sept cent cinq mille deux cent soixante-cinq (33,1 %), et trente-quatre sièges : cent quatre-vingt-seize contre deux cent trente. Les communistes passaient de 14,3 à 16,9 % et de quatre-vingt-neuf à cent sièges. Le parti deutsch-national, unique soutien du gouvernement, gagnait quatorze sièges, progressant de 5,9 à 8,6 % des voix.

Mais les calculs du baron von Gayl n'étaient que partiellement vérifiés. Le groupe parlementaire nazi restait le plus important. Les députés favorables au cabinet Papen ne formaient même pas 10 % de la nouvelle assemblée. La conjonction des extrêmes détenait toujours la majorité. Le Reichstag réélu était tout aussi ingouvernable que le Reichstag dissous. Goebbels poussait un soupir de soulagement : « Nous subissons certes un échec, mais les résultats sont moins mauvais qu'on était en droit de le craindre... »

... Deux jours plus tard, l'Amérique vote à son tour, élit Franklin Roosevelt dans un landslide. La crise économique mondiale a élevé parallèlement deux personnalités également exceptionnelles, mais totalement dissemblables, et que le cours impitoyable de l'Histoire devait opposer dans une lutte à mort. Mais Roosevelt a franchi le dernier échelon du pouvoir. Hitler est encore au pied de la dernière marche. La gravira-t-il?

14

LES DERNIÈRES MARCHES DU POUVOIR
novembre 1932 — janvier 1933

Dix jours s'écoulèrent. Le onzième, jeudi 17 novembre 1932, le chancelier von Papen vint dire au président von Hindenburg que ses efforts pour élargir la base de son cabinet avaient échoué. Les socialistes avaient refusé d'engager la conversation. Le Zentrum s'était dérobé. A Hitler, Papen avait écrit une lettre pressante et courtoise pour lui proposer d'examiner ensemble la situation. Hitler s'était abstenu de répondre. Il restait à Berchtesgaden, comme s'il se désintéressait de la politique, faisant preuve une fois de plus de cette passivité qui, dans les phases décisives de sa vie, remplace la fièvre et la frénésie de l'action.

Hindenburg n'accepta la démission de Papen qu'avec l'espoir de pouvoir le rappeler à la tête du nouveau gouvernement. Le problème consistait à obtenir de la majorité du Reichstag qu'elle le tolère comme elle avait longtemps toléré Brüning. Mais les socialistes se muraient dans leur refus. Consulté, le prélat Kaas, président du Zentrum, et les chefs des deux tendances du parti deutsch-national, Hugenberg et Dingeldey, s'entourèrent de réponses évasives. L'homme de la décision était Hitler.

Il gardait de la journée du 13 août, de l'audience debout, du Nein tranchant, un souvenir cuisant. Convoqué à Berlin le 19 novembre, il s'y rendit comme à regret. Une surprise l'attendait : Hindenburg désirait lui parler en tête à tête, *unter vier augen*. Göring, fort mortifié, dut attendre dans l'antichambre. Hindenburg se montra bienveillant, presque suppliant : « Je ne puis que vous répéter une seule chose : « Aidez-moi! » Il ne demandait pas une réponse immédiate; il voulait simplement faire appel au patriotisme de *Herr* Hitler en lui rappelant que le sort de l'Allemagne était en jeu.

Herr Hitler répondit qu'on avait travesti ses intentions en lui faisant dire qu'il exigeait la totalité du pouvoir. Loin de sa pensée de destiner à des nationaux-socialistes tous les postes ministériels! Le seul point sur lequel il ne transigeait pas était l'attribution de la chancellerie. Il la voulait pour lui-même, non par ambition personnelle, mais parce que l'unité de direction était indispensable à la tête d'un gouvernement.

Hindenburg fit observer à Hitler que les malheurs de l'Allemagne provenaient des partis politiques et qu'il était, lui, Hitler, le chef d'un parti politique, ce qui rendait difficile sa nomination comme chancelier. Hitler répondit qu'il était effectivement, et qu'il resterait, le chef d'un parti politique, mais toutes les élections montraient qu'il y avait en Allemagne dix-huit millions de marxistes, devant lesquels son parti national-socialiste était le seul rempart de la société. L'Allemagne était perdue s'il sombrait (1).

Hitler était sorti le 13 août avec le pli de la fureur entre les yeux. Il sortit le 19 novembre avec un grand sourire. Sa voiture mit quinze minutes pour franchir, au milieu d'une foule enthousiaste, les cent mètres séparant le palais présidentiel provisoire du Kaiserhof. Le chef du service d'ordre lui demanda de se montrer au balcon pour que les manifestants consentissent à se disperser. L'acclamation qui le salua retentit jusqu'aux oreilles de Hindenburg.

Adolf Hitler revint le surlendemain dans le cabinet présidentiel pour donner lecture de sa réponse. Il repoussait l'idée d'un cabinet de coalition, au nom des principes antiparlementaires pour lesquels il combattait depuis treize ans. Il demandait à être appelé à la tête d'un cabinet présidentiel dans les mêmes conditions que *Herr* von Papen.

Tout vieillard est imprévisible. Hindenburg avait repris son visage de granit. Il se borna à dire qu'il serait répondu à *Herr* Hitler par écrit.

Signée par Meissner, sur les instructions du président, la réponse se condense en deux phrases : « Le chef d'un cabinet présidentiel ne peut être qu'un homme investi de la pleine confiance du président » et « le chef d'un parti ne peut pas être le chef d'un cabinet présidentiel ». Il appartenait à *Herr* Hitler de former, s'il le pouvait, un cabinet parlementaire en trouvant lui-même une majorité au Reichstag (2).

Hitler était parti du néant. Il avait à son actif la fabuleuse réussite du mouvement national-socialiste. Il commandait sans partage au parti le plus puissant que l'Allemagne ait connu dans toute son histoire. A quelques mètres du sommet, il était néanmoins sur une arête étroite et vertigineuse, d'où un faux pas pouvait le précipiter dans l'un des deux précipices qui la bordaient.

La perte de deux millions de voix de juillet à novembre entraînait dans le parti une crise profonde. Un surnom « Adolf Légalité », égratignait le prestige du Führer. Réaliser ce qu'aucun parti n'avait jamais fait, conquérir la majorité absolue pour atteindre le pouvoir par la route droite du suffrage universel, équivalait à la poursuite d'une chimère. Le putsch apparaissait plus que jamais aux éléments impatients comme la péripétie indispensable sans laquelle le mouvement s'enliserait dans l'attente. Inversement, Strasser et ses amis pensaient qu'Adolf Hitler avait laissé passer le moment le plus favorable pour accepter une alliance sans laquelle tout avenir était fermé. Le *Führerprinzip* ne permettait ni aux uns ni aux autres d'ouvrir un débat pour une orientation différente du N.S.D.A.P. On ne pouvait que deux choses : ou bien renverser Hitler par un coup de force, ou bien provoquer dans le parti une scission.

Hitler était remonté dans sa montagne. Il y reçut une deuxième lettre de Meissner, encore plus cassante que la première : « Le président du Reich redoute qu'un cabinet présidentiel dirigé par vous conduise inévitablement à la dictature d'un parti, avec des conséquences dont ni son serment, ni sa conscience ne lui permettent de prendre la responsabilité. »

Göring s'entremit. Il venait de vivre une tragédie domestique, la mort de la femme bien aimée, Karin, emportée par la phtisie. Le flot de condoléances affluant vers son bruyant désespoir, en lui donnant la mesure des sympathies dont il jouissait, l'avait aidé à revenir dans l'action. Il fréquentait les milieux militaires et conservateurs qui entouraient Hindenburg, frayait avec Oskar, s'employait à dissiper l'hostilité qui entourait l'Autrichien et le plébéien Hitler. Il fit savoir que le président était prêt à reprendre la conversation, afin de dissiper tout malentendu. La réponse fut un affront. Hitler écrivit à Meissner qu'il estimait avoir dit au maréchal-président, verbalement ou par écrit, tout ce qu'il avait à lui dire et qu'une nouvelle entrevue serait dépourvue d'utilité. Au reste, une bataille électorale s'engageait en Thuringe, qui allait absorber tous ses soins.

Loin de fléchir son intransigeance devant les remous du parti, Hitler la maintenait dans le fond et la durcissait dans la forme. Il n'y avait pas encore des enregistreurs de ses paroles pour apporter à la postérité le film des états d'esprit quotidiens du Führer. On ne peut douter, cependant, qu'il prit son risque lucidement et en connaissance de cause. Lui-même, dix ans après, disait qu'il avait traversé une épreuve dans laquelle il avait expérimenté la puissance de sa volonté et la force de son jugement. L'idée qu'il se faisait de lui-même, moteur de son élévation comme de sa chute, devait trouver au tournant de 1932-1933 un renforcement fatal.

Le 29 novembre, on vit Hitler monter dans le rapide de Berlin quittant Munich à 21 h 30. Reporters et photographes l'attendirent à l'arrivée à la gare d'Anhalt. Stupeur : Hitler n'était pas à la descente du train. *Wo ist Hitler?* Où est Hitler? Avait-il été assassiné et jeté sur la voie? Était-il tombé accidentellement comme jadis un président de la République française? S'était-il grimé pendant le parcours pour sortir incognito et disparaître devant un scandale menaçant? Les hypothèses s'entrechoquent. *Wo ist Hitler?*

L'après-midi apporta une réponse. Hitler était à Weimar. Mais pourquoi à Weimar? Parce que, à l'arrêt d'Iéna, à 5 h 20 du matin, Göring, Goebbels et Röhm avaient fait irruption dans son compartiment, l'avaient contraint sous la menace à descendre du train, jeté sommairement habillé dans une auto et conduit à Weimar où ils le chambraient pour l'empêcher de négocier son entrée comme vice-chancelier dans un cabinet présidé par le général von Schleicher. On négligea un détail : le train dans lequel on avait vu monter Hitler ne s'arrêtait pas à Iéna. L'explication séduisante n'en fit pas moins la conquête des salles de rédaction et des ambassades, fut acceptée par un esprit aussi peu crédule qu'André François-Poncet. Il la mentionne encore dans ses *Souvenirs*, rédigés douze ans plus tard.

L'histoire n'était pas dépourvue d'un fond de vérité. Schleicher avait fait savoir à Hitler qu'il souhaitait le voir dans la matinée du 1ᵉʳ décembre pour des décisions d'une extrême importance. Hitler, dit Goebbels, n'avait ni refusé ni accepté, laissant le général dans l'expectative et dans l'attente. Peut-être avait-il hésité jusqu'au dernier moment. Il était monté, la veille au soir, dans le rapide direct de Berlin et, quelques minutes avant le démarrage, s'était transporté dans l'express partant cinq minutes plus tard — et s'arrêtant à Iéna. Göring, Frick et Strasser — mais ni Goebbels ni Röhm — l'attendaient et — mais sans violence — l'avaient amené à Weimar. Schleicher, dès qu'il fut informé, envoya aussitôt son collaborateur, le lieutenant-colonel Ott qui, trois heures durant, conjura le Führer du national-socialisme de rentrer à Berlin pour les négociations décisives qui s'y poursuivaient. Hitler répondit qu'il considérait comme beaucoup plus décisive l'élection qui allait avoir lieu en Thuringe et qu'il était à Weimar pour la préparer.

En cette même soirée du 1ᵉʳ décembre 1932, Franz von Papen et Kurt von Schleicher se réunirent avec le maréchal-président pour ce qui devait être l'un des affrontements fatidiques de notre temps. Meissner et le fils Hindenburg y assistèrent en témoins muets.

Papen prit la parole. Sa démission datait déjà de quinze jours. Le Reichstag se réunissait le 6 décembre et un vote de méfiance massif était inévitable dès le début de la session. Une solution gouvernementale était indispensable au préalable. S'il était, lui, Papen, réinvesti de la confiance du président, il dissoudrait le Reichstag sans fixer une date pour de nouvelles élections, interdirait le parti communiste et le parti national-socialiste et procéderait par voie autoritaire à une réforme de la Constitution. Papen ne niait pas qu'il proposait là un coup d'État et il reconnaissait que la décision serait pénible pour un soldat n'ayant jamais cessé de placer sa parole au-dessus de tout. Mais, en 1850, Bismarck avait dit à Guillaume Iᵉʳ que le salut de l'État passait avant un serment prêté à une construction de légistes. Papen le redisait, en 1932, au maréchal-président von Hindenburg.

Schleicher répondit. Il désapprouvait la solution désespérée proposée par le chancelier démissionnaire. Elle ferait la coalition instantanée des nazis, des communistes, des socialistes et des catholiques, représentant ensemble 90 % du peuple allemand. Le risque de guerre civile était flagrant — alors qu'il était possible de procéder avec plus d'habileté. La situation évoluait rapidement au sein du parti national-socialiste. Gregor

Strasser était au bord de la rupture avec Hitler. Il entraînait au moins soixante députés nazis. Avec eux, les partis du centre et la social-démocratie, Schleicher se flattait, s'il était nommé chancelier, de reconstituer une majorité au Reichstag. On savait qu'il était un général aux larges idées sociales. Il possédait des sympathies dans les syndicats. Il ne s'était jamais mis en avant, mais il était prêt à le faire pour épargner à l'Allemagne une aventure désespérée et, au maréchal-président, la douloureuse nécessité de piétiner son serment.

Surmontant l'assoupissement vespéral, le vieillard avait écouté avec une extrême concentration. Il resta silencieux un moment, puis se levant : « J'entends suivre la suggestion de *Herr* von Papen. Monsieur le chancelier, je désire que vous formiez immédiatement un cabinet pour mettre immédiatement votre plan en application. » Schleicher, dit Papen, parut médusé par la décision catégorique et rapide du président. L'historiographe Meissner enregistra l'approbation (Zusage) des propositions de Papen par Hindenburg. Elles seraient annoncées dans une conférence de presse dès que le chancelier aurait reconstitué son cabinet.

Dans l'antichambre, Schleicher eut une brève discussion avec Papen. « Il me quitta en murmurant la parole de Luther partant pour le concile de Worms : « *Mönchlein, Mönchlein, du gehst einen schweren Gang —* Moinillon, moinillon, tu entres dans une voie difficile. »

Le lendemain était le mardi 2 décembre. Les membres du cabinet démissionnaire se réunirent à la chancellerie. Le général Schleicher déclara que l'exécution du mandat confié la veille par Hindenburg à Papen était impossible. On devait compter sur une insurrection réunissant, comme dans le conflit des tramways de Berlin, les communistes et les nazis. Le ministre responsable de la défense du territoire allemand se refusait à engager la Reichswehr dans une guerre civile — et, d'ailleurs, elle était beaucoup trop faible pour faire face à l'intérieur sur deux fronts sans cesser d'assurer l'inviolabilité des frontières. L'officier chargé d'étudier la question était à la disposition du conseil pour l'édifier.

Dix-huit ans auparavant, un lieutenant-colonel Hensch avait changé le cours de l'histoire en prescrivant la retraite des armées allemandes de la Marne à l'Aisne. Le lieutenant-colonel Ott — il rentrait de Weimar après sa mission infructueuse auprès de Hitler — joua un rôle non moins décisif. Maître de son sujet, s'exprimant avec la clarté que l'Académie de guerre enseignait aux sujets d'élite de l'armée allemande, il soutint que l'utilisation de la Reichswehr contre un soulèvement intérieur mettrait en péril la Prusse-Orientale en donnant aux Polonais la tentation et l'occasion de s'en emparer. Ni l'armée, ni les polices régionales et locales ne pouvaient d'ailleurs répondre qu'elles tiendraient tête à une insurrection simultanée des nazis et des communistes, ni surtout qu'elles maintiendraient les activités fondamentales dont dépendait la vie matérielle du peuple allemand : le trafic du port de Hambourg, la navigation sur le Rhin, l'extraction du charbon dans le bassin de la Ruhr, etc. « Ces conclusions, dit Ott, sont celles auxquelles ont unanimement abouti, après une conférence de trois jours, les représentants de toutes les branches administratives, civiles et militaires intéressées. Engager la lutte à la fois contre les communistes et contre les nazis excède les forces à la disposition du Reich et des États. J'ai, en conséquence, recommandé au ministre de la Défense de s'abstenir de décréter l'état d'urgence... »

Le lieutenant-colonel fatidique se retira, laissant derrière lui une impression pénible et profonde. Personne ne s'avisa de demander l'avis du commandant en chef de la Reichswehr, ennemi résolu du national-socialisme, le général von Hammerstein-Equord. Papen, impressionné comme les autres, déclara qu'il n'était pas convaincu, mais qu'il était de son devoir de faire part au président du Reich des objections qu'on venait d'entendre. Il lui appartiendrait, dans sa sagesse et dans sa responsabilité, de décider...

Le chancelier et le président logeant provisoirement sous le même toit, Papen n'eut qu'un étage à descendre pour donner au destin de l'Europe son grand tournant. La situation, dit-il à Hindenburg, est claire. Il ne reste que deux solutions : ou bien remplacer Schleicher par un général résolu à soutenir mon plan, ou bien nommer Schleicher chancelier pour qu'il essaie d'appliquer son propre plan...

« Quand le vieux maréchal me répondit, raconte Papen, sa voix avait perdu la sonorité qu'elle avait vingt-quatre heures auparavant. « Mon Cher Papen, dit-il, je suis trop vieux pour prendre la responsabilité d'une guerre civile. Laissons Schleicher courir sa chance. » Il détourna la tête pendant que deux grosses larmes coulaient sur ses joues. Quelques heures plus tard, il m'envoya sa photo sur laquelle il avait écrit : *Ich hatte einen Kameraden,* et, le lendemain, une lettre dans laquelle il me disait qu'il me relevait de mes fonctions le cœur lourd... »

Kurt von Schleicher fut nommé chancelier le 3 décembre. Le 4, les élections de Thuringe arrachèrent à Goebbels cette exclamation de douleur : « *katastrophal!* » Hitler avait personnellement donné de toutes ses forces, parcourant le Land, multipliant les meetings, réchauffant l'enthousiasme en promettant une prompte victoire. Or, le parti perdait, suivant les municipalités, 18, 25, jusqu'à 40 % de ses voix du 31 juillet. Le recul amorcé aux élections législatives de novembre se confirmait et s'accentuait. Des années durant, les prophètes de l'optimisme avaient comparé le nazisme à une éruption de boutons de fièvre destinée à disparaître comme elle était apparue, ou comme une vague qui retomberait sur elle-même aussi vite qu'elle s'était gonflée. Ils avaient eu tort, tort et tort, parce que leur jugement attendait des effets beaucoup plus prompts de la lassitude et du désenchantement populaires. L'heure était venue où ils avaient raison. Les boutons de fièvre à la croix gammée se raréfiaient ; la vague brune commençait à s'effondrer.

Dans les rues, des S.A. en uniforme faisaient tinter des sébiles : « Pour les méchants nazis, *bitte!* » Goebbels écrivait dans son carnet quotidien que l'épuisement des ressources rendait toute action impossible. Hitler devait personnellement 400 000 marks à son percepteur. L'endettement du parti dépassait dix millions et les signes du déclin qu'il donnait achevaient de ruiner son crédit. Les subsides des grandes puissances économiques n'avaient pas encore pris la direction de la caisse de Franz-Xaver Schwarz, trésorier général nazi. Avec sa caisse vide et son électorat fondant, le parti national-socialiste entrait sur la planche savonnée de la débâcle. Autour du vieux roc Hindenburg, les forces anti-hitlériennes auraient pu dresser un barrage assez solide pour contenir le national-socialisme jusqu'au moment proche de l'effondrement... Ce fut, à ce moment-là, la thèse de Franz von Papen.

Schleicher, comme Brüning avant lui, croyait plutôt qu'on userait l'hitlérisme en le frottant aux aspérités du pouvoir. Il transposait aux nazis l'adage disant qu'un socialiste ministre n'est plus un ministre socialiste. Ayant échoué auprès de Hitler, il lui restait la ressource d'utiliser les fissures et de provoquer la rupture du N.S.D.A.P.

Strasser n'avait pas participé à la bataille électorale de Thuringe. Son amertume ne cessait de croître. « Frank, disait-il au futur pendu de Nuremberg, je vois les choses très en noir. Hitler est de plus en plus entre les mains de son Himmler et des Himmlériens. Göring est un égoïste brutal. Goebbels est le diable boiteux. Röhm est un porc. Telle est la garde de notre Führer! Frank, c'est effrayant. » Le grand Bavarois aux yeux bleus, tranquille, bienveillant, spirituel, bon orateur, excellent organisateur, avait été le chef de la faction de gauche du N.S.D.A.P. Mais l'origine sociale parlait plus haut que l'idéologie. L'ancien pharmacien de Landshut représentait les classes moyennes qui formaient le tuf du N.S.D.A.P. L'extrémiste était devenu graduellement l'exécration des extrémistes et l'espoir des modérés. Goebbels le désignait comme un traître, mais beaucoup, hors du parti et dans le parti, voyaient en Strasser la seule tête politique du mouvement.

« Schleicher, dit Papen, n'était pas intéressé par l'idéologie du N.S.D.A.P., mais par sa sensationnelle organisation. Il croyait avoir découvert en Strasser le moteur de cette admirable machinerie. Il accordait à Hitler une importance extraordinairement minime. Strasser, disait-il, est l'officier; quand l'officier se rangera d'un côté, la troupe suivra... »

La disparition prématurée et simultanée des deux hommes prive l'historien des détails de leurs tractations. Meissner rapporte que Strasser accepta le poste de vice-chancelier, puis différa son acceptation. Son opposition larvée durait depuis 1925, mais il s'était dérobé aux conseils violents de son frère Otto et conservait à l'égard d'Hitler un sentiment de loyalisme et un reste d'amitié. Après le suicide de Geli, en 1931, il avait été encore l'un des familiers qui l'entourèrent pour prévenir un geste de désespoir, puis il nourrit l'illusion qu'il pourrait éviter une rupture totale en faisant admettre à Hitler son entrée dans le cabinet pour représenter le parti sans compromettre son autorité de chef dans les difficultés quotidiennes du pouvoir. La liste ministérielle publiée le 3 décembre ne comprenait pas de vice-chancelier : la place était gardée chaude pour Gregor Strasser.

Parmi les ministres du précédent cabinet, un seul, le très antinazi baron von Gayl, suivait Papen dans sa retraite ; il était remplacé à l'Intérieur par Franz Bracht, qui venait de faire rire toute l'Allemagne en réglementant l'échancrure du costume de bain des Prussiennes. Schleicher conservait le ministère de la Reichswehr et y adjoignait le Commissariat du Reich en Prusse. Chef du gouvernement, chef de l'armée, chef de la plus importante des polices d'État, il apparaissait comme le personnage le plus puissant que l'Allemagne eût connu depuis la fondation de la république de Weimar. Sa réputation personnelle s'ajoutait à cette impressionnante collection de pouvoirs. Masque impassible, sang-froid inébranlable, sommeil imperturbable, énergie et souplesse... Adolf allait trouver à qui parler...

La réputation était surfaite. Schleicher appartenait à l'espèce dangereuse des hommes qui, en se faisant une idée très excessive de leur habileté, parviennent à imposer une image d'eux-mêmes supérieure à leur stature réelle. Son étalage de cynisme, ses mots à l'emporte-pièce recouvraient une versatilité sur laquelle il donnait le change par des attitudes. L'opportunisme tel qu'il le concevait consistait sommairement à n'avoir aucune espèce de conviction, afin d'être en mesure d'utiliser n'importe quelle circonstance — opportunisme caméléonesque que le général Kurt von Schleicher confondait avec l'opportunisme bismarckien.

S'attaquant à l'unité du N.S.D.A.P., le général devait encourir l'hostilité haineuse de Hitler. Il n'en fit pas moins demander à celui-ci de « tolérer » son cabinet. Hitler fit répondre par le canal du colonel Ott qu'il posait quatre conditions : ajournement du Reichstag, amnistie, rues libres et droit de légitime défense : *Strasse frei und Notwehrrecht*. Les deux dernières eussent légalisé la guerre civile. La première tranchait net la politique de Schleicher, essayant de revenir à un gouvernement parlementaire, après avoir longtemps soutenu qu'il n'existait pas d'autre possibilité qu'un cabinet présidentiel. Il accusait sa faiblesse en demandant au nazisme une faveur. « Schleicher, écrivait Goebbels, est le dernier expédient ; il ne durera pas, et, après, ce sera notre tour... »

L'aristocratique Papen n'était jamais passé à travers la gorge du peuple allemand. Le sagace François-Poncet est l'un des rares qui firent des réserves sur la diffamation acharnée dont toutes ses intentions et actions furent l'objet : « Il est permis de considérer comme relativement injuste l'antipathie virulente qui accompagna, pendant les six mois de son gouvernement, chacune des démarches de von Papen, de considérer, en particulier, que le Centre catholique n'a peut-être pas été très clairvoyant en le combattant avec âpreté pour venger Brüning... L'idée de Papen était d'offrir à l'Allemagne, à la place du nationalisme hitlérien, aux mœurs brutales et aux dirigeants de sac et de corde, un nationalisme de type wilhelminien, plus respectueux de l'ordre et de la légalité, qui eût, au bout de quelque temps, ramené la monarchie. La paix extérieure n'y eût peut-être pas gagné; l'Allemagne en tout cas n'eût pas fait l'expérience du régime affreux et barbare qu'elle allait connaître... » Schleicher se présentait, au contraire, avec l'étiquette de général social. Il ajoutait à sa réputation de machiavélisme celle d'un homme de progrès. Longtemps confiné volontairement dans le trou du souffleur, il s'avança sur le devant de la scène dans la sympathie du public.

La crise du nazisme atteignait son paroxysme. « De toute part, dit Goebbels, des rats cherchent à quitter le navire en perdition... » La hantise du suicide revenait chez Hitler : « Si le parti s'effondre, je me ferai mon affaire en trois minutes (*sic*) avec un pistolet... » Magda et Joseph Goebbels luttent contre cette tendance à la dépression en réunissant des artistes et en organisant Reichskanzlerplatz des soirées musicales qui détendent les nerfs du Führer. Mais les idées noires de Hitler ne sont pas de celles qui brisent la capacité combative d'un homme. La phase d'atonie est passée. La lutte et la brutalité ont reconquis Adolf Hitler.

Le 5 décembre, au Kaiserhof, il se jette sur Strasser. Tout faux-fuyant est inutile! Il sait que le numéro deux du parti a accepté de devenir le vice-chancelier de Schleicher et qu'il compte faire une liste distincte dans d'éventuelles nouvelles élections. Déloyauté et trahison! Couronnement d'un travail de sabotage poursuivi depuis des années! « Si vous étiez un homme d'honneur, vous sauriez ce qui vous reste à faire... » Encore l'obsession du suicide, mais, cette fois, ce n'est plus sur son propre front que Hitler pose le canon du pistolet.

Le nouveau Reichstag prit séance le lendemain. Les cent quatre-vingt-seize députés survivants du bataillon des deux cent vingt de juillet se réunirent dans le grand salon du Kaiserhof. Hitler se prononça énergiquement contre la recherche de toute solution de compromis. Le pouvoir ou le combat! et tout le reste abdication ou trahison! « Le visage de Strasser, note le haineux Goebbels, se pétrifiait à vue d'œil... » La veille, comme chaque fois qu'il s'affrontait avec Hitler, il s'était défendu faiblement, avait perdu pied dans le torrent verbal qui le submergeait. Devant le groupe parlementaire, dont tant de membres partageaient en secret ses critiques et ses craintes, il n'essaya pas d'engager la lutte. Il laissa les députés en chemise brune approuver à l'unanimité les déclarations de leur chef et, dans la nuit brumeuse, le col de son gros pardessus relevé sur sa nuque, partit seul.

Ce soir-là, chez les Goebbels, au milieu d'une foule d'artistes, Hitler rayonnait de belle humeur. Au même moment, le banquier munichois Heinrich Martin, rendant visite à Strasser, le trouva esseulé, calme et amer. « Je suis, lui dit-il, un condamné à mort en sursis. Ne me fréquentez plus, mais notez ce que je vais vous dire : à partir de maintenant, l'Allemagne est entre les mains d'un Autrichien, menteur congénital, et qui, lui-même, est entre les mains d'un ancien officier pervers et d'un pied bot. Celui-ci est le pire. C'est le diable sous une forme humaine... »

Göring fut réélu président du Reichstag, à nouveau avec plus de cent voix non nazies. Il mit aussitôt le palais de la présidence à la disposition des Gauleiters convoqués à Berlin. Hitler lut une lettre par laquelle Gregor Strasser se démettait de toutes ses fonctions dans le parti. Le félon devançait le châtiment de sa félonie! Hitler l'accabla de sarcasmes et d'outrages, puis annonça qu'il prenait personnellement les fonctions d'organisateur du parti, en se choisissant comme représentant le Gauleiter de Cologne, Robert Ley. Beaucoup de dignitaires nazis étaient du même avis que Strasser, et plus d'un avait comploté avec lui contre Hitler. Aucun n'éleva la voix, fût-ce pour demander une explication. Goebbels exulte : « Strasser est maintenant totalement isolé. Un homme mort. »

Un autre vaincu était le général Kurt von Schleicher. Sa tentative pour diviser le national-socialisme échouait. Le N.S.D.A.P. pouvait être plein de rivalités individuelles et tiraillé entre les tendances contradictoires; le sortilège hitlérien le maintenait comme un bloc.

L'autre aile de la manœuvre du général von Schleicher avait pour objectif la capture du syndicalisme et de la social-démocratie. Le 15 décembre, devançant même Franklin Roosevelt, dans l'utilisation politique de la radio, il s'installa derrière un micro pour construire devant le peuple allemand son image de général social. Il s'était mis en civil dans son langage comme dans son vêtement. Il parla sur un ton persuasif et familier, utilisant l'anecdote et l'humour. « Je ne suis ni un capitaliste ni un socialiste... Je ne m'embarrasse pas de doctrines économiques... Mon programme consiste en un seul point : créer du travail... Pour combattre le chômage je ne reculerai pas devant toutes les mesures qui me paraîtront efficaces, même si elles ne sont pas orthodoxes... Je veux des résultats. Mon ministre de l'Agriculture, le baron Edler von Braun, et mon ministre de l'Industrie, le professeur Hermann Warmbold, se sont trouvés en désaccord sur une question de tarif : je les ai enfermés dans une pièce en leur disant qu'ils n'en sortiraient pas avant de s'être entendus, ce qu'ils ont fait... On m'accuse de piétiner la porcelaine diplomatique avec mes bottes de général, mais je suis prêt à accepter que la Reichswehr soit armée de coupe-papier si les autres en font autant... » Finalement, Schleicher annonça qu'il reprenait le plan de Brüning, qu'il établirait de nouveaux paysans sur un million trois cent mille arpents de Prusse-Orientale et de Poméranie « afin de désengorger les grandes villes et de rapprocher la structure sociale des provinces orientales de celles du sud-ouest. »

Certains syndicalistes, dont le chef des syndicats chrétiens, Jakob Kaiser, et le chef des syndicats socialistes, Theodor Leipart, ne répugnaient pas à coopérer avec un militaire parlant ce langage. Les formations politiques correspondantes s'y refusèrent. Le Zentrum ne pardonnait pas à Schleicher d'avoir poignardé Brüning et la social-démocratie lui voulait malemort du 18 Brumaire contre le gouvernement prussien. Leipart fut convoqué par le bureau du S.P.D. qui blâma ses pourparlers avec Schleicher, lui rappela que l'opposition restait l'attitude du parti et lui interdit d'engager celui-ci à l'égard d'un général qui n'était pas autre chose qu'un réactionnaire cherchant à donner le change. Leipart s'inclina.

La trêve de Noël freina la lutte politique. Mais le bilan économique de 1932 justifiait le désespoir national.

Comme en Amérique, le gouvernement allemand avait annoncé à plusieurs reprises que le creux de la crise était dépassé et qu'on était désormais sur une pente remontante. L'indice de l'activité industrielle qui était de soixante-neuf pendant le premier trimestre s'était élevé à soixante-quatorze pendant le second — mais pour s'effondrer jusqu'à cinquante-deux pendant le troisième et stagner à ce niveau de détresse pendant le quatrième. La courbe du chômage avait un peu fléchi au printemps, mais elle était brutalement remontée à l'automne, atteignant en décembre son chiffre officiel record : cinq millions sept cent soixante-treize mille individus secourus, auxquels l'Institut de Conjoncture ajoutait au moins un million deux cent mille chômeurs qui, pour des raisons diverses, ne l'étaient pas. La situation était pire lorsqu'on entrait dans le détail : les hommes étaient chassés du marché du travail par les moindres salaires féminins. Beaucoup d'ouvriers étaient sans emploi depuis trois ou même quatre ans. Les mendiants se multipliaient dans les rues et la manifestation la plus déchirante de l'année avait été l'invasion de l'hôtel de ville de Berlin par un cortège d'aveugles ne poussant pas d'autre cri qu'un lugubre : « *Hunger! Hunger! Hunger!* — Faim! Faim! Faim! » Une illustration de l'appauvrissement national était la consommation de la bière : cent deux litres par tête en 1912-13; quatre-vingt-dix en 1929-30; soixante-quatorze en 1930-31; cinquante-six en 1931-32. Image du plan incliné sur lequel l'Allemagne glissait à l'abîme.

Adolf Hitler vécut à l'Obersalzberg les dernières heures de cette année qui lui avait fait frôler le triomphe pour le replonger dans des vicissitudes. La nuit fut superbe. A minuit, un concert de cloches, dans lequel la voix des églises autrichiennes se mêlait à la voix des églises bavaroises, emplit les vallées. Des brasiers s'allumèrent sur les crêtes. La compagnie était peu nombreuse : Eva Braun, rétablie de sa tentative de suicide, était là, avec Hess, les Hoffmann, Schaub, Brückner, Goebbels — mais sans Magda, entrée dans une clinique de Berlin pour une opération sur laquelle les nombreux biographes de Goebbels n'apportent aucune précision. On souhaita au Führer la chancellerie du Reich pour 1933. « L'année, affirma-t-il, sera à nous. J'en réponds... »

Le croyait-il? Mystère. Tous les analystes de la politique prédisaient que 1933 verrait un nouveau déclin, peut-être un écroulement, de son parti. On disait que Schleicher se sentait bien assis au pouvoir, qu'il était pleinement assuré de la confiance de Hindenburg et résolu à dissoudre le

Reichstag autant de fois qu'il serait nécessaire pour décourager l'opposition. Il venait de donner une preuve du sentiment de sa confiance en soi en libérant pour Noël dix mille détenus politiques, avec un billet de chemin de fer pour rentrer chez eux et de quoi faire un bon réveillon. Aucun des invités de l'Obersalzberg ne prévoyait assurément que le mois qui commençait ne s'achèverait pas sans l'entrée à la Wilhelmstrasse du maître de la maison...

La veillée fut interrompue par un coup de téléphone annonçant que l'état de Magda Goebbels était devenu brusquement très critique. Dès l'aube, Adolf descendit à Berchtesgaden avec Joseph, tâcha de lui trouver un avion et, n'y parvenant pas, le ramena en auto à Munich d'où il partit par l'express de nuit. Le soir, Hitler, toujours en compagnie d'Eva Braun, écouta les Maîtres Chanteurs au Théâtre National, puis passa un moment chez les Hanfstaengl, Pienzenmauerstrasse, sifflant et fredonnant les airs qu'il venait d'entendre pour la centième fois. En partant, il répéta, pour le livre d'or de la maison, la parole qu'il avait prononcée à l'Obersalzberg : « Cette année sera à nous », en ajoutant : « Je vous le dis par écrit. »

Frau Goebbels était toujours entre la vie et la mort. Après une visite à la clinique, son énergique époux se rendit au siège du Gau et s'absorba dans le travail. Un gamin de la Hitlerjugend, Wagnitz, quinze ans, avait été tué la veille dans une bagarre. Goebbels annonça : « Il aura les funérailles d'un roi. »

Deux inconnues attendaient le national-socialisme et son chef en ce début d'année. Goebbels enregistre la première dans son journal, sous la date du 29 décembre : « Il existe une possibilité que le Führer rencontre Papen dans quelques jours. Cela nous ouvrirait une nouvelle chance... » L'autre inconnue était l'élection à la diète du plus petit Land de la république allemande, Lippe-Detmold, mille kilomètres carrés, cent cinquante mille âmes, entre la Weser et la forêt hercynienne de Teutoburg, où Arminius arrêta l'expansion de Rome en détruisant les légions de Varus. La rencontre avec Papen devait permettre d'explorer les possibilités de nouvelles négociations politiques et l'élection de Lippe de mesurer la force d'attraction que le nazisme exerçait encore sur le peuple allemand.

Le soir du 3 janvier, Hitler quitta Munich pour inaugurer la campagne électorale de Lippe. Au lieu de monter dans l'express de Hanovre, il monta dans l'express de Rhénanie et, dans le petit matin glacé, descendit à Bonn, où sa grosse Mercedes-Benz, conduite par Schreck, l'avait précédé. Il prit son breakfast à l'hôtel Dreesen ; remonta en voiture avec Hess, Himmler et l'ingénieur Keppler, en donnant l'ordre au chef de la presse, Dietrich, d'aller l'attendre avec le reste de la suite sur la route de Düsseldorf. A 10 heures, il entrait, aux lisières de Cologne, dans la villa du banquier-baron Kurt von Schröder. Papen arrivait un moment après, en taxi. Il eut la surprise d'être mitraillé, en mettant pied à terre, par un photographe aposté. Le secret avait transpiré. « Strasser, dit Brüning, m'avait informé et j'avais demandé à mes amis de Cologne de faire surveiller la villa de von Schröder... » Elle l'était également sur les instructions du directeur de la *Tagliche Rundschau,* Hans Zehrer, âme damnée de Schleicher. Jusque dans son vieil âge, Papen devait garder l'obsession de Zehrer, qu'il dépeint comme le Machiavel d'un Machiavel... (3).

La personnalité du banquier Kurt baron von Schröder reste environnée d'ombre. Sous le IIIᵉ Reich, il devait être revêtu du titre de S.S. Gruppenführer, correspondant au grade de lieutenant-général. On a insinué, cependant, qu'il n'était pas exempt de sang juif, et il est patent, en tout cas, qu'il était, en 1933, associé à la finance juive. Il présidait la branche allemande de la banque judéo-américaine I.H. Stein et appartenait au conseil d'administration de deux autres banques spécifiquement juives, A. Levy et S. Salomon Oppenheimer. La thèse suivant laquelle les puissances d'argent juives en Amérique ont coopéré à l'élévation de l'ennemi frénétique du judaïsme pour sauver leurs capitaux investis en Allemagne n'est pas fondée — mais on doit reconnaître que le rôle de Schröder laisse à penser.

Il avait rencontré Hitler au Kaiserhof le 18 mai 1932. Après les élections de juillet, il contresigna, avec quatorze autres personnalités de la finance et de l'industrie, une lettre du docteur Schacht demandant à Hindenburg de confier le pouvoir à Hitler. « Je le connaissais, raconte Papen, superficiellement. Il m'aborda le 16 décembre, après une conférence que j'avais donnée au Herrenklub, pour me dire qu'il lui paraissait indispensable d'associer Hitler au pouvoir et me demanda si j'accepterais d'avoir une entrevue avec lui pour essayer de le convaincre d'entrer dans le cabinet Schleicher... Je n'attachai pas une importance particulière à sa suggestion, mais, le 28 décembre, alors que j'étais chez moi dans la Sarre, il me téléphona pour me demander si la rencontre envisagée au Herrenklub pourrait avoir lieu dans les prochains jours. Je répondis que je regagnais Berlin le 4 janvier, via Düsseldorf, et qu'il me serait possible de m'arrêter quelques heures à Cologne. Telle fut l'origine impromptue d'une rencontre qui a causé plus de controverses qu'aucune de mes autres actions. »

Papen ment. Il n'a pu être confondu, au procès de Nuremberg, l'accusation ne possédant pas une lettre de Wilhelm Keppler, en date du 19 décembre — trois jours seulement après la conférence du Herrenklub. Keppler, ingénieur chimiste, petit industriel badois, promu conseiller du Führer en matière économique, informait Hitler que les négociations avec Papen se présentaient bien, qu'un rendez-vous pouvait être pris au domicile du banquier Schröder et que Papen vibrait de rancune contre Schleicher : « V.P. a découvert lentement la personnalité de son prédécesseur qui n'a cessé de décevoir et de tromper ses collaborateurs pour jouer un jeu personnel... Il attribue sa chute à une torpille que lui a lancée V. Schl... La situation du chancelier reste très faible... car le Vieux Monsieur (Hindenburg) le considère avec défaveur, alors que V.P.

conserva sa confiance après comme avant. » La rencontre de Cologne ne fut pas impromptue, et, loin d'avoir pour but de consolider Schleicher, Papen ne visait qu'à tirer vengeance du coup de Jarnac qui l'avait précipité du pouvoir — en adoptant une position diamétralement opposée à celle qu'il avait soutenue dans le conflit du mois précédent! C'est un cas de cynisme, digne d'entrer dans la riche galerie historique des modèles du genre.

Deux heures durant, dans le cabinet de travail du baron, Hitler et Papen discutèrent. Papen n'a jamais démordu de son affirmation suivant laquelle il se borna à demander à son interlocuteur d'accepter le poste de vice-chancelier dans le cabinet Schleicher. Schröder, qui assista à une partie de l'entretien, soutient le contraire. « Papen déclara à Hitler que la meilleure solution consistait à associer les nationalistes qui lui faisaient confiance et les nationaux-socialistes pour former un gouvernement. Il proposa que ce gouvernement fût dirigé sur un pied d'égalité par Hitler et par lui-même. Hitler répondit dans un long discours qu'il lui était impossible de renoncer à la direction des affaires publiques, mais que des amis de M. von Papen pourraient entrer dans son cabinet à des postes de ministres si l'on parvenait à convenir d'un programme commun comportant l'élimination des marxistes et des juifs. Un accord de principe fut établi — et il fut décidé que les détails seraient réglés dans des conversations qui prendraient place à Berlin ou ailleurs... »

Une floraison de légendes se greffa sur l'entrevue de Cologne. Elle aurait scellé la sainte-alliance du capitalisme et du nazisme et les frères Dulles, Foster et Allen, y auraient participé comme représentants de la ploutocratie américaine. L'inanité de cette dernière allégation est établie. Il reste la possibilité couramment admise que l'entrevue de Cologne ait renfloué les finances du national-socialisme. Papen affirme qu'il n'en fut pas question un seul instant. Son degré de véracité est bas, mais rien n'a été apporté pour le contredire et l'impécuniosité du N.S.D.A.P. ne s'est certainement pas atténuée pendant les trois semaines qui le séparent encore de la prise du pouvoir.

On passa à table, le baron ayant pris soin de faire préparer un menu spécial pour le convive végétarien. Hitler retrouva Dietrich au rendez-vous convenu, puis par Düsseldorf, Essen, Duisburg, à travers la Ruhr fantomatique sous le givre et la nuit, on gagna Detmold, mini-capitale où Hitler donna le coup d'envoi de la campagne électorale pour le Landtag de Lippe. Après le meeting, Hitler et sa suite allèrent coucher au château de Gravenburg. L'adjudant du Führer, Julius Schaub, rejoignit Otto Dietrich dans sa chambre et lui demanda s'il pouvait avancer à la cause nationale-socialiste 2 000 marks, Hitler n'ayant plus un pfennig et les organisations locales étant hors d'état de payer les tentes que le parti devait louer pour suppléer à l'insuffisance des locaux de réunion. C'est véritablement un N.S.D.A.P. en détresse qui descendit dans la petite lice électorale de Lippe-Detmold pour essayer d'arrêter son déclin.

Après le déjeuner de Cologne, Papen s'était rendu à l'hôtel Excelsior, où il écrivit à Schleicher pour essayer de justifier sa rencontre avec Hitler; puis il gagna Dortmund où il raconta l'entrevue à Vögler et à quelques autres industriels et alla coucher chez sa mère, à Düsseldorf. Schleicher, informé par Zehler alors que Schröder et ses invités étaient encore à table, fit aussitôt demander à Hindenburg de ne plus recevoir Papen hors de sa présence. La nuit close, il introduisit Gregor Strasser par une porte dérobée du jardin de la chancellerie et le conduisit à Hindenburg. Le vieillard trouva le Bavarois beaucoup plus sympathique que l'Autrichien, mais Strasser ne put donner l'assurance qu'il détacherait une fraction importante du groupe national-socialiste s'il entrait dans le cabinet. Sa nomination de vice-chancelier resta en suspens.

« Le lendemain, raconte Papen, le journal me tomba des mains quand je vis que ma rencontre avec Hitler en constituait le morceau de résistance et que j'étais violemment attaqué en raison de ma manœuvre contre Schleicher... » Il attendit néanmoins jusqu'au 9 janvier pour rentrer à Berlin et avoir une explication verbale avec le chancelier. Les deux fourbes firent assaut d'hypocrisie. « Le jour où je perdrais votre amitié, aurait dit Schleicher, serait le plus noir de ma vie... » Un communiqué commun apporta au public l'assurance que les rumeurs de dissentiments entre le chef du gouvernement d'hier et le chef du gouvernement d'aujourd'hui étaient totalement dénuées de fondement.

Hindenburg n'avait dit ni oui ni non à la requête de Schleicher lui demandant de ne plus recevoir Papen en tête à tête. Ce dernier, comme pour manifester qu'il ne se considérait hors du pouvoir que momentanément, ne s'était pas pressé d'abandonner son appartement de la chancellerie — alors que Schleicher continuait de résider au ministère de la Guerre, Bendlerstrasse. L'avantage territorial appartenait à l'ancien chancelier qui, par le jardin, avait un accès discret à la résidence présidentielle. Le soir même de son retour à Berlin, il put donner au maréchal sa version de l'entrevue de Cologne. Hitler, dit-il, s'était beaucoup assagi. Il avait presque abandonné l'exigence de la chancellerie et l'on était en droit d'attendre qu'il accepterait de n'être que le second dans un cabinet présidentiel. Hindenburg, enchanté, entrevit la possibilité de replacer le cher Papen à la tête du gouvernement. Il lui donna mandat de poursuivre des conversations exploratoires avec Hitler.

Magda Goebbels revenait des portes du tombeau. Joseph tenait sa promesse, organisait pour l'adolescent Wagnitz des funérailles de roi : dix mille S.A. portant des torches dans le crépuscule hivernal le conduisirent au cimetière entre cent cinquante mille bras tendus. Goebbels alla ensuite rejoindre Hitler, Göring, Esser, Himmler, Frick, la troupe complète des ténors nazis livrant dans le Land de Lippe-Detmold leur bataille électorale désespérée.

L'enjeu était minuscule et formidable. Les cent cinquante mille habitants de Lippe-Detmold ne formaient que 2 % de la population allemande. Les vingt et un membres du Landtag n'avaient même pas l'importance de conseillers généraux en France. Rural, mais limitrophe de la Ruhr, le Land avait accordé une prééminence à la social-démocratie jusqu'au raz de marée hitlérien de juillet 1932. En novembre, le recul national-socialiste avait été du même ordre de grandeur que dans l'ensemble de l'Allemagne. L'élection du 15 janvier 1933 constituait un test. Si elle accentuait la régression nazie, à plus forte raison si elle reproduisait la déroute de Thuringe, la preuve serait apportée que le mouvement national-socialiste avait perdu son dynamisme, que le peuple allemand se détournait d'Adolf Hitler.

Detmold avait douze mille habitants. Toutes les autres localités, Schwelenburg, Horn, Orlinghausen, Lengo, etc., étaient des bourgades, lorsqu'elles n'étaient pas des villages ou des hameaux. Aucune ne fut négligée. A lui seul, Hitler tint dix-huit réunions, et ses grands lieutenants, accoutumés à des auditoires de plusieurs dizaines de milliers de personnes, allèrent parler dans des salles d'auberges devant dix ou douze paysans. Il faisait un froid terrible. Le brouillard givrant ne se leva pas une seule fois. Le pèlerinage au monument d'Arminius fut une expédition fantomatique à travers une Teutoburgerwald pétrifiée. Le soir, tout l'état-major nazi se retrouvait au burg Oeynhausen, romantique et glacial. Les conversations ne réchauffaient pas l'ambiance. Elles revenaient irrésistiblement à l'ennemi public, Gregor Strasser. S'il entre dans le cabinet, disait Goebbels, notre victoire sera retardée de plusieurs mois. C'était encore une parole optimiste pour ceux qui s'attendaient à une nouvelle dissolution du Reichstag et à des élections générales dans lesquelles sa plaie d'argent aurait coupé les ailes du parti. Elles étaient inévitables si le vote de la Thuringe était confirmé par le Lippe-Detmold.

Cette descente des nazis au village divertissait les journaux anti-hitlériens. « Ils bagatellisaient l'affaire, dit Otto Dietrich, et, par là, comblaient nos vœux. » Ni les socialistes, ni les catholiques, ni les nationalistes ne firent le moindre effort pour opposer une contrepartie au formidable effort de la propagande nazie.

*
**

Le scandale de l'Osthilfe commençait à poindre. Les milliards de marks que le trésor fédéral avait déversés sur les agrariens des provinces orientales n'avaient pas servi uniquement à maintenir leurs exploitations à flot : une partie avait été détournée vers des activités, ou même des spéculations, qui n'avaient rien à voir avec le maintien du germanisme dans les marchés de l'est. Oldenburg-Januschau, à l'initiative de qui Hindenburg devait Neudeck, était désigné comme l'un des plus grands, peut-être le plus grand profiteur de l'Osthilfe. Et l'on avait cessé d'ignorer que le domaine avait été mis au nom du fils, dans le dessein évident d'esquiver les droits successoraux...

Jusqu'alors, les scandales récurrents dans toute démocratie avaient eu presque uniquement pour protagonistes les affairistes juifs. Celui de l'Osthilfe atteignait des Junkers, menaçait d'éclabousser le nom le plus respecté d'Allemagne, Hindenburg! L'atmosphère politique s'épaissit davantage encore sur Berlin.

Pourtant, ni les agrariens ni le président ne paraissaient avoir conscience de leur vulnérabilité. Le 11 janvier, un comte Kalckreuth conduisit directement une délégation de Junkers dans le cabinet présidentiel. Ils firent entendre des plaintes amères. Les burgs de l'est devenaient des foyers de misère dans lesquels maîtres et serviteurs commençaient à sentir les attaques de la faim. Il s'ajoutait à cette détresse la réapparition du « bolchevisme agraire », l'expropriation et le morcellement des grands domaines réputés insolvables, le projet des catholiques de gauche Brüning et Stegerwald, repris d'une manière totalement inattendue et parfaitement inacceptable par un général, Son Excellence von Schleicher. Les agrariens s'adressaient au grand soldat qui avait sauvé leur Prusse-Orientale et l'imploraient.

Hindenburg fit venir Schleicher, en présence de la délégation. « *Herr* Reichskanzler, lui dit-il, je désire que vous donniez satisfaction à ces messieurs. Comme ancien soldat, vous n'ignorez pas qu'un désir en langage militaire est la forme courtoise d'un ordre. » Schleicher encaissa l'affront. Il savait que son crédit auprès du maréchal-président était épuisé. Le masque de général social qu'il avait pris lui avait procuré une certaine popularité dans le public, mais lui aliénait l'octogénaire dont tout dépendait...

Un nouveau personnage, destiné à un grand premier rôle, entre en scène. Fils d'officier, Joachim Ribbentrop avait un peu couru le monde, connaissait le Canada, avait travaillé comme ouvrier à Québec, à la reconstruction du pont sur le Saint-Laurent. Après la guerre, il avait épousé Annelise Heinkell, de la famille des vins pétillants allemands, et il avait ajouté à son patronyme un *von* auquel il n'avait probablement pas droit. Il avait approché Hitler pour la première fois, au cours de l'été 1932, à l'Obersalzberg, avec une délégation du parti deutsch-national venant recommander un rapprochement avec Papen. Hitler avait répondu assez désagréablement qu'il n'avait aucune confiance en Papen et qu'il envisagerait plus volontiers une coopération avec le général von Schleicher (4).

Les Ribbentrop habitaient à Berlin-Dahlem une grande villa au milieu d'un jardin. Le 10 janvier 1933, Himmler et Keppler demandèrent à Joachim s'il consentirait à donner l'hospitalité aux conversations secrètes qui allaient s'engager entre Hitler et Papen. « La première, raconte Annelise von Ribbentrop, eut lieu le soir même dans le bureau de mon mari. » Hitler dit à Papen qu'il en ajournait la suite après l'élection de Lippe, cinq jours plus tard.

Les Ribbentrop attendaient Hitler et Papen à dîner le 12 janvier. Papen vint seul. Il dit à ses hôtes qu'il craignait un succès des nazis à l'élection de Lippe-Detmold. Vainqueur, Hitler raidirait encore son attitude. Tenu en échec, il s'assouplirait. Le maréchal était toujours hostile à l'idée d'aller au delà de la vice-chancellerie pour le chef du N.S.D.A.P. Il ne voulait entendre parler comme prochain chancelier que de lui, Franz von Papen.

Lippe vota le dimanche 15 janvier. Le soir, Goebbels écrit dans son journal : « Un poids tombe de mon cœur ! » Analysés à la loupe, les résultats n'ont rien de bouleversant. Les communistes perdent des voix, que les socialistes regagnent. Le parti deutsch-national s'est effondré, et le front de Bad-Harzburg ne gagne que 1 %, alors que l'ex-Grosse-Koalition progresse de 4 %. Bagatelles ! Ce qui compte, ce sont les chiffres nazis. Ils avaient recueilli trente-trois mille quatre-vingt-huit voix le 6 novembre. Ils en recueillent trente-huit mille huit cent quarante-quatre le 15 janvier. On peut dire, certes, qu'ils n'ont fait que reprendre une partie de ce qu'ils avaient perdu, qu'ils ne retrouvent même pas leur plein du 31 juillet. Cette mathématique est sans force devant le choc psychologique. Le national-socialisme n'est plus en déclin ! Le national-socialisme a retrouvé son dynamisme. « Plus de compromis, s'écrie Goebbels. Le Führer au-dessus de tout ! » Et, le lendemain, dans l'*Angriff* : « La stagnation momentanée du nazisme, causée par les manœuvres éhontées du gouvernement présidentiel, est finie. Lippe remet en mouvement une avalanche qui ne s'arrêtera plus avant d'avoir submergé et emporté le système actuel. »

Ribbentrop avait passé l'après-midi du dimanche électoral à Œynhausen, arrangeant la reprise des conversations avec Papen. Vainqueur, Hitler préféra aller retrouver ses Gauleiters rassemblés à Weimar. Il leur parla trois heures, dans une transe prophétique. Il n'est plus question de compromis. Le parti vaincra totalement, et vaincra seul. Strasser, une âme méprisable, qui intriguait et trahissait depuis des années, n'est plus qu'une épave. Si le dernier chancelier du régime agonisant veut le recueillir dans son cabinet, qu'il le fasse ! Hitler n'en a cure. Le peuple allemand le porte au pouvoir pour le salut public. L'an 1933, mes camarades, est à nous !

Les craintes de Papen étaient fondées. Exactement cinq mille sept cent cinquante-six voix regagnées, dans une Allemagne de soixante-cinq millions d'habitants, modifient la situation de fond en comble, redonnant à Hitler assurance et rigidité.

Le 18 janvier 1933 est le soixante-deuxième anniversaire de la proclamation de l'empire allemand, dans la Galerie des Glaces à Versailles. Les Berlinois s'attroupent devant le Landtag de Prusse. A la place des couleurs de Weimar, le noir-blanc-rouge des Hohenzollern flotte au-dessus du palais — crime selon la Constitution de Weimar. Le président nazi du Landtag, Hans Kerrl, annonce que le drapeau impérial a été hissé par son ordre et, en l'honneur de la dynastie abattue, pousse un « Hoch! » repris par tous les députés en chemise brune. Il retentit dans le monde entier. Tout s'éclaire. Le mouvement national-socialiste prépare la restauration. L'énorme tumulte nazi s'achèvera par le retour d'un empereur et roi dans le palais de ses pères. On verra un Fürst Adolf Hitler comme on a vu un Fürst von Bismarck et un Fürst von Bülow!

Monarchiste, Hindenburg l'est. Papen l'est. Schleicher l'est. Ce dernier entretient avec le Kronprinz impérial des relations d'étroite camaraderie. Hitler, de son côté, a un Hohenzollern dans sa manche. August-Wilhelm, dit « Auwi », quatrième fils de Guillaume II, un grand dadais de prince qui depuis 1929 marche comme simple S.A., tout en se targuant d'être officiellement l'agent de liaison entre le Kaiser son père et le Führer. A la suite d'on ne sait quel incident, l'empereur a demandé à son fils de démissionner du parti, mais Auwi, qui est député au Landtag, fait la sourde oreille. Il est du dernier bien avec Hermann Göring qui le loge dans le palais de la présidence du Reichstag. Il répand des propos d'où il résulte que Hitler n'est pas fondamentalement hostile à l'institution monarchique. Les Hohenzollern ont peut-être encore devant eux de grands jours. Beaucoup, à l'étranger, s'en réjouissent. Le doctrinaire Wilson a commis une lourde faute en exigeant l'abdication de Guillaume II et la déposition de sa dynastie. Privée d'un contrepoids nécessaire, livrée à une démocratie sans frein, l'Allemagne a roulé jusqu'aux pieds d'un aventurier. Il serait miraculeux que cet aventurier lui-même remette en place l'organe dont l'ablation a permis son succès!

Ce même 18 janvier, les conversations Hitler-Papen reprennent enfin. Ribbentrop, sans mystère, envoie chercher Papen par son chauffeur, mais Hitler arrive comme un vrai conspirateur par la porte du garage, accompagné par Röhm et Himmler. L'impasse est la même qu'à Cologne : Hitler exige la chancellerie; Papen répond que le Vieux Monsieur refuse de la lui donner. Ribbentrop suggère qu'on demande au fils, le colonel Oskar von Hindenburg, de participer aux entretiens. On décide d'essayer.

Entre-temps, la situation de Schleicher empire. La ligue agraire, Landbund, demande sa destitution. Hugenberg, qui le soutenait mollement, l'abandonne. Le comité, dit des Anciens, composé des présidents de groupe, convoque le Reichstag pour le 31 janvier. Un vote massif de méfiance est inévitable. La réplique ne peut être que la dissolution, avec ou sans élection subséquente. Le prélat Kaas, président du Zentrum, et les chefs de la social-démocratie font savoir au président du Reich que leurs partis lutteront par tous les moyens contre toute violation de la loi constitutionnelle. « Ci-gît Un Tel, lit-on dans un cimetière, tué dans un accident d'automobile, mais dans son droit. » La République allemande revendique l'épitaphe. Elle est de Weimar; elle mourra dans la loi de Weimar!

Le dimanche 22 janvier, un brouillard de glace recouvre toute l'Allemagne. Hitler parle le matin à Francfort-sur-l'Oder, revient à Berlin par une route périlleuse, arrive à deux heures précises sur la Bülowplatz. Vingt mille S.A. l'attendent, les pieds dans la neige, en chemise brune, malgré le froid. En l'honneur de Horst Wessel, tué trois ans auparavant, Goebbels a décidé de rassembler ses troupes devant le siège du parti communiste allemand Karl-Liebknecht-Haus, une énorme bâtisse noire couverte de slogans révolutionnaires, décorée par les portraits géants des trois « L » : Lénine, Liebknecht, Luxemburg. Contenus par des automitrailleuses, les communistes contre-manifestent dans les rues adjacentes. Les nazis défilent devant l'immeuble haï, gagnent le cimetière Saint-Nicolas, où Hitler inaugure une stèle à la mémoire de Horst Wessel. Il parle ensuite au Sportpalast et, à dix heures, par les avenues bourgeoises de Dahlem, retrouve la porte du garage de Ribbentrop.

Cette fois, les nazis présents sont Frick, Göring et un ami de Göring, Paul Körner. Papen est là, ainsi que Meissner et le fils Hindenburg. Pour respecter le secret, ces deux derniers sont venus en taxi, par un long détour — ce qui n'empêche pas Schleicher, le lendemain matin, de demander au Secrétaire d'État : « Qu'est-ce que vous vous êtes dit, hier soir, *Herr* Meissner, chez Ribbentrop? » Le général-chancelier sait qu'une puissante coalition prépare sa chute et que le fils du président en fait partie.

En arrivant, Hitler déclare qu'il désire s'entretenir seul à seul avec Oskar von Hindenburg. Pendant deux heures, les autres participants font cercle dans le salon en échangeant des propos bénins. Hitler revenu, Papen se hâte de prendre la parole pour dire que, s'il est nommé chancelier, il s'engage à démissionner à l'instant même où Hitler lui retirerait sa confiance. Hitler reste évasif, rompt les chiens en disant qu'il est tard et qu'il repart le lendemain matin pour Munich.

Dans le taxi du retour, Oskar ne sort d'un mutisme pensif que pour dire à Meissner qu'il lui paraît impossible que les nazis n'entrent pas dans le gouvernement. Conservateur renforcé, reflet du père, le colonel s'est toujours montré hostile au national-socialisme. « J'eus l'impression, dira Meissner, que Hitler avait réussi à le prendre sous le charme. »

Le lendemain matin, Papen trouve Hindenburg toujours ferme dans son opposition à Hitler. Comment briser l'impasse? Peut-être avec un cabinet présidé par le docteur Schacht, dont toutes les initiatives depuis des mois sont favorables au N.S.D.A.P. et à son chef. Ribbentrop parvient à intercepter Hitler en partance pour Munich et lui fait part de la suggestion. Hitler la repousse. Il combattra tout gouvernement dont il ne sera pas le chef. C'est clair. Il est inutile de revenir pour la millième fois sur la question.

Il était 11 h 30, ce matin fatidique de la journée du 23 janvier 1933. Papen venait de quitter le cabinet présidentiel. Schleicher y entra. Il venait confesser son échec. Le parti national-socialiste était indivisible. Strasser était un homme seul. Les socialistes, les catholiques, les conservateurs eux-mêmes refusaient leur appui au gouvernement. Le Reichstag se réunissait dans quelques jours. Il était indispensable de le dissoudre avant qu'il ait eu le temps d'émettre un vote de méfiance. Comme de nouvelles élections ne modifieraient pas sa composition d'une manière substantielle, il était également indispensable de les ajourner *sine die*. Le chancelier avait l'honneur de demander au président un décret de dissolution et, d'une manière générale, son appui dans la bataille qu'il était résolu à livrer pour écarter Hitler du pouvoir.

Hindenburg s'étonne :

« Ce que vous me proposez là est exactement ce que vous avez combattu quand *Herr* von Papen l'a proposé le 2 décembre. Vous avez dit alors qu'une pareille violation de la Constitution entraînerait la guerre civile et que la Reichswehr était trop faible pour s'imposer à la fois contre les communistes et les nazis, tout en protégeant la frontière de l'est contre une attaque polonaise. Vous m'avez convaincu alors... Au cours des huit dernières semaines, la situation intérieure s'est aggravée. Les nazis ont fait de nouveaux progrès. Les partis de gauche se sont ridiculisés. S'il existait le 2 décembre un risque de guerre civile, n'est-ce pas vrai à plus forte raison aujourd'hui?... »

Schleicher proteste. La situation n'était pas la même. Il avait redouté en décembre une grève générale, forme insurrectionnelle contre laquelle l'armée peut difficilement agir. L'influence qu'il possède dans les syndicats lui permet de donner au président l'assurance que ce risque n'existe plus. Il répond de l'ordre public.

« Ce que vous me demandez, dit Hindenburg, me sera reproché de tous les côtés comme une violation de la Constitution. J'ai besoin de consulter les chefs de partis et de réfléchir... »

Une pression formidable s'exerçait sur le vieillard. De toute l'Allemagne, des milliers de lettres, de télégrammes, de pétitions le pressaient, et quelquefois le sommaient de mettre fin à l'incertitude politique en appelant au pouvoir celui pour lequel s'étaient prononcés quatorze millions d'électeurs allemands. Beaucoup de suppliques, ou de mises en demeure, émanaient de signataires qui n'appartenaient pas au parti national-socialiste et n'approuvaient pas ses idées. Elles demandaient s'il était juste et sage de refuser sa chance à celui qui se présentait comme le rédempteur de l'Allemagne : « Mettez-le au pied du mur ; on verra bien s'il réussira... » Très peu de gens prenaient au pied de la lettre les doctrines nazies, et moins encore éprouvaient devant la perspective d'un gouvernement Hitler une véritable angoisse. Le plus influent des journalistes républicains, Theodore Wolff, contribuait à rassurer l'opinion dans un article du *Berliner Tageblatt* disant que l'Allemagne était le pays du « presque » ; elle avait « presque » gagné la guerre ; « presque » sombré dans la révolution et la crise économique ; — et l'on pouvait induire de cette règle qu'elle connaîtrait « presque » une tyrannie nazie.

Réconcilié avec Hindenburg, le vieux voisin de campagne Oldenburg-Januschau déclarait rondement que cet *Herr* Hitler ne faisait peur en lui ni au conservateur, ni au propriétaire terrien. Hitler serait une « expérience ». On le mettrait de côté si elle ne réussissait pas.

Les chefs de partis n'encouragèrent pas la répugnance de Hindenburg devant l'appel à Hitler. Le prélat Kaas, président du Zentrum, Otto Wels, président du groupe parlementaire socialiste, vinrent lui dire qu'ils s'opposaient avec la dernière énergie au coup d'État réclamé par le général Schleicher, et ils ne fléchirent pas lorsque Hindenburg les avertit que l'autre branche de l'alternative était Adolf Hitler. Après tout, pourquoi pas? Le parti national-socialiste jouait depuis trop longtemps le jeu facile de l'opposition. Pourquoi ne pas lui faire goûter les aspérités du pouvoir? Il s'userait vite dans une situation économique dont il était loin de mesurer la gravité et la complexité.

Le général Werner von Blomberg avait commandé le Wehrkreis N⁰ 1, dans la position avancée de Königsberg. Sous des apparences parfaites d'officier prussien, c'était une figure assez étrange, différent des autres généraux, théosophe, impulsif, imaginatif et fluctuant. Une mission en Russie l'avait plongé dans une admiration envieuse devant les facilités que l'armée rouge obtenait du régime : « Il s'en est fallu de peu que je rentre de Moscou converti au bolchevisme... » Il fit la connaissance d'Adolf Hitler en 1930, pendant la première tournée de celui-ci en Prusse-Orientale et fut séduit par le national-socialisme. Une bonne brouille de militaire avec Schleicher lui avait fait perdre son commandement, mais il avait obtenu la consolation relative d'être nommé chef de la mission militaire allemande à la conférence du désarmement.

Hindenburg le fit revenir de Genève — à l'insu de Schleicher et du commandant en chef Hammerstein. Question : « Que penserait la Reichswehr de la remise du pouvoir à Hitler? » — Réponse : « La Reichswehr tout entière applaudirait. » Interrogé sur l'hypothèse inverse, la lutte, le beau général répondit qu'il y avait dans l'armée énormément de jeunes officiers sympathisant avec les idées hitlériennes et qu'il serait dangereux de leur demander de tirer sur les nazis... La consultation donnée, Blomberg regagna Genève aussi discrètement qu'il en était parti.

Hitler rentra à Berlin dans la soirée du 26 janvier. Il était fébrile et hargneux. « Je n'ai jamais vu Hitler, note Ribbentrop, dans un tel état... » Il l'avait encore peu vu et l'avenir lui réservait d'autres points de comparaison. Mais l'agitation du moment est compréhensible. L'hyper-nerveux laissait choir le masque de sérénité, ne maîtrisait plus son impatience et son angoisse. Toute heure prochaine pouvait amener la dissolution du Reichstag. Elle serait ou elle ne serait pas suivie de nouvelles élections. Dans le premier cas, le parti était hors d'état d'organiser une campagne comme les précédentes et l'étourdissante propagande de Goebbels ne dissimulait pas que le redressement du 15 janvier, sur le minuscule théâtre de Lippe, n'avait pas une valeur démonstrative pour l'ensemble de l'Allemagne. Dans le second cas, une résistance active conduisait à une aventure désespérée. La S.A. était une foule immense, mais une foule. La S.S. était passée de ses deux cent quatre-vingts membres de janvier 1929 à plus de trente mille, mais son organisation était encore sommaire et son armement presque inexistant. Hitler n'ignorait pas que la puissance insurrectionnelle de son parti était très faible, que toutes les rencontres avec la police se terminaient à l'avantage de celle-ci, et qu'à plus forte raison une intervention de la Reichswehr ferait rentrer sous terre les milices nazies. Hitler savait aussi que tout désordre sérieux rallierait la masse du public à des autorités qu'une violation de la Constitution ne rendrait illégales que théoriquement. Il ne pouvait plus se permettre de renvoyer son accession au pouvoir à un avenir indécis, mais l'unique manière d'y accéder était d'être appelé d'une manière légale par le président Hindenburg. La volonté de quatre-vingt-six ans qui lui barrait la route pouvait entraîner son effondrement.

D'un autre côté, Hitler n'avait qu'un mot à dire pour se retrouver à la deuxième place du gouvernement. Vice-chancelier, ayant derrière lui le parti le plus puissant d'Allemagne, il avait pratiquement la certitude d'achever rapidement la conquête du pouvoir. La décision inflexible de l'exiger tout de suite, tout entier, était irrationnelle de la part d'un homme qui avait prouvé sa souplesse tactique et sa capacité d'attendre. L'idée qu'il se faisait de lui-même explique la rigidité de son attitude. Adolf Hitler ne pouvait pas être un numéro deux, même si sa subordination était fictive et provisoire. Il avait été nommé « Führer » en 1920, dans les débuts obscurs du mouvement national-socialiste, et il n'avait cessé depuis lors d'incarner le principe autoritaire et totalitaire. Une profonde logique gouvernait l'illogisme dont les opportunistes du parti s'affligeaient.

Le scandale de l'Osthilfe s'amplifiait. L'histoire de Neudeck mis au nom du fils circulait. Le député du Zentrum, Joseph Ersing, avait fait voter le principe d'une commission d'enquête par le comité juridique du Reichstag et — avertissement significatif — les députés nationaux-socialistes s'étaient associés à sa position. Brüning et d'autres soutiendront que la crainte du scandale contribua à faire fléchir la résistance de Hindenburg devant Hitler.

Le général Werner von Blomberg avait applaudi à l'avènement prochain d'Adolf. Le général Kurt von Hammerstein-Equord le voyait venir avec consternation. « Alarmé par les rumeurs qui circulaient au sujet d'un changement de gouvernement, raconte-t-il, j'allai trouver le général von Schleicher et lui demandai si elles étaient fondées. Il me répondit que le maréchal lui avait retiré sa confiance ; qu'il s'attendait à sa chute et me conseilla de prendre l'opinion de Meissner. Meissner confirma. Je décidai alors d'intervenir sans délai auprès de Hindenburg... »

Chaque mois, Hindenburg recevait le général von Busche-Ipenburg, qui venait lui rendre compte des mouvements de personnel dans l'armée. Le vendredi 27 janvier 1933, il eut la surprise de voir entrer dans son cabinet trois généraux au lieu d'un seul. Les deux autres étaient Joachim von Stülpnagel, commandant la région militaire de Berlin, et Kurt von Hammerstein, commandant en chef de l'armée. Ils venaient, déclara Hammerstein, dire au président du Reich que le congédiement du général-chancelier von Schleicher serait « intolérable pour la Reichswehr — « Untragbar für die Reichswehr! »

Hindenburg se mit en colère : « Je sais aussi bien que vous ce qui est tolérable ou intolérable pour la Reichswehr et je n'ai pas besoin de leçon de Messieurs les Généraux. *Herr* von Hammerstein et ses collègues feront bien de s'occuper de l'instruction de la troupe et de ne pas s'immiscer dans la politique, qui est l'affaire du gouvernement... » Il montra la porte aux intrus mais en ajoutant : « *Messieurs, vous devriez ne pas me faire l'affront de penser que je confierai jamais à un caporal autrichien le ministère de la Reichswehr ou la chancellerie du Reich!* »

Ainsi, le vendredi 27 janvier, à 11 heures du matin, le maréchal Paul von Hindenburg repoussait encore avec véhémence l'idée de confier le gouvernement à Hitler. Le qualificatif offensant de « caporal autrichien » remontait encore sur ses lèvres — faible atténuation du « caporal bohémien » dont le vieux soldat prussien s'était d'abord servi. Le barrage présidentiel est encore debout.

Revenu à Berlin, Hitler avait décliné violemment une nouvelle rencontre avec Hindenburg : « J'ai dit au maréchal ce que j'avais à lui dire, et je ne vois pas ce que je pourrais ajouter... » Il déclina pareillement l'entrevue que Ribbentrop avait organisée avec Papen : « Je ne suis pas en état de parler à ce Monsieur... » Une conversation avec Hugenberg, à la présidence du Reichstag, se termina par une explosion : « On se fiche de moi! J'en ai assez! Je repars pour Munich! » Göring le supplia de n'en rien faire — ou, en tout cas, de ne pas aller plus loin que Weimar.

La journée du samedi 28 janvier commença. A 10 heures, Papen entra chez Hindenburg. Lorsqu'il sortit, sa première question fut : « Où est Hitler? » Ribbentrop, qui faisait le pied de grue, répondit : « Sans doute à Weimar — Il faut aller le chercher tout de suite. La question de la chancellerie est peut-être réglée... » Ribbentrop se précipita chez Göring, qui lui apprit que le Führer n'avait pas encore quitté le Kaiserhof. Ils y coururent. Hitler resta évasif et méfiant. Il n'avait rien à ajouter à ce qu'il avait dit des centaines de fois depuis des mois. Il attendait. Il verrait.

La veille, le comité des Doyens avait décidé la convocation du Reichstag pour le 31 janvier. Schleicher avait aussitôt demandé une audience à Hindenburg. Le maréchal fit répondre qu'il attendait le chancelier après la relève de la garde, à midi 15.

Quelques instants auparavant, on montra à Hindenburg l'éditorial de la *Tagliche Rundschau*. Le porte-plume de Schleicher, Zehrer, disait que le chancelier poserait dans la journée la question de confiance et ajoutait qu'un cabinet Papen, tout comme un cabinet Hitler, menacerait la position du président. Hindenburg s'indigna de cette tentative de pression : « Qu'un politicien ait recours à de pareils procédés, soit ! Mais je ne pardonnerai jamais à un officier de s'y abaisser... »

Très tendu, très ému, Schleicher résuma la situation. Hitler refusait de former un gouvernement de majorité fondé sur une coalition des partis. Le maréchal refusait d'appeler Hitler à la tête d'un cabinet présidentiel. Il ne restait donc bien aucune autre formule que celle d'un gouvernement autoritaire qu'il avait eu l'honneur de proposer le 23 janvier. Il venait chercher la réponse. Il avait besoin de la pleine confiance du président, et dans l'immédiat, d'une décision inévitable et urgente : la dissolution du Reichstag.

Froidement, Hindenburg répondit que le général von Schleicher avait échoué dans la mission qu'il s'était fait confier. Il le remerciait de ses efforts, mais il se voyait contraint de se tourner vers d'autres possibilités.

Le mot final était prononcé. Après Brüning, après Papen, le dernier chancelier de la république de Weimar avait reçu son congé.

Schleicher avait élevé Brüning, puis l'avait abattu pour élever Papen. Il avait abattu Papen pour s'élever lui-même. Papen se vengeait en renversant Schleicher. Trois intrigants, sous un vieillard vaniteux, avaient poursuivi ce jeu mortel. Aucun n'aimait Hitler. Aucun ne souhaitait son avènement. Leur lutte triangulaire, aidée par l'aveuglement des partis et par l'attitude criminelle des communistes, l'élevait irrésistiblement au pouvoir.

Hindenburg s'était levé, Schleicher se mit au garde-à-vous :

« Puis-je, dit-il, prier Monsieur le Président du Reich de ne pas nommer au ministère de la Reichswehr un partisan de Hitler ? La Reichswehr serait en grand danger. »

Hindenburg répondit qu'il n'en avait pas la moindre intention. Schleicher pivota et sortit. Il ne devait jamais revoir le vieux soldat dont il avait été l'oracle politique pendant dix ans.

La révocation de Schleicher emplissait les journaux de l'après-midi. Des attroupements se formaient dans les rues. Les couloirs du Reichstag et du Landtag vibraient. On supputait très généralement une dictature Papen-Hugenberg, avec le soutien de la Reichswehr. Très peu de personnes croyaient à l'avènement de Hitler. On lui offrirait, disaient certains, un poste totalement inédit, une sorte de tribunat du peuple — et, s'il le refusait, son parti serait dissous et lui-même arrêté. Au Kaiserhof, où les visiteurs étaient soigneusement filtrés, l'intéressé affectait à nouveau la sérénité. Il disait qu'il ne fallait pas triompher trop vite, que la chute de Schleicher ne signifiait pas nécessairement la victoire du national-socialisme, mais que, quant à lui, il se refuserait de prendre en considération aucune offre autre que la chancellerie.

La conversation de la matinée entre Hindenburg et Papen ne nous est connue que par le témoignage sujet à caution de Papen lui-même. Le président, dit-il, le chargea d'explorer la possibilité de constituer un cabinet dirigé par Hitler « dans le cadre de la Constitution et d'accord avec la Reichswehr ». Hindenburg serait donc revenu en quelques heures sur le refus, qu'il exprimait la veille avec emportement aux généraux Hammerstein et Stülpnagel. La versatilité d'un vieillard harcelé est chose humaine, mais il n'est pas non plus impossible que Papen, pressé d'en finir, ait outrepassé les termes de sa mission et forcé la main du maréchal.

Papen vit d'abord Hugenberg. L'ancien directeur de Krupp découvrait l'erreur qu'il avait commise en s'imaginant qu'il mettrait le dynamisme nazi au service de son ascension vers le pouvoir. Il concéda qu'il n'était plus possible de disputer la chancellerie à Adolf Hitler, mais déclara qu'on devait limiter dans la mesure du possible sa liberté d'action en l'encadrant entre des ministres conservateurs détenant les leviers de commande les plus importants de l'État. Il demandait pour lui, Hugenberg, le double ministère de l'Agriculture et de l'Économie.

D'autres s'offraient. Le populiste bavarois Schäffer vint dire à Papen que le docteur Brüning et lui-même étaient prêts à participer à un gouvernement de coalition formé, conformément à la Constitution, sous la présidence d'Adolf Hitler. Papen dut leur répondre que leurs montres n'étaient plus à l'heure, qu'il n'était plus question de la représentation des partis mais uniquement d'être investi de la confiance commune de Hindenburg et de Hitler.

Papen n'attaqua pas le Kaiserhof sans appréhension, redoutant de s'entendre dire que c'était à lui de faire le déplacement. Hitler, à son grand soulagement, accepta de traverser la Wilhelmstrasse. Il était calme et conciliant dans la forme, mais ses conditions conservaient toute leur rigueur. Il repoussait tout gouvernement de coalition à base parlementaire. Il demandait la dissolution du Reichstag. Il exigeait la chancellerie et le commissariat du Reich en Prusse pour lui-même et, pour son parti, le ministère de l'Intérieur en Prusse et dans le Reich. Il insistait pour qu'aucun membre du gouvernement qu'il dirigerait ne dépendît d'un parti politique. Sous cette réserve, il acceptait que les ministres autres que celui de l'Intérieur fussent désignés par le président.

Il était tard quand Papen vint raconter sa journée à Hindenburg. Le vieillard, dit-il, se montra enchanté de la modération de Hitler. Il ne leva plus aucune objection contre l'octroi de la chancellerie à celui qu'il appelait encore quelques heures auparavant un caporal autrichien. Il se réjouit de pouvoir conserver Neurath, Eltz, Krosigk, des conservateurs et des hommes de cœur. De Hugenberg, il avait à se plaindre mais il s'y résignait puisque Papen le jugeait indispensable. Papen lui-même devait faire violence à son désintéressement et accepter le poste de vice-chancelier. Il fallait obtenir de Hitler que le commissariat du Reich en Prusse fût attaché à cette dernière fonction, et l'on devait lui demander également de renoncer à la dissolution du Reichstag. Il était suffisant de mettre en léthargie cette assemblée superflue, et inutile d'agiter l'Allemagne par des élections nouvelles qui ne changeraient rien.

Pour le successeur de Schleicher au ministère de la Reichswehr, Papen proposa le général Werner von Fritsch. C'était un militaire de haute réputation en qui on pouvait avoir toute confiance pour s'opposer à la pénétration des nazis dans l'armée. Hindenburg objecta qu'il le connaissait à peine. Il lui préférait le beau soldat qu'il avait reçu quelques jours auparavant, Werner von Blomberg.

Le lendemain était le dimanche 29 janvier. Papen, Hitler et Göring se retrouvèrent à la Wilhelmstrasse pour achever la mise sur pied du gouvernement nouveau. Au même moment, Schleicher, encore ministre de la Reichswehr pour les affaires courantes, recevait dans son cabinet de la Bendlerstrasse les généraux Hammerstein, Stülpnagel, Brechow, ainsi que le secrétaire d'État Planck. Berlin était calme, froid et ensoleillé. La foule des badauds s'épaississait rapidement autour du Kaiserhof.

Wilhelmstrasse, la discussion fut plus ardue que la veille. Hitler insista pour la dissolution du Reichstag en disant qu'il était indispensable que le peuple allemand fût appelé à se prononcer sur le grand changement qui allait s'accomplir. Il insista plus fermement encore pour que le commissariat du Reich en Prusse lui fût attribué, comme le corollaire de sa fonction de chancelier. Papen dut lui dire que Hindenburg repoussait ses deux prétentions et qu'il entendait attacher le commissariat en Prusse à la vice-chancellerie, réservée à lui, Papen. Mais Göring serait son ministre de l'Intérieur, avec la mission particulière d'épurer la police prussienne. Hitler céda de mauvaise grâce, et, laissant Göring poursuivre la discussion, s'en fut déjeuner au Kaiserhof.

Bendlerstrasse, Hammerstein donnait à Schleicher des conseils de la dernière énergie. Il devait faire prendre les armes à la Reichswehr, proclamer l'état de siège, coffrer Hitler et Papen, expédier Hindenburg père et fils à Neudeck avec interdiction d'en bouger, conserver le pouvoir en se renforçant d'une junte de généraux. A cette plongée tête baissée dans l'aventure, Schleicher, une fois de plus, préféra la ruse. Il envoie son pêcheur en eau trouble, le comte Bodo Alvensleben, au Kaiserhof, avec la mission de dire aux nazis qu'ils sont dupes, que Papen les manœuvre et qu'ils feraient mieux de s'entendre avec Schleicher. Alvensleben revient en disant que son intervention a produit une forte impression sur Göring et sur Hitler.

L'opportuniste Schleicher reprend espoir. Hier, il demandait à Hindenburg les pleins pouvoirs pour briser le mouvement hitlérien. Aujourd'hui, il cherche à s'entendre avec Hitler. Pourquoi Hammerstein ne le verrait-il pas, ne sonderait-il pas ses intentions, n'essaierait-il pas d'obtenir de lui des garanties sur le respect de l'autorité de la Reichswehr? Le chef de l'armée hésite, puis acquiesce. Le téléphone fonctionne entre la Bendlerstrasse et le Kaiserhof. Hitler accepte l'entrevue. Quand? A

15 heures. Où ? Dans la demeure dont la splendeur a tant impressionné l'agitateur débutant : chez les Bechstein.

Hammerstein va droit au but : il n'aura aucune objection contre l'accession de Hitler au pouvoir s'il est convenu que le général von Schleicher conservera le ministère de la Reichswehr. Hitler voit le piège : on lui propose la tutelle de l'armée, mais la situation est encore trop fluide pour qu'il repousse brutalement l'avance qui lui est faite. Il répond à Hammerstein qu'il ne sait pas encore si Papen négocie avec lui de bonne foi et il lui est, par conséquent, impossible d'arrêter son attitude. Quelques heures sont encore nécessaires pour y voir clair.

La journée s'achève. La France est, comme par hasard, en crise ministérielle, avec les adhérents du syndicat des contribuables et les délégués des associations paysannes s'empoignant avec le service d'ordre autour de la Chambre des Députés. Aux Communes, le chancelier de l'Échiquier, Neville Chamberlain, a demandé de nouveaux sacrifices financiers. L'Amérique, au fond de la dépression, est en état de vacance du pouvoir, le président battu, Herbert Hoover, stagnant à la Maison Blanche jusqu'au 4 mars et le président élu, Franklin Roosevelt, se brunissant au soleil des Caraïbes. A Berlin, le concours hippique ouvre ses portes. Hitler, qui dîne chez les Goebbels, a décidé d'y faire une apparition. Il peut se détendre et s'offrir à l'acclamation du public : Göring, négociateur diligent et loyal, vient de lui faire savoir que les dernières difficultés sont levées. Le Führer sera convoqué demain, 30 janvier, à 11 heures pour être investi par le maréchal Hindenburg des fonctions de chancelier du Reich !

Mais une rumeur d'alarme se répand. En dépit de l'heure tardive pour le vieillard, Papen se rend chez Hindenburg. Schleicher n'a pas quitté la Bendlerstrasse. La garnison de Potsdam a reçu un ordre d'alerte. Le putsch qui mûrit est assurément dirigé contre Hitler, mais il l'est aussi contre Hindenburg. Schleicher se prépare à déposer le président du Reich ! Hindenburg répond qu'il ne peut arriver à croire qu'un général allemand soit capable d'un dessein aussi noir. Il fait néanmoins renforcer la garde de sa résidence et télégraphie à Blomberg d'arriver toutes affaires cessantes pour prendre le ministère de la Reichswehr.

Au concours hippique, le public a conscience qu'il se passe quelque chose. Hitler n'est pas arrivé, mais le président du Reichstag, Hermann Göring, est entré dans la loge ministérielle et s'entretient avec le secrétaire d'État Meissner. Il lui demande de faire mettre Berlin en état de défense avec les éléments sûrs de la police pour lesquels il offre le concours des S.A. et des S.S. se rassemblant dans leurs permanences. Il parcourt ensuite la capitale : dans la brume hivernale, elle dort.

Hitler a renoncé au concours hippique. Toute la nuit, il arpente fiévreusement le salon des Goebbels. Il n'entretient pas d'illusions. Il sait que, si la Reichswehr intervient contre lui, aucune résistance ne lui sera opposée. Il se reporte par la pensée à une autre nuit d'attente et de fièvre, celle du putsch de Munich, qui, déjà! a échoué parce que l'armée s'est prononcée contre lui. A-t-il fait tant de chemin, acquis tant de renommée, remué tant de masses humaines pour, au dernier moment, rencontrer le même écueil? Comme en 1923, au reste, il n'agit pas. Un autre irait se montrer à ses troupes mobilisées en pleine nuit, ferait appel à leur courage et à leur foi. Hitler ne quitte pas l'élégant appartement au cœur d'un quartier de luxe profondément endormi. Il attend...

Il attend, et il a raison. L'aube point sans que rien ne se soit produit. Hitler s'étend sur un divan et s'endort.

La nuit de Papen n'a guère été moins anxieuse que celle de Hitler. Dès 7 heures, il appelle à la chancellerie les deux chefs du Stahlhelm, Seldte et Duesterberg. « Si le cabinet n'est pas constitué à 11 heures, leur dit-il, la Reichswehr marche! » Seldte, ex-fabricant d'eau gazeuse, mutilé d'un bras, figure comme ministre du Travail sur la liste du gouvernement Hitler, mais le lieutenant-colonel Duesterberg, qui fut candidat du parti deutsch-national contre Hindenburg, et dont on a découvert qu'une de ses grands-mères était juive, n'éprouve plus aucune sympathie pour le mouvement hitlérien. « De qui, demande-t-il à Papen, tenez-vous cette information? — Du fils Hindenburg. — Je vais chez lui. »

D'ordinaire flegmatique, le grand colonel est violemment agité. Il confirme qu'un putsch militaire est imminent. « Mais, dit-il, je rendrai la monnaie de sa pièce à ce traître de Schleicher. Je cours à la gare d'Anhalt attendre Blomberg. »

Les services de renseignements de l'armée ont lu avant son destinataire le télégramme de Hindenburg. Hammerstein a conseillé à Schleicher de faire arrêter Blomberg à la frontière suisse. C'est encore possible sur le quai de la gare d'Anhalt : un caporal et quatre hommes suffiraient. Schleicher, Machiavel imparfait, se contente d'envoyer un commandant d'état-major avec ordre d'amener directement l'arrivant Bendlerstrasse. Le colonel Oskar von Hindenburg s'interpose en faisant sonner son nom : le maréchal-président du Reich ordonne au général von Blomberg de se rendre immédiatement auprès de lui. Blomberg balance un moment et suit Oskar. Il trouve, en arrivant dans le cabinet présidentiel, sa nomination de ministre de la Reichswehr toute signée — deux heures avant l'investiture du cabinet Hitler.

L'hésitation de Blomberg sur le quai de la gare d'Anhalt est le point culminant de la crise. Si le général s'était décidé pour la Bendlerstrasse, s'il s'était déclaré solidaire de ses pairs, il est plus que probable que le coup d'État militaire eût été déclenché. C'est une autre question de savoir s'il eût réussi.

Tout est prêt. La présentation du nouveau cabinet au président du Reich et la prestation de serment sont fixées pour 11 heures. Des fenêtres du Kaiserhof, la cour hitlérienne : Goebbels, Röhm, Schaub, Dietrich, tous les familiers, voient avec une émotion indicible l'auto du Führer se diriger vers l'appartement de fonction si utilement conservé par Papen.

« C'est, dit Goebbels, presque un rêve... L'espérance et la crainte se partagent nos cœurs. Nous avons été si souvent déçus que nous n'arrivons pas à croire au miracle en train de s'accomplir. »

La halte chez Papen est brève. Il est 10 h 30. On traverse le jardin dénudé de la chancellerie et on va achever l'attente dans le cabinet de Meissner. Brusquement, Hitler explose. Il n'admet pas qu'on lui ait refusé le commissariat du Reich en Prusse, limitation inadmissible de ses pouvoirs. Papen essaie de l'apaiser en lui promettant que la question sera reconsidérée après un temps de collaboration confiante, mais Hitler poursuit sa diatribe en disant que le refus qui lui est opposé l'oblige à exiger la dissolution du Reichstag afin d'obtenir une franche majorité. Là-dessus, Hugenberg proteste que de nouvelles élections sont inutiles et, dans une embrasure de fenêtre, commence avec Hitler une discussion acrimonieuse. Onze heures ont sonné. Meissner, qui sort du cabinet de Hindenburg, intervient pour dire que le Reichspräsident n'a pas l'habitude qu'on le fasse attendre, qu'il est furieux et qu'il parle de s'en aller à Neudeck si ces Messieurs ne se rendent pas chez lui immédiatement.

Devant le général feldmarschall Paul von Hindenburg und Beneckendorff, gardien paradoxal de l'arche républicaine, ces Messieurs prêtent serment. Adolf Hitler, en jaquette, ouvre la marche. Franz von Papen, du Herrenklub, suit l'ancien pensionnaire de l'asile de nuit de Meidling. Viennent ensuite le baron d'Empire Konstantin von Neurath, qui conduira les Affaires étrangères; le comte Lutz Schwerin von Krosigk, qui gérera les Finances; le général Werner von Blomberg, qui commandera l'armée; le baron d'Empire Paul von Eltz-Rübenach, qui dirigera les Postes et communications, autant d'aristocrates qu'il y en avait dans le cabinet des Monocles, cible de la gouaille allemande. La roture est représentée par Alfred Hugenberg, milliardaire, baron d'industrie et de presse, qui contrôlera toute l'Économie, par le docteur Franz Gurtner, qui administrera la Justice et par Franz Seldte, chef du Stahlhelm, qui disciplinera le Travail. L'unique nazi pleinement ministre est celui de l'Intérieur, Wilhelm Frick, l'un des plus modérés, fonctionnaire typique, excellent administrateur, que ses qualités, faites pour des temps plus calmes, conduiront à la potence. Hermann Göring, qui rougit de plaisir comme une épousée, n'est que commissaire d'une aviation inexistante et un subordonné de Papen dans le cabinet prussien.

Hitler est au pouvoir. Est-il réellement au pouvoir? Est-on au pouvoir quand d'autres contrôlent l'armée, les communications, l'industrie, les syndicats, la diplomatie? Un mot d'ordre rassure les conservateurs, les possédants, les modérés : « Wir rahmen Ihn ein. — Nous l'encadrons. » Il se laisse d'ailleurs encadrer de bonne grâce. Sa colère de l'antichambre est tombée. Le serment prêté, il le paraphrase dans une petite allocution édifiante. Il gouvernera conformément à la Constitution, en respectant scrupuleusement les prérogatives du président et du cabinet constitutionnel; en s'efforçant de faire du peuple allemand, déchiré par les luttes des partis, une communauté fraternelle. Il rendra à l'Allemagne l'égalité des droits, mais dans la paix.

La cour hitlérienne du Kaiserhof attendait avec anxiété le retour du Führer. « Nous verrons à son visage si c'est réussi... Le voilà! Il est là. Il ne dit rien, mais ses yeux sont humides... C'est fait! Le grand pas est franchi. Dehors, la foule rugit de joie... »

Les craintes ne sont pas totalement dissipées. L'anxiété est orientée vers Potsdam. Que va faire l'armée? Hitler n'attend pas son premier conseil de cabinet, convoqué pour 17 heures. Il fait venir Blomberg au Kaiserhof, s'enferme avec lui. On ignore les dispositions qu'ils ont prises, mais l'on sait qu'elles furent inutiles. L'armée ne bouge pas.

Goebbels, lui, agit. L'arrivée au pouvoir de Hitler, dans les conditions, avec l'encadrement qu'il a accepté, pourrait passer pour une simple et cynique opération politique, comme une combinaison louche, comme l'abdication du chef populaire et socialiste devant les barons de la naissance et de l'argent. C'est ce que clameront les communistes et le Front Noir, ce que murmureront les extrémistes du N.S.D.A.P... Le Gauleiter Goebbels prend les devants. Le peuple sera de l'avènement. La splendide organisation des S.A. met sur pied en quelques heures une colossale retraite aux flambeaux qui marquera le 30 janvier d'un sceau inoubliable.

André François-Poncet, témoin oculaire, l'a décrite. On ne peut que recopier :

« En colonnes épaisses, encadrés par des musiques qui rythment la marche du sourd battement de leurs grosses caisses, ils surgissent des profondeurs du Tiergarten. Ils passent sous le quadrige triomphal de la porte de Brandebourg. Les torches qu'ils portent forment un fleuve de feu, un fleuve aux ondes pressées, intarissable, un fleuve en crue, qui pénètre d'une poussée souveraine au cœur de la cité. Et de ces hommes aux chemises brunes, bottés, alignés, dont les voix bien réglées chantent à pleine gorge des airs martiaux, se dégage un enthousiasme, un dynamisme extraordinaire. Les spectateurs se sentent gagnés par une contagion chaleureuse. Ils poussent à leur tour une longue clameur, sur laquelle se détachent l'inexorable martellement des bottes et les accents cadencés des chants. Le fleuve de feu passe devant l'ambassade de France, d'où je regarde, le cœur serré, étreint d'un sombre pressentiment, son sillage lumineux; il oblique dans la Wilhelmstrasse et roule sous les fenêtres du palais du maréchal.

« Le vieillard est là, debout, appuyé sur sa canne, saisi par la puissance du phénomène qu'il a lui-même déclenché. A la fenêtre voisine se tient Hitler, salué par un jaillissement d'acclamations, par une tempête de cris. Et, toujours, des allées du Tiergarten surgissent de nouveaux flots... (5). »

... Le lendemain, parmi les milliers qui le félicitaient, Hindenburg reçut une lettre écrite d'un chalet alpestre par un vieil homme qui, aux côtés d'une femme illuminée, remâchait ses fureurs et ses haines. « En faisant Hitler chancelier du Reich, écrivait le général Erich Ludendorff, vous avez livré notre sainte patrie à l'un des plus grands démagogues de tous les temps. Je vous prédis solennellement que cet homme maudit conduira notre Reich dans l'abîme, amènera sur notre Nation des souffrances inouïes, et que la malédiction du genre humain vous poursuivra dans la tombe pour ce que vous avez fait... »

NOTES

CHAPITRE 1

(1) Le docteur Bloch avait exercé quarante et un ans à Linz, soigné Klara et Adolf Hitler. Après l'Anschluss autrichien, il espéra qu'une exception serait faite en sa faveur, mais l'autorisation de continuer à exercer la profession lui fut refusée. On ne lui donna que l'autorisation d'émigrer, et encore, en abandonnant tous ses biens. Il se réfugia aux États-Unis où furent écrits les deux articles cités ci-dessus. Avant de passer la frontière, il écrivit à son ancien patient une lettre contenant un remerciement non dépourvu d'ironie pour la « protection » dont il avait bénéficié. L'association des médecins nazis lui avait donné une attestation disant qu'il était « digne de recommandation ». Il avait soixante-neuf ans et, dit-il à Hitler, devait recommencer sa vie dans un pays étranger.

(2) Le fac-similé du Protocole de Légalisation dressé par le notaire Panker m'a été révélé et communiqué par mon ami Evgeni Silianoff, l'un des chercheurs qui ont étudié avec le plus de méthode et de conscience les origines, l'enfance et la jeunesse d'Adolf Hitler. J'ajoute que les biographes réputés de Hitler ont raconté l'épisode de la cure de Döllersheim avec une fantaisie ou une facétie qui jette un doute sur le sérieux de leurs travaux.

(3) Selon Albert Zoller, dans *Hitler privat*, ouvrage publié en 1949, peu de temps après la guerre. L'auteur est un journaliste français qui a recueilli les souvenirs d'une des secrétaires privées d'Adolf Hitler, *Fräulein* Christiane Schröder.

(4) Les comptes sur la situation de fortune de la famille Hitler ont été établis par Jetzinger. Les partis pris souvent ridicules de l'auteur n'enlèvent pas leur valeur aux documents qu'il fut l'un des premiers à rassembler.

(5) Le livre de Kubizek, *Adolf Hitler, Mein Jugendfreund*, constitue le document essentiel sur la jeunesse de Hitler à Linz et à Vienne. Sa véracité et sa bonne foi ont été attaquées avec une virulence incroyable par le curé défroqué devenu un politicien socialiste, Franz Jetzinger. A la suite de Jetzinger, les biographes de Hitler multiplient des réserves excessives sur le témoignage de Kubizek, en l'accusant d'aveuglement ou de complaisance à l'égard de son ami d'enfance. Il est hors de doute que le livre, écrit 45 ans après, contient des inexactitudes et des transpositions. Mais la moralité de Kubizek est inattaquable. Il eut une existence modeste, ne chercha jamais à obtenir une faveur de celui qu'il avait connu dans ses débuts difficiles et, dans son âge mûr, fonctionnaire de la petite municipalité autrichienne d'Eferding, il était considéré, dit un rapport de police, « comme un père » par la population. Son témoignage est justifiable de la même critique que n'importe quel autre, mais, contrairement à ce que soutient le venimeux Jetzinger, il y a certainement dans ses souvenirs infiniment plus de vérité que d'erreur.

(6) Le docteur Bloch, dans ses articles de Collier's (*My patient Hitler*) commet un

291

certain nombre de méprises. C'est ainsi qu'il place en 1908 l'opération et le décès de Klara Hitler, lesquels eurent lieu en 1907. Mais les dates correctes se trouvent dans le mémoire qu'il dut fournir à la Gestapo avant de quitter l'Autriche et dont l'original se trouve dans les Archives du N.S.D.A.P. — Bloch, dans son récit au magazine américain, reprend d'ailleurs littéralement certains des termes qu'il a employés dans ce dernier document, notamment pour décrire la douleur de Hitler devant la maladie de sa mère.

CHAPITRE 2

(1) L'exaspérant Jetzinger dénonce comme un mensonge l'histoire du service militaire de Kubizek. Il se fonde sur le fait que les recrues de la classe de naissance 1888 n'ont été incorporées qu'en 1909. Mais les Ersatzreservists, n'étant qu'à huit semaines de présence sous les drapeaux, avaient la faculté de les accomplir par devancement d'appel et il était naturel que l'étudiant Kubizek profite de ses vacances pour s'en acquitter.

(2) Silianoff Evgeni : témoignage direct.

(3) L'esprit de système, ou le simple parti pris, n'ont pas cessé de s'attacher aux études hitlériennes. Heiden et les premiers auteurs qui ont écrit sur la jeunesse du futur Führer des Allemands (Konrad Heiden : *Adolf Hitler*, édit. franç. Bernard Grasset, Paris, 1936) l'ont présenté comme un déclassé et un vagabond. Une école plus récente s'est appliquée à lui attribuer des ressources correspondant au train de vie d'un étudiant aisé. Ce fut sans doute le cas au début du séjour à Vienne, mais l'épisode de Meidling, la chute au niveau des clochards établissent que le jeune Hitler toucha véritablement le fond de la détresse. Il ne s'agissait pas, comme Jetzinger le prétend, de la plongée passagère d'un fils de famille dont le mandat se fait attendre, mais bien de l'aboutissement de plusieurs mois d'errances dans les bouges et dans les parcs. Hitler, dans *Mein Kampf,* a raconté sa pauvreté et ses luttes, réelles ou imaginaires, comme travailleur manuel sans profession, mais il a laissé dans l'ombre l'asile de nuit et la déchéance à laquelle il correspond.

(4) Par exemple, Jetzinger : « *Ob Greiner den jungen Hitler gekannt hat, ist sehr fraglich...* Que Greiner ait connu le jeune Hitler est très douteux... » Et le prophète Maser : « *Trotz seine anderslautenden Behauptungen, hat er (Greiner) möglicherweise Hitler niemals persönlich Kennengelehrt...* En dépit de ses assertions claironnantes, il est possible que Greiner n'ait jamais connu Hitler personnellement. »

(5) L'affaire a été étudiée et tirée au clair par Jetzinger.

CHAPITRE 3

(1) Lettre de Hitler aux autorités (Magistrat) de Linz.

(2) Ce schéma de politique européenne est la reconstruction par Hitler de sa propre pensée dans *Mein Kampf.* Suivant Greiner (voir page 49), il souhaitait, au contraire, une alliance avec la Russie. Mais il n'est pas impossible que son point de vue ait varié.

CHAPITRE 4

(1) Lettre de Hitler au juge fiscal Hepp — Dans Maser.

(2) L'histoire du régiment List a été écrite par le docteur Fridolin Solleder (*Vier Jahre Westfront)* en 1932. A la date de la publication de l'ouvrage, Hitler était sur les dernières marches du pouvoir. Son nom, cependant, n'y est pas mentionné.

(3) Ce Hans Mend, dans son livre *Adolf Hitler im Felde* donne une foule de détails dont certains sont d'une exactitude douteuse. Il fut, sous le IIIe Reich, sommé de remettre aux

Archives du Reich les dessins d'Hitler qu'il avait conservés, puis envoyé dans un camp de concentration. Il mourut dans des circonstances qui n'ont jamais été éclaircies.

(4) Les témoignages des anciens chefs de corps de Hitler sont énumérés par Maser dans son *Adolf Hitler*, d'après les documents de la Bundesarchiv de Coblence.

(5) Wiedemann : « Je dis à Kuh, qui rentrait de permission : « C'était sûrement plus beau à Berchtesgaden. » Il me répondit : « *Herr* Oberleutnant, le plus beau est encore l'unité avant une attaque. »

CHAPITRE 5

(1) Tous les historiens attribuent une grande, et généralement une excessive importance à la Société Thulé dans les débuts du mouvement national-socialiste. Elle le soutint, mais elle ne l'inventa pas, et il ne tarda pas à s'en éloigner pour adopter des méthodes sans aucun rapport avec son jeu d'influences intellectuelles et d'action occulte. La Thulé fut interdite sous le IIIᵉ Reich. Sebottendorf quitta l'Allemagne, émigra en Turquie et, croit-on, se noya dans le Bosphore. Le livre qu'il a laissé, *Bevor Hitler Kam*, respire la rancœur contre l'homme dont il croyait avoir fait la fortune pour ne recueillir que des preuves d'ingratitude.

(2) *Bamberg Sitz des Flüchtlings Hoffmann, Welcher aus meinem Ministerium den Abtrittschlüssel mitgenommen hat* (Bamberg siège du fuyard Hoffmann, qui a emporté la clé des cabinets de mon ministère). Le texte du télégramme dément se trouve dans *Die Hitler Bewegung. Der Ursprung 1919-1922* de Franz Willing qui, abondamment reproduit par Maser et autres biographes, est la grande autorité pour cette période, encore qu'il ait négligé les détails personnels sur Adolf Hitler.

(3) Sebottendorf dans *Bevor Hitler Kam* et les fidèles de la Thulé ne manquèrent jamais de rappeler par la suite que les premiers martyrs du national-socialisme ne furent pas les nazis qui tombèrent en 1923 devant la Feldherrnhalle, mais les otages fusillés en 1919.

(4) « Parti » est, en allemand, du féminin, « die Partei ». J'ai choisi de le remettre au masculin et d'écrire le D.A.P. ou le N.S.D.A.P., etc.

(5) Il est courant de dire que Hitler fut le septième membre du parti national-socialiste. La confusion vient du fait qu'il fut le septième membre du *comité directer* qui le coopta dès la réunion de l'Altes Rosenbad.

(6) On douterait de la visite de Hitler à l'autonomiste Georg Heim si elle n'avait pas été racontée par Heim lui-même dans les *Müncher Neuesten Nachrichten* du 12 novembre 1928. Il résulte d'ailleurs du récit que Hitler était alors inconnu du « docteur paysan » et qu'il n'eut qu'un rôle insignifiant dans l'ambassade de Dietrich Eckart.

CHAPITRE 6

(1) La source principale pour l'histoire du général von Seeckt est le gros ouvrage de son ami, le général von Rabenau : *Seeckt aus meinem Leben*. Il souffre d'une tendance apologétique et, surtout, de la date, 1940, de sa publication. Il va sans dire que les relations de Seeckt et de Hitler n'ont pas été relatées sans atténuation et sans omissions.

(2) Ballerstedt devait être assassiné par les nazis le 30 juin 1934.

(3) Confidence de la secrétaire Christiane Schröder dans *Hitler Privat* de Albert Zoller.

CHAPITRE 7

(1) Hitler commença par remercier chaleureusement Putzi de l'avoir si ingénieusement tiré d'un mauvais pas — puis il lui fit durablement la tête pour avoir été qualifié de domestique.

(2) Le récit, dit Hanfstaengl, est celui que faisait le capitaine von Selchow, présent à l'entretien. Il est pleinement confirmé par l'ouvrage du général von Rabenau *Seeckt aus meinem Leben* (la date de la publication, 1940, suffit à expliquer pourquoi les termes ont été atténués) : « Le Führer (Hitler) demandait les mains libres pour régler leur compte aux marxistes, mais il trouva une sourde oreille auprès du chef de la Reichswehr... Leur but était le même, mais, assurément, les moyens différaient. Ce n'est pas diminuer le général von Seeckt que de dire qu'il ne voyait pas les choses de la même manière que le Führer du IIIe Reich. »

(3) Leo Schlageter (1894-1923) devait devenir l'un des héros du IIIe Reich, après que Hitler eut attaché à sa mort si peu d'importance. S'il avait appartenu au N.S.D.A.P., il eût été exclu, en vertu de l'interdiction de participer à des actes de résistance et même aux manifestations anti-françaises organisées par d'autres groupements. Il avait combattu contre les bolchevistes dans les pays baltes et rejoint dans la Ruhr le corps franc Rossbach. Le gouvernement allemand protesta violemment contre son exécution (Note de l'ambassadeur von Hoesch en date du 29 mai 1923) en soutenant qu'un conseil de guerre français n'avait pas le droit de juger un ressortissant allemand sur le territoire allemand. Schlageter fut d'ailleurs le seul fusillé pendant l'occupation de la Ruhr, toutes les autres condamnations à mort ayant été commuées.

(4) Conversation avec le ministre du Wurtemberg, Maser 2 sept. 1923.

(5) Le livre de Fritz Thyssen *I Paid Hitler* fut écrit à Paris, après la rupture de Thyssen et de Hitler. Il parut à Londres, sous les bombes de la Blitzkrieg.

(6) Outre la presse contemporaine, le récit du putsch de Munich provient des ouvrages suivants : *Der Hitler Putsch, Ursachen und Folgen, Der Hitler Prozess, Geschichte* de Röhm, de Hanfstaengl, de Hans Frank, de Maser.

CHAPITRE 8

(1) Les Français, après avoir suscité follement le séparatisme palatin, n'eurent même pas la décence d'assurer la protection des hommes qu'ils avaient entraînés dans l'aventure. Heinz et ses ministres furent abattus au milieu de leur repas, dans la salle à manger d'un hôtel de Spire par un commando venu de Heidelberg. Les séparatistes de Pirmasens furent brûlés vifs dans la sous-préfecture ou lynchés dans des conditions de sauvagerie que personne, dit l'historien Erich Eyck, n'aurait cru possibles de la part d'une foule allemande. La garnison française de la petite ville ne bougea pas, respectant passivement l'ordre de ne pas intervenir dans les querelles des civils.

(2) Plus heureux que Kahr, assassiné le 30 juin 1934, Lossow mourut de sa belle mort en 1938. Seisser fut mis à la retraite en 1930 et survécut à la guerre.

CHAPITRE 9

(1) Ces notes intimes de Goebbels, d'une valeur incomparable pour l'histoire du nazisme ont été retrouvées après la guerre, de même que le Journal du ministre de la propagande pour 1942-1943.

CHAPITRE 10

(1) Goebbels a raconté tout au long ses luttes berlinoises dans *Kampf um Berlin*, publié en 1932 aux Éditions Eher, réédité en français (*Combat pour Berlin*, dans la Collection Action).

294

(2) L'accord de La Haye fut salué avec enthousiasme par tous les Européens fervents de la réconciliation de l'Europe avec elle-même. Le fameux interprète Paul-Otto Schmidt trouve des accents lyriques pour exprimer l'émotion qu'il ressentit quand ces deux moribonds, Stresemann et Briand, scellèrent ce qui lui parut être le commencement d'une ère de réconciliation franco-allemande et de consolidation de la paix.

CHAPITRE 11

(1) Les entretiens Hitler-Breitling ont été publiés en anglais en 1971 (John Day — New York) avec le sous-titre : *Newly Discovered 1931 Interview.* En réalité, la première publication (*Societäts Drückerei — Frankfurt-am-Main* — remontait à 1968 et l'introduction française *Hitler sans masque* à 1969, édit. Stock, Paris.

CHAPITRE 12

(1) Récit par Hitler dans ses Tischegespräche 18.1.1942 — p. 410. Hindenburg, de son côté, disait qu'il avait été l'objet, sur le champ de bataille de Tannenberg, de manifestations scandaleuses et insultantes de la part « des jeunes gens de Hitler » (conversation Hindenburg-Hugenberg dans Hubatsch. doc. 75 — p. 306.

(2) Wagener a laissé, écrit à la main sur un cahier d'écolier, le récit de la rencontre de Magda et d'Adolf.

(3) L'échange des lettres entre Hindenburg et Januschau in *Reichswehr Staat und N.S.D.A.P.* — Deutsche Verlag Anstalt — Stuttgart 1962 — Docs. 18 et 19 — p. 442-444.

(4) Plainte de Hitler sur l'homosexualité de Röhm.

CHAPITRE 13

(1) Acquitté par le Tribunal Militaire International de Nuremberg, mort de longues années après la guerre, Franz von Papen a laissé deux volumes de mémoires justificatifs : *Der Wahrheit eine Gasse* (Une ruelle de la vérité), et *Vom Scheitern einer Demokratie* (De l'échec d'une démocratie). La personnalité de Papen est difficile à saisir et à juger. Des circonstances atténuantes ont balancé à Nuremberg les responsabilités qui lui incombent dans l'avènement du national-socialisme...

(2) Aucune bonne étude n'a été faite, à ma connaissance, du personnage complexe qu'était le général Kurt von Schleicher.

(3) On remarquera que la plupart des mémorialistes, écrivant après la débâcle du national-socialisme, affirment qu'ils n'ont pas ressenti le magnétisme du Führer.

CHAPITRE 14

(1) Procès-verbal de l'entrevue dressé par Meissner in Hubatsch, doc. 94, p. 350.

(2) Procès-verbal de l'entrevue dressé par Meissner in Hubatsch, doc. 98, p. 358.

(3) L'obsession de Papen au sujet de Zehrer s'exprime d'une manière presque maladive dans le second volume de ses mémoires.

(4) Comme plusieurs grands dignitaires nazis, Ribbentrop a écrit ses mémoires dans sa cellule de Nuremberg. Ceux-ci ont été publiés, complétés par des notes et commentaires, par sa veuve Annelise.

(5) Le récit de l'ambassadeur britannique, sir Horace Humbold, est beaucoup moins dramatique que celui de son collègue français : « La presse nazie prétend que cinq cent mille personnes ont défilé, ignorant manifestement que dix mille hommes marchant à six de front mettent une heure pour passer à un point donné, et que cinquante mille en quatre heures sont un maximum. Mon attaché militaire, qui a accompagné la manifestation, estime le nombre des participants à quinze mille. Mais les auditeurs de la radio ont été gratifiés d'une description ridiculement sentimentale de la parade aux flambeaux... » (*British Documents,* 1933, p. 402.)

BIBLIOGRAPHIE

BAEDEKER : *Deutschland in einem Band*, Leipzig, 1913.

BAKER Ray Stannard : *Woodrow Wilson and World Settlement*, Peter Schmidt, Gloucester Mass, 1960.

BEZYMENSKI Lev : *The death of Adolf Hitler*, Harcourt, Brece and World Inc. New York, 1968.

BLOCH Eduard (Dr.) : *My patient Hitler*, Colliers's 15 et 21 mars 1941.

BOUCHEZ Robert : *Hitler que j'ai vu naître*, Édition Jacques Melot, Paris, 1945. L'auteur est un ancien attaché à la Légation de France à Munich.

BRACHER Karl Dietrich : *Die Auflösung der Weimarer Republik*, Ring Verlag, Stuttgart und Düsseldorf, 1965.

BRANDMAYER Balthasar : *Mit Hitler Meldegänger*, Ueberlinden, 1940.

BAYERISCHE DOKUMENTE.

CLEMENCEAU Georges : *Grandeurs et Misères d'une Victoire*, Plon, Paris, 1930.

DAIM Wilfried : *Der Mann, der Hitler die Ideen gab*, Isar Verlag, München, 1958.

DUERLEIN Ernst : *Der Hitler Putsch*, Bayerische Dokumente, Deutsche Verlags-Anstalt, Stuttgart, 1962.

DOCUMENTS ON BRITISH FOREIGN POLICY.

DOCUMENTS ON FOREIGN RELATIONS OF THE UNITED STATES.

DOCUMENTS ON GERMAN FOREIGN POLICY.

DOCUMENTS DIPLOMATIQUES FRANÇAIS.

DUESTERBERG Theodor : *Der Stahlhelm und Hitler*, Wolfenbüttel und Hannover, 1949.

DUNGERN Otto von : *Unter Kaiser und Kanzlern*, West-Verlag, Coburg, 1953.

GESCHICHTE DER KOMMUNISTISCHEN PARTEI DEUTSCHLANDS, *in Ursachen und folgen*, Wendler Verlag, Berlin.

GESSLER Otto : *Reichswehrpolitik in der Weimarer Zeit*, Deutsche Verlags-Anstalt, Stuttgart, 1958.

GOEBBELS : *Tagebucher 1925-26*, Deutsche Verlags-Anstalt, Stuttgart.

GOEBBELS : *Kampf um Berlin*, Édition Eher, 1932, réédit. française *Combat pour Berlin*, collection Action.

GOEBBELS : *Vom Kaiserhof*, München, Frz. Eher, 1934.

GÖRING Hermann : Circulaire aux cadres nationaux-socialistes, 4 juillet 1923, in *Ursachen und Folgen*.

GREINER Josef : *Das Ende des Hitlers*, Mythos. Amalthea Verlag, Zurich, Leipzig, Wien, 1947.

HABITSCH Otto : *Jugend Erinnerungen eines zeitgenössischen linzer Realschülers*, Deutscher Volksverlag, München, 1938.

HANFSTAENGL Ernst : *Zwischen Weissen und Braunen Haus*, Piper Verlag, München, 1970.

HANISCH Reinhold : *I was Hitler's Buddy*, The New Republic, New York, avril 5, 12, 19-1939.

HAUPTARCHIV DU N.S.D.A.P.

HEIDEN Konrad : *Adolf Hitler*, Édition française Bernard Grasset, Paris, 1936.

HINDENBURG : *Aus meinem Leben*, Verlag S. Hirzel in Leipzig, 1920.

HITLER Adolf : *Mein Kampf*.

HOFFMANN Heinrich : *Hitler was my Friend*, Burke, London, 1955.

HUBATSCH Walther : *Hindenburg und der Staat*, Musterschmidt Verlag. Göttingen, 1966.

HUMBERT Capitaine : *Histoire de la division Barbot*, Paris, Hachette, 1919.

JETZINGER Franz : *Hitlers Jugend, Phantasien, Lügen und die Wahrheit*, Europa Verlag, Wien, 1956.

JOCKMANN Werner : *Im Kampf und die Macht* (texte intégral du discours de Hambourg), Europäische Verlag, Hambourg, 1960.

KEITEL Wilhelm : Pré-interrogatoire pour l'instruction de Nuremberg.

KLÄGER Emil : *Durch die Wiener Quartiere des Elends und Verbrachens*, Verlag von Karl Mitschike, Wien, 1908.

KREBS Albert : *Erinnerungen an die Frühzeit der Parti, Tendenzen und gestalden der N.S.D.A.P.* Deutsche Verlags-Anstalt, Stuttgart, 1959.

KUBIZEK August : *Adolf Hitler, mein Jugendfreund*, Leopold Verlag, Granz und Stuttgart, 1953.

LUDENDORFF Général Erich : Documents du G.Q.G. allemand, Payot, Paris, 1922.

LUDENDORFF Général Erich : *Vom Feldherrn zum Weltrevolutionär...*, Ludendorffs Verlag, München, 1940.

LURKER Otto : *Hitler hinter Festungmauern*, Verlag E.S. Mittler und Sohn, Berlin 1933.

MACARTNEY : *The Habsbourg Empire*, Weidenfeld and Nicolson, London, Tapié. *Monarchies et Peuples du Danube*, Fayard, Perrin, etc.

MEMORIAL DE FOCH, édition de France.

MEND Hans : *Adolf Hitler im Felde 1914-1918*, Jos. C. Hubers Verlag, Diessen von München, 1931.

MEYER Jacques : *Le 11 Novembre*, Hachette, Paris, 1964.

MOSER VON FILSECK Carl : *Politik in Bayern, 1919-1933*, Institut für Zeitgeschichte et Deutsche Verlags-Anstalt, Stuttgart, 1962.

MÜLLER Karl Alexander von : *Mars und Venus, Erinnerungen*, Stuttgart, 1954.

MYERS AND NEWTON : *The Hoover Administration*, Scribner-Sons, New York, 1936.

NOSKE Gustav : *Von Kiel bis Kapp*, Verlag für Politik u. Wirtschaft, Berlin, 1920.

PAPEN Franz von : *Der Wahrheit eine Gasse*, München. P. List, 1952.

BIBLIOGRAPHIE

PAPEN Franz von : *Vom Scheitern einer Demokratie 1930-1933*, Hase und Koehler Verlag, Mainz, 1968.

RABENAU Friedrich von : *Seeckt* (Hans von) *Aus meinem Leben*, Hase und Koehler. Verlag, Leipzig, 1938.

REICHSTAGAKTEN, 294 Sitzung, Mittwoch den 23 März 1927.

RÖHM Ernst : *Geschichte einers Hochverräters*, Eher Verlag, München, 1933.

ROSENBERG Alfred : *Memoirs*, traduction anglaise de Serge Lang et Ernst von Schenck, Ziff-Davis Ariage, Chicago, 1949.

SCHIRACH Baldur von : *J'ai cru en Hitler*, Plon, Paris, 1968.

SCHMIDT Paul-Otto : *Statist auf diplomatischer Bühne*, Athenäum Verlag, Bonn 1958.

SEBOTTENDORF Rudolf, Freiherr von : *Bevor Hitler Kam*, Deutsche Verlag, Graffinger & C°, München, 1934.

SMITH Bradley F. : *Adolf Hitler, His Family, Childhood and Youth*. The Hoover Institution. Stanford University, 1967.

SOLLEDER Fridolin (Dr.) : *Vier Jahre Westfront*, Verlag Max Schick, München, 1932.

SPEER Alfred : *Erinnerungen*, Prophyläen Verlag, Berlin, 1969.

STRASSER Otto : *Hitler und Ich*, Konstanz, Johannes Asmus, 1940.

THYSSEN Fritz : *I Paid Hitler*, Hodder and Stoughton, New York, 1941.

URSACHEN UND FOLGEN, circulaire du 3 décembre 1928.

WEINBERG : *Souvenir recueilli par la Gestapo*, Hauptarchiv/N.S.D.A.P.

WIEDEMANN Fritz : *Der Mann der Feldherr werden wollte*, Verlag für politische Bildung, 1964.

WILLING Franz : *Die Hitler Bewegung. Der Ursprung 1919-1922*, Dockers Verlag, Hamburg, Berlin, 1962.

ZOLLER Albert : *Hitler privat*, Droste Verlag, Düsseldorf, 1949.

ACHEVÉ D'IMPRIMER LE
17 SEPTEMBRE 1975 SUR LES
PRESSES DE L'IMPRIMERIE
BUSSIÈRE, SAINT-AMAND (CHER)
POUR
LES ÉDITIONS ROBERT LAFFONT

— N⁰ d'édit. 5218. — N⁰ d'imp. 947. —
Dépôt légal : 3ᵉ trimestre 1975.